Rencontres

Rencontres

French Grammar in Action

JEAN-PAUL VALETTE
REBECCA VALETTE
Boston College

D. C. HEATH AND COMPANY

Lexington, Massachusetts Toronto

Acquisition Editor: Mario Hurtado
Project Editor: Joan Flaherty
Production Editor: Phyliss L. Greenberg
Text Designer: Carol H. Rose
Illustrator: George Ulrich
Photograph and illustration credits appear on page 484.

Published simultaneously in Canada.

Printed in the United States of America.

International Standard Book Number: 0-669-07648-1

Library of Congress Catalog Card Number: 84-81479

Preface

Rencontres is a French review and expansion grammar designed for intermediate-level college courses. The student textbook is supplemented with a tape program and a workbook/laboratory manual, thus providing carefully structured in-class and out-of-class learning activities.

Because many students in intermediate-level college courses began French at the secondary school level, their study had unfortunately often been interrupted by a period of one or more years during which they had little if any contact with French. The main goal of *Rencontres* is twofold: to increase students' language proficiency—their ability to use French for communication; and to build students' fluency—the ease and confidence with which they use French for self-expression. In order to achieve this dual objective, it is necessary to consolidate the foundation established in earlier French courses and to expand students' knowledge of how French functions. The focus of the grammar portion of the course, however, must always be on meaningful language use, not reduced to mere language manipulation. In *Rencontres* grammar explanations and activities require student comprehension and involvement.

Key Features

Clear grammar presentation. Previously-encountered structures and new grammatical patterns are described succinctly and clearly in English, with ample French illustrations. Essential rules and patterns are indicated with a red rule in the margin for easy reference. Lesser points are indicated by a red arrow.

New structures are presented in minimal steps, with numerous sample sentences. Where appropriate, résumé sections pull together more complex topics, such as sequence of tenses or uses of the subjunctive.

Ample opportunities for meaningful practice. The grammar points are always followed by *activités* that build student proficiency and fluency by offering meaningful communicative contexts for practicing the new vocabulary and structures. The *activités* are varied and numerous enough to allow for individual and class differences. Students are required to think about what they are expressing as they use the new structures.

Naturalness of language. All of the French examples and exercise materials in *Rencontres* are presented in idiomatic and natural French. Sentences have not been contrived to include the obscure exceptions to the rules.

Organization

Rencontres includes:

1. An *unité préliminaire:* four preliminary lessons reviewing the present tense of regular and irregular verbs and basic forms of nouns, determiners, and adjectives.
2. Six *unités,* each containing five lessons, devoted to specific grammar themes, such as the past tenses or the infinitive and subjunctive moods. Each lesson is subdivided

into grammar topics followed by corresponding exercises. Specialized vocabulary is presented topically, as appropriate. Each lesson ends with an *Entre nous* section offering various self-expression activities. These can be prepared orally or in writing, and reenter the lesson's main grammar points.

3. Four appendices of regular and irregular verb forms, followed by French-English and English-French vocabularies. A complete index allows for easy reference to specific grammar topics.

The Workbook/Laboratory Manual provides students with additional writing practice. In addition, the second part of the Workbook contains work sheets to accompany the recorded activities of the audio program.

The audio program consists of nine cassettes playing for approximately nine hours, providing considerable practice in understanding and speaking French. All activities of the audio program are different from those in the student text, thus requiring careful attention on the part of the students. The responses to all listening comprehension activities are given on the tape, thus allowing for immediate self-correction.

Reading Materials

Most teachers of French courses at the intermediate level incorporate reading materials into their coursework. Generally both teachers and students prefer readers that provide glossing, end vocabularies, and comprehension activities. Two readers particularly suited to accompany *Rencontres* are:

C'est comme ça **by Jean-Paul and Rebecca Valette (D.C. Heath and Company)**
This reader contains selections and activities on a broad range of cultural topics. Each *dossier* (chapter) is accompanied with specialized vocabulary-building sections and conversational classroom activities.

Nouvelles lectures libres **by Rebecca Valette (D.C. Heath and Company)**
This reader is a collection of unabridged, annotated short stories by nineteenth and twentieth century French writers. The selections were chosen for their clear plot line and interest to college students. This anthology, with its generous glosses, footnotes, and reading helps, emphasizes the comprehension of literary prose and the development of reading and writing skills.

Acknowledgments

The authors wish to thank the reviewers for their constructive criticism and suggestions. We are particularly grateful to Professors Robert Anderson, University of Kansas; Margaret Clark, University of Arkansas; Jeanne LeBlanc, Pennsylvania State University; and Judith Miller, University of Wisconsin, Madison. We also want to express our appreciation to the members of the editorial staff of the college division of D.C. Heath and Company for their support in the development and production of this program.

Jean-Paul Valette
Rebecca M. Valette

Contents

Unité Préliminaire

Le Chanteur des rues, etching by Edouard Manet, 1862. Prints Division, The New York Public Library, Astor, Lenox, and Tilden Foundations.

Leçon Préliminaire 1

Les verbes réguliers; être, avoir, aller et faire

A. Le présent et l'impératif des verbes réguliers
B. La construction négative
C. La construction interrogative avec **est-ce que**
D. La construction interrogative avec inversion
E. Les verbes en ***-er*** à changement orthographique
F. La construction infinitive
G. **Être, avoir, aller** et **faire**

A typical sentence contains a subject and a verb. The *subject* is the word or group of words that tells who or what is performing the action. The *verb* is the word or group of words that tells what action is occurring.

The forms of a verb vary to agree with its subject. This is called *subject-verb agreement.* A conjugation chart presents the subject-verb relationship in a systematic pattern.

The *tense* of a verb indicates the time and duration of the action. A simple tense consists of one word, while a compound tense consists of two or more words.

A. Le présent et l'impératif des verbes réguliers

Ninety percent of all French verbs have a predictable conjugation pattern. These *regular* verbs can be classified in three groups according to their infinitive endings: *-er, -ir,* and *-re.* Each group has its own conjugation pattern.

Forms

INFINITIVE		parler		finir		vendre	
PRESENT	je	parle	-e	finis	-s	vends	-s
	tu	parles	-es	finis	-s	vends	-s
	il/elle/on	parle	-e	finit	-t	vend	—
	nous	parlons	-ons	finissons	-issons	vendons	-ons
	vous	parlez	-ez	finissez	-issez	vendez	-ez
	ils/elles	parlent	-ent	finissent	-issent	vendent	-ent
IMPERATIVE	(tu)	Parle!	-e	Finis!	-s	Vends!	-s
	(nous)	Parlons!	-ons	Finissons!	-issons	Vendons!	-ons
	(vous)	Parlez!	-ez	Finissez!	-issez	Vendez!	-ez

- Each verb form consists of two parts:
  - a *stem,* which remains the same throughout the conjugation pattern. (This stem is the infinitive minus the ending ***-er, -ir,*** or ***-re.***)
  - an *ending,* which changes with the subject
- The forms of the imperative are the same as the corresponding forms of the present tense. *Exception:* In the **tu** form of the imperative of ***-er*** verbs, the final ***-s*** is dropped.

  Tu **joues** au tennis. *but:* **Joue** avec moi!
- In spoken French, the pronoun subject and the verb are linked together.
  - **Elision (je → j')** is required before a vowel sound.

    j'aime, j'habite
  - **Liaison** is required after **on, nous, vous, ils,** and **elles** before a vowel sound.

    on obéit, nous aidons, vous oubliez, ils écoutent

Uses

The *present indicative* is used to describe a present or habitual action, event, or situation. It is also used to emphasize a fact.

The present indicative in French has several English equivalents.

Je **parle** français.	*I* ***am speaking*** *French (right now).* *I* ***speak*** *French (habitually, with my cousins).* *I* ***do speak*** *French. (In fact, I speak it very well.)*

- In French, as in English, the present tense can be used to describe a future action.

  Les vacances **commencent** le mois prochain. — *Vacation* ***begins*** *next month.*
- The present tense is sometimes used to narrate past events in a dramatic manner. This is called the *historic present.*

  Le 14 juillet 1789, les Parisiens **prennent** la Bastille. — *On July 14, 1789, the Parisians* ***took over*** *the Bastille.*

The *imperative* is used to give orders or make suggestions.

Téléphone à Denise!	***Call*** *Denise!*
Finissez votre travail!	***Finish*** *your work!*
Attendons Éric!	***Let's wait*** *for Eric!*

PARLONS FRANÇAIS PARTOUT

Vocabulaire: Quelques verbes réguliers

VERBES EN *-er*

aider	*to help*	monter	*to go up, climb; to bring up*
aimer	*to like, love*	oublier	*to forget*
apporter	*to bring (something)*	parler (à)	*to speak, talk (to)*
assister (à)	*to attend, be present at*	passer	*to go (through); to spend (time)*
attraper	*to catch*	penser (à)	*to think (of, about)*
augmenter	*to increase*	porter	*to carry; to wear*
casser	*to break*	présenter	*to introduce*
chanter	*to sing*	quitter	*to leave*
chercher	*to look for, get*	raconter	*to tell*
couper	*to cut*	rater	*to miss; to fail (a test)*
coûter	*to cost*	regarder	*to watch, look at*
déjeuner	*to have lunch*	rencontrer	*to meet*
demander	*to ask, ask for*	rentrer	*to return, go home*
dépenser	*to spend (money)*	réparer	*to repair*
dessiner	*to draw*	réserver	*to reserve*
dîner	*to have dinner*	rester	*to stay*
économiser	*to save*	sonner	*to ring*
écouter	*to listen, listen to*	taper (à la machine)	*to type*
entrer (dans)	*to enter*	téléphoner (à)	*to call, phone*
étudier	*to study*	terminer	*to end, finish*
fermer	*to close, shut*	tomber	*to fall*
fumer	*to smoke*	travailler	*to work*
gagner	*to earn, win*	trouver	*to find*
garder	*to keep, look after*	utiliser	*to use*
habiter	*to live, live in*	visiter	*to visit (a place)*
jouer	*to play*		
laisser	*to let, leave*		
laver	*to wash*		
louer	*to rent, hire*		
marcher	*to walk; to work, function*		

VERBES EN *-ir*

agir	*to act*	réagir	*to react*
bâtir	*to build*	réfléchir (à)	*to think (about)*
choisir	*to choose*	remplir	*to fill, fill out*
désobéir (à)	*to disobey*	réussir (à)	*to succeed (in)*
finir	*to finish, end*	saisir	*to seize, grab*
obéir (à)	*to obey*		

VERBES EN *-re*

attendre	*to wait, wait for*	**rendre**	*to give back, return*
descendre	*to go down, get off, take down*	**rendre service (à)**	*to help*
entendre	*to hear*	**rendre visite (à)**	*to visit (someone)*
perdre	*to lose*	**répondre (à)**	*to answer*
perdre (son temps)	*to waste (one's time)*	**vendre**	*to sell*

Notes de vocabulaire

1. Many French verbs have English cognates. Note the following common patterns.

-er → –	**accepter**	*to accept*	**exporter**	*to export*
-er → *-e*	**arriver**	*to arrive*	**inviter**	*to invite*
-er → *-ate*	**créer**	*to create*	**séparer**	*to separate*
-ier → *-y*	**identifier**	*to identify*	**modifier**	*to modify*
-ir → *-ish*	**punir**	*to punish*	**établir**	*to establish*
-re → –	**défendre**	*to defend*	**dépendre**	*to depend*

2. Many ***-ir*** verbs that indicate a physical transformation are derived from descriptive adjectives of color, size, or condition.

blanc, blanche →	**blanchir**	*to turn white; to whiten, bleach*
brun →	**brunir**	*to turn brown; to get a tan*
rouge →	**rougir**	*to turn red; to blush*
pâle →	**pâlir**	*to grow pale*
grand →	**grandir**	*to grow (tall)*
gros, grosse →	**grossir**	*to get fat, gain weight*
maigre →	**maigrir**	*to become thin, lose weight*
vieux, vieille →	**vieillir**	*to grow old, age*

3. The use of prepositions after verbs sometimes differs in French and English.

entrer *dans*	*to enter*	Nous **entrons dans** le restaurant.
jouer *à*	*to play (a sport)*	Marc **joue au** tennis.
obéir *à*	*to obey*	Marie **obéit à** ses parents.
répondre *à*	*to answer*	Roger **répond au** professeur.
téléphoner *à*	*to phone*	Béatrice **téléphone à** Jacques.
attendre	*to wait **for***	Nous **attendons** Jean-Pierre.
chercher	*to look **for***	Monique **cherche** sa cousine.
demander	*to ask **for***	Paul **demande** une bière.
écouter	*to listen **to***	Nous **écoutons** la cassette.
regarder	*to look **at***	Vous **regardez** un film français.

Activité 1 L'arrivée à Nice

Des étudiants canadiens vont passer les vacances sur la Côte d'Azur. Ils arrivent à l'aéroport de Nice. Dites ce qu'ils font.

MODÈLE: (Béatrice / tu) descendre de l'avion
Béatrice descend de l'avion.
Tu descends de l'avion.

1. (nous / vous / Jean-Claude) téléphoner à un ami
2. (François / je / vous) attendre le bus
3. (Thérèse et Suzanne / nous / tu) louer une voiture
4. (ces deux étudiants / André / nous) chercher un hôtel
5. (Francine / je / tu) réserver une chambre
6. (tu / nous / vous) remplir la fiche d'hôtel *(hotel registration card)*
7. (tu / nous / Daniel et Alain) rendre visite à un ami
8. (Marc / tu / vous / ces filles) choisir des cartes postales

Activité 2 Compliments et critiques

Dites ce que font les personnes suivantes et adressez-leur un compliment ou une critique. Pour cela, utilisez les expressions *c'est bien!* ou *ce n'est pas bien!*

MODÈLE: Monsieur Marchand (fumer trop)
Monsieur Marchand fume trop. Ce n'est pas bien!

1. vous (aider vos amis / rendre service à vos voisins)
2. ces étudiants (étudier / réussir à l'examen)
3. cet enfant (désobéir à ses parents / répondre impoliment)
4. mon cousin (fumer / grossir)
5. tu (perdre ton temps / oublier tes promesses)
6. nous (répondre aux questions du professeur / réfléchir avant de parler)
7. vous (agir impulsivement / perdre patience)
8. le pilote (réagir calmement / garder son sang-froid [*cool*])
9. ces employés (travailler bien / finir leur travail)

B. La construction négative

The negative construction is formed according to the pattern:

subject + **ne (n')** + verb + **pas** + rest of sentence

Vous **ne** parlez **pas** italien. — *You do **not** speak Italian.* / *You are **not** speaking Italian.*

Ne restez **pas** ici. — *Do **not** stay here.*

➪ The same pattern is used with other negative expressions.

ne... jamais	*never, not ever*	Vous **ne** voyagez **jamais**.
ne... plus	*no longer, not anymore*	Pierre **n'**habite **plus** à Paris.

Activité 3 Oui ou non?

Lisez les descriptions des personnes suivantes. Sur la base de ces descriptions, faites des phrases affirmatives ou négatives en utilisant les verbes entre parenthèses.

MODÈLE: Tu es un(e) mauvais(e) élève. (répondre aux questions du professeur?)
Tu ne réponds pas aux questions du professeur.

1. Nous sommes des étudiants sérieux. (étudier? perdre nos livres? oublier la date de l'examen? laisser nos devoirs à la maison? réussir à l'examen?)
2. Georges et Julie sont des enfants modèles. (obéir à leurs parents? désobéir à leurs professeurs? casser leurs jouets [*toys*]?)
3. Monsieur Martin est un excellent secrétaire. (taper à la machine? répondre au téléphone? apporter le courrier [*mail*] au directeur? perdre son temps? quitter le bureau avant l'heure?)
4. Vraiment, tu n'es pas généreux! (aider tes amis? rendre service à tes collègues? agir généreusement?)
5. Les spectateurs sont furieux. (trouver le match intéressant? applaudir? quitter le stade [*stadium*]?)
6. Eh, vous êtes vraiment en colère *(angry)*! (réfléchir? réagir calmement? rougir? garder votre sang-froid [*cool*]?)
7. Nous sommes finalement en vacances! (étudier? assister au cours de français? jouer au tennis? rencontrer nos amis à la plage? brunir?)
8. Le patron *(boss)* est très strict! (féliciter [*congratulate*] ses employés? punir son assistant? augmenter les salaires?)
9. Je suis en bonne santé *(health)* physique et intellectuelle. (grossir? fumer? dépenser mon énergie inutilement? penser trop à mes problèmes? agir logiquement?)

Activité 4 Conseils et suggestions

Certaines personnes donnent des conseils *(advice)* ou font des suggestions à d'autres personnes. Pour cela faites des phrases affirmatives ou négatives en utilisant l'impératif des verbes entre parenthèses.

MODÈLE: Madame Moreau parle à sa fille. (désobéir)
Ne désobéis pas!

MODÈLE: Je propose à un ami d'aller en ville. (rester à la maison)
Ne restons pas à la maison!

1. Le professeur parle aux étudiants. (attendre la dernière minute pour étudier / réfléchir avant de répondre aux questions / rater l'examen)
2. Le docteur Guérin parle à Monsieur Legros, un de ses patients. (fumer / grossir / attraper la grippe)
3. Avant le match, l'entraîneur *(coach)* parle aux joueurs de l'équipe. (jouer bien / perdre courage / gagner le match)
4. Le patron de l'hôtel parle à un client. (remplir cette fiche / perdre la clé de votre chambre / passer un séjour agréable)
5. Monsieur et Madame Camus vont passer les vacances en Espagne. C'est le jour du départ. Madame Camus parle à son mari. (oublier les passeports / chercher un taxi / descendre les valises)
6. Il fait froid aujourd'hui. Monsieur Renaud parle à son fils. (laisser la porte ouverte / fermer la fenêtre / attraper froid)
7. Il fait beau. Je propose à mes amis de sortir ce week-end. (rester à la maison / passer l'après-midi à la campagne / organiser un pique-nique / apporter des sandwichs)
8. Le professeur d'art dramatique parle aux jeunes acteurs. (rougir / parler clairement / garder votre calme)
9. La directrice du personnel parle au candidat. (apporter votre résumé / remplir ce formulaire / laisser votre adresse à ma secrétaire / garder votre test)
10. Je propose à ma cousine de sortir avec elle. (dîner à la maison / dîner au restaurant / marcher un peu / assister à un concert)

C. La construction interrogative avec **est-ce que**

Yes/no questions and information questions can be formed with **est-ce que**, according to the following pattern:

(interrogative expression) + **est-ce que** + subject + verb + (rest of sentence)?

YES/NO QUESTIONS	INFORMATION QUESTIONS
Est-ce que Pierre travaille?	Où **est-ce que** ta sœur travaille?
Est-ce qu'il travaille à Paris?	Quand **est-ce qu'**elle travaille?

➪ Information questions begin with an interrogative expression (**où, quand,** and so on), indicating what information is requested.

➪ When the interrogative expression is the *subject* of the sentence, regular word order is used.

Qui parle français ici?

À remarquer

1. In spoken French, statements can be transformed into *yes/no* questions by using a rising intonation.

   Tu habites à Paris. — Tu habites à Paris?

2. Statements can also be transformed into questions by the addition of **n'est-ce pas?** Such questions anticipate an affirmative response.

   Vous parlez espagnol, **n'est-ce pas?** — *You speak Spanish, **don't you?***
   Annie habite à Nice, **n'est-ce pas?** — *Annie lives in Nice, **doesn't she?***

Vocabulaire: Expressions interrogatives

où?	*where?*	**à quelle heure?**	*(at) what time?*
quand?	*when?*	**à qui?**	*to whom?*
comment?	*how?*	**avec qui?**	*with whom?*
pourquoi?	*why?*	**pour qui?**	*for whom?*
qui?	*who? whom?*	**à quoi?**	*to, at what?*
que?	*what?*	**avec quoi?**	*with what?*
combien?	*how much? how many?*	**de quoi?**	*of, about what?*
combien de temps?	*how long?*		

Activité 5 En Touraine

Un groupe de touristes visite la Touraine avec un guide. Ces touristes posent certaines questions au guide. Formulez ces questions en utilisant l'expression interrogative appropriée. Formulez aussi les réponses du guide.

MODÈLE: nous / déjeuner? (dans une petite auberge [*inn*])
Le touriste: *Où est-ce que nous déjeunons?*
Le guide: *Nous déjeunons dans une petite auberge.*

1. nous / déjeuner? (à midi et demi)
2. le bus / arriver? (dans vingt minutes)
3. la visite du château d'Amboise / commencer? (à deux heures)
4. on / changer les chèques de voyage? (dans cette banque)
5. ces cartes postales / coûter? (deux francs)
6. nous / rester ce soir? (à l'hôtel Métropole)
7. une chambre avec salle de bains / coûter? (trois cents francs)
8. on / visiter demain? (le château de Chambord)
9. nous / rentrer à Paris? (en train)

D. La construction interrogative avec inversion

Yes/no questions and information questions can be formed by inverting the verb and the subject pronoun according to the following patterns.

- the subject is a *pronoun*

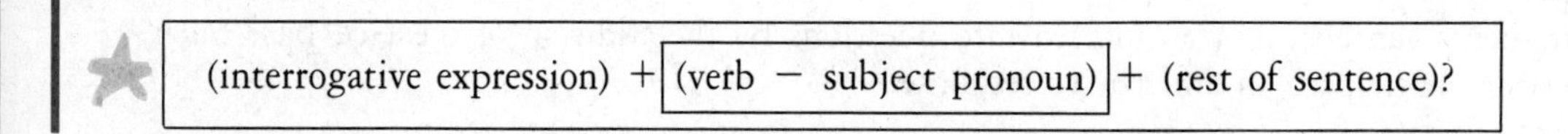

YES/NO QUESTIONS	INFORMATION QUESTIONS
Habites-**tu** en France?	Où habites-**tu**?
Finit-**il** son travail?	À quelle heure finit-**il** son travail?
Parle-t-**on** français à Genève?	Quelle langue parle-t-**on** à Genève?

- the subject is a *noun*

(interrogative expression) + noun subject + (verb – corresponding subject pronoun) + (rest of sentence)?

Éliane joue-t-**elle** au tennis?	Avec qui **Éliane** joue-t-**elle** au tennis?
Marc vend-**il** sa moto?	À qui **Marc** vend-**il** sa moto?
Le train passe-t-**il** ici?	Quand **le train** passe-t-**il** ici?

➪ In inverted questions, the verb and the subject pronoun are linked by a hyphen. When the subject is **il, elle, on, ils,** or **elles,** a **liaison** with consonant /t/ is pronounced between the verb and the subject. When the verb ends in a vowel, a **-*t*-** is inserted between the verb and the pronoun.

➪ Negative inverted questions are formed according to the following pattern:

(interrogative expression) + **ne** + (verb – subject pronoun) + **pas/jamais/plus** + (rest of sentence)?

Pourquoi **ne** téléphonez-vous **pas** à Michelle?

À remarquer

When the subject of a short information question is a noun, the following short pattern of inversion is often used.

interrogative expression + verb + noun subject?

Où **habitent tes cousines?** À quelle heure **arrive le train?**

- The short pattern is always used after **que** *(what)*.
  Qu'**attend Madame Lebrun?**
- The long pattern is always used after **pourquoi** and **qui** *(whom)*.
  Pourquoi Éric **téléphone-t-il?** Qui Francine **invite-t-elle?**

Activité 6 Questions

Lisez ce que font les personnes suivantes et posez des questions sur leurs activités. Pour cela, utilisez l'inversion et un pronom personnel. Commencez vos questions par les mots interrogatifs entre parenthèses.

MODÈLE: Jeannette déjeune. (où?)
Où déjeune-t-elle?

1. Jérôme et Édouard dînent. (avec qui? à quelle heure? dans quel restaurant?)
2. Jacques vend sa voiture. (à qui? combien? pourquoi?)
3. Nathalie attend. (qui? que? pourquoi?)
4. Ma cousine étudie. (dans quelle université? quels sujets? avec qui?)
5. Jean-Claude travaille. (où? pour quelle compagnie? dans quelle industrie?)
6. Cet architecte bâtit une maison. (pour qui? dans quelle ville? avec quels matériaux?)
7. Éric loue un studio. (dans quel quartier? pour combien de temps? à quel prix [*price*]?)
8. Ces étudiants organisent une conférence. (quand? sur quel thème? pourquoi?)

Activité 7 Le monde des affaires *(The business world)*

Vous êtes le président (la présidente) d'une compagnie internationale française. Votre vice-président vous fait un rapport sur les activités de la compagnie. Posez-lui des questions. Utilisez l'inversion et un nom sujet pour chaque question.

MODÈLE: Nos exportations augmentent. (dans quels pays?)
Dans quels pays nos exportations augmentent-elles?

1. La concurrence *(competition)* augmente aussi. (dans quels secteurs?)
2. Nos ventes *(sales)* progressent. (dans quelles proportions?)
3. Notre agence de Nice négocie un crédit bancaire *(bank loan)*. (pour combien de temps?)
4. Les ingénieurs travaillent. (sur quel projet?)
5. Notre secteur électronique ne marche pas bien. (pourquoi?)
6. Le chef du marketing recrute du personnel. (pourquoi?)
7. Nos clients de New York vendent leur compagnie. (à quel prix?)
8. La compagnie Publilux accepte notre contrat. (dans quelles conditions?)

E. Les verbes en *-er* à changement orthographique

In the present tense, a few verbs ending in *-er* have spelling changes in their stems.

VERBS ENDING IN:	*-ger*	*-cer*	*-yer*
CHANGE:	*g* → *ge* before *-ons*	*c* → *ç* before *-ons*	*y* → *i* before *-e, -es, -ent*
INFINITIVE	**nager**	**annoncer**	payer
PRESENT je	nage	annonce	**paie**
tu	nages	annonces	**paies**
il/elle/on	nage	annonce	**paie**
nous	**nageons**	**annonçons**	payons
vous	nagez	annoncez	payez
ils/elles	nagent	annoncent	**paient**

VERBS ENDING IN:	*-é* + consonant + *er*	*-e* + consonant + *er*	
CHANGE:	*é* → *è* before *-e, -es, -ent*	*e* → *è* before *-e, -es, -ent*	double consonant before *-e, -es, -ent*
INFINITIVE	préférer	acheter	appeler
PRESENT je	**préfère**	**achète**	**appelle**
tu	**préfères**	**achètes**	**appelles**
il/elle/on	**préfère**	**achète**	**appelle**
nous	préférons	achetons	appelons
vous	préférez	achetez	appelez
ils/elles	**préfèrent**	**achètent**	**appellent**

À remarquer

Verbs ending in *-ayer* are sometimes conjugated without a stem change:
je **paye**, tu **payes**, il **paye**, nous **payons**, vous **payez**, ils **payent**.

Vocabulaire: Quelques verbes à changement orthographique

VERBES EN *-ger*

arranger	*to arrange*	**manger**	*to eat*
changer (de)	*to change*	**nager**	*to swim*
déménager	*to move*	**négliger**	*to neglect*
déranger	*to disturb*	**partager**	*to share*
diriger	*to direct, manage*	**ranger**	*to put away, put in order*
engager	*to hire, engage*	**voyager**	*to travel*

VERBES EN *-cer*

annoncer	*to announce*	**placer**	*to put, place*
avancer	*to advance, move forward*	**prononcer**	*to pronounce*
commencer	*to begin*	**remplacer**	*to replace*
lancer	*to throw, launch*	**renoncer (à)**	*to renounce, give up*

VERBES EN *-yer*

employer	*to use, employ*
envoyer	*to send*
essayer	*to try; to try on*
essuyer	*to wipe*
nettoyer	*to clean*
payer	*to pay, pay for*

VERBES EN *-é* + CONSONANT+*-er*

célébrer	*to celebrate*
espérer	*to hope*
exagérer	*to exaggerate*
posséder	*to own, have, possess*
préférer	*to prefer*
protéger	*to protect*
répéter	*to repeat*

VERBES EN *-e* + CONSONANT+*-er*

(e → è)

acheter	*to buy*
amener	*to bring (someone)*
élever	*to raise (children)*
emmener	*to take (someone)*
enlever	*to take off, remove*
peser	*to weigh*
ramener	*to bring (someone) back*

(DOUBLE CONSONANT)

appeler	*to call, phone*
épeler	*to spell*
rappeler	*to call back, recall*
jeter	*to throw*
rejeter	*to reject*

Notes de vocabulaire

1. The French prefix ***re-*** (also ***r-, ré-, rem-***) is similar to the English prefix *re-*, and often means *back* or *again.*

   re*commencer** *to begin* ***again ***ré*organiser** *to* ***re****organize*

   r*appeler** *to call* ***back ***rem*placer** *to* ***re****place*

2. Note the distinctions between the following pairs of verbs derived from **porter** *(to carry)* and **mener** *(to lead).*

WITH THINGS		WITH PEOPLE	
apporter	*to bring*	**amener**	*to bring*
rapporter	*to bring back*	**ramener**	*to bring back*
emporter	*to take away*	**emmener**	*to take*

Activité 8 Questions personnelles

1. Est-ce que vous possédez une raquette de tennis? des disques? un appareil-photo? une bicyclette? une moto? un téléviseur? Quels autres objets possédez-vous?
2. Qu'est-ce que vous achetez avec votre argent? Est-ce que vous payez avec une carte de crédit?
3. Est-ce que vous nettoyez souvent votre chambre? Est-ce que vous rangez vos livres? vos vêtements?
4. Pendant les vacances, est-ce que vous envoyez des cartes à vos amis? Pour les fêtes de fin d'année *(holidays),* à qui envoyez-vous des cartes?
5. Est-ce que vous espérez aller en France un jour? Qu'est-ce que vous espérez faire ce week-end? pendant les vacances? dans la vie *(life)?*
6. Quand vous allez à une surprise-partie, qu'est-ce que vous apportez? Qui amenez-vous? Et quand vous allez à un pique-nique?

Activité 9 Oui ou non?

Lisez les descriptions des personnes suivantes et dites si oui ou non elles font les choses entre parenthèses.

1. Nous sommes des gens polis. (déranger nos voisins? appeler nos amis à deux heures du matin?)
2. Tu n'es pas très ordonné(e) *(neat).* (ranger tes livres? nettoyer ta chambre? enlever la poussière [*dust*]?)
3. Madame Nadar travaille dans un bureau de poste. (peser des lettres? envoyer des télégrammes?)
4. Tu n'es pas très honnête. (payer tes dettes [*debts*]? rejeter la responsabilité de tes actions? répéter les secrets de tes amis?)
5. Nous sommes très riches et très généreux. (posséder une Jaguar? voyager en première classe? emmener nos amis en vacances? partager notre argent avec les pauvres [*the poor*]?)
6. Tu nettoies ta chambre. (essuyer le bureau? jeter les vieux papiers?)
7. Cette compagnie est très dynamique. (engager du personnel? lancer des nouveaux produits? employer des méthodes modernes de marketing?)
8. Nous restons dans cet appartement. (changer d'adresse? déménager?)
9. Nous modernisons notre appartement. (arranger la cuisine? remplacer le vieux réfrigérateur? enlever l'air-conditionné?)
10. Monsieur et Madame Legrand sont des écologistes convaincus *(dedicated).* (élever leurs enfants dans le respect de la nature? protéger l'environnement? jeter les ordures [*trash*] dans la campagne?)

F. La construction infinitive

When one verb follows another in French, the construction is usually:

subject + (**ne**) + conjugated verb + (**pas**) + infinitive + rest of sentence

Nous **espérons voyager.**	*We **hope to travel.***
Je **pense visiter** Paris cet été.	***I expect to visit** Paris this summer.*
Pierre **n'aime pas voyager** en bus.	*Pierre **doesn't like to travel** by bus.*

Questions are formed by using the interrogative construction with the conjugated verb.

Est-ce que tu aimes nager?	**Aimes-tu** nager?
Quand **est-ce qu'Éric pense** arriver?	Quand Éric **pense-t-il** arriver?

Vocabulaire: Quelques verbes suivis de l'infinitif

adorer	*to like very much*	Ma cousine **adore** danser.
aimer	*to like; to enjoy*	J'**aime** voyager.
détester	*to dislike*	Mon oncle **déteste** voyager en avion.
désirer	*to wish, want*	Ces étudiants **désirent** louer un appartement.
souhaiter	*to wish*	Nous **souhaitons** rencontrer des étudiants français.
compter	*to expect, plan*	Je **compte** rester une semaine à Bruxelles.
penser	*to think of, expect*	Nous **pensons** arriver en Belgique en mars.
espérer	*to hope; to intend*	Mes amis **espèrent** changer de voiture.
préférer	*to prefer*	Je **préfère** garder ma Renault.

Activité 10 De passage à Paris

Les personnes de la colonne A sont de passage à Paris. Dites ce que chacun espère faire pendant son séjour en utilisant les éléments des colonnes B et C. Soyez logique!

A	B	C
je	compter	visiter le Louvre
nous	espérer	monter à la Tour Eiffel
vous	souhaiter	dîner dans un restaurant «trois étoiles»
tu	désirer	rencontret des étudiants français
ces étudiants américains	penser	rendre visite à un ami d'université
Monsieur Thomas		signer un contrat
ces représentants du mouvement de la paix *(peace)*		établir des relations commerciales avec une banque
cette jeune actrice		organiser une conférence sur le désarmement
ces industriels japonais		

MODÈLE: *Ces étudiants américains souhaitent rencontrer des étudiants français (...monter à la Tour Eiffel.)*

Activité 11 Une question de personnalité

Ce que nous aimons ou n'aimons pas faire dépend souvent de notre personnalité. Lisez la description des personnes suivantes et dites ce qu'elles aiment ou ce qu'elles n'aiment pas faire. Utilisez votre imagination!

MODÈLE: Vous êtes très sociables.
Vous aimez inviter vos amis (rencontrer des gens...).
Vous n'aimez pas rester à la maison.

1. Caroline est très sportive.
2. Nous sommes impatients.
3. Tu es timide.
4. Ces filles sont très individualistes.
5. Monsieur Rimbaud est avare *(stingy)*.
6. Vous êtes des étudiants sérieux.
7. Nous sommes paresseux *(lazy)*.
8. Tu es très bavard *(talkative)*.
9. Charles est un mauvais joueur *(sore loser)*.
10. Hélène et Sophie sont généreuses.

G. Être, avoir, aller et faire

Verbs that do not have a predictable conjugation pattern are said to be *irregular.* Review the forms of the irregular verbs **être** *(to be),* **avoir** *(to have),* **aller** *(to go),* and **faire** *(to do, to make).*

INFINITIVE:		être	avoir	aller	faire
PRESENT:	je (j')	suis	ai	vais	fais
	tu	es	as	vas	fais
	il/elle/on	est	a	va	fait
	nous	sommes	avons	allons	faisons
	vous	êtes	avez	allez	faites
	ils/elles	sont	ont	vont	font
IMPERATIVE:	(tu)	sois	aies	va	fais
	(nous)	soyons	ayons	allons	faisons
	(vous)	soyez	ayez	allez	faites

Être is used in the following infinitive constructions.

- **être en train de** + *infinitive* — *to be busy doing something*
  Paul **est en train de** réparer son auto. — *Paul* ***is (busy)*** *fixing his car.*
- **être sur le point de** + *infinitive* — *to be close to, about to do something*
  Nous **sommes sur le point de** dîner. — *We* ***are about to*** *have dinner.*

The construction **aller** + *infinitive* is used to express the near future.

Nous **allons** ranger nos livres. — *We* ***are going*** *to put away our books.*
Je ne **vais** pas jeter ce journal. — *I* ***am*** *not* ***going*** *to throw out this paper.*
Quand **vas-tu** déménager? — *When* ***are you going*** *to move?*

À remarquer

When **aller** means *to go to a place,* it cannot stand alone. It must be used with a location.

Tu vas à **Nice?** — *Are you going* ***to Nice?***
Oui, je vais **là-bas.** — *Yes, I am* ***(going there).***
J'y vais en juillet. — *I am going* ***(there)*** *in July.*

Activité 12 Qu'est-ce-qu'ils font?

Dites où sont les personnes suivantes. Dites aussi ce qu'elles sont en train de faire. Utilisez votre imagination.

MODÈLE: tu: à la bibliothèque
Tu es à la bibliothèque. Tu es en train de chercher un livre.

1. nous: au restaurant
2. je: chez moi
3. Thomas: dans la cuisine
4. vous: au centre commercial
5. mes amis: à la plage
6. le président de la compagnie: dans son bureau
7. le mécanicien: au garage
8. l'espion *(spy):* au Pentagone

Activité 13 Où vont-ils?

Dites où vont les personnes suivantes. Puis dites ce qu'elles vont et ne vont pas faire. Utilisez votre imagination.

MODÈLE: je: au café
Je vais au café. Je vais rencontrer mes amis. Je ne vais pas étudier.

1. nous: au centre sportif
2. tu: à la librairie
3. Monsieur Dupont: au restaurant
4. Jeanne: à l'agence de voyages
5. vous: à Paris
6. les touristes: au musée
7. je: au supermarché
8. nous: chez nos amis

Activité 14 Le contraire

Lisez la description des personnes suivantes et dites-leur de faire le contraire. Utilisez l'impératif.

MODÈLE: Vous êtes nerveux.
Ne soyez pas nerveux!

1. Tu n'es pas calme.
2. Vous avez peur de parler français.
3. Nous sommes en retard.
4. Vous n'êtes pas tolérant.
5. Tu es impatient.
6. Vous n'avez pas assez d'ambition.
7. Nous avons peur de perdre.
8. Tu as des préjugés *(prejudices)* ridicules.
9. Nous ne faisons pas attention.
10. Tu vas au café.

Vocabulaire: Expressions idiomatiques avec *avoir*

avoir chaud/froid	*to be warm, hot/cold*	**avoir sommeil**	*to be sleepy*
avoir faim/soif	*to be hungry/thirsty*	**avoir de la chance**	*to be lucky*
avoir raison/tort	*to be right/wrong*	**avoir vingt ans**	*to be twenty (years old)*
avoir envie de	*to feel like; to want*	**avoir peur (de)**	*to be afraid (of)*
avoir besoin de	*to need (to)*	**avoir honte (de)**	*to be ashamed (of)*
avoir horreur de	*to dislike*	**avoir l'air (de)**	*to look (like); to seem*
avoir l'intention de	*to intend to*	**avoir l'habitude de**	*to be used to, in the habit of*

Notes de vocabulaire

1. The expressions with **avoir** that are followed by **de** can be used with a noun or an infinitive.

J'ai besoin d'argent.	*I **need** money.*
J'ai besoin de travailler.	*I **need** to work.*
Tu as l'air d'un clown.	*You **look like** a clown.*
Tu n'as pas l'air de comprendre.	*You do not **seem** to understand.*

2. The expression **avoir l'air** (without **de**) is frequently followed by an adjective.

Vous avez l'air embarrassé.	*You **seem** embarrassed.*

Activité 15 Pourquoi?

Lisez ce que font les personnes suivantes. Puis dites pourquoi, en utilisant l'expression avec *avoir* qui convient logiquement.

MODÈLE: Robert mange un sandwich.
Il a faim.

1. Nous commandons de la limonade.
2. Vous enlevez votre veste.
3. Il est minuit. Pierre entre dans sa chambre.
4. Mes cousins gagnent souvent à la loterie.
5. Henri célèbre son vingtième anniversaire.
6. Tu portes un manteau.
7. Cécile va au restaurant.
8. Vous insistez.
9. Tu rougis.
10. Je tremble.

Vocabulaire: Expressions idiomatiques avec *faire*

ÉTUDES, SPORTS, LOISIRS ET ACTIVITÉS DIVERSES

faire des études (de)	*to study*
faire du droit	*to study law*
faire de l'espagnol	*to study Spanish*
faire du sport	*to participate in sports*
faire du jogging	*to jog*
faire de la natation	*to swim*
faire une partie de (+ game)	*to play a game of*
faire un match de (+ sport)	*to play a game of*
faire du camping	*to go camping*
faire du théâtre	*to participate in theater*
faire de la poterie	*to make pottery*

ACTIVITÉS DOMESTIQUES

faire les courses	*to go shopping (usually for food)*
faire les achats	*to go shopping (for items other than food)*
faire la cuisine	*to cook*
faire la vaisselle	*to do the dishes*
faire le ménage	*to clean house*
faire les valises	*to pack suitcases*

DÉPLACEMENTS ET VOYAGES

faire un tour (une promenade) à pied	*to go for a walk*
faire un tour (une promenade) (en auto, à vélo, en moto)	*to go for a ride (in a car, on a bicycle, on a motorcycle)*
faire un voyage	*to be on, take a trip*
faire le tour (de)	*to go around, drive around*

RELATIONS PERSONNELLES ET SOCIALES

faire la connaissance de (+ person)	*to meet (for the first time)*
faire plaisir à (+ person)	*to please*
faire peur à (+ person)	*to scare, frighten*

AUTRES USAGES

faire partie de	*to be part of, belong to*
faire attention (à)	*to pay attention (to)*
faire semblant de (+ infinitive)	*to pretend to*
faire exprès de (+ infinitive)	*to do (something) on purpose*

Note de vocabulaire

In negative sentences, **du (de la, des)** and **un (une)** become **de.**

Tu fais **du** sport?	Non, je ne fais **pas de** sport.
Tu fais **un** voyage cet été?	Non, je ne fais **pas de** voyage.

Activité 16 Où vont-ils? Que font-ils?

L'endroit où nous allons indique souvent ce que nous faisons. Choisissez une destination de la colonne B pour les personnes de la colonne A. Dites ce que chaque personne fait là-bas en utilisant les éléments de la colonne C. Soyez logique!

A	B	C
je	à New York	des achats
tu	à Genève	les courses
nous	au stade	la vaisselle
vous	à la piscine	de l'anglais
Madame Bertrand	dans la forêt	des études de chimie
Denis et Roland	au supermarché	un match de football
Alice et Michelle	au magasin *Mod'Shop*	une promenade à pied
mes amies	dans la cuisine	un voyage en Suisse
le président de la compagnie	à l'Institut Britannique	un voyage d'affaires *(business)*
	à la faculté *(department)* de sciences	

MODÈLE: *Je vais au supermarché. Je fais les courses.*

Activité 17 Conversation

Demandez à vos camarades s'ils font les choses suivantes.

MODÈLE: avoir peur des examens?
—As-tu peur des examens?
—*Non, je n'ai pas peur des examens.*
ou:—*Oui, j'ai peur des examens.*

1. faire des études scientifiques?
2. avoir besoin de vacances?
3. faire de la gymnastique rythmique?
4. avoir l'âge de voter?
5. faire bien la cuisine?
6. avoir peur de l'avenir *(future)?*
7. avoir l'intention de faire un voyage à Noël?
8. faire partie d'un club de sports?
9. faire partie d'une équipe sportive?
10. faire parfois *(sometimes)* semblant de travailler?
11. faire attention à ta santé *(health)?*
12. faire souvent des promenades à pied?
13. avoir horreur de la cuisine de la cafétéria?
14. avoir peur des responsabilités
15. avoir envie d'être célèbre?

Entre nous

Questions

Vous entendez les réponses suivantes. Imaginez les questions.

MODÈLE: «Dans un mois!»
Quand est-ce que vous allez déménager?
ou: *Quand est-ce que vos cousins vont rentrer de Paris? Quand est-ce que tu vas aller en France? Quand l'électricien va-t-il réparer cette machine?*

1. «À midi et demi!»
2. «En Provence»
3. «Avec Paulette et Jean-Louis!»
4. «Parce que je n'ai pas le temps.»
5. «D'accord, si c'est possible.»
6. «J'espère que oui.» *("I hope so.")*
7. «À l'Alliance Française.»
8. «Je pense que c'est Henri!»

Situations

Faites plusieurs suggestions affirmatives ou négatives aux personnes suivantes.

MODÈLE: C'est le samedi soir. Vincent s'ennuie *(is bored).*
Va au cinéma! Téléphone à Élisabeth! Rends visite à tes amis!

1. Mimi cherche du travail pour l'été prochain.
2. Roland veut maigrir.
3. Anne et Béatrice ont l'intention d'inviter leur professeur à dîner.
4. Édouard a l'intention de quitter l'université.
5. Des touristes français visitent votre ville.
6. Denise et Catherine, deux étudiantes françaises, vont passer un mois à votre université.
7. Madame et Monsieur Dumont vont partir en voyage.

À votre tour

Complétez les phrases suivantes avec une expression infinitive de votre choix.

1. En général, j'aime...
2. Je n'ai pas l'habitude de...
3. Le soir, je déteste...
4. Le week-end prochain, je compte...
5. Pour mon anniversaire *(birthday),* je souhaite...
6. Après l'université, j'ai l'intention de...
7. Dans dix ans, j'espère...
8. À cinquante ans, je ne pense pas...

Leçon Préliminaire 2

Le groupe nominal

A. Le genre des noms: les personnes
B. Le genre des noms: les choses
C. Le pluriel des noms
D. Les articles définis et indéfinis
E. L'article partitif
F. L'usage des articles: résumé
G. Les prépositions avec les noms de pays

Nouns designate people, animals, objects, and abstract concepts. All French nouns have *gender* (masculine or feminine) and *number* (singular or plural).

Gender and number are important characteristics since they determine the forms of other words associated with the nouns:

- the determiners that introduce them
- the adjectives that describe them
- the pronouns that replace them

In French, the most common determiners are:

- the definite, indefinite, and partitive articles
- the demonstrative, interrogative, and possessive adjectives

A. Le genre des noms: les personnes

The gender of a noun that designates a person usually reflects the sex of that person.

Paul est **un ami.**	Jeannette est **une amie.**

Many nouns designating people (and familiar animals) have both a masculine and a feminine form. This feminine form almost always ends in ***-e.***
For most nouns, the feminine form is derived from the masculine form. When the masculine noun ends in ***-e,*** the feminine noun has the same form.

	un artiste	**une artiste**
	un secrétaire	**une secrétaire**
but:	**un prince**	**une princesse**

When the masculine noun does not end in ***-e,*** the feminine noun is usually formed:

- by adding an ***-e***

	un cousin	**une cousine**
	un employé	**une employée**
but:	**un enfant**	**une enfant**

- by changing the ending

MASCULINE	FEMININE	EXAMPLES	
-an	***-anne***	**un paysan**	**une paysanne**
-ien	***-ienne***	**un musicien**	**une musicienne**
-on	***-onne***	**un champion**	**une championne**
-er	***-ère***	**un boulanger**	**une boulangère**
-eur	***-euse***	**un vendeur**	**une vendeuse**
-teur	***-trice***	**un acteur**	**une actrice**

▷ Nouns derived directly from verbs have the endings ***-eur, -euse.***

(chanter)	**un chanteur, une chanteuse**	*singer*
(mentir)	**un menteur, une menteuse**	*liar*

Some nouns have distinctly different masculine and feminine forms.

le père	**la mère**	**le frère**	**la sœur**
le grand-père	**la grand-mère**	**l'oncle**	**la tante**
le mari	**la femme**	**le neveu**	**la nièce**
le fils	**la fille**	**le parrain** *(godfather)*	**la marraine** *(godmother)*
le garçon	**la fille**	**le garçon** *(waiter)*	**la serveuse** *(waitress)*
l'homme	**la femme**	**le roi** *(king)*	**la reine** *(queen)*

Many animal names fall into this category:

un taureau *bull* — **une vache** *cow*
un cheval *horse* — **une jument** *mare*

A few nouns have only one gender for both men and women.

ALWAYS MASCULINE		ALWAYS FEMININE	
un bébé	*baby*	**une connaissance**	*acquaintance*
un être	*being*	**une personne**	*person*
un chef	*cook, chef; head*	**une victime**	*victim, casualty*
un mannequin	*(fashion) model*	**une star**	*(movie, theater) star*
		une vedette	*(movie, TV) star*

Connaissez-vous Monique? — C'est **un** mannequin.
Connaissez-vous Yves Montand? — C'est **une** vedette de cinéma.

À remarquer

Many French names have masculine and feminine forms.

Jean Jeanne René Renée Michel Michelle

Activité 1 Substitutions

Remplacez les mots en italique par les expressions entre parenthèses. Faites les changements nécessaires, y compris *(including)* **un/une** et **le/la.**

MODÈLE: *Pierre* est le frère de Gérard. (Annie)
Annie est la sœur de Gérard.

1. *Monique* Leclerc est la femme de votre cousin, n'est-ce pas? (Thomas)
2. Je connais bien *Nicole.* C'est la nièce de mon professeur. (André)
3. *Monsieur* Martin, le père de François, est un homme remarquable. (Madame)
4. L'*Espagne* a un roi, le roi *Juan-Carlos.* (Angleterre / Élizabeth)
5. *Philippe,* le cousin de Jacqueline, est garçon dans un restaurant français. (Béatrice)
6. *Pauline,* la sœur de Nicolas, est la personne avec qui je vais dîner ce soir. (Vincent)
7. *Sylvie Masson,* la vedette de ce film, est une actrice célèbre. (Paul Ménard)
8. La personne qui arrive à l'hôpital est *Madame* Lombard, la victime de l'accident. (Monsieur)

Vocabulaire: Les professions

MASCULINE AND FEMININE FORMS

en -e	un architecte	une architecte	
	un comptable	une comptable	*accountant*
	un guide	une guide	
	un secrétaire	une secrétaire	
	un stagiaire	une stagiaire	*intern*
en -é(e)	un employé	une employée	
en consonne/-e	un assistant	une assistante	
	un avocat	une avocate	*lawyer*
en -on(ne)	un espion	une espionne	*spy*
	un patron	une patronne	*boss*
en -ien(ne)	un informaticien	une informaticienne	*data-processing specialist*
	un mécanicien	une mécanicienne	*mechanic*
	un pharmacien	une pharmacienne	
	un technicien	une technicienne	
en -er/-ère	un infirmier	une infirmière	*nurse*
	un ouvrier	une ouvrière	*(factory) worker*
en -eur/-euse	un coiffeur	une coiffeuse	*barber, hairdresser*
	un programmeur	une programmeuse	
	un travailleur	une travailleuse	*worker*
	un vendeur	une vendeuse	*salesperson*
en -teur/-trice	un décorateur	une décoratrice	*interior decorator*
	un directeur	une directrice	*manager, director*

MASCULINE FORMS ONLY

un agent		un docteur	
un cadre	*executive*	un ingénieur	*engineer*
un chef	*cook*	un médecin	*doctor*
un chef d'entreprise	*company head*	un professeur	*teacher, professor*

Note de vocabulaire

The nouns in the second group remain masculine even when referring to a woman.

Madame Moreau est **un** professeur sympathique.

Sa sœur est **un** ingénieur remarquable.

▷ Sometimes the prefix ***femme-*** is used with such nouns to emphasize the feminine gender.

C'est **une femme-médecin** qui s'occupe *(takes care)* de moi.

Activité 2 Spécialités professionnelles

Lisez ce que font les personnes suivantes et indiquez leur profession. Commencez vos phrases avec *C'est un/une...* .

MODÈLE: Denis répare les voitures.
C'est un mécanicien.

1. Ma cousine a des fonctions importantes dans son entreprise.
2. Madame Robert visite ses patients à l'hôpital.
3. Gisèle fait un shampooing à une cliente.
4. Madame Launay vend de l'aspirine.
5. Marc travaille dans une usine *(factory)*.
6. Sylvie Maréchal travaille sur les plans d'une nouvelle machine.
7. Mireille prépare les repas dans un restaurant.
8. Madame Montagne a beaucoup d'employés sous *(under)* ses ordres.
9. Pierre tape à la machine.
10. Pour Mademoiselle Lafarge, les ordinateurs *(computers)* n'ont pas de secret.

B. Le genre des noms: les choses

There is no systematic way of predicting whether a noun designating a thing or an abstract concept is masculine or feminine.

➪ In some cases, however, the gender of a noun can be determined by its ending.

MASCULINE			FEMININE		
	EXAMPLES	EXCEPTIONS		EXAMPLES	EXCEPTIONS
-age	un village	une image une page	*-ade*	la limonade	
-aire	un dictionnaire		*-ance*	la correspondance	
-ail	le travail		*-ence*	la patience	le silence
-al	un journal		*-ée*	une idée	un musée, un lycee
-eau	un manteau	une eau la peau *(skin)*	*-esse*	la jeunesse	
-ème	un thème		*-ette*	la raquette	
-et	un secret		*-ie*	la biologie	un incendie *(fire)*
-ier	un cahier		*-ié*	la pitié	
-isme	un mécanisme		*-ique*	la politique	
-ment	un appartement		*-oire*	une histoire	le laboratoire
-tre	un mètre	une montre une lettre	*-sion*	la télévision	
			-té	la société	un été un côté
			-tion	la question	

The gender of some nouns can be predicted by the category to which they belong.

MASCULINE		FEMININE	
CATEGORY	EXAMPLES	CATEGORY	EXAMPLES
days of the week	un mardi	cars	une Renault, une Chevrolet
seasons	un hiver		
colors	le rouge		
languages	le chinois		
products bearing the name of their region of origin	le champagne, le roquefort		

* mais - la couleur la langue

À remarquer

A few nouns have a different meaning depending on whether they are masculine or feminine. Here are the more common ones:

un poste	*post, station, job*	une poste	*post office*
un livre	*book*	une livre	*pound*
un tour	*tour; trick*	une tour	*tower*
un mort	*dead person*	la mort	*death*
un voile	*veil*	une voile	*sail*
un poêle	*stove*	une poêle	*frying pan*

Activité 3 Changements

Lisez les phrases suivantes. Puis remplacez les mots en italique par les noms entre parenthèses. Faites les changements nécessaires. Pour déterminer le genre de ces noms, analysez leur terminaison ou leur catégorie.

1. Voici la *maison* où j'habite. (château / cité / village / résidence)
2. La *bière* est au réfrigérateur. (limonade / gâteau / litre de lait)
3. Combien coûte le *disque?* (raquette / chapeau / chemisier / dictionnaire)
4. Où est le *magazine?* (cassette / journal / cadeau)
5. J'ai une *idée* extraordinaire. (projet / mémoire / secret / système)
6. Est-ce qu'il faut combattre pour l'*indépendance?* (victoire / liberté / socialisme)
7. Ce soir, je vais lire un *livre.* (biographie / journal / histoire / poème)
8. L'*hôtel* est là-bas. (centre / librairie / bureau / garage)
9. La *patience* n'est pas votre vertu principale. (générosité / libéralisme / courage / loyauté)
10. Aimez-vous le *champagne?* (brie / roquefort / chablis / cognac)
11. Nous allons acheter une *maison.* (bateau / télévision / Toyota / Peugeot)
12. Francine étudie *l'histoire.* (japonais / musique / biologie)

C. Le pluriel des noms

The plural of most nouns is formed by adding an *-s* to the singular form.

un ami   des amis

Nouns ending in *-s*, *-x* or *-z* in the singular remain the same in the plural.

un Français   des Français   un prix   des prix   un nez   des nez

Some nouns have irregular plural forms ending in *-x*.

SINGULAR	PLURAL	EXAMPLES		EXCEPTIONS
-al	*-aux*	un journal	des journaux	des festivals, des idéals, des récitals
-ail	*-aux*	un travail	des travaux	des détails, des chandails (*sweaters*)
-eau	*-eaux*	un manteau	des manteaux	
-eu	*-eux*	un cheveu	des cheveux	des pneus (*tires*)
-au	*-aux*	un tuyau (*pipe*)	des tuyaux	
-ou	*-oux*	un bijou (*jewel*)	des bijoux	des fous (*madmen*)

A few nouns have special plural forms.

un œil	des yeux	monsieur	messieurs
le ciel (*sky*)	les cieux	madame	mesdames
un jeune homme	des jeunes gens	mademoiselle	mesdemoiselles

Some nouns are invariable, that is, they do not take *-s* in the plural.

- Proper names: les Dupont   les Citroën
- Borrowed words with a plural form: les spaghetti
- Compound nouns containing a verb or preposition:

un après-midi	des après-midi
un lave-vaisselle (*dishwasher*)	des lave-vaisselle
un gratte-ciel (*skyscraper*)	des gratte-ciel

À remarquer

A few nouns are used only in the plural.

des gens	les mathématiques, les maths
des vacances	les ciseaux (*scissors*)

Activité 4 S'il te plaît

Demandez à un ami de faire certaines choses en utilisant le pluriel des noms entre parenthèses.

MODÈLE: acheter (le journal)
S'il te plaît, achète les journaux.

1. changer (le pneu)
2. finir (le travail domestique)
3. raconter (le détail de l'accident)
4. nourrir *(to feed)* (l'animal / le cheval / l'oiseau)
5. nettoyer (le bureau / le manteau / le lave-vaisselle)
6. acheter (le chandail / le gâteau)
7. ranger (le chapeau / le jeu)
8. regarder (le prix / le tableau / le gratte-ciel)
9. montrer (le cadeau / le bijou)

D. Les articles définis et indéfinis

In French, nouns are almost always introduced by determiners. The most common determiners are the definite and indefinite articles.

Forms

	SINGULAR		PLURAL	EXAMPLES			
	MASCULINE	FEMININE					
DEFINITE	le l'	la l'	les	le sac l'ami	la table l'amie	les sacs les‿amis	les tables les‿amies
INDEFINITE	un	une	des	un sac un‿ami	une table une amie	des sacs des‿amis	des tables des‿amies

➪ In spoken French, articles are linked to the nouns they introduce. **Élision** (l') and **liaison** (indicated by ‿) occur before words beginning with a vowel sound, that is, a vowel or a "mute h".
There is no **élision** or **liaison** before words beginning with an "aspirate h".[1]

le hockey **la** harpe **des** héros

[1] Words beginning with an «aspirate h» are indicated in dictionaries with an asterisk: *.

➪ The definite article has the following contracted forms with **à** *(to, at, in)* and **de** *(of, from, about)*.

à + le → au	Le chimiste va **au** laboratoire.
à + les → aux	Il parle **aux** techniciens.
de + le → du	J'arrive **du** bureau.
de + les → des	Nous parlons **des** problèmes de l'énergie.

la and l' do not contract

➪ The indefinite articles **un, une, des** become **de (d')** after a negative expression.

J'ai **une** moto. Je n'ai pas **de** voiture.

Note that the indefinite articles do not change after **être**.

C'est **une** Honda. Ce n'est pas **une** Kawasaki.

➪ In an enumeration, the articles are repeated in front of each noun.

Je vais acheter **une** chemise, **un** pantalon et **des** chaussettes.
Nous allons **au** restaurant et **à l'**hôtel.

À remarquer

1. In formal French, **des** becomes **de** before a noun preceded by an adjective.
   Vous êtes **de** grands spécialistes.
2. The contractions **au, aux, du,** and **des** occur frequently after the following verbs:

à	de
jouer à (+ game or sport)	**jouer de** (+ musical instrument)
aller à, arriver à	**arriver de, rentrer de**
parler à, téléphoner à	**parler de**
penser à, réfléchir à	**rêver de**
obéir à, désobéir à	

Uses of the Definite Article

General uses

In French, as in English, the definite article introduces nouns used in a *specific context.*

L'argent est sur la table.	***The*** *money (i.e., the money that I got this morning) is on the table.*
Les avocats étudient le contrat.	***The*** *lawyers (i.e., the lawyers for our company) are studying the contract.*

Unlike English, the definite article is used in French to introduce nouns taken in a *general, abstract,* or *collective sense.*

L'argent ne fait pas **le** bonheur.	***(In general)*** *Money does not make happiness.*
Les avocats représentent leurs clients en justice.	***(As a group)*** *Lawyers represent their clients in matters of law.*
Les affaires sont **les** affaires.	***(As a rule)*** *Business is business.*

Particular uses

In French, the definite article is used:

- with geographical names (countries, states, rivers, mountains...), except cities

  le Canada, **les** États-Unis *but:* Israël, Tahiti, Haïti

- with parts of the body

  Marie a **les** yeux bleus. — *Marie has blue eyes.*

  Qu'est-ce que tu as dans **la** main? — *What do you have in* ***your*** *hand?*

  Ouvre **la** bouche et ferme **les** yeux. — *Open* ***your*** *mouth and close* ***your*** *eyes.*

- with names of languages, colors, or school subjects

  Comprends-tu **l'**italien? — J'étudie **les** maths.

  Aimes-tu **le** bleu?

- with certain titles

  le docteur Guérin — **la** princesse Diane

  le général de Gaulle — **la** reine Élizabeth

- with dates

  J'arrive à Paris **le** douze janvier.

- with names of days of the week or parts of the day to refer to a repeated or habitual action

  Le samedi, je vais au cinéma. — ***On Saturdays,*** *I go to the movies.*

  Le soir, je regarde la télé. — ***In the evening,*** *I watch TV.*

- with nouns indicating a weight, measure, or quantity

  L'essence coûte dix francs **le** litre. — *Gas costs ten francs* ***a*** *liter.*

Uses of the Indefinite Article

General use

The singular indefinite articles **un, une** correspond to *a, an*. The plural indefinite article **des** corresponds to *some.*

- Although the word *some* is often omitted in English, **des** must be used in French.

  Cette firme fabrique **des** ordinateurs. — *This firm makes computers.*

Omission of the indefinite article

The indefinite article is omitted after **être** and **devenir** with the names of professions and occupations.

Êtes-vous **étudiant**? — *Are you **a student?***

Sylvie veut devenir **journaliste.** — *Sylvie wants to become **a journalist.***

- The indefinite article is *not* omitted if the profession is modified by an adjective.

  Madame Thierry est **une excellente architecte.**

- The indefinite article is not omitted after **c'est** and **ce sont**.

  Tu connais Suzanne? C'est **une artiste.**

- The indefinite article may be used if the profession clearly identifies the person being described.

  Picasso est **un peintre.** — *Picasso is **a painter.** (He is not a musician.)*

- The indefinite article is usually omitted after **sans** *(without)* and **comme** *(as).*

  Je travaille comme **garçon de café.** — *I work as **a waiter.***

  Ne sortez pas sans **manteau.** — *Don't go out without **a coat.***

Activité 5 Expression personnelle

Exprimez votre opinion personnelle sur les sujets suivants. Utilisez les articles qui conviennent. Les mots féminins sont indiqués par un astérisque.

MODÈLE: (ski) / sport intéressant?
À mon avis, le ski est un sport intéressant.
(À mon avis, le ski n'est pas un sport intéressant.)

1. (football / gymnastique* / karaté) sport dangereux?
2. (espagnol / français / japonais) langue* utile dans les affaires?
3. (photo* / danse* / camping) activité* intéressante?
4. (journalisme / politique* / médecine*) carrière* intéressante?
5. (clairvoyance* / perception* extra-sensorielle) phénomène réel?
6. (inflation* / pollution* / criminalité*) problème sérieux?
7. (argent / succès / liberté*) chose* indispensable?
8. (hommes politiques / journalistes / commerçants) personnes* honnêtes?

Activité 6 Au travail

Dites ce que font les personnes suivantes pendant la journée. Utilisez les expressions entre parenthèses. Faites les contractions nécessaires.

MODÈLE: le chimiste (aller à / le laboratoire)
Le chimiste va au laboratoire.

1. le médecin (téléphoner à / l'infirmière; rendre visite à / les malades; rentrer de / l'hôpital)
2. les étudiants (répondre à / le professeur; aller à / la bibliothèque; rentrer de / l'université)
3. le secrétaire (téléphoner à / l'avocat; répondre à / le directeur; rentrer de / le bureau)
4. l'agent commercial (rendre visite à / les clients; parler de / les nouveaux produits)
5. le directeur technique (aller à / le laboratoire; parler à / les ingénieurs; réfléchir à / les problèmes techniques et les solutions possibles)
6. l'avocate (avoir besoin de / le contrat et les documents légaux; arriver à / le palais de justice; répondre à / les questions du juge)
7. la présidente de la compagnie (aller à / le conseil d'administration; parler de / les projets d'expansion; annoncer les résultats à / les actionnaires [*stockholders*] et les journalistes)

Activité 7 Oui et non

Lisez les descriptions suivantes. Puis dites ce que chacun fait et ne fait pas. Utilisez le verbe entre parenthèses et les deux noms selon le modèle. N'oubliez pas d'utiliser l'article *indéfini* qui convient. Et soyez logique!

MODÈLE: Mon oncle est boulanger. (vendre: les croissants, les oranges)
Mon oncle vend des croissants. Il ne vend pas d'oranges.

1. Janine a une boutique de vêtements. (vendre: les robes, les produits de beauté)
2. J'ai un garage. (louer: les ordinateurs, les voitures)
3. Vous avez une agence de tourisme. (organiser: les voyages en France, les spectacles musicaux)
4. Mélanie va a une entrevue professionnelle. (porter: les blue-jeans, le tailleur [*suit*])
5. Cette entreprise veut développer ses ventes. (chercher: l'ingénieur, l'agent commercial)
6. Le Japon est un pays industriel. (exporter: les voitures, les produits agricoles)

Activité 8 Questions personnelles

1. Avez-vous les yeux bleus? marron? gris? verts? Avez-vous les cheveux noirs? blonds? roux *(red)?* Avez-vous le visage ovale? rond? rectangulaire? carré *(square)?* Préférez-vous les gens qui ont les cheveux longs ou courts?
2. Avez-vous parfois mal à la tête? mal aux dents? mal à l'estomac? Que faites-vous alors?
3. En quelles circonstances est-ce que vous levez *(raise)* la main? élevez *(raise)* la voix? haussez *(shrug)* les épaules? hochez *(nod)* la tête? fermez les yeux? perdez la tête?
4. En général, que faites-vous le samedi soir? le dimanche? Qu'est-ce que vous allez faire dimanche prochain?
5. Êtes-vous bien informé(e) de l'actualité? Comment s'appelle le sénateur de votre état? le maire *(mayor)* de votre ville? le roi d'Espagne? la reine d'Angleterre? le pape *(pope)?*
6. Comment s'appelle votre médecin? votre dentiste?

E. L'article partitif

Forms

	SINGULAR	PLURAL	EXAMPLES		
MASCULINE	**du** (**de l'**)	**des**	**du** pain	**de** l'argent	**des** spaghetti
FEMININE	**de la** (**de l'**)		**de la** bière	**de** l'eau	**des** frites

- The forms in parentheses are used in front of a vowel or a "mute h".
- The partitive articles **du, de la, des** become **de** (**d'**) after a negative expression.

  Alain ne boit pas **de** lait. Je ne prends jamais **de** café.

  Note that the partitive articles do not change after être.

  Ce n'est pas **du** thé!
- In an enumeration, partitive articles are repeated in front of each noun.

  Je vais manger **du** rosbif, **des** frites et **de la** salade.

Uses

The partitive is used to express *a certain amount of, an unspecified quantity of.*

Alice boit **du** café. — *Alice drinks **(some)** coffee.*

Nous avons **du** travail. — *We have **(some)** work.*

As-tu **de** l'argent? — *Do you have **(any)** money?*

- Although the English equivalent expressions *some* and *any* are often omitted, the partitive articles must be expressed in French.
- Partitive articles can introduce abstract as well as concrete nouns.

  Vous avez **de** l'ambition, mais vous n'avez pas **de** patience.
- The partitive article is not used after **avoir besoin de, avoir envie de,** and after expressions of quantity ending in **de.**

  Veux-tu **du** papier? Oui, j'ai besoin **de** papier.
- The partitive article is not used after **comme** *(as, for)* and **sans** *(without).*

  Que désirez-vous comme **dessert**? Je suis sans **argent**.

À remarquer

1. The following impersonal verbal expressions are often followed by the partitive.

voici, voilà... *(here is, here are...)*	Voici **de la** salade et **du** fromage.
il y a... *(there is, are...)*	Il y a **de la** bière au réfrigérateur.
il faut... *(one needs...)*	Il faut **des** œufs pour faire une omelette.
il reste... *(...is, are left)*	Il reste **des** spaghetti et **du** pain.
il manque... *(...is, are missing)*	Il manque **de la** sauce tomate et **du** beurre.

2. **Du, de la, des** may be used in a negative sentence to underline a contrast with an affirmative statement.

   Ne mets pas **du** ketchup! Mets **de la** moutarde!

Activité 9 Diététique

Lisez les descriptions des personnes suivantes. Puis dites si oui ou non elles prennent les aliments entre parenthèses. Utilisez le verbe suggéré dans des phrases affirmatives ou négatives. Faites une phrase pour chaque aliment.

MODÈLE: Nous aimons la viande. (manger: le rosbif)
Nous mangeons du rosbif.

1. Paul veut maigrir. (manger: la salade / les spaghetti / le céleri / les concombres / la glace / la crème)
2. Je n'aime pas les boissons alcooliques. (boire: le vin / l'eau minérale / la limonade / la bière / le champagne)
3. Vous aimez le poisson, mais vous n'aimez pas la viande. (commander: le saumon / la sole / le porc / le jambon / le thon)
4. Mes cousins sont végétariens. (acheter: le riz / la viande / les carottes / le poulet / les fruits)
5. Je mange seulement des produits laitiers *(dairy products).* (manger: la glace / le yaourt / les légumes / le fromage)
6. Sophie déteste les choses sucrées *(sweet).* (prendre: le gâteau / la glace / le poivre / le sel / la moutarde / le sucre)

Activité 10 Conversation

Posez à vos camarades certaines questions en utilisant les éléments suivants.

MODÈLE: gagner (l'argent?)
—Est-ce que tu gagnes de l'argent?
—Oui, je gagne de l'argent. ou: Non, je ne gagne pas d'argent.

1. manger (la viande? le fromage? les spaghetti?)
2. boire (le café? le thé? l'eau minérale?)
3. faire (le ski? le ski nautique? la planche à voile?)
4. en ce moment, avoir (le travail? le temps libre?)
5. pendant les vacances, aller faire (le camping? l'auto-stop?)

Vocabulaire: Quelques matières et substances

LES MÉTAUX

l'acier *(m)*	*steel*	le nickel	*nickel*
l'aluminium *(m)*	*aluminum*	l'or *(m)*	*gold*
l'argent *(m)*	*silver*	le plomb	*lead*
le cuivre	*copper*	l'uranium	*uranium*
le fer	*iron*		

LES MATÉRIAUX DE CONSTRUCTION

le béton	*concrete*	la brique	*brick*
le bois	*wood*	la pierre	*stone*
le verre	*glass*		

LES TEXTILES

le coton	*cotton*	la laine	*wool*
le nylon	*nylon*	la soie	*silk*

LES PRODUITS ÉNERGÉTIQUES

le charbon	*coal*	l'essence *(f)*	*gas*
le pétrole	*oil, petroleum*		

D'AUTRES PRODUITS

le caoutchouc	*rubber*	le plastique	*plastic*
le cuir	*leather*	la matière plastique	*plastic*
le papier	*paper*		

Notes de vocabulaire

1. To indicate what an object is made of, the French use the pattern:

> noun (name of object) + **en / de** + noun (name of substance)

une chemise **en** nylon — *a nylon shirt*
une chemise **de** nylon

2. To indicate how an object functions, the French use the following pattern.

> noun (name of subject) + **à** + noun (name of substance)

un moteur **à** essence — *a gas engine (one that runs on gas)*

Activité 11 La bonne matière

Complétez les phrases suivantes avec les noms de substances qui conviennent logiquement. Utilisez les noms du vocabulaire et l'article partitif.

MODÈLE: Les voitures consomment...
Les voitures consomment de l'essence.

1. L'Arabie Saoudite et le Koweit produisent...
2. En 1848, les prospecteurs sont allés en Californie pour chercher...
3. Jacqueline veut faire un chandail. Elle achète...
4. Tu veux écrire? Prends un stylo et...
5. Pour faire un feu, on peut utiliser...ou...
6. Les mines de l'ouest des États-Unis produisent..., ...et...
7. Aujourd'hui, dans la construction des monuments, on utilise...et...
8. On peut faire des chemises avec..., ...ou...
9. Autrefois, on utilisait...pour faire des chaussures. Maintenant, on utilise aussi...
10. Les États-Unis exportent.... Ils importent....

F. L'usage des articles: résumé

Compare and contrast the uses of the definite, indefinite, and partitive articles in the chart below.

THESE ARTICLES...	INTRODUCE...	EXAMPLES
DEFINITE	a specific noun	Voici **le** fromage *(the one I just bought).* **La** patience du professeur est remarquable.
	a noun used in a general sense	Paul aime **la** bière *(in general).* **La** patience est une qualité.
INDEFINITE	one (or several) entire item(s)	J'achète **un** fromage *(a whole one).* Anne commande **une** bière *(an entire bottle).*
	a special type, or one of a kind	Ce vigneron *(wine grower)* fait **un** vin extraordinaire. Vous avez **une** patience extraordinaire.
PARTITIVE	some, a certain amount of	Nous mangeons **du** fromage *(just part of a whole cheese).* Henri boit **de la** bière *(some).* J'ai **de la** patience.

Activité 12 Le bon article

Complétez les phrases suivantes avec les articles définis, indéfinis et partitifs qui conviennent. Si vous n'êtes pas sûr(e) du genre des noms, consultez le glossaire à la fin du livre. Attention: les articles sont omis *(omitted)* dans certains cas!

1. Si vous désirez maigrir, mangez ___ fruits, ___ tomates, ___ salade, et surtout ne mangez pas ___ spaghetti! Si vous aimez ___ produits laitiers *(dairy products)*, mangez ___ yaourt (sans ___ sucre, bien sûr!) ___ matin et ___ soir. ___ yaourt a ___ vitamines. C'est ___ produit excellent pour ___ santé *(health)*.
2. Aimez-vous ___ fromage? ___ roquefort et ___ brie sont ___ fromages français. ___ roquefort est produit à Roquefort, ___ petite ville située dans ___ sud-ouest de ___ France. ___ brie est produit dans ___ Brie, qui est ___ région à ___ est de Paris. Aujourd'hui, on trouve ___ roquefort et ___ brie dans ___ supermarchés américains.
3. ___ proverbe français dit qu' ___ repas sans ___ vin est ___ journée sans ___ soleil. ___ vins français ont ___ réputation internationale. ___ région de Bordeaux produit *(produces)* ___ vins de grande qualité. Buvez-vous ___ vin ou préférez-vous ___ eau minérale et ___ jus de fruits?
4. ___ Canada est ___ pays riche en ressources naturelles. Ses mines produisent ___ nickel, ___ aluminium, ___ cuivre, ___ plomb et ___ argent. Ses champs pétroliers *(oilfields)* produisent ___ pétrole et ___ gaz naturel. Ses chutes d'eau *(waterfalls)* produisent ___ électricité.
5. ___ cousine de Jacques est ___ ingénieur. C'est ___ ingénieur remarquable. Elle travaille pour ___ firme française qui exporte ___ matières plastiques dans ___ monde *(world)* entier.
6. Bernard travaille comme ___ garçon de café. Il prend ___ commandes *(orders)* des clients: «Deux Coca-colas, ___ café noir, ___ grand chocolat et ___ croissant pour ___ table numéro sept.»

G. Les prépositions avec les noms de pays

The prepositions used with countries and states vary according to the gender and number of the noun.

		in, to	*from*
MASCULINE SINGULAR	le Canada	Jacques est **au** Canada.	Anne revient **du** Canada.
FEMININE SINGULAR	la Californie	Nous allons **en** Californie.	Vous arrivez **de** Californie.
PLURAL	les États-Unis	Tu habites **aux** États-Unis.	Eric rentre **des** États-Unis.

- Geographical names that end in *-e* are almost always feminine. Names that end in letters other than *-e* are masculine.

  le Canada, **le** Texas, **le** Vermont

  la Suisse, **la** Louisiane, **la** Floride

  but: **le** Mexique, **le** Zaïre

- **En** replaces **au** before a masculine noun beginning with a vowel sound.

  Il y a du pétrole **en** Alaska.

- Within the United States, **dans le** is often used instead of **au** with masculine singular nouns.

  Nous allons passer l'été **dans le** Vermont.

  J'ai des cousins **dans le** Massachusetts.

À remarquer

Note the expressions used to differentiate cities and states.

Henri va **à New York.** (la ville de New York)

Albany est **dans l'état de New York.**

Activité 13 Un peu de géographie

Dans chaque phrase une ville est mentionnée. Transformez les phrases en remplaçant le nom de la ville par le nom du pays où cette ville est située. Utilisez l'article ou la préposition qui convient. Vous pouvez choisir le pays de la liste ci-dessous *(below)*.

Argentine	Canada	Hollande	Portugal
Belgique	Espagne	Japon	Sénégal
Brésil	Grèce	Mexique	Suisse

MODÈLE: J'ai un cousin à Paris.
J'ai un cousin en France.

1. Robert visite Montréal.
2. Hélène étudie à Madrid.
3. Mon patron est à Athènes.
4. Ma sœur connaît bien Bruxelles.
5. Je vais passer une semaine à Acapulco.
6. Connaissez-vous Dakar?
7. Thomas arrive de Tokyo.
8. Les ingénieurs rentrent de Genève.
9. La banque va ouvrir un bureau à Buenos Aires.
10. Le directeur commercial va visiter Amsterdam.
11. Notre firme importe du café de São Paulo.
12. Nous exportons nos machines à Lisbonne.

Entre nous

Préférences

Complétez les phrases suivantes.

1. Mes sports préférés sont...
2. Quand je vais au centre sportif, je fais...
3. Ma profession future? Si tout va bien, dans dix ans je vais être...
4. Quels sont mes passe-temps favoris? Eh bien, j'aime...
5. Pour mon repas d'anniversaire *(birthday)*, je vais commander...

À votre tour

1. Imaginez que vous êtes dans un restaurant français. Composez un dialogue entre le garçon ou la serveuse et les clients.
2. Vous êtes médecin en France. Un patient, un peu obèse, vous consulte sur la meilleure méthode de maigrir. Dites-lui ce qu'il faut faire et ne pas faire.
3. Comparez brièvement les repas français avec les repas américains. (Expliquez les similarités et différences.)
4. Décrivez votre profession future. Qu'allez-vous faire? Quelles vont être vos responsabilités? Quels sont les avantages et les inconvénients de cette profession?
5. Imaginez que vous avez la possibilité de faire un voyage autour du monde. Quels sont les pays que vous allez visiter? Qu'est-ce que vous allez faire dans ces pays?

Leçon Préliminaire 3

Les verbes irréguliers

A. **Venir** et **prendre**
B. **Vouloir, pouvoir** et **devoir**
C. **Connaître** et **savoir**
D. La construction **il faut** + **infinitif**
E. Quelques verbes irréguliers en ***-ir***
F. Quelques verbes irréguliers en ***-re***
G. Quelques verbes irréguliers en ***-oir, -oire***
H. D'autres verbes irréguliers

A. Venir et prendre

The present tense of **venir** *(to come)* and **prendre** *(to take)* is irregular.

	venir	prendre
je	viens	prends
tu	viens	prends
il/elle/on	vient	prend
nous	venons	prenons
vous	venez	prenez
ils/elles	viennent	prennent

- The construction **venir de** + *infinitive* is used to express the recent past.

Je **viens de rencontrer** Marie.	*I **have just met** Marie.*
Qui **vient de téléphoner**?	*Who **just called**?*

Contrast:

Nous **venons déjeuner**.	*We **are coming to have lunch**.*
Nous **venons de déjeuner**.	*We **just had lunch**.*

Vocabulaire: Les verbes conjugués comme *venir* et *prendre*

venir	*to come*
devenir	*to become*
revenir	*to come back, return*
tenir	*to hold*
tenir à + *noun*	*to care about*
tenir à + *inf*	*to insist upon*
prendre	*to take*
apprendre	*to learn*
apprendre à + *inf*	*to learn how to*
comprendre	*to understand*
appartenir à	*to belong to*
contenir	*to contain*
maintenir	*to maintain*
obtenir	*to get, obtain*
retenir	*to retain, reserve*

Note de vocabulaire

Prendre and **comprendre** have several meanings.

prendre	*to take*	Nous **prenons** le bus.
	to have, eat, drink	**Prends**-tu du café? Je **prends** de la glace.
	to make (a decision)	Quand vas-tu **prendre** une décision?
comprendre	*to understand*	**Comprends**-tu le professeur?
	to include, contain	Ce livre **comprend** dix chapitres.

Activité 1 Logique!

Dites que chaque personne de la colonne A revient d'un endroit de la colonne B. Puis dites qu'elle vient de faire une activité de la colonne C. Soyez logique!

A	B	C
Madame Gélineau	Paris	travailler
Alain	le restaurant	déjeuner
mes cousins	la banque	étudier
Anne et Bernard	la poste	faire les courses
nous	la bibliothèque	prendre un café
vous	le supermarché	acheter des chèques de voyage
je	le bureau	envoyer un télégramme
tu	le café	passer un mois en France

MODÈLE: *Je reviens du café. Je viens de prendre un café.*

Activité 2 Oui ou non?

Dites si oui ou non les personnes entre parenthèses font les choses suivantes.

MODÈLE: apprendre le français? (nous / mes grands-parents)
Nous apprenons le français.
Mes grands-parents n'apprennent pas le français.

1. comprendre le français? (je / nous / ma mère / les Américains en général)
2. apprendre à programmer? (je / les étudiants de cette université / tu / vous / mon meilleur ami)
3. appartenir à un club sportif? (je / vous / les personnes actives / mon frère)
4. tenir aux traditions? (ma famille / nous, les Américains / vous, les Français / les gens conservateurs)
5. obtenir de bons résultats en classe? (je / nous / vous / les mauvais étudiants)
6. prendre souvent l'avion? (je / tu / mes parents / le président de l'université)

B. Vouloir, pouvoir et devoir

The present tense of **vouloir** *(to want)*, **pouvoir** *(can, to be able)*, and **devoir** *(must, to have to)* is irregular.

	vouloir	pouvoir	devoir
je	veux	peux	dois
tu	veux	peux	dois
il/elle/on	veut	peut	doit
nous	voulons	pouvons	devons
vous	voulez	pouvez	devez
ils/elles	veulent	peuvent	doivent

Uses

Vouloir rarely stands alone, except in negative sentences. It is generally used with an object noun or pronoun, an infinitive, or a subjunctive clause.

Voulez-vous **ce disque?** — Voulez-vous **écouter** ce disque?

➪ The expression **vouloir bien** + *infinitive* corresponds to the English *to be willing.*

Nous **voulons bien** vous aider. — *We **are willing** to help you.*

Je veux bien is used to accept an offer expressed with the verb **vouloir.**

—Veux-tu aller au cinéma? — *—Do you want to go to the movies?*

—D'accord! Je **veux bien!** — *Sure, **I do** (want to go)!*

➪ **Vouloir dire** is the equivalent of the English expression *to mean.*

Qu'est-ce que vous **voulez dire?** — *What do you **mean?***

Pouvoir can be used alone or with an infinitive. It has several English equivalents.

Tu **peux** aller au concert. —
*You **can** go to the concert.*
*You **may** go to the concert.*
*You **are able to** go to the concert.*
*You **are allowed to** go to the concert.*

Devoir cannot stand alone. It is usually used with an infinitive. The construction **devoir** + *infinitive* has several English equivalents.

Marc **doit** aller à la bibliothèque. —
*Marc **must** go to the library.*
*Marc **has to** go to the library.*
*Marc **is supposed to** go to the library.*

➪ **Devoir** can also be used with a noun. In this case, it means *to owe.*

Je **dois** cent francs à Michèle. — *I **owe*** Michèle a hundred francs.

À remarquer

1. **Veuillez,** the imperative form of **vouloir,** is used only in very formal spoken or written style. It is the equivalent of *please.*

   Veuillez entrer! — ***Please*** *come in.*

   Veuillez accepter mes excuses. — ***Please*** *accept my apologies.*

2. In very formal style, **puis-je** can be used to replace **est-ce que je peux.**

   Puis-je vous aider? — ***May I*** *help you?*

Activité 3 Questions d'argent

Les personnes suivantes ont économisé certaines sommes d'argent. Dites quel est l'objectif de ces personnes et si oui ou non elles peuvent réaliser leur projet avec l'argent qu'elles ont économisé.

MODÈLE: je (cinq cents dollars / aller à Paris)
Je veux aller à Paris. Avec cinq cents dollars, je (ne) peux (pas) aller à Paris.

1. Marc (quarante dollars / inviter sa fiancée dans le meilleur restaurant de la ville)
2. tu (cinq cents dollars / acheter une moto)
3. vous (sept cents dollars / acheter un micro-ordinateur)
4. nous (quinze cents dollars / acheter une voiture d'occasion [*used car*])
5. je (trois mille dollars / faire le tour du monde)
6. Denise et Pauline (cinq mille dollars / commencer leur propre compagnie)

Activité 4 Quand on veut...

Pour atteindre certains buts *(goals),* il y a certaines choses que nous devons faire et il y a des choses que nous ne devons pas faire. Décrivez les buts des personnes suivantes et dites si oui ou non elles doivent faire les choses entre parenthèses.

MODÈLE: Catherine: maigrir (manger des spaghetti?)
Catherine veut maigrir. Elle ne doit pas manger de spaghetti.

1. tu: maigrir (faire du sport? manger des fruits? boire de la bière?)
2. vous: être millionnaires (travailler? être professeurs? inventer quelque chose?)
3. je: être dentiste (aller à l'université? étudier la géologie? être nerveux?)
4. Henri et Philippe: rencontrer des filles (rester à la maison? aller dans une discothèque? être timide?)
5. nous: être indépendants (avoir un job? dépendre de nos parents? gagner de l'argent?)
6. la société *(company)* Smith: établir des contacts commerciaux avec la France (ouvrir un bureau à Paris? engager des jeunes cadres qui parlent français? envoyer le président de la compagnie en vacances sur la Côte d'Azur?)

C. Connaître et savoir

Although **connaître** and **savoir** both mean *to know,* their uses are different. Review the forms of these verbs in the sentences below.

connaître	savoir
Je connais Éric.	Je **sais** qu'il est français.
Tu connais Anne.	Tu **sais** où elle habite.
Il connaît cet ingénieur.	Il **sait** qu'il est compétent.
Nous connaissons Paris.	Nous **savons** que c'est une belle ville.
Vous connaissez cet hôtel?	Vous **savez** qu'il est confortable.
Ils connaissent mon adresse.	Ils **savent** où j'habite.

➪ The imperative forms of **savoir** are irregular.

Sache! Sachons! Sachez!

Uses

Connaître means *to know* in the sense of *to be acquainted with* or *familiar with.* It cannot stand alone. It is used with nouns or pronouns designating people, places, and sometimes things.

- people — Je ne **connais** pas votre frère.
- places — **Connaissez**-vous Montréal?
- things — **Connais**-tu mon adresse?

Savoir means *to know* in the sense of *to know as a fact* (as a result of having learned, studied, or found out). It can be used:

- alone — Je **sais.**
- with a clause — Il ne **sait** pas où (quand, avec qui, si...) vous travaillez.
  Tu **sais** que je ne travaille pas.
- with a noun or pronoun (designating a thing learned) — **Savez**-vous la réponse?
  Sais-tu cela?
- with an infinitive — Je **sais** piloter un avion.

➪ The construction **savoir** + *infinitive* corresponds to the English constructions *to know how to, to be able to, can.* Compare:

Nous **savons** skier. — *We* ***can*** *ski (because we have taken lessons).*

Nous **pouvons** skier. — *We* ***can*** *ski (because there is a lot of snow).*

À remarquer

The conjunction **que** occurs after verbs such as **savoir, penser, déclarer, raconter, répondre.** In English, the equivalent conjunction is often omitted.

Je sais **que** tu parles français.	*I know **(that)** you speak French.*
Je pense **que** vous avez raison.	*I think **(that)** you are right.*

Vocabulaire: Verbes conjugués comme *connaître*

reconnaître	*to recognize, identify*	**Reconnais**-tu Henri sur cette photo?
naître	*to be born*	Les révolutions **naissent** de l'injustice.
paraître	*to seem, look, appear*	Les étudiants **paraissent** fatigués.
apparaître	*to appear*	Tu **apparais** toujours au mauvais moment.
disparaître	*to disappear*	Le soleil **disparaît** à l'horizon.

Activité 5 En taxi

Les chauffeurs de taxi sont toujours une excellente source de renseignements pour les gens qui ne connaissent pas bien une ville. Imaginez que vous êtes arrivé(e) à Paris. Demandez les renseignements suivants au chauffeur du taxi que vous prenez. Commencez vos phrases par **Savez-vous** ou **Connaissez-vous.**

1. une banque où je peux changer de l'argent?
2. à quelle heure ouvre cette banque?
3. un petit restaurant pas trop cher?
4. le patron de ce restaurant?
5. s'il y a une exposition *(exhibit)* spéciale au Centre Pompidou?
6. combien coûte l'entrée *(admission)?*
7. où est située la rue du Four?
8. des gens qui veulent louer une chambre à un(e) étudiant(e) américain(e)?

Activité 6 Oui ou non?

Lisez les phrases suivantes et dites si oui ou non les personnes concernées font les choses entre parenthèses.

MODÈLE: Jacques est interprète. (connaître plusieurs langues?)
Il connaît plusieurs langues.

1. Vous êtes arrogants! (reconnaître vos erreurs?)
2. Ta grand-mère est jeune pour son âge. (paraître avoir 75 ans?)
3. Jacqueline est très populaire. (connaître beaucoup de monde?)
4. Je ne suis pas très musicien. (reconnaître cet opéra?)
5. Paul et Henri sont rusés *(sly).* (disparaître quand on a besoin d'eux?)
6. Nous sommes en démocratie. (naître libres [*free*] et égaux [*equal*]?)

D. La construction **il faut** + infinitif

To describe a *general* obligation or necessity, the French use the construction:

il faut + infinitive

Il **faut** aider ses amis. — *One **should** help one's friends.* / *You **must** help your friends.* / *You **have to** help your friends.*

Pour voter, il **faut** avoir 18 ans. — *In order to vote, **it is necessary** to be 18 (years old).*

- The choice of a corresponding negative expression reflects what the speaker wants to express:
  - a prohibition *(one must not, one should not)*

    Il ne faut pas... — **Il ne faut pas** fumer ici.
  - a lack of necessity *(it is not necessary, one does not have to)*

    Il n'est pas nécessaire de... — **Il n'est pas nécessaire** d'être riche.

    Il ne faut pas nécessairement... — **Il ne faut pas nécessairement** avoir beaucoup d'argent.

- **Il faut** can also be used with a noun.

  Il faut **un passeport** pour voyager. — ***One must have a passport** to travel.*

  Il faut **dix minutes** pour aller à la gare. — ***It takes ten minutes** to go to the station.*

- A similar construction exists with **il vaut mieux.**

  Il vaut mieux être heureux que riche. — ***It is better** to be happy than rich.*

À remarquer

Note the corresponding near future form with **aller.**

Il **va falloir** travailler. — *We **are going to have to** work.*

Activité 7 Pour réussir dans les affaires *(To be successful in business)*

Analysez les qualités des personnes suivantes et dites si à votre avis ces qualités sont importantes ou non pour réussir dans les affaires. Exprimez votre opinion d'une manière générale en utilisant des expressions comme **il faut, il ne faut pas, il n'est pas nécessaire de, il vaut mieux.**

MODÈLE: Roland est très ambitieux.
Dans les affaires, il faut (il n'est pas nécessaire d') être ambitieux.

1. Sylvie est super-intelligente.
2. Vous avez beaucoup de bon sens *(common sense)*.
3. Nous parlons plusieurs langues.
4. Madame Guérin respecte ses collègues.
5. Monsieur Leduc joue au golf.
6. Jacques a beaucoup de relations *(connections)* personnelles.
7. J'ai beaucoup de diplômes.
8. Tu prends beaucoup de risques.

Activité 8 À tort ou à raison?

Lisez ce que font les personnes suivantes et dites si elles ont tort ou raison. Puis expliquez pourquoi.

MODÈLE: Jacques fume dans l'autobus.
Il a tort. Il ne faut pas fumer dans l'autobus.

1. Vous faites du sport.
2. Tu laisses tes clés *(keys)* dans la voiture.
3. Cette personne agit sans réfléchir.
4. Nous voulons réussir dans la vie.
5. Vous rejetez les préjugés *(prejudice).*
6. Cet employé néglige ses responsabilités.
7. Robert renonce à ses projets.
8. Le gouvernement protège les ressources naturelles.
9. Cette famille maintient ses traditions.
10. Cette femme élève strictement ses enfants.

E. Quelques verbes irréguliers en *-ir*

The present tense of **ouvrir** *(to open),* **courir** *(to run),* and **sortir** *(to go out)* is irregular.

INFINITIVE	ouvrir		courir	sortir	
INFINITIVE stem	ouvr-		cour-	sort-	
je/j'	ouvre	*-e*	cours	sors	*-s*
tu	ouvres	*-es*	cours	sors	*-s*
il/elle/on	ouvre	*-e*	court	sort	*-t*
nous	ouvrons	*-ons*	courons	sortons	*-ons*
vous	ouvrez	*-ez*	courez	sortez	*-ez*
ils/elles	ouvrent	*-ent*	courent	sortent	*-ent*

- Verbs like **ouvrir** have one stem and the endings of regular *-er* verbs.
- Verbs like **courir** and **sortir** have the same set of endings.

  Courir has one stem: the infinitive stem

  Sortir has two stems:

  - the singular stem is the infinitive stem minus the last consonant
  - the plural stem is the infinitive stem

  dormir *to sleep* je **dors,** nous **dormons**

  servir *to serve* je **sers,** nous **servons**

Vocabulaire: Quelques verbes irréguliers en *-ir*

COMME **ouvrir**

ouvrir	*to open*	**offrir**	*to give (a present); to offer*
couvrir	*to cover*		
découvrir	*to discover*	**souffrir**	*to suffer, be in pain*
		cueillir	*to pick*

COMME **courir**

courir	*to run*	**parcourir**	*to go over; to travel through*

COMME **sortir**

sortir	*to go out; to get out take out*	**sentir**	*to smell; to feel*
		ressentir	*to feel (an emotion)*
partir	*to leave*	**servir**	*to serve*
dormir	*to sleep*		
mentir	*to lie, tell lies*		

Notes de vocabulaire

1. **Sortir** is the opposite of **entrer.** It can be used alone, or it can be followed by **de** + *place.*

   Marc **sort de sa classe** à midi. — *Marc **gets out of his class** at noon.*

   ⇨ When **sortir** is followed by a direct object, it means *to take out.*

   Henri **sort** le lait du réfrigérateur.

2. **Partir** and **quitter** both mean *to leave.*

   - **Partir** is the opposite of **arriver.** It can be used alone or it can be followed by **de** + *place (to leave a place)* or by **à** or **pour** + *place (to leave for a place).*

     Marie **part de** Paris vendredi. — *Marie **is leaving** Paris on Friday.*

     Madame Laval **part à** son bureau. — *Madame Laval **is leaving for** her office.*

   - **Quitter** may not be used alone. It must be followed by the name of a place or person.

     Albert **quitte** son bureau à six heures. — *Albert **leaves** his office at six.*

     Monique **quitte** ses amis. — *Monique **is leaving** her friends.*

Carte American Express.
Ne partez pas sans elle.

Activité 9 Vive le printemps!

C'est le printemps! Dites ce que font les personnes de la colonne A, en utilisant les éléments des colonnes B et C dans des phrases logiques.

A	B	C
je	ouvrir	au soleil
tu	courir	des fleurs
nous	parcourir	la campagne à bicyclette
vous	dormir	du rhume des foins *(hay fever)*
les enfants	sentir	dans les champs
Jeanne	servir	le parfum des roses
Pierre et Gabrielle	souffrir	les fenêtres toute grandes *(wide open)*
le chef	cueillir	des légumes frais aux clients

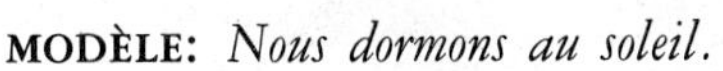

MODÈLE: *Nous dormons au soleil.*

Activité 10 Questions personnelles

1. À quelle heure quittez-vous votre maison le matin? À quelle heure sortez-vous de classe l'après-midi?
2. Est-ce que vous sortez souvent le samedi soir? Allez-vous sortir samedi prochain? Où? Qu'est-ce que vous allez faire?
3. Est-ce que vous dormez bien? Combien d'heures dormez-vous généralement?
4. Est-ce que vous partez souvent à la campagne le week-end? Allez-vous partir en vacances à Noël? Où pensez-vous aller?
5. Est-ce qu'on sert de la bonne nourriture *(food)* à la cafétéria ici? Qu'est-ce qu'on sert généralement à midi? Sert-on de la glace? du gâteau? de la bière?
6. Est-ce que vous souffrez beaucoup quand vous avez un examen? quand vous allez chez le dentiste? quand vous avez une querelle avec votre camarade de chambre?
7. En général, qu'est-ce que vous offrez à vos amis pour leur anniversaire? à votre père? à votre mère?
8. Est-ce que vous faites du jogging? Combien de milles courez-vous par semaine? Courez-vous vite?
9. Voici quelques sentiments que l'on peut ressentir: de la joie, de la pitié, de la colère *(anger)*, de l'inquiétude *(anxiety)*, de l'embarras, de la peine *(sadness)*. Qu'est-ce que vous ressentez quand quelqu'un n'est pas honnête avec vous? quand quelqu'un vous insulte? quand vous avez une bonne note à un examen difficile? quand vous partez en vacances? quand vous réfléchissez à l'avenir? quand vous lisez les nouvelles? quand vous apprenez une bonne nouvelle?

F. Quelques verbes irréguliers en *-re*

The present tense of **rire** *(to laugh),* **lire** *(to read),* **écrire** *(to write),* and **mettre** *(to put)* is irregular.

INFINITIVE	rire	lire	écrire	mettre	ENDINGS
je/j'	ris	lis	écris	mets	*-s*
tu	ris	lis	écris	mets	*-s*
il/elle/on	rit	lit	écrit	met	*-t/—*
nous	rions	lisons	écrivons	mettons	*-ons*
vous	riez	lisez	écrivez	mettez	*-ez*
ils/elles	rient	lisent	écrivent	mettent	*-ent*

- Verbs conjugated like **rire** have one stem.
- Verbs conjugated like **lire, écrire,** and **mettre** have two stems: one for the singular and one for the plural.
  Note: If the singular stem ends in ***-t*** (as in **mettre**), no ending is required in the **il** form.
  Many irregular verbs in ***-re*** are conjugated according to the preceding pattern.

	SINGULAR STEM	PLURAL STEM	EXAMPLES	
rompre *(to break)*	romp-	romp-	je romps	nous rompons
conduire *(to drive)*	condui-	conduis-	je conduis	nous conduisons
dire *(to say)*	di-	dis-	je dis	nous disons
plaire *(to please)*	plai-	plais-	je plais	nous plaisons
suivre *(to follow)*	sui-	suiv-	je suis	nous suivons
vivre *(to live)*	vi-	viv-	je vis	nous vivons
battre *(to beat)*	bat-	batt-	je bats	nous battons

- The **vous** form of **dire** is irregular: vous **dites.**
- The **il** form of **plaire** has an accent: il **plaît.**

Vocabulaire: Quelques verbes irréguliers en *-re*

ONE STEM

comme **rire** (ri-)

rire	*to laugh*
sourire	*to smile*

comme **rompre** (romp-)

rompre	*to break*
interrompre	*to interrupt*

TWO STEMS

comme **lire** (li-, lis-)

lire	*to read*
élire	*to elect*

comme **conduire** (condui-, conduis-)

conduire	*to drive*
construire	*to build, construct*
détruire	*to destroy*
produire	*to produce*
traduire	*to translate*

comme **dire** (di-, dis-)

dire	*to say, tell*
interdire	*to forbid*
prédire	*to predict*

comme **écrire** (écri-, écriv-)

écrire	*to write*
décrire	*to describe*

comme **plaire** (plai-, plais-)

plaire (à)	*to please*
déplaire (à)	*to displease*

comme **suivre** (sui-, suiv-)

suivre	*to follow*
poursuivre	*to pursue*

comme **vivre** (vi-, viv-)

vivre	*to live*
survivre	*to survive*

comme **mettre** (met-, mett-)

mettre	*to put, place; put on*
admettre	*to admit, accept*
remettre	*to hand in*
permettre (à)	*to permit, allow*
promettre (à)	*to promise*

comme **battre** (bat-, batt-)

battre	*to beat*
combattre	*to fight*

Notes de vocabulaire

1. The **vous** forms of **interdire** and **prédire** are regular: vous **interdisez**, vous **prédisez**
2. **Mettre** has several meanings.

to put, to place	**Mettez** le livre ici.	to turn on	Ne **mets** pas la télé!
to put on	Henri **met** une cravate.	to set	**Mettez** la table.

3. **Suivre** is used in a few idiomatic expressions.

suivre un régime	to be on a diet
suivre un cours	to take a course

Activité 11 La même chose

Lisez ce que font les gens suivants. Puis dites que les personnes entre parenthèses font la même chose.

1. Philippe sourit. (vos amis / nous / tu)
2. Marc ne suit pas tes conseils. (tes amis / je / nous)
3. Monique vit en Belgique. (nous / je / Éric et Anne)
4. Ce garçon dit des choses stupides. (tu / vous / Jacques et Antoine)
5. Cette région produit du bon vin. (la Californie / les Français / nous)
6. Vous élisez un candidat écologiste. (nous / les étudiants / notre ville)
7. Mon oncle construit une maison à la campagne. (mes parents / je / tu)
8. Je décris les détails de l'accident. (vous / les témoins / l'agent de police)
9. Tu interromps la conversation. (nous / vous / cette personne)
10. Ce candidat déplaît au public. (vous / ce mauvais acteur / ces politiciens malhonnêtes)

Activité 12 Oui ou non?

Lisez les descriptions des personnes suivantes. Puis dites si oui ou non elles font les choses entre parenthèses.

> **MODÈLE:** Robert est arrogant. (admettre ses erreurs?)
> *Il n'admet pas ses erreurs.*

1. Jacques est très nerveux. (dormir bien? vivre calmement?)
2. Nous sommes très cultivés. (lire beaucoup? comprendre le latin? écrire des poèmes?)
3. Bertrand veut connaître les dernières nouvelles *(news)*. (mettre la radio? lire le journal?)
4. Vous êtes un bon journaliste. (écrire bien? produire des articles intéressants? plaire au public?)
5. Ces gens n'ont pas beaucoup d'humour. (sourire? rire?)
6. Nous sommes étudiants à l'Alliance Française. (apprendre l'espagnol? suivre des cours de langue?)
7. Vous êtes sincère. (dire la vérité? mentir? admettre vos erreurs?)
8. Ces personnes sont prudentes. (conduire très vite? mettre leur ceinture de sécurité *(seat belt)*? prendre des risques?)
9. Mes cousins n'ont pas beaucoup d'argent. (vivre dans un palais *(palace)*? conduire une Rolls Royce? servir du caviar à leurs amis?)
10. Cet homme politique est idéaliste. (combattre l'injustice? promettre de faire des réformes? prédire l'existence d'une société meilleure?)

L'ART DE VIVRE FRANÇAIS
DANS LE MONDE

G. Quelques verbes irréguliers en *-oir, -oire*

The present tense of **voir** *(to see),* **croire** *(to believe),* **boire** *(to drink),* and **recevoir** *(to receive)* is irregular.

INFINITIVE	voir	croire	boire	recevoir	ENDINGS
je	vois	crois	bois	reçois	*-s*
tu	vois	crois	bois	reçois	*-s*
il/elle/on	voit	croit	boit	reçoit	*-t*
nous	voyons	croyons	buvons	recevons	*-ons*
vous	voyez	croyez	buvez	recevez	*-ez*
ils/elles	voient	croient	boivent	reçoivent	*-ent*

⇨ In verbs like **recevoir,** *c* → *ç* before ***oi.***

Vocabulaire: Quelques verbes en *-oir, -oire*

voir	*to see*	boire	*to drink*
prévoir	*to foresee, forecast*	recevoir	*to get, receive*
croire	*to believe, think*	apercevoir	*to notice, see*
		décevoir	*to disappoint*

Notes de vocabulaire

1. Several constructions are possible after **croire.**

croire à	*to believe in (something)*	***Croyez-vous à*** *votre horoscope?*
croire en	*to believe in (someone)*	***Croyez-vous en*** *Dieu* (God)?
croire que	*to believe, to think that*	***Je crois que*** *nous devons protéger la nature.*

2. **Recevoir** has several meanings.

to receive	Alain **reçoit** une lettre de sa fiancée.
to get, to obtain	Est-ce que tu **reçois** souvent de bonnes notes?
to entertain	Mes parents **reçoivent** souvent leurs amis.

Activité 13 Logique!

Décrivez les personnes de la colonne A en utilisant les expressions de la colonne B. Complétez les descriptions en utilisant les éléments de la colonne C dans des phrases affirmatives ou négatives. Soyez logique!

A	B	C
nous	être travailleur	recevoir une médaille
vous	être sceptique	croire à (son) horoscope
Janine	être myope *(near-sighted)*	croire tout
je	être superstitieux	décevoir (ses) professeurs
mes amis	être pessimiste	boire du thé
tu	être optimiste	voir bien
le président	être au régime	voir sans lunettes
les gens	être hypercritique	prévoir des problèmes sérieux pour l'avenir *(future)*
	avoir une bonne vue *(eyesight)*	apercevoir des défauts *(failings)* chez tout le monde

MODÈLE: *Vous êtes sceptique. Vous ne croyez pas tout.*

H. D'autres verbes irréguliers

The present tense of **peindre** *(to paint)*, **résoudre** *(to solve)*, **vaincre** *(to conquer)*, **fuir** *(to flee)*, **mourir** *(to die)*, **acquérir** *(to get)*, and **valoir** *(to be worth)* is irregular.

INFINITIVE	peindre	résoudre	vaincre
je	peins	résous	vaincs
tu	peins	résous	vaincs
il/elle/on	peint	résout	vainc
nous	peignons	résolvons	vainquons
vous	peignez	résolvez	vainquez
ils/elles	peignent	résolvent	vainquent

INFINITIVE	fuir	mourir	acquérir	valoir
je	fuis	meurs	acquiers	vaux
tu	fuis	meurs	acquiers	vaux
il/elle/on	fuit	meurt	acquiert	vaut
nous	fuyons	mourons	acquérons	valons
vous	fuyez	mourez	acquérez	valez
ils/elles	fuient	meurent	acquièrent	valent

Vocabulaire: D'autres verbes irréguliers

peindre	*to paint*	fuir	*to flee*
atteindre	*to reach*	mourir	*to die*
éteindre	*to extinguish, turn off*	acquérir	*to acquire, get*
craindre	*to fear*	conquérir	*to conquer*
rejoindre	*to join*	valoir	*to be worth*
résoudre	*to resolve, solve*		
vaincre	*to win, conquer*		
convaincre	*to convince*		

Activité 14 Que font-ils?

Décrivez ce que font les personnes suivantes en utilisant les verbes dans des phrases affirmatives ou négatives.

MODÈLE: (nous) éteindre la télé
Nous éteignons la télé.

1. (je / vous / les gens courageux) fuir devant le danger
2. (tu / je / nous / les bons élèves) mourir d'angoisse avant l'examen
3. (tu / vous / Salvador Dali / certains artistes modernes) peindre des tableaux surréalistes
4. (je / nous / les gens ambitieux) craindre le danger
5. (je / tu / vous / mes parents) acquérir une fortune immense
6. (nous / je / tu / cet orateur / les gens timides) convaincre le public
7. (vous / ma mère / tu / nous) résoudre toujours les problèmes
8. (Monsieur Richard / je / vous / les tableaux de Picasso) valoir un million de dollars

Entre nous

Que faire?

Dites ce que l'on doit faire pour atteindre les buts (goals) suivants. Vous pouvez indiquer aussi ce que l'on ne doit pas faire. Utilisez **il faut** et **il ne faut pas** et votre imagination!

MODÈLE: pour maigrir...
Pour maigrir, il faut faire du sport.
Il ne faut pas manger tout le temps.

1. Pour bien parler français...
2. Pour gagner de l'argent en été...
3. Pour passer un week-end intéressant...
4. Pour être populaire avec ses amis...
5. Pour trouver un travail intéressant...
6. Pour être indépendant...
7. Pour réussir dans la vie *(life)*...
8. Pour réussir dans les affaires *(business)*...

Situations

Vous êtes dans les situations suivantes. Dites ce que vous faites ou ce que vous ne faites pas. Si possible, utilisez les verbes de la leçon.

MODÈLE: Vous apercevez un étranger dans votre chambre.
Je ne prends pas de risque. J'ouvre la porte et je sors.
Je cours et j'appelle la police...

1. Vous faites une promenade à la campagne. Un énorme chien court après vous.
2. Il est minuit. Vous êtes très fatigué(e) mais vous avez un examen important demain matin.
3. Vous préparez une entrevue professionnelle.
4. Vous recevez une lettre. Vous ouvrez cette lettre. C'est une lettre d'amour. Vous voyez alors qu'elle est adressée à votre camarade de chambre.
5. Il y a un incendie *(fire)* dans la maison où vous habitez.
6. C'est le printemps. Vous passez un week-end à la campagne avec vos amis.

Leçon Préliminaire 4

Les adjectifs, la possession, la quantité

A. Les adjectifs descriptifs: formes

Descriptive adjectives agree in gender and number with the nouns or pronouns they modify.

Regular adjectives

Regular adjectives have the following endings.

	SINGULAR	PLURAL	EXAMPLES	
MASCULINE	—	*-s*	patient	patient*s*
FEMININE	*-e*	*-es*	patient*e*	patient*es*

- Adjectives that end in *-e* in the masculine singular do not add another *-e* in the feminine. However, masculine adjectives in *-é* do take feminine endings.

  un employé **dynamique** — une employée **dynamique**
  but: un garçon **réservé** — une fille **réservée**

- Adjectives that end in *-s* or *-x* in the masculine singular have the same form in the masculine plural.

  un passeport **français** — des passeports **français**
  un étudiant **sérieux** — des étudiants **sérieux**

À remarquer

When one adjective modifies two or more nouns, it is always plural. If the nouns are of different genders, the adjective is masculine.

Georges doit porter **un** costume et **une** cravate **noirs.**

Michelle va mettre **une** blouse et **une** jupe **bleues.**

Irregular adjectives

Irregular feminine forms[1]

MASCULINE ENDING	FEMININE ENDING	EXAMPLES	
-eux *-oux*	*-euse* *-ouse*	curieux jaloux	curieuse jalouse
-f	*-ve*	actif	active
-en *-on* *-el* *-et*	*-enne* *-onne* *-elle* *-ette*	canadien bon naturel coquet	canadienne bonne naturelle coquette
-et *-er*	*-ète* *-ère*	discret cher	discrète chère
-eur *-ateur*	*-euse* *-atrice*	travailleur conservateur	travailleuse conservatrice

⇨ A few adjectives in *-eur* have regular feminine endings: **meilleur, supérieur, inférieur, intérieur, extérieur.**

Qui est ta **meilleure** amie?

PRIX SPECIAUX sur
une sélection d'accessoires auto.

Irregular plural forms

Many adjectives ending in *-al* form the masculine plural in *-aux*. The feminine forms are regular.

un ami **loyal** des amis **loyaux** une amie **loyale** des amies **loyales**

⇨ The adjective **final** is regular: des examens **finals.**

[1] Less common patterns of irregular adjectives are given in lesson 000–00.

Beau, nouveau, vieux

The adjectives **beau** *(handsome, beautiful)*, **nouveau** *(new)*, and **vieux** *(old)* have irregular forms.

SINGULAR		PLURAL	
MASCULINE	FEMININE	MASCULINE	FEMININE
beau (bel) nouveau (nouvel) vieux (vieil)	belle nouvelle vieille	beaux nouveaux vieux	belles nouvelles vieilles

➪ The masculine singular form in parentheses is used when the adjective introduces a noun beginning with a vowel sound. **Liaison** is required.

un bel‿appartement　　　　un vieil‿homme (/j/)

Invariable adjectives

An adjective that does not change its ending is called *invariable.*

- Adjectives of color derived from nouns, such as **orange** and **marron** *(chestnut)* are invariable.

  une veste **marron**　　　　des sandales **orange**

- Adjectives of color consisting of more than one word are invariable.

  une jupe bleue　　　　*but:* une jupe **bleu marine** *(navy blue)*

  des chemises vertes　　　　*but:* des chemises **vert pomme** *(apple green)*

  une robe noire　　　　*but:* une robe **noir et blanc**

- A few adjectives, such as **snob** and **chic,** are invariable in the singular only.

  une fille **snob**　　　　*but:* des garçons **snobs**

  une cravate **chic**　　　　*but:* des robes **chics**

Vocabulaire: Quelques adjectifs de description

FORMATION RÉGULIÈRE

agréable	*pleasant*	jeune	*young*
aimable	*kind*	magnifique	*wonderful*
célèbre	*famous*	mince	*thin*
désagréable	*unpleasant*	sympathique	*nice, pleasant*
drôle	*funny*	tranquille	*calm, quiet*
égoïste	*selfish*	triste	*sad*
âgé	*old*	joli	*pretty*
agité	*nervous*	poli	*polite*
fort	*strong*	méchant	*bad, nasty*
grand	*tall, big*	petit	*small, little, short*
laid	*ugly*	prudent	*cautious, careful*
mauvais	*bad*		

FORMATION IRRÉGULIÈRE

-f / -ve	sportif	*athletic*		
-on / -onne	bon	*good*	mignon	*cute*
en / -enne	moyen	*average*		
-eux / -euse	amoureux	*in love*	joyeux	*happy*
	ennuyeux	*boring*	malheureux	*unhappy*
	heureux	*happy*	paresseux	*lazy*
-er / -ère	cher	*dear; expensive*	étranger	*foreign, foreigner*
	dernier	*last, latest*	premier	*first*
-oux / -ouse	jaloux	*jealous*		
-al / (pl) -aux	égal	*equal*	inégal	*unequal*
	génial	*bright*		

Notes de vocabulaire

1. Many French adjectives have English cognates. Note the following common patterns.

-eux / -euse	→ *-ous*	ambitieux	*ambitious*	généreux	*generous*
-if / -ive	→ *-ive*	actif	*active*	naïf	*naive*
-el / -elle	→ *-el, -al*	cruel	*cruel*	naturel	*natural*
-ien / -ienne	→ *-ian*	italien	*Italian*	végétarien	*vegetarian*
-et / -ète	→ *-et, -eet*	secret	*secret*	discret	*discreet*
-ateur / -atrice	→ *-ative*	créateur	*creative*	conservateur	*conservative*
-al / (pl) -aux	→ *al*	original	*original*	loyal	*loyal*

2. Several French adjectives and related nouns may be derived from verbs. These adjectives and nouns have the ending ***-eur / -euse.***

travailler:	**travailleur, -euse**	*hard-working*
mentir:	**menteur, -euse**	*liar, given to lying*
flatter:	**flatteur, -euse**	*flattering, given to flattery*

3. The following prefixes are used to give an adjective the opposite meaning.

dés-	**agréable**	**→ désagréable**	*unpleasant*
in-	**égal**	**→ inégal**	*unequal*
im-	**poli**	**→ impoli**	*impolite*
mal-	**heureux**	**→ malheureux**	*unhappy*

⇨ Note also the negative meaning of the adverb **peu.**

Il est **peu sportif.** — He is *unathletic.*

Activité 1 Portraits

Décrivez les personnes suivantes. Faites une phrase affirmative qui contient deux adjectifs du vocabulaire. Puis, faites une phrase négative avec un adjectif.

1. les élèves de la classe
2. mes grands-parents
3. mes voisins *(neighbors)*
4. le président des États-Unis
5. l'ami(e) idéal(e)
6. le vendeur idéal
7. Woody Allen
8. King Kong
9. John McEnroe
10. Brooke Shields
11. Richard Pryor
12. je

Activité 2 Oui ou non?

Lisez ce que font les personnes suivantes et décrivez leur personnalité, en utilisant les adjectifs entre parenthèses dans des phrases affirmatives ou négatives.

MODÈLE: Cette employée n'est pas à l'heure. (ponctuel?)
Elle n'est pas ponctuelle.

1. Ces étudiantes préparent l'examen. (sérieux? paresseux? travailleur?)
2. Cette élève comprend vite. (intelligent? attentif? brillant?)
3. Mademoiselle Brun est une secrétaire compétente. (loyal? discret? consciencieux?)
4. Marie et Suzanne font du jogging tous les jours. (sportif? inactif?)
5. Cette jeune artiste a vraiment un talent extraordinaire. (créateur? original? conservateur?)
6. Mademoiselle Lacombe espère être la présidente de sa compagnie. (ambitieux? agressif? dynamique?)
7. Cette actrice joue d'une manière spontanée. (naturel? instinctif? sincère?)
8. Ces hommes politiques veulent réformer la société. (conservateur? libéral? idéaliste?)
9. Ces personnes ne voyagent jamais le vendredi 13. (superstitieux? rationnel? courageux?)
10. Sylvie aime son fiancée, amis elle n'aime pas qu'il sorte avec d'autres filles. (libéral? amoureux? jaloux?)
11. Ces jeunes filles font leurs études à Rome, mais elles sont de Québec. (italien? canadien? étranger?)

B. Les adjectifs descriptifs: position

Most adjectives come *after* the nouns they modify.

une fille **intelligente** des idées **géniales** une maison **moderne**

A few adjectives usually come *before* the noun.

bon ≠ mauvais	Les **bons** élèves n'ont pas de **mauvaises** notes.
grand ≠ petit	J'habite un **petit** appartement dans un **grand** immeuble.
vieux ≠ jeune	Ce **jeune** avocat habite dans un **vieil** immeuble.
premier ≠ dernier	Le **premier** train arrive à la **dernière** station.

Other adjectives that follow this pattern are **beau, joli, long/longue, gros/grosse** *(fat)*, **gentil/gentille** *(nice)*.

- When several adjectives are used to modify a noun, each occupies the position it would if used alone.

  un **grand** appartement
  un appartement **moderne** } un **grand** appartement **moderne**

  Note: If two adjectives are both used before or after the noun, they are usually joined by **et**.

  une auto **rapide et confortable** *a fast, comfortable car*

- Some common adjectives have a different meaning depending on their position. When they follow the noun, they have their literal or objective meaning; before the noun, they have a figurative or abstract meaning.

  une maison **ancienne** *an old house* ***(built a long time ago)***

  mon **ancienne** maison *my old house* ***(where I used to live)***

À remarquer

In formal French, the indefinite article **des** becomes **de** when it introduces a noun preceded by an adjective.

des autos → **de** petites autos
des vêtements → **de** vieux vêtements

- When the adjective completes the meaning of the noun, **des** is always used, however.

des jeunes filles	*(teenage) girls*	**des** nouveaux mariés	*newlyweds*
des jeunes gens	*young people*	**des** beaux-parents	*in-laws*
des anciens élèves	*alumni*	**des** grands-parents	*grandparents*

Vocabulaire: La description des objets

L'ASPECT PHYSIQUE

la forme	**carré, rectangulaire**	*square, rectangular*
	rond, ovale	*round, oval*
les dimensions	**long (longue) ≠ court**	*long ≠ short*
	large ≠ étroit	*wide, broad ≠ narrow*
	haut ≠ bas (basse)	*tall, high ≠ low*
	énorme ≠ minuscule	*huge ≠ tiny, minute*
	moyen	*average*
le poids	**léger ≠ lourd**	*light ≠ heavy*
la température	**chaud ≠ froid**	*hot, warm ≠ cold*
la consistance	**solide ≠ fragile**	*solid ≠ fragile*
le mouvement	**rapide ≠ lent**	*fast ≠ slow*
l'apparence	**propre ≠ sale**	*clean ≠ dirty*
le contenu	**plein ≠ vide**	*full ≠ empty*
l'âge	**neuf (neuve) ≠ {vieux / d'occasion}**	*new ≠ {old / second-hand, used}*
	moderne ≠ ancien	*modern ≠ old, ancient*

QUELQUES AUTRES CARACTÉRISTIQUES

cher ≠ bon marché	*expensive ≠ cheap, inexpensive*
facile ≠ difficile	*easy ≠ hard, difficult*
confortable ≠ inconfortable	*comfortable ≠ uncomfortable*
utile ≠ inutile	*useful ≠ useless*
pratique, économique	*practical, economical*
étrange, bizarre	*strange, odd*

Notes de vocabulaire

1. **Bon marché** and **d'occasion** are invariable expressions.

   Je vais acheter une voiture **d'occasion.** Ces blue-jeans ne sont pas **bon marché.**

2. Note the difference between **nouveau** *(newly acquired),* which precedes the noun, and **neuf** *(brand new),* which follows the noun.

   Paul a une **nouvelle** voiture. (It's a 1975 Renault.)

   Mélanie a une voiture **neuve.** (It's the latest model.)

Activité 3 Une question d'opinion (et de connaissance!)

Donnez votre opinion sur les personnes et les choses suivantes. Pour cela, utilisez les adjectifs entre parenthèses. Mettez ces adjectifs à la personne et à la place qui conviennent. Faites une phrase pour chaque adjectif.

MODÈLE: Le champagne est un vin. (cher?)
Oui, le champagne est un vin cher. (Non, le champagne n'est pas un vin cher.)

1. New York est une ville. (beau? grand? propre?)
2. Paris est une ville. (vieux? culturel? petit? agréable?)
3. La Provence est une région. (ancien? beau? pittoresque? froid?)
4. Le Sahara est une région. (chaud? vide? industriel? touristique?)
5. Le camembert est un fromage. (carré? français? bon? fort?)
6. La choucroute *(sauerkraut)* est un plat. (alsacien? léger? chaud?)
7. Les Renault sont des voitures. (beau? bon? petit? économique? rapide?)
8. Le centre Pompidou est un monument. (bizarre? beau? ancien? minuscule?)
9. Les jeans sont des vêtements. (bon marché? confortable? beau? solide? pratique?)
10. L'avion est un moyen de transport. (confortable? lent? moderne? économique?)
11. Les Champs-Élysées sont une avenue. (étroit? long? beau? plein de monde [*people*]?)

Activité 4 À l'agence immobilière

Le choix de notre résidence dépend de notre personnalité et de nos finances. Certaines personnes vont dans une agence immobilière *(real estate office)*. Dites quel type de logement de la colonne A chacune cherche et dans quel endroit, de la colonne B. Utilisez plusieurs adjectifs si vous voulez.

A		B	
une chambre	beau	un quartier	beau
un studio	grand	un village	grand
un appartement	petit	une ville	petit
une maison	confortable	une région	calme
une villa	moderne		pittoresque
un château	ultra-moderne		touristique
	rustique		isolé
	cher		animé *(lively, busy)*
	bon marché		aéré *(with fresh air)*
	original		
	bien décoré		

MODÈLE: le jeune étudiant
Le jeune étudiant cherche un petit appartement bon marché dans un quartier animé.

1. le jeune cadre
2. la famille de cinq enfants
3. le couple de retraités *(retired couple)*
4. le millionnaire texan
5. les deux espions
6. les jeunes mariés
7. l'artiste
8. le prince arabe
9. l'actrice de cinéma
10. je

Vocabulaire: Quelques adjectifs à sens variable

Note how the meaning of the following adjectives varies according to whether they come before or after the noun they modify.

ancien	*old (in years)*	J'habite une maison **ancienne.**
	former	Voici notre **ancienne** maison.
brave	*brave*	Les gens **braves** prennent des risques.
	decent, worthy	Vous êtes de **braves** gens!
certain	*certain, sure*	C'est un succès **certain!**
	some	Ce livre a eu un **certain** succès.
cher	*expensive*	Vous achetez des vêtements **chers.**
	dear	Mes **chers** amis vont venir ce soir.
dernier	*last (preceding)*	L'été **dernier** je suis allé à New York.
	last, latest	J'ai vu le **dernier** film de Woody Allen.
même	*very, exact, itself*	C'est la vérité **même!**
	same, identical	C'est la **même** histoire!
pauvre	*poor (without money)*	Soyez généreux avec les gens **pauvres!**
	poor (to be pitied)	Le **pauvre** Henri n'a jamais de chance.
propre	*clean*	Mettez une chemise **propre!**
	own	J'ai ma **propre** chambre.
sale	*dirty, not clean*	Tu as les mains **sales.**
	nasty, unpleasant	Quel **sale** chien!
seul	*lonely, alone, by oneself*	C'est un homme **seul.**
	only	Tu es mon **seul** ami!

Activité 5 Avant ou après?

Lisez les descriptions suivantes. D'après ces descriptions, faites des phrases en utilisant le nom en italique et l'adjectif entre parenthèses. Commencez chaque phrase par **c'est.**

MODÈLE: Cet *étudiant* n'a pas beaucoup d'argent. (pauvre)
C'est un étudiant pauvre.

1. Ce *millionnaire* est très malheureux. (pauvre)
2. Cet *homme* n'est pas marié. (seul)
3. Cette *robe* coûte une fortune! (chère)
4. Cet *élève* a obtenu son diplôme en 1980. (ancien)
5. Cette *maison* date du 17ème siècle. (ancienne)
6. Cette *fille* ignore le danger. (brave)
7. Cet *enfant* ne se lave pas. (sale)
8. Cet *enfant* est arrogant, menteur, désobéissant et hypocrite. (sale)

C. C'est vs. il est

The following constructions are used to describe people, animals, or things.

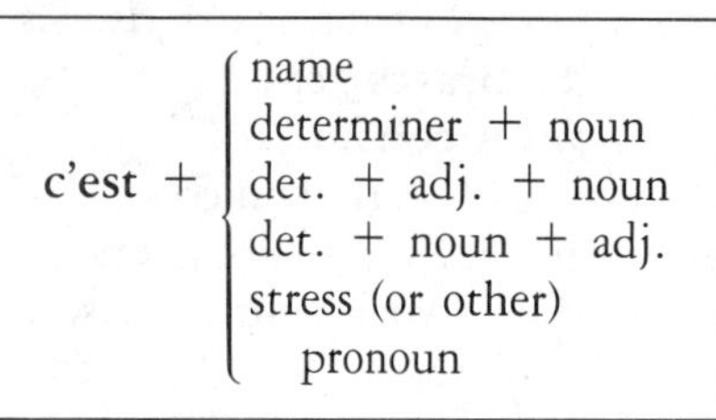

c'est + { name / determiner + noun / det. + adj. + noun / det. + noun + adj. / stress (or other) pronoun }

c'est + name	C'est **Paul.**	C'est «**Arabelle**».
c'est + determiner + noun	C'est **mon ami.**	C'est **une auto.**
c'est + det. + adj. + noun	C'est **un bon ami.**	C'est **une bonne auto.**
c'est + det. + noun + adj.	C'est **un ami génial.**	C'est **une auto légère.**
c'est + stress (or other) pronoun	C'est **lui** sur la photo.	C'est **celle** de Paul.
il/elle est + adjective	Il est **canadien.**	Elle est **petite.**
il/elle est + place	Il est **à Québec.**	Elle est **au garage.**

➪ With professions, two constructions can be used.

Voici Madame Nadou. { **Elle est** architecte. / **C'est une** architecte. }

➪ Note the different forms of **c'est.**

	AFFIRMATIVE	NEGATIVE
SINGULAR	C'est Antoine.	**Ce n'est pas** Jean-Pierre.
PLURAL	**Ce sont** mes amis.	**Ce ne sont pas** vos amis.

Activité 6 Identifications

Imaginez qu'un ami français vous demande qui sont les personnes et les choses suivantes. Identifiez-les pour lui. Faites deux phrases, l'une avec **ce/c'** et l'autre avec **il/elle/ils/elles.** Si vous voulez, vous pouvez utiliser le mot entre parenthèses.

MODÈLE: l'Astrodome (un stade)
C'est un stade. / C'est le stade où jouent les Astros.
Il est grand. / Il est à Houston.

1. les Yankees (une équipe)
2. Thanksgiving (une fête)
3. Montpelier (une ville)
4. les Rocheuses (des montagnes)
5. Stanford et Berkeley (des universités)
6. Meryl Streep (une actrice)
7. Barbara Walters (une journaliste)
8. Michael Jackson (un chanteur)

D. Les adjectifs interrogatifs, démonstratifs et possessifs

The interrogative, demonstrative, and possessive adjectives are determiners and agree with the nouns they introduce. They have the following forms.

	SINGULAR		PLURAL	
	MASCULINE	FEMININE	MASCULINE	FEMININE
INTERROGATIVE which, what	**quel**	**quelle**	**quels**	**quelles**
DEMONSTRATIVE this, that; these, those	**ce (cet)**	**cette**	**ces**	
POSSESSIVE my your his, her, its, one's	**mon** **ton** **son**	**ma (mon)** **ta (ton)** **sa (son)**	**mes** **tes** **ses**	
our your their	**notre** **votre** **leur**		**nos** **vos** **leurs**	

- The forms in parentheses are used before nouns or adjectives beginning with a vowel sound.

  Nicole est **une** amie. C'est **mon** amie.

- The adjective **quel** can be followed by **être** + *noun.* Note the agreement.

  Quelle est votre **adresse?** — *What is your address?*

  Quels sont tes **projets?** — *What are your plans?*

- To distinguish between what is nearby and what is farther away, ***-ci*** and ***-là*** are added to the noun.

  Veux-tu **cette** photo-ci ou **cette** photo-là? — *Do you want **this** picture **(over here)** or **that** picture **(over there).***

- The gender and number of a possessive adjective are determined by the noun that it introduces.

  Voici Pierre. Voici **sa** voiture. *Here is **his** car.*
  Voice Nathalie. Voici **sa** voiture. *Here is **her** car.*

  Note: To clarify the identity of the possessor, the expressions **à lui, à eux, à elle,** or **à elles** may be used.

  Voici sa voiture **à lui.** — *That's **his** car.*

  Voici sa voiture **à elle.** — *That's **her** car.*

Possessive adjectives may be reinforced by the adjective **propre** *(own)*, which comes before the noun.

Ce fermier fait son **propre** vin avec son **propre** raisin.	*This farmer makes his* ***own*** *wine with his* ***own*** *grapes.*

À remarquer

The adjective **quel** can be used in exclamative sentences. In this construction, no indefinite article is used after **quel**.

Quelle agréable surprise!	***What a*** *pleasant surprise!*

Vocabulaire: Objets de la vie courante

EN GÉNÉRAL

un objet	*object, thing*	**une chose**	*thing*
un appareil	*machine, piece of equipment, appliance*	**une machine**	*machine*
un article	*article, item*	**une marchandise**	*merchandise*
un produit	*product*	**une marque**	*make, brand*

QUELQUES OBJETS COURANTS

un timbre	*stamp*	**une clé**	*key*
un sac	*bag, handbag*	**une valise**	*suitcase*
un billet	*banknote, ticket*	**une pièce**	*coin*
un billet d'avion	*airplane ticket*		
un carnet	*small notebook*		
un carnet d'adresse	*address book*		
un carnet de cheques	*check book*		

LE MATÉRIEL DE BUREAU

un stylo à bille

une machine à écrire

une calculatrice

un ordinateur

un micro-ordinateur

une machine de traitement de texte

Notes de vocabulaire

1. In colloquial French, the nouns **un truc** and **un machin** are used to designate any undefined object.

   Passe-moi ce **truc**! — *Pass me that **thing**.*

2. Note the following expressions.

Quel genre de...	What kind, type...	***Quel genre de** produits cherchez-vous?*
Quelle sorte de...		***Quelle sorte d'**appareils vendez-vous?*
Quel type de...		***Quel type de** machine préférez-vous?*

Activité 7 Indécision

Monsieur et Madame Prévôt font des achats, mais ils ont un problème de choix. Jouez le rôle de Monsieur et Madame Prévôt.

MODÈLE: la chaise (confortable / très solide)
M. Prévôt: *Quelle chaise allons-nous choisir?*
Mme Prévôt: *Cette chaise-ci est confortable.*
M. Prévôt: *D'accord, mais cette chaise-là est très solide.*

1. la machine à écrire (automatique / silencieuse)
2. les produits (bon marché / efficaces)
3. l'ordinateur (rapide / fiable [*reliable*])
4. la marque (réputée / supérieure)
5. les marchandises (de bonne qualité / supérieures)
6. l'appareil (économique / garanti)

Activité 8 Shopping

Madame Buisson passe dans plusieurs endroits (indiqués entre parenthèses). Elle veut obtenir des renseignements sur certains objets. Le vendeur lui demande des précisions. Jouez le rôle de Madame Buisson, en utilisant l'adjectif démonstratif et un nom qui convient. Jouez le rôle du vendeur en utilisant l'adjectif interrogatif.

MODÈLE: (dans un magasin de meubles) Combien coûte(nt)...?
—Combien coûtent ces chaises?
—Quelles chaises?
—Ces chaises-ci!

1. (à la poste) Combien coûte(nt)...?
2. (dans un magasin d'articles de voyage) Quelle est la marque de...?
3. (au salon de l'électronique) Quel est le prix de...?
4. (dans une librairie) Je voudrais acheter....
5. (dans un magasin de matériel de bureau) Est-ce que vous garantissez...?
6. (au magasin «Tout pour la cuisine») Pouvez-vous me faire une démonstration de...?
7. (dans une exposition de matériel électrique) Pouvez-vous m'expliquer comment fonctionne(nt)...?

Activité 9 Bon voyage!

Les personnes de la colonne A partent en vacances. Dites ce que chacun fait avant de partir, en utilisant les élements des colonnes B et C. Utilisez les adjectifs possessifs qui conviennent.

A	B	C
nous	faire	le passeport
Madame Simonet	donner	la maison
vous	laisser	les valises
Monsieur Verdier	mettre	le carnet de chèques dans la poche
mes cousines	chercher	les vêtements dans la valise
Pierre et André	prendre	la clé au concierge
je	fermer à clé	l'adresse à la secrétaire
tu		le numéro de téléphone aux amis

MODÈLE: *Nous laissons notre numéro de téléphone à nos amis.*

E. La possession avec de

To express possession or relationship the following construction is used.

definite article + **de** (d') + {proper name / determiner + noun}

La sœur **de Jean** habite à Paris. — ***Jean's** sister lives in Paris.*

Où sont les clés **de la voiture**? — *Where are the **car** keys?*

Possession may also be indicated with the expressions **être à** and **appartenir à** *(to belong to).*

Ces disques **sont à** Jacques. — *These records **belong to** Jacques.*

Cette auto **appartient à** mon cousin. — *This car **belongs to** my cousin.*

Note the corresponding interrogative constructions with **à qui.**

À qui sont ces livres?
À qui appartiennent ces livres? — ***Whose** books are these?*

Activité 10 À la consigne de l'hôtel

Les objets de la colonne A ont été déposés à la consigne *(check room)* de l'hôtel Méridien. Ces objets reflètent la profession ou la situation de leur propriétaire. Imaginez que vous travaillez à la consigne. Pour chaque objet, indiquez à qui il appartient probablement et indiquez ensuite son propriétaire de la colonne B.

A	B
la machine à écrire	le représentant
le porte-documents *(briefcase)*	le médecin
les valises	les touristes japonais
le sac à dos *(backpack)*	la jeune étudiante
l'appareil-photo	la photographe
le stéthoscope	l'homme d'affaires
les échantillons *(samples)*	la journaliste

MODÈLE: *La machine à écrire n'est pas au médecin. C'est la machine à écrire de la journaliste.*

felix potin

Cidre doux

1 litre

Distribué par PRIMISTÈRES S.A - B.P. 109 - 93123 LA COURNEUVE - EMB. 94073 A

F. Les expressions de quantité

Nouns can be introduced by expressions of quantity according to the following construction.

adverb of quantity / specific quantity } + de (d') + noun	trop de lait un litre de lait

- Adverbs of quantity may be used alone (without **de**) to modify verbs. Compare:

Nous travaillons **trop.**	Nous avons **trop de** travail.
Combien coûtent les oranges?	**Combien d'**oranges voulez-vous?

- Imprecise quantities are introduced by the partitive article. Compare:

IMPRECISE QUANTITIES	SPECIFIC QUANTITIES
Pierre achète **du** raisin.	Il achète **un kilo de** raisin.
Prenez **des** céréales.	Prenez **trois boîtes de** céréales.

Vocabulaire: Expressions de quantité

peu de	*not much (of), not many*
un peu de	*a little (of), a little bit (of)*
assez de	*enough (of)*
beaucoup de	*much, many; a lot of*
trop de	*too much, too many*
beaucoup trop de	*much too much, many too many*
tant de	*so much, so many; that much, that many*
tellement de	*so much, so many; that much, that many*
combien de...?	*how much, how many?*

Note de vocabulaire

Two constructions are possible with **combien de.**

Combien d'employés recrutez-vous? **Combien** recrutez-vous **d'employés?**

Activité 11 Expression personnelle

Exprimez votre opinion sur les sujets suivants. Dans chaque phrase, utilisez un adverbe de quantité qui reflète votre opinion. Vos phrases peuvent être affirmatives ou négatives.

MODÈLE: nous / importer (le pétrole)
Nous importons trop (beaucoup trop) de pétrole. (Nous n'importons pas assez de pétrole.)

1. les étudiants / avoir (les examens, le temps libre, le travail)
2. je / avoir (le temps libre, l'argent, la chance)
3. nous / consommer (l'énergie, l'essence, les produits artificiels)
4. les enfants / manger (le sucre, les aliments naturels, les aliments sans valeur nutritive)
5. les jeunes / avoir (le courage, l'ambition, les idées, les problèmes)
6. les parents / donner (l'argent, les responsabilités, les conseils, les encouragements) à leurs enfants
7. les Américains / prendre (les vacances, les vitamines, les médicaments)
8. à la télé, il y a (les programmes sportifs, les nouvelles, la publicité)
9. dans la société, il y a (la violence, l'injustice, les inégalités)
10. l'industrie / créer (la pollution, les déchets [*waste products*], les produits nouveaux, les possibilités d'emploi)
11. le progrès technique / provoquer (les changements, le chômage [*unemployment*])
12. aujourd'hui, le monde / offrir (les tentations, les chances de réussite, les bons exemples, les motivations) à la jeunesse [*youth*]

Vocabulaire: Quelques quantités

POIDS *(weights)* ET MESURES

un kilo	*kilogram*	une once	*ounce*
un litre	*liter*	une livre	*pound (approx. 500 grams)*
un demi-litre	*half-liter*	une tonne	*ton*

QUELQUES RÉCIPIENTS *(containers)*

un paquet	*package, pack*	une boîte	*box, can*
un pot	*jar*	une bouteille	*bottle*
un sac	*sack, bag*	une tasse	*cup*
un tube	*tube*		
un verre	*glass*		

D'AUTRES QUANTITÉS

un cachet	*tablet*	une douzaine	*dozen*
un morceau	*piece*	une feuille	*sheet, leaf*
		une portion	*portion, helping*
		une tranche	*slice*

Activité 12 En quelles quantités?

Les personnes suivantes achètent ou emploient certains produits. Dites quelle quantité, en utilisant une expression du vocabulaire. Soyez logique!

MODÈLE: Éric achète des oranges.
Il achète un kilo (un sac, trois livres, une douzaine) d'oranges.

1. Vous achetez de la moutarde.
2. Monsieur Simon commande du vin.
3. Jacques désire du chocolat.
4. Nous achetons des pommes de terre.
5. Je commande du jambon.
6. Nathalie prend du gâteau.
7. Nous prenons des céréales.
8. Françoise achète du dentifrice *(toothpaste).*
9. À la station-service, Stéphanie prend de l'essence.
10. Vous écrivez sur du papier.
11. Monsieur Lambert achète des cigarettes.
12. Quand j'ai mal à la tête, je prends de l'aspirine.

Entre nous

Descriptions

1. Faites votre auto-portrait.
2. Faites la description d'une personne célèbre (un acteur ou une actrice, un(e) athlète, une personnalité politique, un personnage historique). Faites le portrait physique et moral (qualités et défauts) de cette personne.
3. Décrivez votre chambre: sa forme, sa condition, la façon dont *(in which)* elle est décorée, les objets qu'elle contient, etc.
4. Décrivez votre ville: son histoire, ses monuments, les choses qui vous plaisent et les choses qui vous déplaisent.

Situations

1. Vous faites les courses avec un camarade de classe. Faites un dialogue où vous discutez des choses que vous allez acheter et en quelles quantités.
2. Imaginez que vous êtes dans les magasins suivants: un magasin de vêtements, un magasin de matériel de bureau, un magasin d'équipement électronique. Composez un dialogue entre un vendeur (une vendeuse) et un client (une cliente).
3. Imaginez que vous travaillez en France comme représentant(e) d'une marque d'automobile. Expliquez à vos clients les avantages de vos modèles.
4. Imaginez qu'un groupe d'étudiants français va visiter votre campus. Préparez un itinéraire où vous décrivez les différents bâtiments *(buildings)* et endroits à voir.
5. Préparez le texte d'une brochure touristique dans laquelle *(which)* vous décrivez les avantages de votre région.

Contextes

Les phrases suivantes font partie de différentes conversations. Imaginez le contexte de ces conversations dans un petit paragraphe.

MODÈLE: «Est-ce que c'est lui?»
Janine montre son album de photos à Nicole. Nicole essaie de savoir qui est le petit ami de Janine. À chaque photo où il y a un garçon jeune et beau, elle demande à Janine si c'est lui.

1. «Moi, je préfère ces modèles-là.»
2. «C'est sa voiture à lui ou à elle?»
3. «À qui est-ce?»
4. «Merci! C'est beaucoup trop!»
5. «Quel sale temps!»
6. «Voici mon ancienne maison. Tu vois, elle n'est pas très ancienne!»
7. «Ici chacun *(everyone)* lave ses propres chemises!»

Unité 1

La description du passé

Mlle Bécat at the Café aux Ambassadeurs, lithograph by Edgar Degas, 1875–1877, The Metropolitan Museum of Art, Rogers Fund, 1919.

Leçon 1 Le passé composé avec **avoir**

A. Le passé composé avec **avoir**: verbes réguliers
B. Les participes passés irréguliers en ***-é, -i*** et ***-u***
C. Les participes passés irréguliers en ***-is, -it, -ert*** et ***-int***

Several tenses are used in French to describe the past. The most common past tense is the **passé composé** which, as its name indicates, is a *compound* tense.

Compound tenses consist of two parts and are formed according to the following pattern:

auxiliary verb (**avoir** or **être**)	+ past participle

The compound tenses of most French verbs are formed with the auxiliary **avoir.**

A. Le passé composé avec **avoir**: verbes réguliers

Forms

The **passé composé** of **voyager** has the following forms.

j'	**ai voyagé**	nous	**avons voyagé**
tu	**as voyagé**	vous	**avez voyagé**
il/elle/on	**a voyagé**	ils/elles	**ont voyagé**

The **passé composé** of most verbs is formed according to the following pattern.

present tense of **avoir** (affirmative, negative or interrogative)	+ past participle

➩ Note the negative and interrogative forms of the **passé composé**.

NEGATIVE

Je **n'ai pas** voyagé.
Elle **n'a jamais** voyagé.

INTERROGATIVE

Avec qui **as-tu** voyagé?
Marc **a-t-il** voyagé?
Pourquoi **n'a-t-il pas** voyagé?

The past participles of regular verbs are formed as follows.

verbs in *-er*	*-er* → *é*	inviter	Nous avons **invité** Marie.
verbs in *-ir*	*-ir* → *i*	choisir	Vous avez **choisi** un disque.
verbs in *-re*	*-re* → *u*	vendre	Ils ont **vendu** leur auto.

➩ Verbs like **dormir** have regular past participles.

dormir Où avez-vous **dormi** hier?

Uses

The **passé composé** is used to describe completed events and actions that took place at a certain time in the past.

Jacques **a fini** ce livre.	*Jacques* ***finished*** *this book.* *Jacques* ***has finished*** *this book.* *Jacques* ***did finish*** *this book.*
Anne **n'a pas téléphoné.**	*Anne* ***did not phone.*** *Anne* ***has not phoned.***

À remarquer

In the **passé composé,** adverbs such as **bien, mal, déjà, souvent,** and adverbs of quantity such as **beaucoup, trop, assez,** come between the auxiliary verb and the past participle.

Je n'ai pas **bien** dormi. Nous avons **beaucoup** travaillé.

Activité 1 Conversation

Demandez à vos camarades s'ils ont fait les choses suivantes l'été dernier. Ils vont répondre affirmativement ou négativement. Continuez la conversation si vous voulez.

MODÈLE: travailler?
—As-tu travaillé? (Est-ce que tu as travaillé?)
—Oui, j'ai travaillé. (Non, je n'ai pas travaillé.)
—Où as-tu travaillé?
—J'ai travaillé dans un hôpital.

1. économiser de l'argent?
2. voyager?
3. acheter une moto?
4. visiter la France?
5. dormir sous une tente?
6. louer un appartement?
7. rencontrer des gens intéressants?
8. brunir?
9. rendre visite à tes cousins?
10. perdre ton temps?
11. établir des nouvelles amitiés *(friendships)?*
12. accomplir un objectif important?

Activité 2 Oui ou non?

Dites que les personnes suivantes ont fait la première chose entre parenthèses. Utilisez cette information pour dire si oui ou non elles ont fait les autres choses.

MODÈLE: Jacques (étudier / regarder la télé?)
Jacques a étudié. Il n'a pas regardé la télé.

1. nous (étudier / réussir à l'examen?)
2. je (dormir / travailler?)
3. vous (jouer comme des champions / perdre le match?)
4. tu (oublier l'heure du rendez-vous / rencontrer tes amis?)
5. les étudiants (préparer l'examen / rendre visite à leurs amis?)
6. ces enfants (écouter leurs parents / désobéir?)
7. nous (travailler / gagner de l'argent?)

8. vous (réfléchir / répondre intelligemment à la question?)
9. Janine (entendre le téléphone / répondre?)
10. nos amis (perdre patience / réagir calmement?)
11. je (parler sincèrement / mentir?)
12. mon oncle (bâtir une maison à la campagne / déménager de Paris?)

Activité 3 Le week-end dernier

François a passé le week-end à la campagne. Quand il revient, Jean-Paul, son camarade de chambre, lui explique ce qui est arrivé. François lui pose des questions. Jouez les deux rôles d'après le modèle.

MODÈLE: ton cousin / téléphoner (quand?)
Jean-Paul: *Ton cousin a téléphoné.*
François: *Quand a-t-il téléphoné?*

1. Cécile et Marie / téléphoner (pour quelle raison?)
2. le facteur *(mailman)* / apporter un paquet (pour qui?)
3. notre équipe / perdre le match (par quel score?)
4. Albert / vendre sa voiture (à qui?)
5. Sylvie / trouver du travail (où?)
6. tes cousins / envoyer un télégramme (pourquoi?)
7. les voisins / appeler la police (pourquoi?)
8. la police / arrêter un cambrioleur *(burglar)* (quand?)
9. mes amis / déménager (dans quelle ville?)

B. Les participes passés irréguliers en *-é, -i* et *-u*

Many verbs with irregular present tense forms also have irregular past participles.

(être) Paulette **a été** malade.
(rire) Pourquoi **avez-vous ri?**
(lire) N'**avez**-vous pas **lu** cet article?

Some irregular verbs have past participles ending in *-é, -i,* and *-u.*

IN *-é*	IN *-u*	
être → été	avoir → *eu*	tenir → *tenu*
	devoir → *dû*	courir → *couru*
IN *-i*	pouvoir → *pu*	lire → *lu*
rire → ri	vouloir → *voulu*	plaire → *plu*
suivre → suivi	savoir → *su*	connaître → *connu*
	voir → *vu*	battre → *battu*
	croire → *cru*	vivre → *vécu*
	boire → *bu*	résoudre → *résolu*
	recevoir → *reçu*	vaincre → *vaincu*
	EXPRESSIONS IN *-u*	
	il y a → il y a eu	il faut → il a fallu
	il pleut → il a plu	il vaut → il a valu

▷ Verbs that are conjugated in the present tense like the preceding verbs, have similar past participles.

élire → **élu** Les Français **ont élu** un nouveau président.
apercevoir → **aperçu** J'**ai aperçu** ton frère dans la rue.

À remarquer

Note the meaning of certain verbs in the **passé composé.**

être → **j'ai été**
I have been J'**ai été** victime d'un accident.
I went J'**ai été** à l'hôpital.

devoir → **j'ai dû**
I had to Paul n'est pas lá. Il **a dû** partir.
I must have Henri n'est pas ici. Il **a dû** rater le bus.

pouvoir → **j'ai pu**
I could Ils n'**ont** pas **pu** venir à la réception.
I was able to, was successful in J'**ai pu** obtenir deux billets.

connaître → **j'ai connu**	
I met	J'ai **connu** votre cousin à Paris.
savoir → **j'ai su**	
I learned, found out	Il **a su** la vérité en parlant à ton frère.

Activité 4 Avez-vous fait ces choses?

Dites si oui ou non vous avez jamais fait les choses suivantes. Si votre réponse est négative, utilisez le mot **jamais**.

MODÈLE: avoir la grippe?
Oui, j'ai eu la grippe.
(Non, je n'ai jamais eu la grippe.)

1. avoir un accident de vélo?
2. être en Grèce?
3. boire du champagne?
4. suivre un régime végétarien?
5. voir une éclipse du soleil?
6. courir un cinq mille (5000) mètres?
7. lire une pièce *(play)* de Shakespeare?
8. vivre dans un pays étranger?
9. recevoir un «A» en français?
10. appartenir à un orchestre?
11. obtenir un prix *(prize)* dans un concours *(contest)* de photo?

Activité 5 Petits problèmes

Chacun a ses petits problèmes. Racontez au passé les problèmes des personnes suivantes. Pour cela, mettez les phrases suivantes au passé composé.

MODÈLE: Henri boit trop de café. Il ne peut pas dormir.
Henri a bu trop de café. Il n'a pas pu dormir.

1. Il y a une panne d'électricité *(power failure)* vendredi soir. Vous ne pouvez pas étudier. Vous devez étudier samedi.
2. Nous ne croyons pas le bulletin de la météo *(weather forecast)*. Il pleut. Nous ne pouvons pas rester à la plage. Il faut rentrer.
3. Vous ne voulez pas réserver des billets. Vous ne retenez pas vos places *(seats)*. Vous avez tort. Tous les billets sont vendus. Vous ne pouvez pas aller au concert.
4. Nous avons soif. Nous buvons trop d'eau. Nous avons mal au ventre. Nous sommes malades. Nous devons rester à la maison.
5. Les étudiants n'ont pas envie d'étudier. Ils ne lisent pas la leçon. Ils ne savent pas la réponse aux questions du professeur. Ils reçoivent une mauvaise note. Ils déçoivent le professeur.
6. Marc n'est pas prudent. Il ne voit pas l'obstacle. Il a un accident. Il doit aller à l'hôpital.
7. Les gens élisent un candidat médiocre. Ce candidat ne tient pas ses promesses. Il déçoit les électeurs.
8. Monsieur Bertrand stationne sa voiture dans la rue. Il ne voit pas l'interdiction de stationner. Il n'aperçoit pas l'agent de police. Il reçoit une contravention *(ticket)*.

C. Les participes passés irréguliers en *-is, -it, -ert* et *-int*

Some verbs have irregular past participles ending in *-is, -it, -ert,* and *-int.*

EN *-is*		EN *-it*		EN *-ert*		EN *-int*	
mettre	**mis**	faire	**fait**	ouvrir	**ouvert**	peindre	**peint**
prendre	**pris**	dire	**dit**			craindre	**craint**
acquérir	**acquis**	conduire	**conduit**			joindre	**joint**
		écrire	**écrit**				

▷ Verbs conjugated in the present tense like the preceding verbs, have similar past participles.

promettre	→ **promis**	J'ai **promis** de sortir avec Éric.
comprendre	→ **compris**	Je n'ai pas **compris** votre question.
traduire	→ **traduit**	Nous **avons traduit** un poème.
découvrir	→ **découvert**	Arthur Fleming **a découvert** la pénicilline.

Vocabulaire: Quelques expressions pour la description du passé

avant	*before*	**à nouveau**	*again*
après	*after*	**de nouveau**	*again*
d'abord	*first*	**encore**	*once more*
ensuite	*then, afterwards*	**déjà**	*already*
puis	*then*		
enfin	*at last, finally*		

Note de vocabulaire

Note the construction with **déjà** and **encore.**

As-tu **déjà** voyagé en train? — *Have you **ever** travelled by train?*

Le bus n'est **pas encore** parti. — *The bus has **not** left **yet.***

SORTIE LE 14 MARS

Dans ce monde glacial on a besoin de la chaleur de l'amitié

LES COPAINS D'ABORD

(THE BIG CHILL)

Un film de LAWRENCE KASDAN

Distribué par WARNER COLUMBIA FILM

Activité 6 Conversation

Demandez à vos camarades s'ils ont déjà fait les choses suivantes.

MODÈLE: écrire un poème?
—As-tu jamais écrit un poème?
—Oui, j'ai déjà écrit un poème. (Non, je n'ai jamais écrit de poème.)

1. faire du camping?
2. faire une promenade à cheval?
3. conduire une Alfa Roméo?
4. apprendre à piloter un avion?
5. écrire un roman?
6. prédire un événement futur?
7. souffrir du mal de mer *(seasickness)?*
8. ouvrir un compte en banque?
9. peindre un tableau?
10. acquérir une œuvre *(work)* d'art?

Activité 7 À chacun son métier

Attribuez à chaque personne de la colonne A une des professions de la colonne B. Dites ce qu'a fait cette personne en utilisant le passé composé des expressions de la colonne C. Soyez logique.

A	B	C
je	chauffeur de taxi	prendre des photos
vous	cuisinier	écrire un article
ma cousine	biologiste	construire cette maison
tu	agent de police	découvrir un nouveau vaccin
nous	architecte	faire un discours *(speech)*
mes amis	journaliste	traduire un texte
mon oncle	photographe	conduire les touristes à l'aéroport
	interprète	ouvrir un restaurant
	candidat politique	mettre le cambrioleur *(burglar)* en prison

MODÈLE: *Tu es photographe. Tu as pris des photos.*

Activité 8 Un peu d'histoire

Dites si oui ou non les personnes suivantes ont fait les choses indiquées. Pour cela, faites des phrases affirmatives ou négatives au passé composé.

1. Christophe Colomb (faire un long voyage? découvrir un nouveau continent? ouvrir une nouvelle route vers [*toward*] les Indes?)
2. Ernest Hemingway (écrire *Le Vieil Homme et la mer?* vivre à Paris? connaître beaucoup d'aventures?)
3. Madame Curie (découvrir le radium? recevoir le prix Nobel de chimie? obtenir le prix Nobel de physique?)
4. Martin Luther King (combattre l'injustice? disparaître tragiquement? avoir une influence importante?)
5. Louis XIV (vivre au 19e siècle? construire le palais de Versailles? dire «L'État, c'est moi!»?)
6. les frères Wright (faire une invention importante? découvrir la photographie? recevoir le prix Nobel?)

Entre nous

Situations

Lisez les situations suivantes. Dites ce que les personnes ont fait ou n'ont pas fait. Utilisez les verbes au passé composé et votre imagination.

MODÈLE: Madame Normand a raté son bus. Alors...
Elle a dû prendre un taxi. Elle n'a pas pu être à l'heure à son rendez-vous d'affaires (business appointment). *Elle n'a pas vu ses clients.*

1. Jacqueline n'a pas trouvé les clés de sa voiture. Alors...
2. Ces touristes ont perdu leur passeport. Alors...
3. Tu as découvert un trésor *(treasure)* dans une maison abandonnée. Alors...
4. Vous avez gagné 10.000 francs à la loterie nationale. Alors...
5. Nous avons reçu une invitation à dîner par le Maire *(mayor)* de Paris. Alors...
6. J'ai été figurant *(extra)* dans un film à New York. Alors...

À votre tour

1. Y a-t-il un personnage historique que vous admirez particulièrement? Expliquez pourquoi. Qu'est-ce que cette personne a fait? Comment a-t-elle contribué au progrès de l'humanité?
2. Qui est votre auteur préféré? Qu'est-ce qu'il/elle a écrit? Expliquez pourquoi sa vie et ses œuvres *(works)* sont intéressantes.
3. Avez-vous vu un film récemment? Décrivez l'action de ce film.
4. Imaginez qu'une firme française recrute du personnel. Plusieurs étudiants se présentent *(are showing up)* pour une interview. Composez et jouez un dialogue entre le chef du personnel et les candidats. Le chef du personnel peut demander aux candidats ce qu'ils ont étudié, s'ils ont déjà travaillé, où et dans quelle capacité, ce qu'ils ont appris, s'ils ont voyagé, ce qu'ils ont fait avant, etc.

Leçon 2 Le passé composé avec être

A. Le passé composé avec **être**

B. L'usage du présent avec **depuis**

A. Le passé composé avec **être**

The passé composé of **aller** has the following forms:

MASCULINE		**FEMININE**	
je suis	allé	je suis	allée
tu es	allé	tu es	allée
il est	allé	elle est	allée
nous sommes	allés	nous sommes	allées
vous êtes	allé(s)	vous êtes	allée(s)
ils sont	allés	elles sont	allées

The **passé composé** of many verbs of motion is formed with **être** according to the following pattern.

present tense form of **être** (affirmative, negative, or interrogative)	+ past participple

Note the negative and interrogative forms of the **passé composé.**

NEGATIVE

Je **ne suis pas allé** au café.

Paul **n'est jamais allé** à Paris.

INTERROGATIVE

Est-ce que tu es allé au cinéma?

Est-il allé à Lyon?

Pourquoi Marc **n'est-il pas allé** à Nice?

When the **passé composé** is conjugated with **être,** the past participle agrees in gender and number with the *subject.*

Marc est **allé** à Bordeaux.

Alice et Claudine sont **allées** à Biarritz.

À remarquer

Because **vous** can be masculine or feminine, singular or plural, the agreement reflects the gender and number of the subject whom **vous** represents.

Où êtes-**vous** allée hier, **Madame Durand?**

Où êtes-**vous** allés samedi dernier, **Paul et Éric?**

Activité 1 Où et pourquoi?

Quand nous allons dans un endroit, c'est généralement dans un but *(goal)* précis. Exprimez cela pour les personnes de la colonne A en choisissant une destination de la colonne B et une activité de la colonne C. Soyez logique!

A	B	C
nous	le café	déjeuner
vous	le cinéma	rencontrer des amis
Nicole	le supermarché	courir
Janine et Hélène	le stade	acheter de l'aspirine
mes cousins Jacques	la campagne	faire du jogging
tu	la poste	faire un pique-nique
je	la pharmacie	acheter de la glace
	le restaurant	envoyer une lettre
		voir un western

MODÈLE: *Je suis allé(e) à la pharmacie. J'ai acheté de l'aspirine.*

Vocabulaire: Les verbes conjugués avec *être*

The following verbs are conjugated with **être**. Note the past participles of these verbs in the sample sentences.

aller	*to go*	Jean **est allé** au Mexique.
venir	*to come*	André **est venu** chez nous.
revenir	*to come back*	Je **suis revenu** avec lui.
arriver	*to arrive, come*	Le train **est arrivé** à deux heures.
partir	*to leave*	L'avion **est parti** ce matin.
entrer	*to enter, go in, come in*	Qui **est entré** dans ma chambre?
sortir	*to go out, get out*	Éric **est sorti** avec Christine.
monter	*to go up, climb*	Le chat **est monté** sur le toit *(roof)*.
descendre	*to go down, descend*	Le chien **est descendu** dans la cave *(cellar)*.
rentrer	*to go back, come back, return*	Pierre **est rentré** à minuit.
retourner	*to go back, return*	Paul **est retourné** au café.
tomber	*to fall*	Alain **est tombé** dans la rue.
rester	*to stay*	Guy **est resté** dans sa chambre.
passer	*to pass, go by, go through*	Je **suis passé** chez vous à midi.
devenir	*to become*	Mon cousin **est devenu** photographe.
naître	*to be born*	Je **suis né** à Paris.
mourir	*to die*	Mon grand-père **est mort** l'année dernière.

Notes de vocabulaire

1. The verbs of motion in the chart can be used alone or they can be followed by the name of a place. These place names must be introduced by a preposition, such as **à, de, en, sur, dans,** etc.

   Jeanne **est entrée dans** la chambre. — *Jeanne* ***entered*** *the room.*

   Nous **sommes partis de** Paris à midi. — *We* ***left*** *Paris at noon.*

2. The verbs **monter, descendre, sortir, rentrer,** and **passer** can be followed by a *direct object.* In these cases, they are conjugated with **avoir** and have a somewhat different meaning.

monter	*to take or carry up*	*Nous* ***avons monté*** *les valises dans la chambre.*
	to climb, go up	***J'ai monté*** *les escaliers* (stairs) *sans difficulté.*
descendre	*to take or bring down*	***As-tu descendu*** *ta raquette?*
	to go down	*Nous* ***avons descendu*** *les marches* (steps).
sortir	*to take out*	***J'ai sorti*** *mon argent de la banque.*
rentrer	*to bring or take in*	*Nous* ***avons rentré*** *l'auto dans le garage.*
passer	*to pass along*	***J'ai passé*** *l'enveloppe à mon frère.*
	to spend (time)	*Où* ***avez-vous passé*** *le mois de juillet?*
	to take (a test)	*Nous* ***avons passé*** *l'examen hier.*

Contrast:

Hélène **est sortie** du taxi. — *Hélène* ***got out*** *of the taxi.*

Elle **a sorti** ses valises. — *She* ***took*** *her suitcases* ***out.***

Activité 2 Conversation

Demandez à vos camarades s'ils ont déja fait les choses suivantes.

MODÈLE: aller au Canada?
—*Es-tu déjà allé(e) au Canada?*
—*Oui, je suis allé(e) au Canada. (Non, je ne suis jamais allé(e) au Canada.)*

1. aller à New York?
2. monter à l'Empire State Building?
3. aller en Europe?
4. monter à la Tour Eiffel?
5. descendre dans un sous-marin *(submarine)?*
6. rester plusieurs jours dans un hôpital?
7. tomber de bicyclette?
8. sortir avec des amis français?
9. partir d'un cinéma avant la fin du film?
10. arriver en retard à la classe de français?

Activité 3 Un drôle de week-end!

Robert avait l'intention de passer un week-end agréable à la plage avec son cousin. Racontez les événements. Pour cela, mettez les phrases au passé composé.

1. Samedi, Robert va à la plage.
2. Son cousin Lucien vient avec lui.
3. Les deux garçons partent à dix heures.
4. Ils arrivent à la plage vers midi.
5. Ils montent dans le bateau de Robert.
6. Ils vont en mer.
7. Soudain, le ciel devient très gris.
8. La mer devient très agitée.
9. La pluie tombe.
10. Les deux garçons rentrent chez eux trempés *(soaked).*
11. Ce soir-là, ils ne sortent pas.
12. Ils restent chez eux.

Activité 4 Qu'est-ce qu'ils ont fait?

Décrivez ce que les personnes suivantes ont fait, en utilisant le passé composé des verbes entre parenthèses. Certains verbes sont conjugués avec **avoir,** d'autres avec **être.**

1. ma sœur (aller à l'université / étudier la biologie / devenir médecin)
2. mes amis (venir chez moi / jouer aux cartes / partir à minuit)
3. vous (faire du ski / tomber / aller à l'hôpital)
4. tu (perdre le contrôle de ta bicyclette / tomber / descendre dans le ravin)
5. nous (acheter des billets / monter dans le bus / partir en vacances)
6. le pilote *(racing driver)* (monter dans sa voiture / partir à toute vitesse *(very fast)* / gagner la course)
7. les cambrioleurs *(burglars)* (entrer par la fenêtre / prendre l'argent / sortir par la porte)
8. le train (arriver à neuf heures / rester dix minutes dans la gare / partir à neuf heures dix)
9. beaucoup de soldats américains (aller en France / combattre les Nazis / mourir pour la liberté)
10. Napoléon (naître en Corse / devenir empereur des Français / mourir en exil)

B. L'usage du présent avec **depuis**

The following sentences describe actions that are going on now or that have been going on for a certain amount of time. Note the use of the expression **depuis,** and compare the use of tenses in French and English.

Anne **habite** à Paris.	*Anne **is living** in Paris.*
Anne **habite** à Paris **depuis** 1980.	*Anne **has been living** in Paris **since** 1980.*
J'**étudie** le français.	*I **am studying** French.*
J'**étudie** le français **depuis** trois ans.	*I **have been studying** French **for** three years.*

In French, actions that have been going on for a certain amount of time and that are still continuing in the present are expressed by a verb in the present according to the following construction.

present +	**depuis** *(since)* + starting point of the action
	depuis *(for)* + elapsed time

- Note the following interrogative expressions:

Depuis quand?	*Since when?*	**Depuis quand** habitez-vous ici?
Depuis combien de temps?	*For how long?*	**Depuis combien de temps** as-tu les permis de conduire?

- The beginning of the action can be expressed by **depuis que** + *clause in the present.*

Je suis en excellente santé **depuis que je fais du jogging.**	*I have been in excellent health (ever) **since I have been jogging.***

À remarquer

1. Other constructions are used to express *for* + elapsed time. Note these constructions.

il y a... que voilà... que ça fait... que	+ present	**Il y a** deux ans **que** j'habite à Paris. **Voilà** deux ans **que** j'habite à Paris. **Ça fait** deux ans **que** j'habite à Paris.

   The constructions above are equivalent to:

J'**habite** à Paris **depuis** deux ans.	*I **have been living** in Paris **for** two years.*

2. In negative sentences with **depuis,** the verb can be in the present or the **passé composé,** depending on the meaning or focus.

Mon père **ne fume plus depuis deux ans.**	*My father **has not been smoking for two years.*** (The focus is on the fact that he is still not smoking.)
Mon père **n'a pas fumé depuis deux ans.**	*My father **has not smoked since two years ago.*** (The focus is on the fact that he stopped two years ago.)

♦ The same distinction exists with **il y a... que, voilà... que,** and **ça fait... que.**

Activité 5 Expression personnelle

Dites depuis quand ou depuis combien de temps vous faites les choses suivantes.

MODÈLE: étudier le français?
J'étudie le français depuis trois ans (depuis 1982).

1. aller à cette université?
2. habiter dans cette ville?
3. connaître mon meilleur ami?
4. savoir nager?
5. savoir conduire?
6. avoir le permis de conduire *(driver's license)?*
7. avoir un appareil-photo?
8. faire cet exercice?

Activité 6 Depuis combien de temps?

Lisez ce qu'ont fait les personnes suivantes. Dites depuis combien de temps elles font les choses entre parenthèses en faisant référence au présent.

MODÈLE: Robert a rencontré Jacqueline le 1er septembre. Nous sommes maintenant le 15 octobre. (connaître Jacqueline?)
Il connaît Jacqueline depuis six semaines (depuis un mois et demi, depuis quarante-cinq jours).

1. Madame Lemieux est arrivée au bureau à neuf heures. Il est midi. (travailler?)
2. Tu as obtenu ton permis de conduire en janvier. Nous sommes en avril. (savoir conduire?)
3. Vous êtes venus à Paris en 1980. Nouse sommes maintenant en 1985. (habiter à Paris?)
4. Je suis arrivé à la gare à 10h05. Il est maintenant 10h50. (attendre le train?)
5. Cette pianiste a commencé le piano à l'âge de quatre ans. Elle a maintenant trente et un ans. (jouer du piano?)
6. Henri s'est couché *(went to bed)* à minuit. Il est dix heures du matin. (dormir?)
7. Nous avons quitté la maison à onze heures. Il est midi cinq. (faire du jogging?)
8. Carmen et Silvia se sont inscrites *(registered)* à l'Alliance Française en septembre. Nous sommes maintenant en juillet. (apprendre le français?)
9. Tu as appris à programmer à l'âge de dix-huit ans. Tu as vingt-cinq ans. (savoir programmer?)

Entre nous

Situations

Lisez les situations suivantes. Décrivez ce qui est arrivé *(what happened)* en deux ou trois lignes. Utilisez votre imagination et des verbes au passé composé, si possible avec **être**.

> **MODÈLE:** Adèle a eu un accident.
> *Elle est tombée de bicyclette. Elle n'est pas rentrée chez elle. Elle est allée à l'hôpital. Elle est restée trois jours là-bas.*

1. Marc a passé une soirée formidable!
2. Pauline et Suzanne ont passé un drôle de week-end!
3. Pendant les vacances, nous sommes allées à Paris!
4. Oh là là, tu as eu de la chance!
5. Ah vraiment, je suis content d'être rentré!
6. Mes amis ont passé des vacances sensationnelles!

À votre tour

1. Décrivez un voyage que vous avez fait récemment.
   Où êtes-vous allé(e)? Quand êtes-vous parti(e)? Quand êtes-vous rentré(e)?
2. Présentez certains éléments autobiographiques.
   Quand êtes-vous né(e)? Où? Combien de temps est-ce que votre famille est restée dans cet endroit? Où êtes-vous allés ensuite? Et après?

Leçon 3 L'imparfait (I)

A. L'imparfait: formation et usage général
B. L'usage de l'imparfait: événements habituels
C. L'usage de l'imparfait: actions progressives

A. L'imparfait: formation et usage général

The **imparfait** (imperfect tense) is a past tense that is used frequently in descriptions and narratives.

Lucie **portait** une robe noire. — *Lucie **was wearing** a black dress.*

Forms

The **imparfait** is a simple tense formed according to the pattern:

imparfait stem (**nous** form of the present minus *-ons*)	+ **imparfait** endings

INFINITIVE	parler	finir	vendre	faire	ENDINGS
PRESENT nous	parlons	finissons	vendons	faisons	
IMPARFAIT je	parlais	finissais	vendais	faisais	*-ais*
tu	parlais	finissais	vendais	faisais	*-ais*
il/elle/on	parlait	finissait	vendait	faisait	*-ait*
nous	parlions	finissions	vendions	faisions	*-ions*
voux	parliez	finissiez	vendiez	faisiez	*-iez*
ils/elles	parlaient	finissaient	vendaient	faisaient	*-aient*

- The only exception to this pattern is **être,** which has an irregular stem *(ét-)* but regular endings.

  j'**étais,** tu **étais,** il **était,** nous **étions,** vous **étiez,** ils **étaient**

- Note how the formation pattern applies to irregular as well as stem-changing verbs.

	PRESENT	IMPARFAIT
IRREGULAR VERBS		
sortir	nous **sortons**	je **sortais**
prendre	nous **prenons**	je **prenais**
boire	nous **buvons**	je **buvais**
écrire	nous **écrivons**	j' **écrivais**
-er VERBS WITH STEM CHANGE		
acheter	nous **achetons**	j' **achetais**
espérer	nous **espérons**	j' **espérais**
payer	nous **payons**	je **payais**

	PRESENT	IMPARFAIT
VERBS IN *-ier*		
étudier	nous **étudions**	j' **étudiais**, nous **étudiions**
VERBS IN *-ger* AND *-cer*		
voyager	nous **voyageons**	je **voyageais** *but:* nous **voyagions**[1]
commencer	nous **commençons**	je **commençais** *but:* nous **commencions**[1]

Note the **imparfait** forms of the following impersonal expressions.

il y a	**il y avait**	*there was/were*
il faut	**il fallait**	*it was necessary*
il pleut	**il pleuvait**	*it was raining*
il vaut	**il valait**	*it was worth*

In the **imparfait,** negative and interrogative constructions follow the same pattern as in the present.

NEGATIVE	INTERROGATIVE
Je **n'étais pas** chez moi.	**Est-ce que tu étais** au café?
Éric **ne voyageait jamais** seul.	Avec qui **voyageait-il?**
	Pourquoi Anne **n'étudiait-elle pas?**

Uses

The choice between the **passé composé** and the **imparfait** reflects the way the speaker views the past action or situation being described.

In general, the **passé composé** is used to describe specific actions completed in the past. It describes *what happened.*

Nous **avons visité** Paris (en 1982). — *We **visited** Paris (in 1982).*

Éric **est venu** chez moi (hier soir). — *Eric **came** to my house (last night).*

In general, the **imparfait** is used to describe ongoing or habitual actions in the past. It describes what *was happening* at a certain time, or *what used to be.*

(En 1980) nous **habitions** à Genève. — *(In 1980) we **were living** in Geneva.*

(Autrefois) les gens **ne voyageaient pas** beaucoup. — *(In the past) people **did not used to travel** much.*

Note that the time period of the action can be expressed or omitted.

[1] The spellings ***ge*** and ***ç*** are used only before endings beginning with ***o*** and ***a***.

Activité 1 Le tremblement de terre

Un léger tremblement de terre *(earthquake)* a eu lieu hier. Chaque personne explique où elle était et ce qu'elle faisait au moment du tremblement de terre.

> MODÈLE: Monsieur Moreau: au salon / regarder la télé
> *Monsieur Moreau était au salon. Il regardait la télé.*

1. nous: au restaurant / dîner
2. vous: au café / jouer aux cartes
3. Philippe: dans sa chambre / téléphoner à sa fiancée
4. je: chez moi / étudier
5. Mademoiselle Mercier: au bureau / travailler
6. les voisins: dans la rue / attendre le bus
7. tu: chez toi / finir un livre
8. Marie: dans un magasin / choisir une nouvelle robe
9. les touristes: à l'hôtel / remplir la fiche d'hôtel
10. nous: à la bibliothèque / rendre des livres
11. vous: à l'opéra / applaudir le ténor

Activité 2 Occupations

Philippe veut savoir où étaient ses amis hier après le déjeuner. Dites-lui ce que chacun faisait et si ou oui non cette personne était chez elle.

> MODÈLE: Denis / faire les courses
> *Denis faisait les courses. Il n'était pas chez lui.*

1. nous / faire du jogging
2. tu / faire la vaisselle
3. vous / lire un livre
4. Jean-François / courir
5. tu / écrire une lettre
6. ces étudiants / dormir
7. Paul et Henri / voir un western à la télé
8. vous / conduire vos amis à l'aéroport
9. Alice et Cécile / prendre des photos dans le parc
10. je / suivre un cours à l'Académie de musique
11. nous / boire du café avec nos amis
12. Suzanne / ranger sa chambre

Activité 3 Et avant?

Lisez ce que font les personnes suivantes et demandez ce qu'elles faisaient avant. Pour cela, posez une question en utilisant l'inversion et l'expression interrogative entre parenthèses.

> MODÈLE: Philippe habite à Bruxelles. (où?)
> *Et avant, où habitait-il?*

1. Monsieur Simonet travaille à Dijon. (où?)
2. Gilbert sort avec Renée. (avec qui?)
3. Nathalie suit des cours de piano. (quels cours?)
4. Pierre et Thomas vont à l'université. (à quelle école?)
5. Ma cousine a un alligator. (quel animal?)
6. Gisèle et Caroline pratiquent le yoga. (quelle activité?)
7. Madame Richard possède une Jaguar. (quelle voiture?)
8. Monsieur Vantard appartient au Jockey Club. (à quel club?)

B. L'usage de l'imparfait: événements habituels

Compare the use of tenses in the following sentences.

D'habitude je **prenais** le bus.	Un jour, j'**ai pris** le train.
Le samedi Paul **allait** au cinéma.	Samedi dernier il **est allé** au concert.
Pendant les vacances, nous **voyions** souvent Henri.	Nous **avons vu** Janine une fois la semaine dernière.

The **imparfait** is used to describe habitual actions and actions that repeated themselves an undetermined number of times in the past.

- It is often used with expressions such as **généralement, d'habitude, le samedi, le week-end.** These expressions imply repetition.
- It is used to express actions that are described in English with the constructions *used to* + *verb* and *would* + *verb*.

  Autrefois, Anne **sortait** avec Éric. — *In the past, Anne* ***used to go out*** *with Eric.*

The **passé composé** is used to describe single and isolated actions or actions that were repeated a specific number of times.

- It is used with expressions such as **une fois, deux fois, dix fois, hier, samedi dernier.**
- Remember that the choice between the **passé composé** and the **imparfait** reflects the speaker's view of the action. Compare the following sentences:

Pendant les vacances,	*During the vacation,*
nous **sortions** souvent.	*we often* ***went out*** *(we often* ***used to go out****).*
nous **sommes sortis** souvent.	*we often* ***went out*** *(we often* ***did go out****).*

In the first sentence, the speaker is stressing the habitual or regular character of the action. In the second sentence, the speaker considers the actions as a series of isolated occurrences.

Vocabulaire: Quelques expressions pour décrire le passé

un jour	*one day*	toujours	*always*
ce jour-là	*on that day*	tous les jours	*every day*
l'autre jour	*the other day*	parfois / quelquefois	*sometimes*
une fois	*once*	autrefois	*in the past*
deux fois	*twice*	en général / généralement	*generally*
plusieurs fois	*several times*	habituellement / d'habitude	*usually*
pour la première fois	*for the first time*	souvent	*often*
soudain	*suddenly*	de temps en temps	*from time to time*
tout à coup / brusquement	*all of a sudden*	rarement	*seldom*
finalement / enfin	*finally*		

Note de vocabulaire

The expressions on the left are usually used with the **passé composé.** The expressions on the right are often used with the **imparfait.** They are, however, used with the **passé composé** when the speaker considers the actions specific.

Nous **allions** à la plage tous les jours. — *We **used to go** to the beach every day.*

Nous **sommes allés** à la plage tous les jours. — *Every day we **went** to the beach.*

Activité 4 Conversation

Demandez à vos camarades s'ils faisaient les choses suivantes il y a cinq ans.

MODÈLE: habiter dans cette ville?
—*Habitais-tu dans cette ville?*
—*Oui, j'habitais dans cette ville. (Non, je n'habitais pas dans cette ville.)*

1. aller à cette université?
2. voyager beaucoup?
3. savoir conduire?
4. avoir une auto?
5. conduire souvent?
6. apprendre le français?
7. connaître ton meilleur ami d'aujourd'hui?
8. vouloir être acteur/actrice?
9. vivre avec tes grands-parents?
10. être indépendant(e)?

Activité 5 En France

Les étudiants suivants font leurs études aux États-Unis. Lisez ce qu'ils font maintenant et dites ce qu'ils faisaient quand ils étaient en France. Suivez le modèle.

> MODÈLE: François habite à San Francisco. (à Marseille)
> *Avant, il habitait à Marseille.*

1. Nous habitons à Denver. (à Grenoble)
2. Ces filles jouent au tennis. (au volley)
3. Tu travailles dans un restaurant. (dans une banque)
4. Nicole et Thérèse voyagent en avion. (en train)
5. Tu conduis une Chevrolet. (une Renault)
6. Je lis *Time Magazine.* *(l'Express)*
7. Tu bois du Coca-cola. (de l'eau minérale)
8. Mes cousins font du ski nautique. (de la planche à voile)

Activité 6 Oui ou non?

Lisez les descriptions des personnes suivantes quand elles étaient plus jeunes. Dites si oui ou non elles faisaient les choses entre parenthèses.

> MODÈLE: Caroline était sérieuse. (étudier?)
> *Oui, elle étudiait!*

1. Mes petits cousins n'étaient pas sérieux. (étudier? réussir à leurs examens? obéir à leurs parents?)
2. Catherine était sportive. (aller à la piscine? faire du jogging? rester chez elle le week-end?)
3. Tu étais très timide. (rougir? sortir souvent? aimer parler en public?)
4. Monsieur Bernard n'était pas riche. (avoir une vieille voiture? acheter des vêtements chers? boire du champagne?)
5. Vous aviez d'excellentes relations avec votre famille. (voir souvent vos cousins? écrire à vos grands-parents? rendre visite à votre oncle?)
6. Mon cousin Charles était très paresseux. (dormir beaucoup? faire beaucoup de sport? appartenir à un club de sport?)
7. J'étais assez imprudent. (conduire vite? prendre des risques inutiles? agir impulsivement?)
8. Nous étions des enfants modèles? (aider nos parents? décevoir nos amis? dire toujours la vérité?)

Activité 7 Retour au village natal

Après trente ans d'absence, Monsieur Martin retourne au village où il est né. Il note que beaucoup de changements ont eu lieu depuis son départ. Voici le village d'aujourd'hui. Décrivez le village d'autrefois.

MODÈLE: Le village est prospère. (relativement pauvre)
Autrefois le village était relativement pauvre.

1. Les gens vivent dans des maisons modernes. (dans des fermes)
2. Il y a un grand supermarché. (beaucoup de petits commerces)
3. On va au travail en auto. (à bicyclette)
4. Cette usine fabrique des ordinateurs. (des machines agricoles)
5. Elle emploie mille ouvriers. (une centaine d'ouvriers)
6. Elle vend ses produits dans le monde entier. (sur le marché local)
7. Le patron conduit une Mercédès 450. (une vieille Renault)
8. Les jeunes font du tennis. (du football)

Activité 8 Une fois n'est pas coutume

Décrivez ce que les personnes suivantes faisaient d'habitude le samedi pendant leurs vacances. Puis dites ce qu'elles ont fait un jour. Utilisez les expressions **généralement** et **une fois,** et le temps du verbe qui convient.

MODÈLE: Jacqueline: aller (à la plage, à la piscine)
Généralement Jacqueline allait à la plage, mais une fois elle est allée à la piscine.

1. nous: aller (au cinéma, à un concert)
2. vous: dîner (à la maison, dans un restaurant chinois)
3. Sylvie: sortir (avec Robert, avec le cousin de Robert)
4. mes amis: jouer (au tennis, au volley)
5. tu: faire (du jogging, du ski nautique)
6. François: organiser (un pique-nique, une surprise-partie)
7. Caroline: rendre visite (à son fiancé, à son oncle)
8. tu: laver (ta moto, la voiture de ton oncle)

Activité 9 Une année à Montpellier

Guillaume a passé l'année dernière à l'université de Montpellier dans le sud de la France. Voici comment il raconte son séjour. Racontez le séjour de Guillaume au passé. Utilisez le passé composé ou l'imparfait, selon le cas.

MODÈLE: J'arrive à Montpellier en septembre.
Je suis arrivé à Montpellier en septembre.

1. Pendant mon séjour, j'habite à la Cité Universitaire.
2. Au début, je ne connais personne.
3. Très vite, je fais connaissance d'autres étudiants.
4. Pendant la semaine, j'étudie beaucoup.
5. Le week-end, je sors avec mes amis.
6. En général, nous faisons des promenades dans la région.

7. Un jour, nous allons en Espagne en autobus.
8. Pendant ce voyage, je rencontre Françoise.
9. Le week-end suivant, elle me présente à ses parents.
10. De temps en temps, ils m'invitent à dîner.
11. Je passe une très bonne année.
12. Malheureusement, je dois rentrer chez moi.

C. L'usage de l'imparfait: actions progressives

Compare the uses of the tenses in the following sentences.

Nous **regardions** la télé... quand tu **as téléphoné.**
Jacques ne **faisait** pas attention... quand le professeur **a posé** la question.

Pendant que j'**attendais** le bus... j'**ai vu** un accident.
Quand vous **dormiez...** votre maison **a été** cambriolée *(burglarized).*

The **imparfait** is used to describe progressive actions, that is, actions that were in progress or going on at a certain point or period in time.

- In English, progressive actions are described with the construction *was/were* + verb in *-ing.*

  Nous **regardions** la télé. — *We **were watching*** TV.

The **passé composé** is used to describe specific actions that occurred at a given point in time.

- Depending on the viewpoint of the speaker, an action may be progressive or specific. Compare:

  À neuf heures, nous **dînions.** — *At nine, we **were having dinner.***

  À neuf heures, nous **avons dîné.** — *At nine, we **had dinner.***

  In the first sentence the speaker is describing what was going on at a given time. In the second sentence, the speaker is describing what happened at that time.

- The relationship between events and the corresponding choice of the **imparfait** or the **passé composé** can be illustrated graphically.

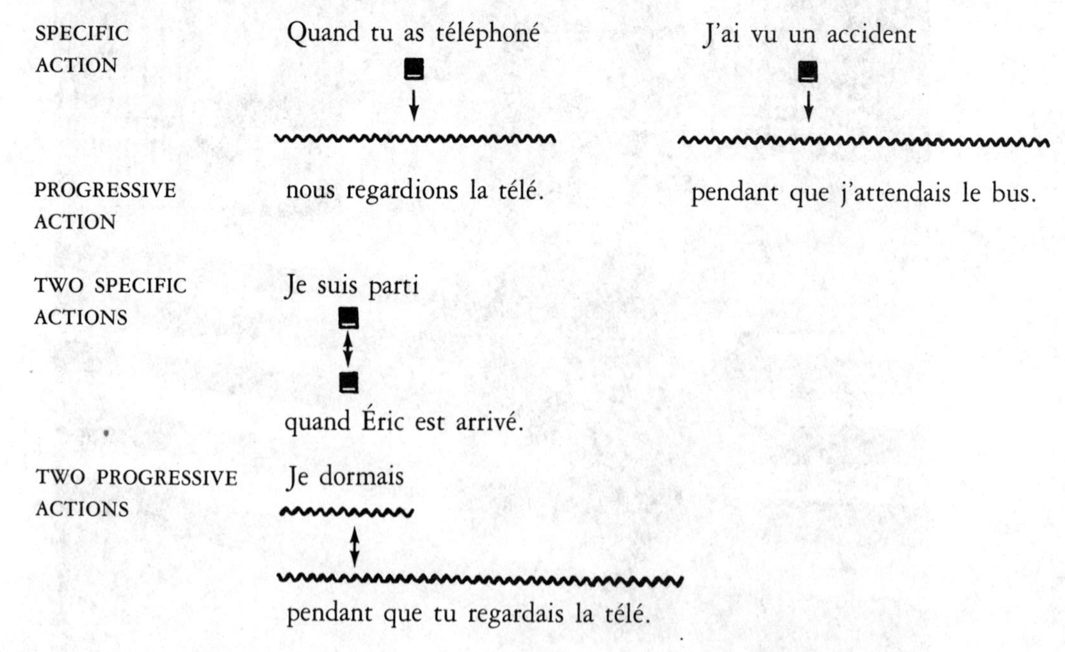

À remarquer

The **imparfait** is used in sentences with **depuis** *(since, for)* to describe actions or situations that began in the past and were continuing when another past action occurred.

J'**étudiais depuis** ce matin quand tu as téléphoné.	*I* ***had been studying since*** *this morning when you called.*
Étienne **habitait** à Paris **depuis** deux ans quand il a rencontré Josette.	*Étienne* ***had been living*** *in Paris* ***for*** *two years when he met Josette.*

♦ Such past actions may also be expressed by the construction:

il y avait / ça faisait + elapsed time + **que...** + **imparfait**

Il y avait deux ans qu'Étienne **habitait** à Paris quand il a rencontré Josette.	*Étienne* ***had been living*** *in Paris* ***for*** *two years when he met Josette.*

Vocabulaire: Quelques expressions de temps

PREPOSITION (+ NOUN)

pendant	*during*	Qu'est-ce que tu as fait **pendant** les vacances?
pendant (+ time)	*for*	Nous avons couru **pendant** une heure.

CONJUNCTION (+ CLAUSE)

pendant que	*while*	Le facteur est passé **pendant que** vous faisiez les courses.
lorsque	*when*	Nous avons rencontré Alain **lorsque** nous étions à Marseille.
au moment où	*just as*	Le téléphone a sonné **au moment où** nous sommes rentrés.

Notes de vocabulaire

1. Note the use of the interrogative expression **pendant combien de temps?** *(for how long?)*

   Pendant combien de temps avez-vous habité à Genève?

2. Note the distinction between **depuis** and **pendant.**

J'habite à Paris **depuis** un an.	*I have been living in Paris* ***for*** *a year.*
J'ai habité à Québec **pendant** un an.	*I lived in Québec* ***for*** *a year.*

Activité 10 Zut alors!

Certaines choses arrivent toujours au mauvais moment. Exprimez cela au passé.

MODÈLE: Nous faisons une promenade. Il commence à pleuvoir. (quand)
Nous faisions une promenade quand il a commencé à pleuvoir.

1. Je gagne le match. Je tombe. (quand)
2. Je suis dans l'ascenseur *(elevator)*. Il y a une panne *(power failure)*. (lorsque)
3. Vous visitez la Floride. Il y a un ouragan *(hurricane)*. (lorsque)
4. Mes amis voyagent en France. Le dollar est dévalué. (au moment où)
5. Georges écrit à sa petite amie. Le professeur lui pose une question. (au moment où)
6. Mon cousin va à cent à l'heure. La police l'arrête. (quand)
7. Tu prends une photo. Tu perds l'équilibre *(balance)* et tu tombes dans la piscine. (quand)
8. Lucien embrasse *(kisses)* Adèle. Le père d'Adèle arrive. (au moment où)

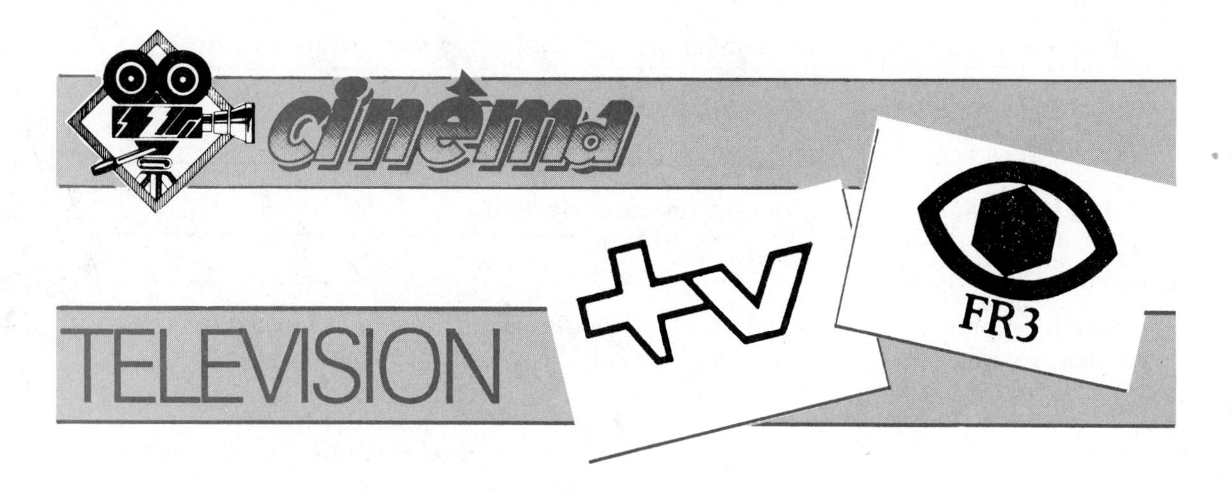

Activité 11 Qu'est-ce qui se passait?

Lisez la description au présent des deux événements. Puis décrivez ces événements au passé, en utilisant le passé composé et l'imparfait.

MODÈLE: Robert téléphone. Nous dînons.
Robert a téléphoné pendant que nous dînions.

1. Le téléphone sonne. Je regarde un film à la télé.
2. Quelqu'un vient. Tu fais les courses.
3. Jacques arrive. Vous êtes au cinéma.
4. Brigitte achète un micro-ordinateur. Ils sont en solde *(on sale)*.
5. Sylvie perd son portefeuille *(wallet)*. Elle fait une promenade.
6. Les cambrioleurs *(burglars)* entrent chez les voisins. Ils dorment.
7. Le train part. Vous regardez l'horaire *(train schedule)*.
8. Le chat emporte le bifteck. Personne ne regarde.

Activité 12 Tout est bien qui finit bien

Avec un peu de patience, tout finit bien. Exprimez cela d'après le modèle.

MODÈLE: Jacques attend au café pendant dix minutes. Sa fiancée arrive.
Jacques attendait au café depuis dix minutes quand sa fiancée est arrivée.

1. Les spectateurs attendent pendant deux heures. Les coureurs arrivent.
2. Annie joue dans un théâtre de province pendant six mois. On lui offre un rôle dans un grand film.
3. Madame Boudreau travaille dans cette entreprise pendant cinq ans. Elle reçoit une promotion importante.
4. Cet astronome observe le ciel pendant cinquante ans. Il découvre une nouvelle comète.
5. Ces géologues explorent la région pendant une semaine. Ils trouvent une mine d'or.
6. Ces chimistes travaillent sur ce problème pendant dix ans. Ils obtiennent le prix Nobel.
7. Je cherche du travail pendant une semaine. Je trouve un job très bien payé.

Activité 13 Une surprise

Béatrice vient d'arriver à Paris. Elle passe sa première nuit dans un hôtel. Le matin, elle ouvre la fenêtre de sa chambre et elle regarde ce qui se passe dans la rue. Racontez l'histoire de Béatrice au passé. Pour cela, utilisez les verbes au passé composé ou à l'imparfait.

1. Béatrice / ouvrir / la fenêtre
2. elle / regarder / le spectacle dans la rue
3. un vieux monsieur / promener / son chien
4. des gens / attendre / l'autobus
5. un commerçant / laver / sa vitrine *(shop window)*
6. quelques personnes / aller / au marché
7. à la terrasse d'un café / un garçon / boire / une limonade
8. elle / regarder / attentivement / le garçon
9. tout d'un coup / elle / reconnaître / mon cousin Thomas
10. elle / fermer / la fenêtre
11. elle / sortir / lui dire bonjour

Activité 14 Un accident

Nicole a vu un accident hier. Lisez sa description et puis changez le texte au passé. Commencez par **hier soir, j'etais...** . Utilisez l'imparfait et le passé composé.

Je suis chez moi. Mes frères dorment mais moi, je travaille. Tout à coup j'entends un grand bruit *(noise)* dans la rue. J'ouvre la fenêtre. Je vois une voiture sur le trottoir *(sidewalk)*. Je sors de mon appartement. Dans la voiture, il y a un jeune homme qui semble évanoui *(unconscious)*. Je vois qu'il saigne *(is bleeding)*. J'appelle un monsieur qui fait une promenade. Je lui demande d'appeler la police. Cinq minutes après, une ambulance arrive et je rentre chez moi.

Entre nous

Expression personnelle

Pour chaque époque, composez deux phrases. Dans la première phrase décrivez quelque chose que vous faisiez régulièrement. Puis décrivez quelque chose que vous avez fait de spécial.

MODÈLE: Quand j'avais dix ans...
Quand j'avais dix ans, je passais mes vacances chez mes grands-parents. Je suis allé(e) à New York pour la première fois.

1. Quand j'avais quinze ans...
2. Quand j'avais neuf ans...
3. Quand j'avais sept ans...
4. Quand j'avais cinq ans...

Situations

Imaginez que vous avez vécu les expériences suivantes. Racontez les événements dans un petit paragraphe. Parlez de ce que vous faisiez et de ce que vous avez vu et ce que vous avez fait.

MODÈLE: J'ai assisté à une manifestation *(demonstration).*
C'était vendredi dernier vers cinq heures. Je passais dans le Quartier latin. J'ai vu un grand nombre d'étudiants qui marchaient dans la rue. Certains portaient des pancartes (signs). *Ils protestaient contre la réduction de crédits universitaires. Soudain, la police est arrivée...*

1. J'ai perdu mon portefeuille *(wallet).*
2. J'ai vu un accident.
3. J'ai entendu une explosion.
4. On a volé ma bicyclette.
5. J'ai vu un incendie *(fire).*

À votre tour

1. Décrivez vos souvenirs d'enfance.
   Où habitiez-vous? Dans quelle ville? dans quel genre de maison? À quelle école alliez-vous? Que faisaient vos parents? Où travaillaient-ils? Que faisiez-vous les week-ends? Quelles étaient vos activités préférées?
2. Imaginez la ville où vous habitez maintenant telle qu'elle *(as it)* pouvait être en 1900. Décrivez les ressemblances et les différences avec aujourd'hui.
3. Choisissez plusieurs personnes que vous connaissez et décrivez ou imaginez ce qu'elles faisaient hier à six heures du soir.

Leçon 4 L'imparfait (II) et le plus-que-parfait

A. L'usage de l'imparfait: circonstances d'un événement

B. L'usage des temps passés avec **il y a**

C. Le plus-que-parfait

A. L'usage de l'imparfait: circonstances d'un événement

Compare the use of tenses in the following sentences.

Nous **sommes allés** à la plage.	C'**était** jeudi dernier. Il **faisait** beau. Nous **avions** chaud.
J'**ai eu** un accident hier.	Il **était** dix heures du soir. Il **pleuvait.** La visibilité **était** mauvaise.
Anne **est allée** au Mexique en 1980.	Elle **avait** dix-huit ans. Elle **voulait** apprendre l'espagnol. Elle **était** contente de voyager.
J'**ai vu** Pierre dans la rue.	Il **était** très élégant. Il **portait** une cravate. Il **revenait** d'un rendez-vous.

The **passé composé** is used to describe a well-defined action, completed in the past at a given time. The mention of the time may be omitted.

The **imparfait** is used to describe the background or circumstances of the main action, such as:

- time and weather
- age, outward or physical appearance
- feelings, beliefs, emotional state
- other external circumstances and actions in progress

À remarquer

1. Depending on the viewpoint of the speaker, an event can be considered either a main action or merely the background of another action.

   Il **a fait** froid hier. *(The thermometer did go to ten below zero!)*
   Il **faisait** froid hier. *(And it was snowing, too!)*

   Thomas **a eu** la grippe. *(He did catch it last winter.)*
   Thomas **avait** la grippe. *(And he was feeling tired when I saw him.)*

2. Because they express a physical condition, feeling, belief, or state of mind, the verbs **être (fatigué...)**, **avoir (peur...)**, **vouloir**, **penser**, **pouvoir**, **savoir**, and **croire** are often used in the **imparfait**. When these verbs are used to describe a sudden action or event, however, they are used in the **passé composé**. Compare:

   Pierre n'**était** pas malade. — *Pierre **was** not sick.*
   Il **a été** malade après avoir mangé cinq hamburgers. — *He (suddenly) **became** sick after eating five hamburgers.*

   Marie **voulait** aller au cinéma. — *Marie **wanted** to go to the movies.*
   Mais quand elle a vu la pluie, elle **a voulu** rester chez elle. — *But when she saw the rain, she (suddenly) **decided** to stay home.*

Activité 1 Une question de circonstances

Les situations suivantes ont eu lieu il y a un certain temps. Décrivez-les et expliquez leurs circonstances. Utilisez le passé composé et l'imparfait selon le modèle.

MODÈLE: Nous faisons une promenade. Il fait beau.
Nous avons fait une promenade parce qu'il faisait beau.

1. Vous restez chez vous. Vous êtes malades.
2. Marthe prend de l'aspirine. Elle a mal à la tête.
3. Mes cousins passent un mois à Munich. Ils veulent apprendre l'allemand.
4. Je n'achète pas cette cassette. Je n'ai pas assez d'argent.
5. Tu ne comprends pas le film. Les acteurs parlent anglais.
6. Antoine a eu un accident. Il ne fait pas attention.
7. J'achète ces chaussures. Elles sont en solde *(on sale)*.
8. Nous travaillons pendant les vacances. Nous avons besoin d'argent.
9. Cette entreprise ferme. Elle est en faillite *(bankrupt)*.
10. Cette firme américaine ouvre un bureau à Paris. Elle veut exporter ses produits en France.

Activité 2 Joyeux anniversaire!

Voici ce que Paul Durand a écrit dans son journal le premier mai. Lisez le texte et mettez-le au passé. Remplacez **aujourd'hui** par **hier** et utilisez le passé composé et l'imparfait comme il convient.

Aujourd'hui nous sommes le premier mai. C'est l'anniversaire de ma cousine Hélène. Je vais chez elle. Il y a beaucoup d'invités. Hélène est très élégante. Elle porte une jupe blanche et un pull bleu marine. Comme *(Since)* il fait beau, nous faisons un pique-nique sur l'herbe. Pendant le pique-nique, je parle à une jeune fille qui a l'air très sympathique. Après le pique-nique je lui demande si elle veut faire une promenade en bateau. Elle accepte mon invitation. Nous montons dans le bateau. J'ai chaud et j'enlève ma veste. Malheureusement, je fais un faux mouvement et nous tombons dans l'eau. L'eau est très froide et la jeune fille est absolument furieuse. Tant pis!

Activité 3 Un rapport de témoin *(eyewitness account)*

Comme elle se promenait dans la rue, Janine Mercier a remarqué quelque chose de curieux. Lisez son compte rendu *(report)* et mettez-le au passé. Commencez votre narration par **samedi dernier** au lieu d'**aujourd'hui.** Utilisez le passé composé et l'imparfait, comme il convient.

Aujourd'hui il fait beau. Je sors de mon appartement. Je passe dans la rue Pasteur. Je remarque une voiture qui stationne *(is parked)* en face de la Banque Populaire. Dans la voiture il y a deux hommes. Le conducteur porte un chapeau et des lunettes de soleil. Le passager sort de la voiture. Il est assez grand. Il porte un costume bleu. Il ouvre la porte de la banque avec une clé *(wrench)* spéciale. Je regarde l'heure. Il est sept heures moins le quart. Je sais que la banque est toujours fermée à cette heure-là. Dix minutes plus tard, l'homme sort de la banque avec un sac sur le dos. Je comprends que c'est un cambrioleur *(burglar)*. Je note le numéro de la voiture et je téléphone à la police.

B. L'usage des temps passés avec **il y a**

Note the expression il y a and compare the use of tenses in the sentences below.

Il y a cinq ans, Roland **allait** au lycée Pasteur.	***Five years ago,*** *Roland* ***was going*** *to the Lycée Pasteur.*
Il y a quatre ans, il **est allé** à l'université.	***Four years ago,*** *he* ***went*** *to college.*
Il y a une heure, nous **dînions** chez nous.	***An hour ago,*** *we* ***were having*** *dinner at home.*
Nous **avons dîné** au restaurant **il y a une semaine.**	*We* ***had dinner*** *at the restaurant* ***a week ago.***

The construction il y a + *elapsed time* corresponds to the English construction *elapsed time* + *ago.* It can be used with:

- the **imparfait** to describe what *was going on* at that time.
- the **passé composé** to describe what *happened* then.

Activité 4 Exercice de mémoire

Avez-vous bonne mémoire? Sinon, utilisez votre imagination. Faites des phrases d'après le modèle, en utilisant l'imparfait.

MODÈLE: cinq ans / je / habiter / où?
Il y a cinq ans, j'habitais en Californie (à New York, à Houston)

1. deux heures / je / être / où?
2. une semaine / il / faire / quel temps?
3. cinq ans / je / aller / à quelle école?
4. dix ans / ma famille / habiter / où?
5. cinq ans / mon père ou ma mère / travailler / pour quelle compagnie?
6. vingt ans / le président / être / qui?
7. cent ans / ma ville / avoir / combien d'habitants?

Activité 5 Quand?

Dites depuis combien de temps les événements suivants ont eu lieu. Si vous n'êtes pas sûr(e), inventez une réponse.

MODÈLE: je / commencer mes études de français
J'ai commencé mes études de français il y a deux (trois, quatre) ans.

1. je / naître
2. ma mère / naître
3. je / apprendre à conduire
4. mes parents / acheter leur voiture
5. les derniers Jeux Olympiques / avoir lieu *(to take place)*
6. le président des États-Unis / être élu
7. les États-Unis / devenir un pays indépendant
8. John Kennedy / mourir

C. Le plus-que-parfait

The **plus-que-parfait** corresponds to the English pluperfect tense.

Quand tu as téléphoné...nous **avions** déjà dîné et Paul **était sorti.** — *When you phoned...we **had already eaten** and Paul **had gone out.***

Forms

The **plus-que-parfait** is a compound tense formed according to the pattern:

imparfait of **avoir** or **être** + past participle

Note the **plus-que-parfait** forms of **voyager** and **partir.**

INFINITIVE	voyager	partir
PLUS-QUE-PARFAIT	j' avais voyagé	j' étais parti(e)
	tu avais voyagé	tu étais parti(e)
	il/elle/on avait voyagé	il/elle/on était parti(e)
	nous avions voyagé	nous étions parti(e)s
	vous aviez voyagé	vous étiez parti(e)(s)
	ils/elles avaient voyagé	ils/elles étaient parti(e)s

- The choice of auxiliary verb (**avoir** or **être**) is the same as in the **passé composé.**

PASSÉ COMPOSÉ	PLUS-QUE-PARFAIT
Robert **a pris** du café.	Hier, il **avait pris** du thé.
Julie **est allée** au cinéma.	Vendredi elle **était allée** au théâtre.

- When the auxiliary is **être,** the past participle agrees with the subject.

  Claire et Anne étaient **rentrées** avant nous.

- In the **plus-que-parfait,** negative and interrogative constructions follow the same pattern as in the **passé composé.**

NEGATIVE	INTERROGATIVE
Je **n'avais pas voyagé** avec Éric.	Avec qui **est-ce que tu avais voyagé?** Avec qui **avais-tu voyagé?**
Anne **n'était jamais allée** en France.	**Est-ce qu'elle était allée** en Italie? **Était-elle allée** en Italie?

Uses

Like the English pluperfect (*had* + past participle), the **plus-que-parfait** is used to describe events or actions that happened before another past event.[1]

J'ai visité Québec en 1980.	*I visited Quebec in 1980.*
J'**avais visité** Montréal en 1979.	*I **had visited** Montreal in 1979.*
Quand nous sommes arrivés à la gare le train **était parti.**	*When we arrived at the station the train **had left.***
Il avait faim parce qu'il n'**avait** pas **déjeuné.**	*He was hungry because he **had** not **had** lunch.*

Activité 6 Trop tard!

Quelquefois on a des problèmes quand on est en retard. Dites ce qui est arrivé aux personnes suivantes. Suivez le modèle.

MODÈLE: J'arrive chez Nicole. Elle est sortie.
Quand je suis arrivé chez Nicole, elle était sortie.

1. Monsieur Bertin arrive à la gare. Le train est parti.
2. Nous arrivons au concert. On a vendu tous les billets.
3. La police arrive. Les cambrioleurs *(burglars)* ont pris l'argent.
4. Jacques écrit à Claudine. Elle a changé d'adresse.
5. Tu casses ta montre. La garantie a expiré.
6. Henri veut inviter Christine. Elle est sortie avec Paul.
7. Philippe rentre chez lui. Son cousin a pris sa voiture.
8. Le lièvre *(hare)* arrive au but *(finish line).* La tortue *(turtle)* a gagné la course *(race).*

Activité 7 Il y a toujours une raison!

Lisez ce qui est arrivé aux personnes suivantes. Puis essayez de trouver une explication. Posez des questions où vous utilisez l'inversion et le plus-que-parfait du verbe entre parenthèses.

MODÈLE: Ces étudiants ont raté l'examen. (étudier?)
Avaient-ils étudié?

1. Madame Picard a raté son bus. (arriver à l'heure?)
2. Marguerite et Cécile n'ont pas pu aller au concert. (réserver les billets?)
3. André n'a pas bien dormi. (boire trop de café?)
4. Monsieur Jourdain avait mal à la tête. (regarder la télé pendant tout le week-end?)
5. Jacqueline paraissait triste. (recevoir des mauvaises nouvelles?)
6. Roland était furieux. (perdre son match de tennis?)

[1] The use of the **plus-que-parfait** in indirect discourse is presented in Leçon 30.

Vocabulaire: La description d'un événement: quand?

EXPRESSIONS VERBALES

avoir lieu	*to take place*	Les Jeux Olympiques **ont eu lieu** à Los Angeles en 1984.
arriver	*to happen, occur*	Le jour de gloire **est arrivé!**
se passer	*to happen, occur*	Cet événement **s'est passé** en 1900.

Qu'est-ce qu'il y a? — *What's the matter?*

Qu'est-ce qu'il y a eu?
Qu'est-ce qui est arrivé?
Qu'est-ce qui s'est passé?
— *What happened?*

QUAND EST-CE QUE C'EST ARRIVÉ?

aujourd'hui	hier	avant-hier	*the day before yesterday*
ce matin	hier après-midi	avant-hier soir	*the night before last*

le lendemain	*the day after*	la veille	*the day before*
le week-end d'après		le week-end d'avant	
la semaine suivante	*the following week*	la semaine précédente	*the week before*

pendant les vacances
au début *(at the beginning)* de l'année

au cours *(during)* d'un voyage
à la fin *(end)* du mois

Activité 8 Un malheur n'arrive jamais seul!

Les personnes suivantes n'ont vraiment pas de chance. Lisez ce qui leur est arrivé et dites ce qui leur était arrivé avant.

MODÈLE: Cette semaine Monsieur Gasse a raté son train. (la semaine dernière / son avion)
La semaine dernière, il avait raté son avion.

1. Ce matin, ces touristes ont perdu les clés de leur chambre. (hier / leur passeport)
2. Hier, j'ai cassé le téléviseur. (avant-hier / la radio)
3. Ce mois-ci, tu as eu une mauvaise note en histoire. (le mois dernier / en anglais)
4. En décembre, Roland a attrapé une pneumonie. (en novembre / la grippe)
5. Jeudi, je suis tombé dans les escaliers. (mardi / dans la rue)
6. Ce week-end, nous sommes restés chez nous à cause de la neige. (le week-end d'avant / à cause de la pluie)
7. Samedi dernier, Thérèse est sortie avec un garçon snob. (le samedi d'avant / avec un garçon ennuyeux)
8. Cette semaine, j'ai souffert d'une migraine. (la semaine dernière / d'un terrible mal aux dents)

Activité 9 Précautions

Il est souvent prudent de faire certaines choses avant d'en faire d'autres. Décrivez ce qu'ont fait les personnes de la colonne A, en choisissant une expression de la colonne B. Puis, dites ce qu'elles avaient fait avant, en choisissant une expression de la colonne C. Soyez logique!

A	B	C
je	aller au restaurant	réfléchir
nous	aller au Mexique	téléphoner
vous	partir en voyage	réserver une table
mon cousin	aller chez Paul	faire le plein d'essence
mes amis	quitter la maison	apprendre l'espagnol
Alice	répondre à la question	faire les courses
	préparer le dîner	fermer la porte à clé

MODÈLE: *Mes amis sont allés chez Paul. Avant, ils avaient téléphoné.*

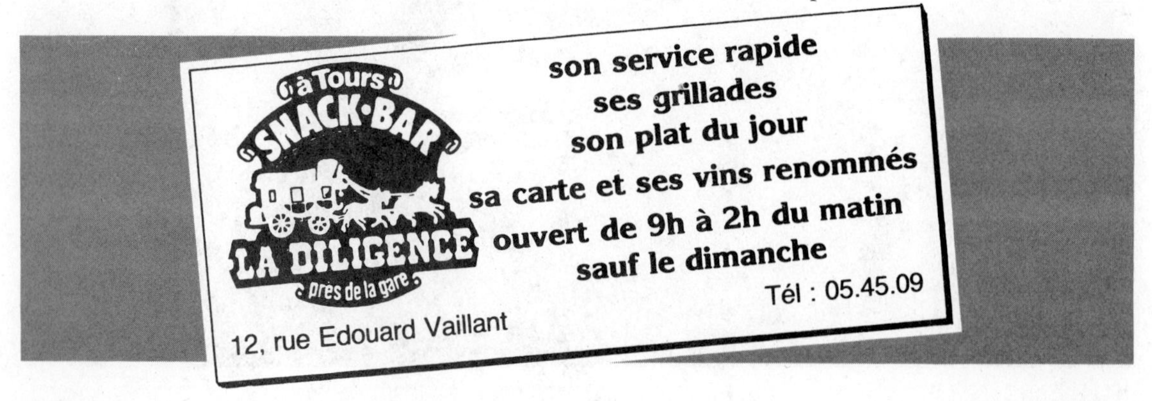

Activité 10 Une légende

Ernest Martin, 65 ans, est aujourd'hui retraité *(retired)*. Il raconte souvent à ses petits enfants des histoires de son enfance. Lisez le texte suivant et jouez le rôle d'Ernest Martin. Pour cela, commencez par **quand j'étais jeune, j'habitais...** et utilisez l'imparfait, le passé composé et le plus-que-parfait, comme il convient.

Une légende:

Je suis jeune. J'habite un petit village dans le centre de la France. Près de ce village, il y a une grotte très profonde. Selon *(According to)* une vieille légende, une famille aristocrate très riche a trouvé refuge dans cette grotte pendant la Révolution. Cette famille est restée là plusieurs mois, mais un jour elle a été dénoncée *(betrayed)* et elle a dû partir précipitamment *(in a hurry)*. Avant de partir, le père, assisté de ses deux fils, a enterré *(buried)* un trésor quelque part *(somewhere)* dans la grotte.

Mon grand-père parle souvent de cette légende. Il connaît un vieux fermier qui prétend *(claims)* avoir trouvé *(to have found)* quelques pièces d'or mais personne ne les a vues.

Moi aussi, je crois la légende. Avec mes camarades d'école, je vais souvent explorer la grotte. Évidemment nous ne trouvons rien. Mais nous passons d'inoubliables *(unforgettable)* journées dans un monde mystérieux et fascinant.

Entre nous

Situations

Voici le début de plusieurs récits *(stories)*. Complétez ces récits en utilisant l'imparfait, le passé composé et, si possible, le plus-que-parfait... et votre imagination!

> **MODÈLE:** Il était une heure du matin...
> *Il était une heure du matin. Je rentrais chez moi. J'ai entendu un bruit. J'ai allumé la lumière. J'ai aperçu un chat qui était entré par la fenêtre que j'avais laissé ouverte...*

1. La visibilité était mauvaise...
2. J'étais à la plage avec mes amis...
3. Oh là là, il faisait froid...
4. Ce jour-là, j'étais vraiment furieux/furieuse...
5. J'avais rendez-vous avec un ami que je n'avais pas vu depuis longtemps...
6. Je voulais faire une promenade en auto, mais je n'avais pas de voiture...

À propos

Vos camarades vous disent ce qu'ils ont fait. Créez un dialogue où vous leur posez des questions concernant les circonstances et l'action elle-même.

> **MODÈLE:** «Hier je suis rentré(e) très tard chez moi.»
> *Quelle heure était-il?*
> *Qu'est-ce que tu avais fait avant?*
> *Est-ce que tes parents dormaient?*

1. «J'ai eu un accident.»
2. «J'ai assisté à un événement extraordinaire.»
3. «J'ai été témoin *(witness)* de quelque chose de bizarre.»
4. «J'ai eu une très mauvaise surprise quand je suis rentré(e) chez moi.»
5. «J'ai vraiment eu très peur.»
6. «Vraiment, je n'ai pas bien dormi.»

À votre tour

1. Racontez un accident dont *(of which)* vous avez été la victime ou auquel *(at which)* vous avez assisté. Décrivez les circonstances de cet accident. Dites aussi ce que vous avez fait et ce qui s'est passé.
2. Décrivez un autre événement auquel vous avez assisté ou participé (un événement sportif, un concert, un spectacle *(show)*, une réunion politique) Décrivez les circonstances et les faits spécifiques de cet événement.
3. Racontez ce que vous avez fait le week-end dernier et le week-end d'avant.

Leçon 5 Le passé simple

A. Le passé simple: formation régulière

B. Le passé simple: formation irrégulière

A. Le passé simple: formation régulière

In narrating past events, French authors have traditionally used the **passé simple.** To read French literature with fluency, it is necessary to recognize the forms of the **passé simple.**

Forms

As its name indicates, the **passé simple** is a simple tense—it consists of *one* word. For regular verbs, the **passé simple** is formed according to the following pattern.

infinitive stem + corresponding **passé simple** endings

INFINITIVE		parler		finir	vendre	
PASSÉ SIMPLE	je	parlai	*-ai*	finis	vendis	*-is*
	tu	parlas	*-as*	finis	vendis	*-is*
	il/elle/on	parla	*-a*	finit	vendit	*-it*
	nous	parlâmes	*-âmes*	finîmes	vendîmes	*-îmes*
	vous	parlâtes	*-âtes*	finîtes	vendîtes	*-îtes*
	ils/elles	parlèrent	*-èrent*	finirent	vendirent	*-irent*

- A few verbs that are irregular in the present tense are regular in the **passé simple:**
  - aller — Napoléon **alla** en Égypte en 1798.
  - partir — Ses meilleurs officiers **partirent** avec lui.
  - découvrir — Christophe Colomb **découvrit** l'Amérique.
  - battre — Washington **battit** les Anglais à Yorktown.

- Regular verbs in ***-ger*** and ***-cer*** require ***ge*** and ***ç*** before ***a.***
  - diriger — il dirigea — *but:* (ils dirigèrent)
  - commencer — il commença — *but:* (ils commencèrent)

Uses

The **passé simple** replaces the **passé composé** in literary works and in very formal spoken language. The meaning of both tenses is nearly identical.

Les Alliés **gagnèrent** la guerre.
Les Alliés **ont gagné** la guerre. } *The Allies* ***won*** *the war.*

Activité 1 Quelques contributions françaises

Les phrases suivantes décrivent les contributions faites par des Français dans les domaines des découvertes géographiques, des arts, des sciences et de la philosophie. Exprimez ces contributions en utilisant le passé composé.

MODÈLE: Jacques Cartier explora les rives *(banks)* du Saint-Laurent.
Jacques Cartier a exploré les rives du Saint-Laurent.

1. La Salle et ses compagnons explorèrent les rives du Mississippi.
2. Pascal inventa la première machine à calculer.
3. Niepce et Daguerre inventèrent la photographie.
4. Descartes développa la géométrie analytique.
5. Lavoisier détermina la composition de l'air.
6. Pasteur trouva l'origine des maladies contagieuses.
7. Becquerel découvrit la radioactivité.
8. Pierre et Marie Curie découvrirent le radium.
9. Debussy composa «La Mer».
10. Monet et Renoir créèrent l'école impressionniste.
11. La Révolution française proclama l'égalité de tous les citoyens *(citizens)*.

Activité 2 Un peu d'histoire franco-américaine

La longue amitié entre la France et les États-Unis est illustrée par beaucoup d'épisodes. Décrivez quelques-uns de ces épisodes en utilisant le passé simple. Note: Tous les verbes de cet exercice ont un passé simple régulier.

MODÈLE: Les Français / aider / les Américains pendant la guerre Indépendance
Les Français aidèrent les Américains pendant la guerre d'Indépendance.

1. la France / signer / un traité *(treaty)* d'alliance avec les États-Unis
2. le roi de France / envoyer / ses meilleures troupes
3. les Français / combattre / courageusement à Yorktown
4. Napoléon / vendre / la Louisiane aux États-Unis
5. les Français / donner / la Statue de la Liberté au peuple américain
6. beaucoup d'Américains / combattre / avec des Français pendant la première guerre mondiale *(World War I)*
7. les troupes du général Eisenhower / libérer / la France en 1944 (mil neuf cent quarante-quatre)
8. le Plan Marshall / faciliter / la reconstruction économique de la France

B. Le passé simple: formation irrégulière

Many irregular verbs have irregular **passé simple** forms that use the pattern:

passé simple stem + **passé simple** endings (for irregular verbs)

	prendre	croire	venir	ENDINGS
je	pris	crus	vins	*-s*
tu	pris	crus	vins	*-s*
il/elle/on	prit	crut	vint	*-t*
nous	prîmes	crûmes	vînmes	*^mes*
vous	prîtes	crûtes	vîntes	*^tes*
ils/elles	prirent	crurent	vinrent	*-rent*

➪ Because the **passé simple** is used to narrate past events, it occurs primarily in the **il** and **ils** forms.

▷ Many, but not all, **passé simple** stems are related to the past participle. The following chart groups verbs according to their **passé simple** stems.

STEM	STEM DERIVED FROM PAST PARTICIPLE		IRREGULAR STEM	
i	mettre (mis)	il **mit**	faire	il **fit**
	prendre (pris)	il **prit**	voir	il **vit**
	dire (dit)	il **dit**	écrire	il **écrivit**
	rire (ri)	il **rit**	conduire	il **conduisit**
	suivre (suivi)	il **suivit**	vaincre	il **vainquit**
	acquérir (acquis)	il **acquit**	peindre	il **peignit**
			naître	il **naquit**
u	avoir (eu)	il **eut**	être	il **fut**
	devoir (dû)	il **dut**	mourir	il **mourut**
	vouloir (voulu)	il **voulut**		
	pouvoir (pu)	il **put**		
	savoir (su)	il **sut**		
	boire (bu)	il **but**		
	croire (cru)	il **crut**		
	courir (couru)	il **courut**		
	lire (lu)	il **lut**		
	connaître (connu)	il **connut**		
	recevoir (reçu)	il **reçut**		
	vivre (vécu)	il **vécut**		
	résoudre (résolu)	il **résolut**		
in			venir (venu)	il **vint**
			tenir (tenu)	il **tint**

Activité 3 Le héros des deux mondes

Lafayette a joué un rôle historique important d'abord dans la Révolution américaine et ensuite pendant la Révolution française. Voici pourquoi on l'appelle le «héros des deux mondes». Lisez la biographie suivante. Puis modifiez cette biographie en mettant les verbes en italique au passé composé.

Lafayette *naquit* à Chavaniac en 1757 (mil sept cent cinquante-sept). Issu (born) d'une famille noble et très riche, il *eut* une enfance (childhood) confortable et aisée. Il *commença* une carrière militaire et à l'âge de 18 ans il *devint* capitaine de cavalerie. Un jour, il *entendit* parler de la Révolution américaine. Il *fut* immédiatement enthousiasmé par les idées nouvelles et il *voulut* partir pour l'Amérique. Il *demanda* au roi la permission de quitter la France mais le roi lui *refusa* cette autorisation.

Lafayette *alla* secrètement en Espagne où il *acheta* un bateau avec son propre (own) argent et il *partit* pour l'Amérique.

Arrivé à Philadelphie en 1777 (mil sept cent soixante-dix-sept), il *fut* nommé général par le Congrès américain. Il *combattit* à Brandywine où il *fut* blessé (wounded). Il *devint* l'ami de Washington et il *participa* aux grandes batailles de la Guerre d'Indépendance.

En 1779 (mil sept cent soixante-dix-neuf), Lafayette *revint* en France où il *plaida* (pleaded) la cause des patriotes américains. Cette fois-ci, le roi *reçut* le jeune homme avec bienveillance (kindness) et il *écouta* ses propos avec intérêt. Quelques mois plus tard, Lafayette *retourna* en Amérique où il *put* annoncer à Washington l'arrivée de l'armée et de la flotte (fleet) françaises. C'est avec l'aide de cette armée et de cette flotte que les Américains *furent* victorieux à Yorktown. Cette grande victoire franco-américaine *marqua* la fin des hostilités. Peu après, l'Angleterre *reconnut* l'indépendance américaine.

De retour en France, Lafayette *fut* acclamé comme un héros. En 1789 (mil sept cent quatre-vingt-neuf), il *participa* aux premiers événements de la Révolution française. Il *fut* élu vice-président de l'Assemblée Nationale et il *devint* commandant de la Garde Nationale.

Mais à cause de ses idées modérées, Lafayette *dut* quitter la France. Il *alla* en Autriche où il *fut* fait prisonnier. Libéré par Napoléon, il *rentra* en France où il *continua* à exprimer ses idées politiques.

En 1824 (mil huit cent vingt-quatre) Lafayette *revint* aux États-Unis où il *fit* un voyage triomphal. Quand il *mourut* en 1834 (mil huit cent trente-quatre), les États-Unis *prirent* le deuil (mourning) de ce héros et une délégation américaine *vint* déposer sur sa tombe un peu de terre (soil) américaine. En 1917 (mil neuf cent dix-sept) lorsque les premières troupes américaines *arrivèrent* en France, leur commandant *prononça* la phrase célèbre: «Lafayette, nous voilà!»

Activité 4 La conquête de la lune

Il y a plus de dix ans, les hommes ont réalisé un des plus anciens rêves de l'humanité: marcher sur la lune. Racontez cet événement célèbre en mettant les verbes entre parenthèses au passé simple.

Le 20 juillet 1969 (mil neuf cent soixante-neuf), le monde (apprendre) une nouvelle extraordinaire. Ce jour-là, deux astronautes américains (débarquer) sur la lune. L'astronaute Neil Armstrong (mettre) le premier le pied sur la surface lunaire. C'est à ce moment qu'il (prononcer) la phrase célèbre: «C'est un petit pas pour un homme, mais un pas de géant pour l'humanité.» Quelques minutes après, il (être) rejoint par son compagnon Edwin Aldrin. Les deux hommes (planter) le drapeau américain et (déposer) une plaque commémorant l'événement. Ensuite, ils (prendre) des photos et ils (faire) un grand nombre d'expériences scientifiques. Ils (installer) un séismographe et ils (ramasser [*collect*]) des échantillons [*samples*] de roches lunaires. Puis, ils (retourner) au vaisseau [*ship*] spatial. Le président des États-Unis (saluer) le succès de l'expédition quand il (téléphoner) aux astronautes. Il (exprimer) le véritable sens de l'événement quand il (dire): «En ce moment sans égal dans l'histoire de l'humanité, les nations de la terre sont véritablement un seul peuple.»

Entre nous

Qui est-ce?

Lisez les brèves biographies suivantes et identifiez les personnes correspondantes. Les noms de ces personnes figurent en bas de l'exercice, mais dans un ordre différent.

1. Ce génie militaire naquit dans une île située à trois cents kilomètres de la France continentale. Il fut nommé général à l'âge de vingt-quatre ans et il participa aux grandes campagnes de la Révolution française. Il devint empereur en 1804 et il conquit militairement le reste de l'Europe. Il mourut en exil en 1821.
2. Dans son laboratoire, cette savante d'origine polonaise fit de nombreuses expériences sur la radio-activité. Avec son mari, elle réussit à isoler le radium. Pour cet exploit scientifique, elle obtint le Prix Nobel de Physique et le Prix Nobel de Chimie.
3. Cette héroïne française naquit dans un petit village de Lorraine où elle passa son enfance. Un jour elle entendit des voix qui lui dirent d'aller chez le roi. Le roi lui donna une armée avec laquelle *(which)* elle délivra la France de l'occupation anglaise. Elle mourut tragiquement à l'âge de vingt ans.
4. Dans sa jeunesse *(youth),* cet artiste français eut un accident qui le rendit infirme *(crippled him).* Il alla à Paris où il étudia la peinture. Il peignit des scènes de cirque et de music-hall. Il dessina aussi de nombreuses affiches qui le rendirent célèbre.
5. Ces deux frères inventèrent le transport aérien. Ils construisirent en effet un ballon à air chaud dans lequel *(which)* voyagèrent les premiers passagers de l'espace. Présentée à Versailles en 1783, leur invention eut un succès immédiat.
6. Cet inventeur français perdit la vue *(eyesight)* dans un accident à l'âge de trois ans. Il dut aller dans un institut spécialisé où il fut élève, puis professeur. Pour faciliter l'instruction des jeunes aveugles *(blind people)* il inventa un système d'écriture qui est aujourd'hui utilisé dans le monde entier.

(Napoléon, Marie Curie, les frères Montgolfier, Louis Braille, Jeanne d'Arc, Toulouse-Lautrec)

À votre tour

Choisissez deux ou trois personnages historiques importants et décrivez leur biographie en quelques lignes sans révéler leur identité. Vos camarades vont essayer de deviner *(guess)* cette identité.

Constructions, expressions et locutions

1. L'usage des prépositions avec les verbes de mouvement
2. **An** et **année**
3. **Heure, temps** et **fois**

1. L'usage des prépositions avec les verbes de mouvement

Note the use of prepositions with certain verbs of movement.

on va...	**à** l'hôtel, **au** restaurant, **à** la plage, **à** l'étranger *(abroad)* **dans** un hôtel de luxe, **dans** un restaurant chinois, **dans** un pays étranger **en** classe, **en** ville, **en** vacances
on entre...	**dans** un restaurant, **dans** une chambre, **dans** un appartement **par** la porte principale
on passe...	**au** salon **dans** la salle à manger **par** une porte, **par** la fenêtre **à travers** un champ *(through a field)* **le long d'**un couloir *(along a hall)*
on monte...	**à** la Tour Eiffel, **au** grenier *(attic)* **jusqu'au** sommet **dans** un grenier **dans** un avion, **dans** un train, **dans** une auto **par** l'escalier, **par** l'ascenseur *(elevator)*
on descend...	**d'**une auto, **d'**un avion, **d'**une échelle *(ladder)* **à** la cave *(cellar)* **dans** une cave

2. **An** et **année**

Although both **an** and **année** mean *year,* **an** is the term most frequently used.

L'**an** dernier (ou L'**année** dernière), j'ai visité Rome.

However, when duration is emphasized, **année** is preferred.

Nous avons passé **une année** au Brésil. *We spent **a year** (a whole year) in Brazil.*

The same distinction exists between:

un jour / une journée **un matin / une matinée** **un soir / une soirée**

3. **Heure, temps** et **fois**

Although **heure, temps** and **fois** all correspond to the English word *time,* their uses are different.

♦ **Heure** refers to clock time *(at what time?)*

Quelle heure est-il?	***What time** is it?*
Vous n'êtes pas **à l'heure.**	*You are not **on time.***
C'est **l'heure de** dîner.	*It's **time for** dinner. (It's dinner **time.**)*

♦ **Temps** refers to duration of time *(how much time?)*

Le temps c'est de l'argent.	***Time** is money.*
Je n'ai pas **le temps** d'étudier.	*I don't have **time** to study.*
Vous perdez votre **temps.**	*You are wasting your **time.***
Combien de temps es-tu resté ici?	***How much time (how long)** did you stay here?*
Pendant combien de temps vas-tu étudier?	***For how long (for how much time)** are you going to study?*
Depuis combien de temps habites-tu à Paris?	***For how long (for how much time)** have you been living in Paris?*

♦ **Fois** refers to single or repeated occasions *(how many times?)*

Une fois n'est pas coutume.	***Once (one time)** does not make a habit.*
J'ai vu ce film **trois fois.**	*I saw this movie **three times.***
C'est **la première fois** et **la dernière fois** que je vais à ce restaurant.	*It's **the first time** and **the last time** that I am going to this restaurant.*
Combien de fois as-tu gagné à la loterie?	***How many times** did you win in the lottery?*

Unité 2

Les pronoms

L'Anglais Warner au Moulin Rouge, lithograph by Henri de Toulouse-Lautrec, c. 1892. Courtesy of the Boston Public Library.

Leçon 6 Pronoms sujets, accentués et compléments d'objet

A. Les pronoms sujets et les pronoms accentués
B. Le pronom sujet **on**
C. Les pronoms compléments d'objet direct et indirect

A. Les pronoms sujets et les pronoms accentués

Forms

PERSON	SUBJECT PRONOUNS	STRESS PRONOUNS	EXAMPLES
SINGULAR			
first	je (j')	moi	**Moi, je** parle français.
second	tu	toi	**Toi, tu** habites à Genève.
third	il	lui	**Lui, il** étudie l'italien.
	elle	elle	**Elle, elle** travaille à Québec.
PLURAL			
first	nous	nous	**Nous, nous** restons chez nous.
second	vous	vous	**Vous, vous** sortez ce soir.
third	ils	eux	**Eux, ils** voyagent souvent.
	elles	elles	**Elles, elles** font une promenade en auto.

- Subject and stress pronouns have the same gender and number as the nouns they replace or the persons to whom they refer.

	SUBJECT PRONOUN	STRESS PRONOUN
Jean-Paul déjeune.	**Il** déjeune.	Il déjeune chez **lui.**
Mes cousines travaillent.	**Elles** travaillent.	Elles travaillent chez **elles.**

Uses

In French, *subject pronouns* are bound to the verb and cannot stand alone. They refer to the people or things that perform the action of the verb.

Stress pronouns are independent of the verb and may stand alone. Stress pronouns are used in the following cases:

- after a preposition (such as **à, de, chez, pour, avec, sans, avant, après**)

  Ce livre est à **moi.** — Nous dînons chez **vous.**

  Jean parle toujours d'**eux.** — Après **moi,** le déluge...

- after **c'est/ce n'est pas** and **ce sont/ce ne sont pas**

  C'est Paul? — Non, ce n'est pas **lui!** C'est **moi!**

  Ce sont tes cousins? — Oui, ce sont **eux.**

- in sentences without a verb

  Qui a réussi à l'examen? — Toi? Non, pas **moi!**

- before and after **et** and **ou**

  Vous et **moi**, nous sommes très différents.

  Qui a gagné? **Toi** ou **elle**?

- after **que** in comparisons

  Mon frère est plus riche que **moi**.

  Mais je suis plus intelligent que **lui**.

- to reinforce a subject or a direct object pronoun

  In these cases, the stress pronoun is usually the first pronoun of the sentence.

  Moi, je veux partir.

  Éric, **lui,** a décidé de rester.

  Eux, je ne les comprends pas.

➪ When the stress pronoun represents the same person as the subject, it can be reinforced by adding **-même(s)**. This construction corresponds to the English expression *myself, yourself,* and so on.

J'ai décoré ma chambre **moi-même**. — *I decorated my room* ***myself.***

Vous pensez trop à **vous-mêmes**. — *You think about* ***yourselves*** *too much.*

À remarquer

Note the use of the constructions *stress pronoun* + **aussi** and *stress pronoun* + **non plus** in short responses.

—Georges va au cinéma ce soir. — —**Moi aussi!** *(Me too! So am I!)*

—Il ne va pas étudier. — —**Moi non plus!** *(Neither am I!)*

Activité 1 Samedi après-midi

Dites ce qu'ont fait les personnes suivantes samedi après-midi. Dites aussi si oui ou non ces personnes sont restées chez elles. Pour chaque phrase utilisez un pronom sujet et un pronom accentué d'après le modèle.

MODÈLE: Paul / déjeuner au restaurant
Il a déjeuné au restaurant. Il n'est pas resté chez lui.

1. je / ranger ma chambre
2. tu / assister à un concert
3. vous / faire une promenade
4. nous / nettoyer le jardin
5. Madame Legrand / laver sa voiture
6. André et Daniel / faire les courses
7. Martin / faire des achats en ville
8. Gisèle et Suzanne / faire la vaisselle

Activité 2 Réciprocité

Lisez ce que font les personnes suivantes. Décrivez leurs actions en utilisant des pronoms seulement. Ensuite, expliquez que ces actions sont réciproques. Pour cela, inversez les pronoms sujets et les pronoms accentués et faites les changements nécessaires.

MODÈLE: Je vais chez André.
Je vais chez lui. Il va chez moi.

1. Jacques sort avec Hélène.
2. Je joue au tennis avec Paul.
3. Thérèse déjeune chez son cousin.
4. Tu pars sans ton frère.
5. Vous travaillez pour vos amies.
6. Nous parlons de nos professeurs.
7. Marc est amoureux de Janine.
8. Tu pars en vacances avec tes amis.

Activité 3 Autonomie

Lisez ce qu'ont fait les personnes suivantes. Puis, dites qu'elles ont fait cela elles-mêmes. Utilisez un pronom accentué + **-même.**

MODÈLE: Henri a préparé le dîner.
Il a préparé le dîner lui-même.

1. Hélène a écrit ce poème.
2. J'ai répondu à cette lettre.
3. J'ai décoré ma chambre.
4. Tu as réparé ta moto.
5. Vous avez signé ce document.
6. Mes cousines ont vendu leur voiture.
7. Nous avons développé nos photos.
8. Ces étudiants ont organisé la réunion *(meeting).*

B. Le pronom sujet on

Note the use of the subject pronoun **on** in the following sentences:

Est-ce qu'**on** parle français à Genève?	*Do **they** speak French in Geneva?*
En 1900, **on** n'avait pas l'électricité.	*In 1900, **people** didn't have electricity.*
Quand **on** est jeune, **on** est idéaliste.	*When **you** are young, **you** are idealistic.* *When **one** is young, **one** is idealistic.*

On is an indefinite subject pronoun that has several English equivalents: *they, people, one, you* (in a general sense).

- **On** is a third-person singular pronoun. It is used with the **il** form of the verb and is modified by masculine singular adjectives. The corresponding possessive adjectives are **son/sa/ses** and the corresponding stress pronoun is **soi.**

On doit aider **ses** amis.	***One** should help **one's** friends.*
On ne doit pas toujours penser à **soi.**	***One** should not always think of **oneself.***

- In conversational French, **on** is often used instead of **nous.** In this case, the corresponding possessive adjectives are **notre/nos,** and the corresponding stress pronoun is **nous.**

On va au café?	*Are **we** going to the café?*
On invite **nos** amis?	*Do **we** invite **our** friends?*
Ce soir **on** dîne chez **nous.**	*Tonight **we** are having dinner at **our** house.*

À remarquer

1. Occasionally **on** has the meaning of *someone* or *anyone.*

Écoutez! **On** sonne!	*Listen! **Someone** is ringing (the doorbell)!*
Est-ce qu'**on** a téléphoné?	*Did **anyone** phone?*

2. The construction **on** + *verb* is sometimes expressed by a passive construction in English.

On parle français ici.	*French **is spoken** here.*
On a arrêté un bandit dangereux.	*A dangerous bandit **has been arrested.***

Activité 4 Autres pays, autres coutumes

Lisez ce que font les habitants de certains pays. Dites qu'on ne fait pas ces choses dans d'autres pays. Dites aussi ce qu'on fait. Utilisez le pronom **on.**

MODÈLE: Les Français parlent français. (en Italie?)
En Italie, on ne parle pas français. On parle italien.

1. Les Japonais parlent japonais. (en Chine?)
2. Les Américains jouent au baseball. (en France?)
3. Les Anglais conduisent à gauche. (aux États-Unis?)
4. Les Mexicains célèbrent leur fête nationale le 5 mai. (en France?)
5. Les Suisses produisent des montres. (en Arabie Séoudite?)
6. Les Brésiliens exportent du café. (au Japon?)

Activité 5 Renseignements

Bob, un étudiant américain, vient d'arriver à Paris. Il demande certains renseignements (*information*) à son amie Lise. Jouez les deux rôles en utilisant le pronom **on.**

MODÈLE: où / vendre des timbres? (au bureau de tabac)
Bob: *Où vend-on des timbres?*
Lise: *On vend des timbres au bureau de tabac.*

1. où / trouver des croissants? (dans une boulangerie)
2. à quelle heure / dîner? (généralement à sept heures)
3. comment / aller à Versailles? (en auto ou en train)
4. où / prendre le train de Nice? (à la gare de Lyon)
5. quand / devoir s'inscrire *(register)* pour les cours de l'université? (en octobre)
6. où / pouvoir manger une bonne choucroute *(sauerkraut)?* (à la brasserie Lipp)

C. Les pronoms compléments d'objet direct et indirect

In a sentence, the object receives the action of the verb.

♦ A *direct object* answers the question *whom?* or *what?*

qui? Je vois **Jacques.** ***whom?*** *I see* ***Jacques.***
quoi? Je vois **la maison.** ***what?*** *I see* ***the house.***

♦ An *indirect object* answers the question *to whom?*

à qui? Je parle **à Nicole.** ***to whom?*** *I speak* ***to Nicole.***

⇨ A verb that takes a direct object in French may require an indirect object in English, and vice versa.

French	direct object	Nous écoutons **Pierre.**
English	indirect object	*We are listening* ***to Pierre.***

French	indirect object	Lucie téléphone à **sa sœur.**
English	direct object	*Lucie is calling* ***her sister.***

Forms

Direct and indirect object pronouns have the following forms:

SUBJECT PRONOUN	DIRECT OBJECT	INDIRECT OBJECT		
(je)	**me (m')**		Vous **m'**invitez.	Vous **m'**écrivez.
(tu)	**te (t')**		Je **te** comprends.	Je **te** parle.
(il)	**le (l')**	**lui**	Je **le** connais.	Je **lui** téléphone.
(elle)	**la (l')**	**lui**	Je **la** connais.	Je **lui** téléphone.
(nous)	**nous**		Tu **nous** écoutes.	Tu **nous** parles.
(vous)	**vous**		Je **vous** invite.	Je **vous** écris.
(ils) (elles)	**les**	**leur**	Je **les** vois souvent. Je **les** connais.	Je **leur** rends visite. Je **leur** parle.

In general, object pronouns come immediately before the verb, according to the pattern:

subject + (**ne**) + object pronoun + verb + (**pas**)

Tu as vu **Paul?** — Non, je ne **l'**ai pas vu.

Tu as téléphoné **à tes cousins?** — Non, je ne **leur** ai pas téléphoné.

➪ In inverted questions, object pronouns also precede the verb.

Prends-tu **ta voiture?** — **La** prends-tu?

Avez-vous parlé **à vos cousins?** — **Leur** avez-vous parlé?

Est-ce que tu **nous** invites? — **Nous** invites-tu?

Uses

The direct object pronouns **le/la/les** replace direct object nouns that refer to *specific people* or *things*.

Tu vois **Annette?** — Oui, je **la** vois.

Tu vois **cette voiture?** — Oui, je **la** vois.

- Direct object pronouns are used with **voici** and **voilà**.

Voilà **Henri.**	**Le** voilà.	*There **he** is.*
Voici **mes chaussures.**	**Les** voici.	*Here **they** are.*

The indirect object pronouns **lui/leur** replace **à** + nouns that refer to *specific people* only.

Tu téléphones à **Denise?**	Oui, je **lui** téléphone.
Cette maison appartient à **tes cousins?**	Non, elle ne **leur** appartient pas.

- Indirect object pronouns cannot be used with certain verbs such as **être à** *(to belong to),* **penser à** *(to think of),* **tenir à** *(to value highly),* **faire attention à** *(to pay attention to).* With these verbs, the construction **à** + *stress pronoun* is used.

Ce livre est **à Jacques.**	Il est **à lui.**
Je pense **à cette fille.**	Je pense **à elle.**
Vous tenez **à vos amis.**	Vous tenez **à eux.**
Ne fais pas attention **à Henri.**	Ne fais pas attention **à lui.**

À remarquer

The neuter object pronoun **le** may be used to replace an adjective (or adjective phrase) or a clause.

Vous êtes **sérieux?**	Oui, nous **le** sommes.	*Yes, we are.*
Tu étais **content** de partir?	Non, je ne **l'**étais pas.	*No, I was not.*
Espérez-vous **aller en France?**	Oui, je **l'**espère.	*I hope so.*
Je crois **qu'il va pleuvoir.** Et toi?	Moi, je ne **le** crois pas.	*I don't believe so.*

VOUS LISEZ LES JOURNAUX,
VOUS REGARDEZ LA TELEVISION,
VOUS ECOUTEZ LA RADIO.
MAIS QUE SAVEZ-VOUS
DU MONDE OÙ VOUS VIVEZ?

Vocabulaire: Quelques verbes et les compléments correspondants

VERBES QUI PRENNENT UN COMPLÉMENT D'OBJET DIRECT

écouter	*to listen to*	**J'écoute** un disque de rock.
regarder	*to look at; to watch*	**Regardez** ce match de tennis. Je vais **regarder** un film à la telé.
chercher	*to look for*	Je **cherche** mon sac. Où est-il?
aller chercher	*to get, pick up*	Je **vais chercher** mes amis à l'aéroport.
attendre	*to wait for*	Nous **attendons** le bus.
payer	*to pay for*	Combien **as-tu payé** ce tableau?

VERBES QUI PRENNENT UN COMPLÉMENT D'OBJET INDIRECT

appartenir à	*to belong to*	Cette auto **appartient à** Suzanne.
parler à	*to speak, talk to*	Nous **parlons à** nos amis.
téléphoner à	*to call, phone*	Je vais **téléphoner à** ma cousine.
rendre visite à	*to visit (a person)*	J'ai **rendu visite à** mon oncle hier.
répondre à	*to answer*	**Répondez au** professeur!
obéir à	*to obey*	Ce chien **n'obéit** pas **à** son maître *(master)*.
désobéir à	*to disobey*	Philippe **désobéit à** ses parents.
plaire à	*to please*	Est-ce que cet appartement **plaît à** Éric?
ressembler à	*to look like*	Tu **ressembles à** ta sœur.
pardonner à	*to forgive*	On doit **pardonner à** ses ennemis.

Note de vocabulaire

Note how the construction **plaire à** is usually expressed in English.

Ce tableau **me plaît.** *I like this painting. (This painting* ***pleases me.****)*

Activité 6 Refus

Roger demande certains services *(favors)* à Albert, qui refuse. Jouez le rôle de Roger et d'Albert.

MODÈLE: inviter ce week-end?
Roger: *Tu m'invites ce week-end?*
Albert: *Non, je ne t'invite pas ce week-end.*

1. téléphoner ce soir?
2. passer tes notes?
3. amener au concert?
4. présenter à tes amis?
5. prêter tes disques?
6. aider avec mes devoirs?
7. accompagner à la bibliothèque?
8. attendre après la classe?

Activité 7 Conversation

Demandez à vos camarades s'ils font les choses suivantes. Ils vont répondre affirmativement ou négativement en utilisant le pronom qui convient.

MODÈLE: téléphoner à tes amis?
—Est-ce que tu téléphones à tes amis?
—Oui, je leur téléphone. (Non, je ne leur téléphone pas.)

1. regarder les nouvelles?
2. écouter la radio?
3. aimer la musique classique?
4. faire les courses?
5. nettoyer ta chambre tous les jours?
6. payer tes dettes *(debts)*?
7. critiquer tes amis?
8. pardonner à tes ennemis?
9. parler souvent à tes voisins?
10. obéir à ton père?
11. téléphoner souvent à ta meilleure amie?
12. rendre visite à tes cousins?

Activité 8 Oui ou non?

Nos sentiments déterminent souvent nos actions envers *(towards)* d'autres personnes. Les phrases suivantes décrivent les sentiments de certaines personnes. Décrivez leurs actions. Pour cela, utilisez les verbes entre parenthèses dans des phrases affirmatives ou négatives. Utilisez aussi le pronom complément d'objet direct ou indirect qui convient.

MODÈLE: J'admire mes professeurs. (trouver intéressants?)
Je les trouve intéressants.

1. Thomas est amoureux d'Hélène. (aimer? trouver sympathique? téléphoner?)
2. Henri n'est pas patient avec son cousin. (attendre? répondre? trouver pénible?)
3. Philippe respecte ses parents. (écouter? obéir? désobéir? critiquer?)
4. Charles est très différent de son frère. (ressembler? imiter?)
5. Nous connaissons bien nos voisins. (inviter? téléphoner? rendre visite? voir souvent?)
6. Christine n'aime pas Antoine. (trouver intelligent? trouver égoïste? pardonner?)
7. Irène a beaucoup d'affection pour ses grands-parents. (oublier? écrire? rendre visite?)
8. Je ne suis pas d'accord avec vous. (comprendre? écouter? croire?)
9. Tu n'es pas généreux avec moi. (aider? amener au restaurant? apporter des cadeaux?)

Activité 9 Pas aujourd'hui!

Brigitte Dupuis travaille pour une compagnie d'assurances. Elle décrit ce qu'elle fait chaque jour. Aujourd'hui Brigitte a la grippe et reste à la maison. Dites qu'elle ne suit pas sa routine habituelle.

MODÈLE: Je dis bonjour aux voisins.
D'habitude elle dit bonjour aux voisins, mais aujourd'hui elle ne leur dit pas bonjour.

1. Je salue *(greet)* la concierge.
2. Je dis bonjour à la voisine.
3. J'achète le journal.
4. Je lis les nouvelles.
5. Je prends l'autobus.
6. Je retrouve mes collègues au bureau.
7. Je salue le patron.
8. J'ouvre mon courrier *(mail)*.
9. Je téléphone à mes clients.
10. J'utilise le micro-ordinateur.
11. Je prépare les factures *(invoices)*.
12. Je finis mon travail.
13. Je dis au revoir à ma secrétaire.
14. Je fais les courses.

Entre nous

Expression personnelle

Dites ce qu'on fait ou ce qu'on ne fait pas dans les circonstances suivantes. Complétez les phrases en utilisant votre imagination.

MODÈLE: Quand on est jeune...
Quand on est jeune, on aime son indépendance (on est idéaliste, on aime le rock, on n'aime pas la musique classique,...).

1. Quand on a de l'argent...
2. Quand on n'a pas d'argent...
3. Quand on veut maigrir...
4. Quand on est idéaliste...
5. Quand on est triste...
6. Quand on est indépendant...
7. Quand on veut réussir à ses examens...
8. Quand on est dans un pays étranger...
9. Quand on veut réussir dans la vie *(life)*...
10. Quand on a confiance *(confidence)* en soi...

Contextes

Les phrases suivantes font partie de différentes conversations. Imaginez le contexte de ces conversations dans un petit paragraphe.

MODÈLE: «Est-ce que tu le connais?»
Annie est à une surprise-partie. Elle aperçoit un jeune homme qui a l'air sympathique. Elle demande à une amie qui c'est.

1. «Alors, qu'est-ce qu'on fait?»
2. «Ce n'est pas moi!»
3. «Lui, il n'est pas d'accord!»
4. «J'ai fait cela moi-même!»
5. «Les voilà!»
6. «Est-ce que c'est à toi?»
7. «Combien est-ce que tu le vends?»
8. «Vraiment, je ne vous comprends pas!»

Leçon 7 Les pronoms *y* et *en*; la position des pronoms à l'impératif et à l'infinitif

A. Le pronom **y**

B. Le pronom **en**

C. La position des pronoms compléments à l'impératif

D. Les pronoms compléments dans les constructions infinitives

A. Le pronom y

Note the position and use of the pronoun y in the following sentences.

Tu vas à **Paris** cet été?	Oui, j'y vais.
Est-ce que mes livres sont **sur la table?**	Non, ils n'y sont pas.
Tes parents sont restés **dans cet hôtel?**	Oui, ils y sont restés.
Jacques est revenu **chez vous?**	Non, il n'y est pas revenu.
Allez-vous **au concert?**	Oui! Et vous? **Y** allez-vous aussi?

The pronoun y usually comes before the verb. It is used to replace a noun introduced by a preposition of *place* (**à, en, dans, chez, sur, sous, devant**). In this usage, it corresponds to *there*.

Vas-tu à **la bibliothèque?** Oui, j'y vais. *Yes, I am (going* ***there****).*

The pronoun y is also used to replace **à** + noun referring to a *thing*.

Croyez-vous à **votre horoscope?**	Non, nous **n'y** croyons pas.
Tu fais attention **à ta santé?**	Oui, j'y fais attention.
Jean a participé **au championnat de tennis?**	Non, il n'y a pas participé.

Compare:

a person:	Je réponds à **Jacques.**	Je **lui** réponds.
a thing:	Je réponds à **cette lettre.**	J'y réponds.

Activité 1 Problèmes d'argent

Un groupe d'étudiants américains passe les vacances en France. Malheureusement ces étudiants n'ont pas beaucoup d'argent. Dites ce qu'ils font ou ne font pas en répondant affirmativement ou négativement aux questions suivantes.

MODÈLE: Patricia va dans cet hôtel de luxe?
Non, elle n'y va pas.

1. Robert déjeune au restaurant universitaire?
2. Roger et Vincent dînent à la Tour d'Argent?
3. Béatrice reste à l'auberge de la jeunesse *(youth hostel)*?
4. Vous passez la nuit au Ritz?
5. Tu campes sur la plage?
6. Andréa va au musée du Louvre en taxi?
7. Daniel et David partent pour la Provence en auto-stop *(hitchhiking)*?
8. Christine invite ses amis français chez Maxim's?
9. Éric dort dans cette grange *(barn)*?

Activité 2 En vacances

Décrivez ce que font les personnes suivantes pendant les vacances. Utilisez le pronom y ou un pronom complément d'objet indirect suivant le cas.

MODÈLE: Nous allons à Québec.
Nous y allons.

1. Martine passe ses après-midi à la plage.
2. Vous passez les vacances dans cet hôtel.
3. Je participe au tournoi *(tournament)* de tennis.
4. Tu rends visite à tes cousins.
5. Philippe écrit à son oncle.
6. Tu réponds aux cartes postales de tes amis.
7. Nous assistons aux fêtes folkloriques.
8. Claire va chez son ami Jean-Pierre.

B. Le pronom en

Note the position and use of the pronoun **en** in the following sentences:

Tu prends **du rosbif**?	Oui, j'**en** prends.
Vous avez **de la patience**!	Moi, je n'**en** ai pas.
As-tu acheté **des tomates**?	Oui, j'**en** ai acheté.
Christine n'a pas eu **de chance**.	Non, elle n'**en** a pas eu.
Voulez-vous **de la glace**?	Non, merci! Et vous? **En** voulez-vous?

The pronoun **en** usually comes before the verb. It replaces a direct object noun introduced by the partitive articles **du, de la, de l', des,** and **de, d'**.

Henri prend **le pain**.	Il **le** prend.
Henri prend **du pain**.	Il **en** prend.

The pronoun **en** is also used to replace:

- the preposition **de** *(from, of, about)* + *noun*

Paul vient **de Genève**?	Oui, il **en** vient.
Isabelle a besoin **de ses livres**?	Oui, elle **en** a besoin.
Tu parles **de tes projets**?	Non, je n'**en** parle jamais.

- a *noun* introduced by the articles **un, une** or by a *number*

Tu as une **guitare**?	Oui, j'**en** ai une.
Thérèse a deux **frères**?	Non, elle **en** a trois.

- **de** + *noun* introduced by an *expression of quantity*

Tu as beaucoup **d'argent**?	Non, je n'**en** ai pas beaucoup.
Vous mangez trop **de chocolat**.	C'est vrai! J'**en** mange trop.
Vous voulez deux kilos **d'oranges**?	Non, j'**en** veux trois kilos.
Combien de verres **de lait** as-tu bu?	J'**en** ai bu trois verres.

- the preposition **de** + *infinitive* or *infinitive phrase*

  Tu as envie **de lire ce livre?** Non, je n'**en** ai pas envie.

À remarquer

The construction **de** + *noun* that refers to a person can be replaced by **de** + *stress pronoun,* or by **en.**

Tu as peur **de ces gens?**
- Non, je n'ai pas peur **d'eux.**
- Non, je n'**en** ai pas peur.

Activité 3 La visite médicale

Le docteur Lasanté pose certaines questions à un patient. Jouez le rôle du patient. Utilisez les expressions entre parenthèses et le pronom **en.**

MODÈLE: Vous mangez des fruits? (oui)
Oui, j'en mange.

1. Vous mangez du pain? (oui)
2. Vous buvez de la bière? (non)
3. Vous fumez des cigarettes? (non)
4. Vous prenez des vitamines? (oui)
5. Vous faites du sport? (non, pas beaucoup)
6. Vous faites du jogging? (oui, un peu)
7. Vous avez du travail? (oui, trop)
8. Combien d'enfants avez-vous? (trois)

Activité 4 Combien?

Dites ce que font les personnes de la colonne A en utilisant les éléments de la colonne B. Puis dites en quelle quantité en utilisant les éléments de la colonne C. Soyez logique!

A	B	C
je	prendre de l'aspirine	un ou deux
vous	prendre des photos	trois ou quatre
Claudine	acheter du lait	une paire
Jean-Pierre	boire du café	un litre
tu	inviter des amis	une tasse
mes amis	prendre de l'essence	un kilo
Monsieur Leclerc	acheter des oranges	deux cachets *(tablets)*
nous	apporter des disques	30 litres
	acheter des chaussures	une douzaine

MODÈLE: *Vous achetez des oranges. Vous en achetez trois ou quatre.*

chaussures et maroquinerie
FPINET
Paris

CHAUSSURES EN CUIR DE QUALITÉ
Élégance et Style
Escarpins cuir à partir de 185F
SARLAT
116, rue La Boétie 8e
35, rue de Sèvres 6e

Vocabulaire: Quelques verbes et expressions suivies de *à* et de *de*

assister à	*to attend, be present at*	Vas-tu **assister au** concert?
jouer à	*to play (a sport)*	Simon **joue au** tennis.
participer à	*to participate in, take part in*	Je vais **participer à** un concours *(contest)* de photo.
penser à	*to think about*	Est-ce que tu **penses à** l'avenir?
réfléchir à	*to think about*	Je n'ai pas **réfléchi à** cette question.
croire à	*to believe in*	**Croyez**-vous **à** cette histoire?
réussir à	*to pass (a test)*	Nous allons **réussir à** l'examen.
renoncer à	*to renounce, give up*	Je ne **renonce** jamais **à** mes projets.
tenir à	*to value highly*	Je **tiens** beaucoup **à** cet objet.
faire attention à	*to pay attention to; to be careful about*	Ne **faites** pas **attention à** cette remarque. Je **fais attention à** ma santé.
avoir besoin de	*to need*	J'ai **besoin de** mon stylo.
avoir envie de	*to feel like*	**As**-tu **envie de** voyager?
avoir peur de	*to be afraid of*	**Avez**-vous **peur des** serpents?
avoir honte de	*to be ashamed of*	N'**avez**-vous pas **honte de** votre attitude?
avoir l'intention de (+ *inf.*)	*to intend to*	J'**ai** l'**intention de** partir à six heures.
être content de	*to be pleased with*	**Êtes**-vous **content de** vos progrès?
être fier de	*to be proud of*	Monsieur Durand **est fier de** sa fille.
être heureux de (+ *inf.*)	*to be happy to*	Je **suis heureux de** faire votre connaissance.
être triste de (+ *inf.*)	*to be sad to, about*	Jeanne **est triste de** partir.

Notes de vocabulaire

1. Note the constructions with **jouer** *(to play)*:

jouer à (+ sport or game)	Je **joue au** volleyball. Toi, tu **n'y joues** pas.
jouer de (+ musical instrument)	Catherine **joue de** la flûte. J'**en joue** aussi.

2. Note the uses of **penser** *(to think):*
   penser à means *to think about* in the sense of *to have something/someone in mind.*

   —Est-ce que tu **penses à** l'examen?

   —Oui, j'y **pense.**

   penser de means *to think about* in the sense of *to have an opinion of* or *about.*

   —Qu'est-ce que tu **penses de** l'examen?

   —Je pense qu'il est difficile. Et toi, qu'est-ce que tu **en penses?**

Activité 5 Conversation

Demandez à vos camarades s'ils font les choses suivantes. Vos camarades vont utiliser les pronoms **y** ou **en** dans leurs réponses.

MODÈLE: jouer du piano?
—Tu joues du piano?
—Oui, j'en joue. (Non, je n'en joue pas.)

1. jouer au tennis?
2. jouer de la guitare?
3. faire du jogging?
4. faire attention à ta santé?
5. croire aux OVNI *(UFOs)*?
6. avoir peur des examens?
7. assister aux matchs de football de l'université?
8. participer aux réunions sportives *(sports meets)*?
9. avoir besoin d'encouragements?
10. avoir envie de sortir samedi prochain?
11. penser aux vacances?
12. réfléchir à l'avenir?
13. être content(e) de ta vie *(life)*?
14. être content(e) de tes notes en français?

Activité 6 Oui ou non?

Lisez ce que font les personnes suivantes. Sur la base de ces informations, faites des phrases négatives ou affirmatives en utilisant les verbes entre parenthèses et les pronoms **y** ou **en.**

MODÈLE: Jean déteste le football. (jouer?)
Il n'y joue pas.

1. Nous regardons le match de tennis. (assister? participer?)
2. Je doute de l'existence des fantômes *(ghosts).* (croire? avoir peur?)
3. Les Canadiens respectent leurs traditions. (être fiers? avoir honte?)
4. Le chimiste abandonne cette expérience. (renoncer? croire?)
5. Nous avons confiance *(trust)* dans notre avenir. (réfléchir? avoir peur?)
6. Le président prépare le budget. (réfléchir? penser?)
7. Nous avons de bons résultats en français. (être fiers? être contents?)
8. Jacqueline a reçu un cadeau de son fiancé. (tenir? faire attention?)
9. Madame Rémi ne veut pas de ces vieux meubles. (avoir besoin? tenir?)
10. Je ne veux pas étudier ce soir. (avoir envie? renoncer?)

C. La position des pronoms compléments à l'impératif

Note the position of the object pronoun in affirmative commands.

Cherche **tes livres**!	Cherche-**les**!
Répondez **à vos amis**!	Répondez-**leur**!
Allons **au stade**!	Allons-**y**!
Prenez **des vitamines**!	Prenez-**en**!

In *affirmative* commands, the object pronoun comes *after* the verb and is linked to it by a hyphen.

➪ Note that **me** becomes **moi** when placed after the verb.

Écris-**moi**! Parlez-**moi** de vos projets!

In *negative* commands, object pronouns come *before* the verb.

Téléphone-**moi** ce soir!	Ne **me** téléphone pas demain!
Prête-**lui** ton vélo!	Ne **lui** prête pas ta moto!

À remarquer

In affirmative commands, **liaison** is required between the verb and the pronouns **y** and **en**. Therefore, an **-s** is added to the **tu** form of all **-er** verbs (including **aller**) when followed by **y** or **en**.

Va au musée!	**Vas-y**!
Mange des légumes!	**Manges-en**!

Activité 7 Le nouveau secrétaire

Vous travaillez pour une compagnie française. Votre nouveau secrétaire vous pose certaines questions. Répondez-lui affirmativement ou négativement. Utilisez un pronom dans vos réponses.

MODÈLE: Je téléphone à Madame Simon? (oui)
Oui, téléphonez-lui!

1. Je téléphone à Monsieur Mot? (non)
2. J'ouvre cette enveloppe? (oui)
3. Je copie ces documents? (oui)
4. Je signe cette lettre? (non)
5. J'envoie ces chèques? (non)
6. Je vais à l'agence de voyages? (oui)
7. Je prends vos billets d'avion? (oui)
8. Je réserve une chambre d'hôtel? (oui)
9. Je vais à la banque? (non)
10. Je passe à la librairie? (oui)
11. Je commande du papier à lettre? (oui)
12. J'achète des enveloppes? (non)
13. J'écris à vos associés? (oui)
14. Je reste au bureau ce soir? (oui)

Activité 8 Que faire?

Lisez les phrases suivantes et dites à un(e) camarade ce qu'il/elle doit faire ou ne pas faire.

MODÈLE: Ces vêtements sont très chers. (acheter?)
Ne les achète pas! (Achète-les!)

1. Ce musée est très intéressant. (aller? visiter?)
2. La machine à écrire ne marche pas. (utiliser? prendre? apporter chez le réparateur?)
3. Ces oranges sont pourries *(rotten)*. (manger? laisser sur la table? jeter?)
4. Ces étudiantes françaises semblent perdues *(lost)*. (aider? parler? inviter chez toi?)
5. Ce nouveau jeu vidéo est passionnant *(exciting)*. (acheter? jouer?)
6. Cette question est importante. (étudier? réfléchir? traiter superficiellement? répondre intelligemment?)
7. Ces objets sont précieux. (faire attention? perdre? laisser dans ta voiture?)

Activité 9 S'il te plaît

Paul parle à son ami Henri. Il lui demande de faire ou de ne pas faire certaines choses. Jouez le rôle de Paul en utilisant l'impératif des verbes entre parenthèses dans des phrases affirmatives ou négatives. Soyez logique!

MODÈLE: Je n'ai pas d'argent. (prêter dix francs)
S'il te plaît, prête-moi dix francs!

1. J'ai besoin de dormir. (téléphoner ce soir)
2. J'arrive dans dix minutes. (attendre)
3. J'aimerais parler à ta cousine. (donner son numéro de téléphone)
4. Je pars en vacances. (écrire)
5. Je suis fatigué. (obliger à sortir avec toi)
6. Je ne fume pas. (offrir des cigarettes)
7. Je ne suis pas un martien. (regarder de cette façon)
8. Je dis la vérité. (croire)
9. Je veux savoir la vérité. (dire des mensonges [*lies*])

Activité 10 À la recherche d'un travail

Nicole vient de terminer ses études et maintenant elle cherche du travail. Elle demande conseil à son amie Annie. Jouez le rôle des deux amies. Si vous le voulez, justifiez les réponses d'Annie.

MODÈLE: lire les petites annonces *(classified ads)*?
Nicole: *Est-ce que je dois lire les petites annonces?*
Annie: *Oui, lis-les! (Il y a souvent des offres intéressantes!)*
Non, ne les lis pas! (Il n'y a jamais d'offres intéressantes!)

1. préparer mon curriculum vitae?
2. aller à l'agence de l'emploi?
3. mettre une annonce *(ad)*?
4. écrire au président d'Air France?
5. suivre des cours de programmation?
6. retourner à l'université?
7. téléphoner au Ministre du Travail?
8. renoncer à mes projets professionnels?

D. Les pronoms compléments dans les constructions infinitives

An infinitive construction consists of two elements: a *conjugated* verb (**aller, pouvoir, vouloir**) + an *infinitive.* Note the position of the object pronouns in the sentences below.

Je vais téléphoner **à Pierre.**	Je vais **lui** téléphoner.
Vous devez faire **du sport.**	Vous devez **en** faire.
Tu ne vas pas inviter **Catherine.**	Tu ne vas pas **l'**inviter.
Nous ne voulons pas aller **au café.**	Nous ne voulons pas **y** aller.
Je n'ai pas pu voir **ce film.**	Je n'ai pas pu **le** voir.
Va parler **à ta sœur!**	Va **lui** parler!

In an infinitive construction, the pronoun comes immediately *before* the verb of which it is the object.

- When the conjugated verb is **aller, vouloir, pouvoir, devoir, aimer, préférer, espérer, venir de...,** the object pronoun comes *before the infinitive.*

  Je viens de rencontrer **Paul. Je viens de le** rencontrer. (**Paul** is the object of **rencontrer.**)

- However, when the conjugated verb is a verb of *perception* (**écouter, entendre, voir**) or a verb of *communication* (**demander à, dire à, promettre à, permettre à**), the object pronoun comes immediately *before the conjugated verb.*

  Je vois **Henri** partir. Je **le** vois partir. (**Henri** is the object of **je vois.**)

  J'ai dit **à Jacques** de venir. Je **lui** ai dit de venir. (**Jacques** is the object of **j'ai dit.**)

Activité 11 Plus tard

Les personnes suivantes ne font pas certaines choses. Dites quand elles vont les faire. Utilisez la construction **aller** + *infinitif* et le pronom qui convient.

> MODÈLE: François ne téléphone pas à Élisabeth. (ce soir)
> *Il va lui téléphoner ce soir.*

1. Janine ne finit pas la leçon. (après le dîner)
2. Vous ne faites pas les courses. (samedi)
3. Henri n'utilise pas le micro-ordinateur. (après le dîner)
4. Les étudiants ne parlent pas au professeur. (après l'examen)
5. Je ne réponds pas à cette lettre. (ce week-end)
6. Philippe ne range pas sa chambre. (ce soir)
7. Tu ne prends pas de photos. (quand il y a du soleil)
8. Vous ne buvez pas de café. (avec le dessert)
9. Je ne dîne pas au restaurant. (demain)
10. Nous n'allons pas en France. (l'année prochaine)
11. Thomas ne fait pas de ski. (en hiver)
12. Le président ne parle pas de l'inflation. (dans sa conférence de presse)
13. Mes cousins ne me rendent pas visite. (pendant les vacances)
14. Je ne vous écris pas. (dans une semaine)

Activité 12 Questions personnelles

Répondez aux questions suivantes. Utilisez un pronom dans vos réponses.

1. Ce week-end est-ce que vous allez rencontrer vos amis? faire du sport? téléphoner à vos cousins? étudier vos leçons? regarder la télé? aller au cinéma?
2. Chez vous, est-ce que vous devez aider vos parents? nettoyer votre chambre? ranger vos affaires? faire les courses? aller au supermarché?
3. Un jour, espérez-vous aller en France? habiter à Paris? avoir une voiture de sport? avoir des responsabilités importantes? avoir beaucoup d'argent?
4. Chez vous, pouvez-vous conduire la voiture de vos parents? utiliser les disques de vos frères? inviter vos amis? organiser des surprises-parties?
5. Après vos études, est-ce que vous allez chercher du travail? acheter une voiture? rester chez vos parents? louer un appartement?
6. Est-ce que vous savez jouer aux échecs *(chess)*? jouer de la flûte? faire du yoga? danser le tango?

Activité 13 La concierge

Madame Pipelet est concierge dans un immeuble à Paris. Elle connaît bien les habitudes de ses locataires *(tenants)* car elle observe tout ce qui se passe dans son immeuble. Jouez le rôle de Madame Pipelet d'après le modèle.

MODÈLE: Monsieur Bertrand part tôt le matin. (voir)
Je le vois partir tôt le matin.

1. Mademoiselle Turpin rentre tard le soir. (entendre)
2. Ces étudiants lavent leur voiture le dimanche. (regarder)
3. Les filles de Monsieur Rimbaud jouent du piano. (écouter)
4. Monsieur Simon promène son chien. (voir)
5. Les Durand redécorent leur appartement. (observer)
6. Le fils Durand organise des surprises-parties quand ses parents sont en voyage. (entendre)
7. Le fils Dupont sourit à la fille Mercier. (voir)
8. Monsieur Tessier ronfle *(snores)*. (entendre)

Entre nous

Contextes

Les phrases suivantes font partie de différentes conversations. Imaginez le contexte de ces conversations dans un petit paragraphe.

MODÈLE: «Prenez-en!»
Madame Martin vient de recevoir une boîte de chocolats. Elle l'ouvre et offre les chocolats à ses invités.

1. «Allons-y!»
2. «Non, merci, je n'en prends jamais!»
3. «Est-ce que vous y croyez, vous?»
4. «Combien en voulez-vous?»
5. «Dites-leur la vérité!»
6. «Je vais y réfléchir.»
7. «Nous allons en parler!»
8. «Je ne peux pas y aller...»

À votre tour

Imaginez un dialogue entre un jeune Français qui va venir aux États-Unis et son ami américain. Le jeune Français demande des conseils à son ami qui lui répond affirmativement ou négativement. Voici certains verbes que vous pouvez utiliser: acheter / apporter / prendre / louer / réserver / chercher / écrire / envoyer / téléphoner

MODÈLE: *—Est-ce que je dois acheter des chèques de voyage?*
—Oui, achètes-en. (Non, n'en achète pas.)

Leçon 8 L'ordre des pronoms

A. L'ordre des pronoms (I)
B. L'ordre des pronoms (II)
C. L'ordre des pronoms avec **y** et **en**
D. L'ordre des pronoms: résumé

A. L'ordre des pronoms (I)

Each of the following sentences contains two third person objects, one direct and the other indirect. Note the order of the object pronouns.

J'envoie **le télégramme à Jean.**	Je **le lui** envoie.
Éric ne prête pas **sa voiture à ses amis.**	Il ne **la leur** prête pas.

When two *third-person* object pronouns occur together the sequence is:

le la les	before	lui leur

Note how this pattern applies to:

INFINITIVE CONSTRUCTIONS

Je vais donner **cette photo à François.**	Je vais **la lui** donner.
Tu ne veux pas prêter **tes livres à tes cousins.**	Tu ne veux pas **les leur** prêter.

AFFIRMATIVE AND NEGATIVE COMMANDS

Envoie **cette lettre à Georges!**	**Envoie-la-lui!**
Ne montre pas **cette carte à Hélène!**	Ne **la lui** montre pas!

Vocabulaire: La construction *donner quelque chose à quelqu'un*

acheter... à...	*to buy (for, from)*	Thomas **achète** un ballon à son neveu.
vendre... à...	*to sell*	Je vais **vendre** ma Renault à un ami.
donner... à...	*to give*	Anne **donne** des conseils *(advice)* à sa sœur.
prêter... à...	*to lend, loan*	Vas-tu **prêter** ta voiture à tes amies?
rendre... à...	*to give back*	**Rendez** ce livre à Janine.
emprunter... à...	*to borrow (from)*	Je vais **emprunter** dix francs à Jacques.
apporter... à...	*to bring*	Mélanie **apporte** un cadeau à son père.
dire... à...	*to tell*	**Dites** la vérité à vos parents!
demander... à...	*to ask (of)*	Roland **demande** des conseils à Alice.
écrire... à...	*to write*	Philippe **écrit** une lettre à sa fiancée.
envoyer... à...	*to send*	**J'envoie** un télégramme à ma cousine.
montrer... à...	*to show*	Ne **montre** pas cette lettre à ton frère!
offrir... à...	*to give, offer*	Denise **offre** des fleurs à sa mère.
laisser... à...	*to leave*	**Laisse** les clés à la concierge.

Note de vocabulaire

Acheter à may mean *to buy for* or *to buy from.*

Monsieur Rémi achète un vélo **à son fils.** *(for his son)*
Il achète ce vélo **au marchand de cycles.** *(from the bicycle dealer)*

BEAULIEU 25700 VALENTIGNEY
RC MONTBÉLIARD B 875-550-451

Activité 1 En famille

Charles a les objets suivants. Il les prête aux membres de sa famille mais il ne les prête pas aux autres personnes. Pour chaque objet, faites un dialogue avec vos camarades de classe d'après le modèle.

MODÈLE: Charles a une guitare. (à son amie Pauline?)
—Est-ce qu'il la prête à son amie Pauline?
—Non, il ne la lui prête pas.

1. Charles a une raquette de tennis. (à son cousin?)
2. Il a des cassettes. (à ses voisines?)
3. Il a une machine à écrire. (à son frère?)
4. Il a une voiture de sport. (à son ami François?)
5. Il a des skis neufs. (à sa sœur?)
6. Il a un micro-ordinateur. (à ses voisins?)
7. Il a une chaîne-stéréo. (à ses camarades de classe?)
8. Il a des disques de jazz. (à sa cousine?)

Activité 2 Bon voyage!

Dans sa profession d'avocate internationale, Martine Mercier voyage beaucoup. Dites ce qu'elle va faire avant son prochain voyage. Pour cela, refaites les phrases en utilisant deux pronoms compléments.

MODÈLE: Elle va donner son adresse à sa secrétaire.
Elle va la lui donner.

1. Elle va donner son numéro de téléphone à ses amis.
2. Elle doit laisser ses clés à la concierge.
3. Elle va prêter sa voiture à son frère.
4. Elle doit demander son billet d'avion au représentant d'Air France.
5. Elle doit apporter le memorandum à sa secrétaire.
6. Elle veut montrer le contrat à son patron.
7. Elle doit rendre les documents à ses collègues.
8. Elle va envoyer le télégramme à ses clients.

B. L'ordre des pronoms (II)

In the pairs of sentences below, the sentence on the right contains two object pronouns. One of these is a first or second person pronoun and the other is a third person pronoun. Note the sequence of these object pronouns.

Philippe **me** vend **sa guitare.**	Philippe **me la** vend.
Je ne **vous** donne pas **mes cassettes.**	Je ne **vous les** donne pas.

When a first or second person pronoun and a third person pronoun occur together before the verb, the sequence is:

me te nous vous	before	le la les

Note how this pattern applies to:

INFINITIVE CONSTRUCTIONS

Marie va **te** vendre **ses disques.**	Elle va **te les** vendre.

NEGATIVE COMMANDS

Ne **nous** montre pas **tes photos!**	Ne **nous les** montre pas!

In affirmative commands, where the pronouns come after the verb, the sequence is:

le la les	before	moi nous

Passe-**moi ce livre!**	Passe-**le-moi!**
Rendez-**nous ces documents!**	Rendez-**les-nous!**

Activité 3 À qui?

Philippe fait certaines choses pour les personnes entre parenthèses. Exprimez cela, en utilisant deux pronoms compléments.

MODÈLE: Philippe vend sa moto. (à vous)
Il vous la vend.

1. Il vend ses cassettes. (à moi)
2. Il prête son vélo. (à toi)
3. Il prête sa raquette. (à vous)
4. Il rend ces disques. (à toi)
5. Il envoie ce paquet. (à nous)
6. Il raconte cette histoire. (à vous)
7. Il apporte le magazine. (à moi)
8. Il va expliquer le problème. (à vous)

9. Il va annoncer la nouvelle. (à toi)
10. Il veut vendre sa chaîne-stéréo. (à nous)
11. Il doit rendre la machine à écrire. (à vous)
12. Il peut apporter les magazines. (à nous)

Activité 4 Oui, merci!

Un ami français vous offre certaines choses. Acceptez. Pour cela, utilisez l'impératif des verbes suivants et deux pronoms.

MODÈLE: Tu veux écouter ce disque? (prêter)
Oui, merci! Prête-le-moi!

1. Tu veux écouter cette cassette? (prêter)
2. Tu veux lire ce journal? (passer)
3. Tu veux voir ces photos? (montrer)
4. Tu veux recevoir cette revue? (envoyer)
5. Tu veux utiliser ma moto? (prêter)
6. Tu veux acheter ma guitare? (vendre)
7. Tu veux savoir la vérité? (dire)
8. Tu veux connaître ces garçons? (présenter)

C. L'ordre des pronoms avec y et en

Note the order of the object pronouns in the sentences below.

Éric rencontre **ses amis au café.**	Il **les y** rencontre.
Vous ne **m'**invitez pas **à votre pique-nique.**	Vous ne **m'y** invitez pas.
Charles prête **de l'argent à ses amis.**	Il **leur en** prête.
Je ne **vous** parle pas **de mes problèmes.**	Je ne **vous en** parle pas.

When the pronoun y or en is used with another object pronoun, it always comes in *second* position.

➪ Note how this sequence applies to:

INFINITIVE CONSTRUCTIONS

Je vais prêter **de l'argent à Cécile.**	Je vais **lui en** prêter.
Je dois rencontrer **mes cousins au café.**	Je dois **les** y rencontrer.

AFFIRMATIVE AND NEGATIVE COMMANDS

Donne **de l'argent à tes amis.**	Donne-**leur-en**. Ne **leur en** donne pas.
Donnez-**nous des conseils.**	Donnez-**nous-en**. Ne **nous en** donnez pas.

➪ In affirmative commands, **moi** + **en** becomes **m'en.**

Donnez-**moi des oranges!**	Donnez-**m'en!**

When y and **en** occur together, y comes *before* **en.** Note this pattern with the expression **il y a.**

Il y a **de la neige.**	Il y **en** a.
Il n'y a pas **de danger.**	Il n'y **en** a pas.
Y a-t-il **de la limonade?**	**Y en** a-t-il?

Activité 5 Oui ou non?

Répondez aux questions suivantes affirmativement ou négativement. Utilisez les pronoms **lui/leur** et **en**. Soyez logique!

MODÈLE: Est-ce qu'on donne de l'aspirine à un malade?
Oui, on lui en donne.

1. Est-ce qu'on offre des cigarettes à un athlète?
2. Est-ce qu'on donne des allumettes *(matches)* aux enfants?
3. Est-ce qu'on parle des ses problèmes à ses amis?
4. Est-ce qu'on offre du chocolat à une personne qui suit un régime?
5. Est-ce qu'on demande des conseils à ses parents?
6. Est-ce qu'on raconte des histoires de fantôme *(ghost stories)* à un enfant impressionnable?
7. Est-ce qu'on envoie des cartes de vœux *(greetings)* à ses amis?
8. Est-ce qu'on donne un bon pourboire *(tip)* à un garçon désagréable?
9. Est-ce qu'on sert des tomates à un végétarien?

Activité 6 Merci!

Les personnes suivantes font certaines choses pour d'autres personnes. Lisez les phrases et transformez-les, en utilisant **en** et un autre pronom.

MODÈLE: Le steward sert du café aux passagers.
Il leur en sert.

1. Le garçon apporte de la bière à Monsieur Langlois.
2. Le guide donne des renseignements *(information)* aux touristes.
3. Le professeur donne des bonnes notes aux élèves.
4. Janine prête de l'argent à son frère.
5. Madame Bertrand va envoyer des cadeaux à ses petits-enfants.
6. Jean-Philippe va acheter du parfum à sa fiancée.
7. Je vous fais des compliments.
8. Tu nous offres du champagne.
9. Je vais t'apporter des croissants.
10. Nous allons vous envoyer des cartes postales.

Activité 7 D'autres services

Les personnes suivantes rendent d'autres services *(are doing other favors)* à d'autres personnes. Lisez les phrases et puis transformez-les, en utilisant le pronom **y** et un autre pronom.

MODÈLE: Marc invite son cousin au cinéma.
Il l'y invite.

1. Antoine invite sa fiancée au restaurant.
2. Marc accompagne sa sœur à la plage.
3. Le chauffeur de taxi amène ses clients à l'aéroport.
4. Le pilote transporte les passagers à Paris.
5. Je te conduis à l'école.
6. Nous vous invitons au théâtre.

7. Tu m'accompagnes au concert.
8. Henri nous amène au stade.
9. Christine va conduire sa mère au supermarché.
10. Nicole va inviter ses amis à sa surprise-partie.
11. Je peux vous conduire à la gare.
12. Nous pouvons t'accompagner à la station de métro.

D. L'ordre des pronoms: résumé

When two object pronouns are used in the same sentence, they occur in the following sequences:

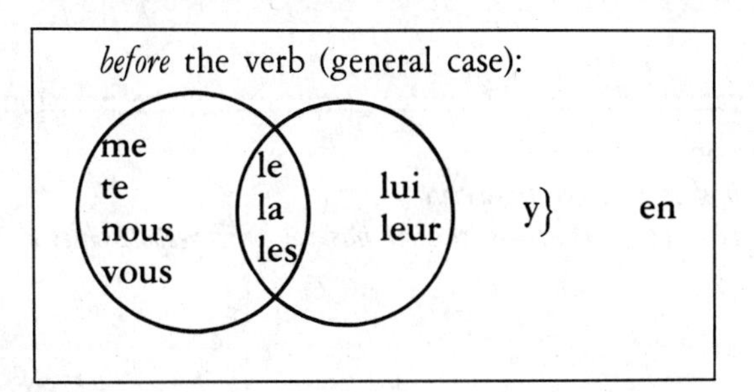

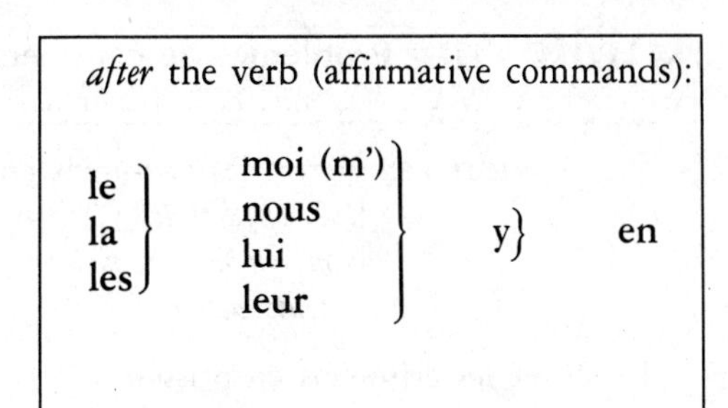

Activité 8 Avec Suzanne

Imaginez que vous voyagez avec Suzanne, une étudiante canadienne qui va en France. Lisez ce qu'elle fait et dites si oui ou non vous faites la même chose.

MODÈLE: Suzanne donne son billet à l'hôtesse.
Moi aussi, je le lui donne. (Non, je ne le lui donne pas).

1. Elle montre son passeport au douanier *(customs officer).*
2. Elle donne un pourboire *(tip)* au porteur.
3. Elle laisse ses valises à la consigne *(checkroom).*
4. Elle demande des renseignements à l'agent de police.
5. Elle change son argent à la banque.
6. Elle envoie un télégramme à ses parents.
7. Elle écrit des cartes postales à ses voisins.
8. Elle donne sa nouvelle adresse à son meilleur ami.

Activité 9 Au restaurant

Imaginez que vous êtes dans un restaurant français. Le garçon vous propose certaines choses. Acceptez ou refusez. Utilisez les verbes à l'impératif et deux pronoms.

MODÈLE: Je vous apporte le menu?
Oui, apportez-le-moi. (Non, ne me l'apportez pas.)

1. Je vous montre la carte des vins?
2. Je vous sers de l'eau minérale?
3. Je vous donne du pain?
4. Je vous apporte des escargots *(snails)?*
5. Je vous décris le plat du jour?
6. Je vous propose un dessert?
7. Je vous sers du café?
8. Je vous apporte l'addition *(bill)?*
9. Je vous rends la monnaie *(change)?*
10. Je vous commande un taxi?

Activité 10 Problèmes de conscience

Dites si oui ou non on doit faire les choses suivantes. Si vous le voulez, expliquez votre position.

MODÈLE: mettre les criminels en prison?
Oui, on doit les y mettre. (On doit protéger la société.)
Non, on ne doit pas les y mettre. (Les criminels ne sont pas toujours responsables de leurs actions.)

1. laisser les criminels en prison?
2. dire la vérité à un grand malade?
3. prêter de l'argent aux pays pauvres?
4. donner des subventions *(subsidies)* aux écoles privées?
5. donner des responsabilités importantes aux jeunes?
6. vendre des armes aux pays du Proche-Orient *(Near East)?*
7. vendre du blé *(wheat)* à l'Union soviétique?
8. acheter des produits minéraux à l'Afrique du Sud?

Entre nous

Contextes

Les phrases suivantes font parties de différentes conversations. Imaginez le contexte de ces conversations dans un petit paragraphe.

MODÈLE: «Rend-les-moi!»
Éric a emprunté des disques à Jeannette mais il a oublié de les lui rendre. Un jour, Jeannette passe chez Éric et lui demande de lui rendre ses disques.

1. «Envoyez-les-moi avant vendredi!»
2. «Donnez-m'en une douzaine, s'il vous plaît.»
3. «C'est la dernière fois! Maintenant ne m'en demande plus!»
4. «Est-ce que tu peux nous la prêter pour ce soir?»
5. «Je te promets de te les rendre dans un mois!»
6. «Ne lui en parlez pas!»
7. «Si j'ai assez d'argent, je vais lui en offrir un!»
8. «Nous allons les y rencontrer.»

À votre tour

Imaginez un dialogue entre deux amis qui veulent vendre ou échanger quelque chose. Faites durer la négociation aussi longtemps que possible. Si vous le voulez, vous pouvez imaginer les échanges d'objets suivants:

un stylo / une collection de cartes postales / un ballon de football / une raquette de tennis / une guitare / une chaîne-stéréo / un vélo / une machine à écrire / un «Walkman».)

MODÈLE: *—Est-ce que tu veux acheter ma machine à écrire?*
—Ça dépend! Combien est-ce que tu me la vends?
—Ecoute! Puisque (Since) *tu es un ami, je vais te la vendre trois cents francs.*
—Je ne peux pas te l'acheter à ce prix-là, mais si tu veux, je peux te l'échanger contre…

Leçon 9 Les verbes pronominaux et les pronoms réfléchis

A. La construction réfléchie et les verbes pronominaux: introduction

B. Les verbes pronominaux: formation

C. L'usage des verbes pronominaux: sens idiomatique

D. L'usage des verbes pronominaux: sens réciproque

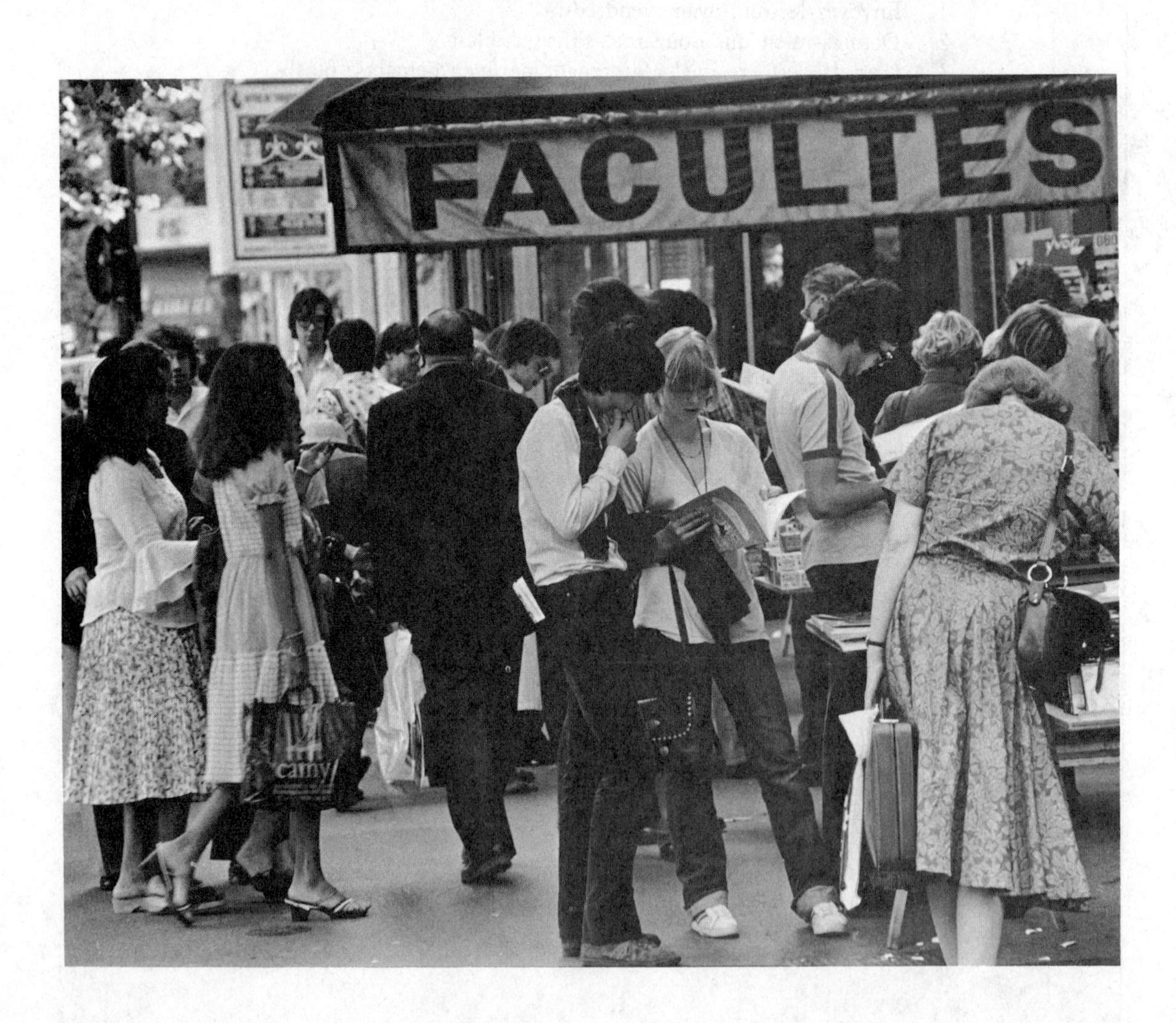

A. La construction réfléchie et les verbes pronominaux: introduction

Reflexive verbs (**les verbes pronominaux**) are very common in French. These verbs are used to describe a reflexive action, that is, an action performed by the subject on or for itself.

Compare the use of non-reflexive and reflexive verbs in the following sentences.

NON-REFLEXIVE	REFLEXIVE
Madame Brun **lave** sa voiture.	Madame Brun **se lave.**
Je **regarde** le match.	Je **me regarde** dans la glace.

Reflexive verbs, such as **se laver** and **se regarder,** are conjugated with a reflexive pronoun that represents the same person as the subject.

- Sometimes, French reflexive verbs correspond to English reflexive verbs. In such cases, the French reflexive pronouns are expressed by pronouns such as *myself, yourself,* and so on.

  Jeanne **se regarde** dans la glace. — *Jeanne **looks at herself** in the mirror.*

- Very often, French reflexive verbs are expressed in English by non-reflexive verbs, although a reflexive construction is implied.

  Vous **vous lavez.** — *You **are washing.*** *(Literally, you are washing yourself.)*

  Philippe **s'amuse.** — *Philippe **is having fun.*** *(Literally, Philippe is enjoying himself.)*

  Mes amis **se promènent.** — *My friends **are going for a walk.*** *(Literally, my friends are taking themselves for a walk.)*

  Nous **nous excusons.** — *We **apologize.*** *(Literally, we are excusing ourselves.)*

- Often, French reflexive verbs are used to express a change in physical, mental, or social condition or state. In English this is expressed by the verbs *to get, to be getting, to be becoming* or *growing.*

  Tu **t'impatientes.** — *You **are becoming impatient.***

  Vous **vous préparez.** — *You **are getting ready.***

  Mon cousin **se marie.** — *My cousin **is getting married.***

- Sometimes, French reflexive verbs are expressed in English by a passive construction.

  Cela **ne se fait pas!** — *That **is not done!***

À remarquer

A reflexive pronoun can be a direct or an indirect object.

Pauline **se** prépare pour l'examen. — *Pauline is preparing herself for the exam.*
Se is a direct object.

Henri **s'**achète une cravate. — *Henri is buying himself a tie* (i.e., for himself)
S' is an indirect object.

The distinction between the direct or indirect object nature of the reflexive pronoun is important for the agreement of the past participle in compound tenses. (See page 178.)

B. Les verbes pronominaux: formation

Note the forms and positions of the reflexive pronouns in the conjugation of the reflexive verb **se laver**.

PRESENT	IMPERATIVE
je me lave	
tu te laves	lave-toi!
il/elle/on se lave	
nous nous lavons	lavons-nous!
vous vous lavez	lavez-vous!
ils/elles se lavent	

Reflexive pronouns, like other object pronouns, come *before* the verb, except in affirmative commands.

- Note the position of reflexive pronouns in negative and interrogative constructions.

NEGATIVE	INTERROGATIVE
Tu ne **te** laves pas.	**Te** laves-tu?
Nous ne **nous** préparons pas.	Pourquoi ne **nous** préparons-nous pas?

- In affirmative commands, reflexive pronouns come *after* the verb. Note that **te** becomes **toi.**

Tu **te** prépares? — Prépare-**toi**!
Vous **vous** lavez? — Lavez-**vous**!

In an infinitive construction, the reflexive pronoun comes immediately *before* the infinitive. The reflexive pronoun must represent the *same* person as the subject.

Je vais **me préparer** pour le concert.

Nous n'allons pas **nous acheter** cette voiture.

When a reflexive pronoun and another object pronoun are both used before the verb, the reflexive pronoun always comes *first*.

Francine s'achète ce disque.	Elle **se** l'achète.
Tu t'achètes des tickets de métro.	Tu **t'en** achètes.
Vous vous intéressez à la musique.	Vous **vous** y intéressez.

In affirmative commands, where the reflexive pronoun comes *after* the verb, the order is:

le / la / les } reflexive pronoun	reflexive pronoun { y / en

Note that **toi** + **en** becomes **t'en.**

Achète-toi cette veste!	Achète-**la-toi**!
Achetez-vous un micro-ordinateur!	Achetez-**vous-en** un!
Achète-toi une machine à écrire!	Achète-**t'en** une!

Évadez-vous du quotidien.
Offrez-vous une Escapade à Ottawa.

Activité 1 Oui ou non?

Lisez ce que font les personnes entre parenthèses. Complétez la description de chaque personne en utilisant le verbe pronominal dans une phrase affirmative ou négative.

MODÈLE: s'excuser? (Ce garçon n'est pas poli.)
Ce garçon ne s'excuse pas.

1. se préparer pour l'examen? (Nous étudions. / Tu es paresseux. / Je regarde la télé. / Ces étudiants apprennent les verbes.)
2. s'impatienter? (Je suis patient. / Monsieur Thibaud attend depuis une heure. / Vous êtes toujours calmes.)
3. s'amuser? (Ces étudiants travaillent. / Je suis avec mes amis. / Vous étudiez. / Mes amis sont à la plage.)
4. s'excuser? (Je suis poli. / Tu as tort. / Mélanie a raison. / Vous faites erreur. / Ces garçons sont très arrogants.)
5. se laver les mains? (Nous allons dîner. / Je viens de réparer ma voiture. / Ils n'ont pas de savon.)
6. s'acheter un sandwich au jambon? (J'ai faim. / Vous voulez maigrir. / Ces filles sont végétariennes. / Nous aimons la viande.)

Vocabulaire: Quelques verbes pronominaux

LES OCCUPATIONS DE LA JOURNÉE

se réveiller	*to wake up*
se lever	*to get up*
se laver	*to wash (oneself)*
se peigner	*to comb one's hair*
se brosser (les dents)	*to brush (one's teeth)*
se raser	*to shave*
se maquiller	*to put on make-up*
s'habiller	*to get dressed*
se baigner	*to go for a swim*
se promener	*to go for a walk/ride*
se reposer	*to rest*
s'asseoir	*to sit down*
se préparer	*to get ready*
se dépêcher	*to hurry*
se déshabiller	*to get undressed*
se coucher	*to go to bed*
s'endormir	*to fall asleep*

LES ÉMOTIONS ET LES SENTIMENTS

s'amuser	*to have fun*
s'ennuyer	*to get bored, be bored*
s'impatienter	*to become impatient*
s'énerver	*to get upset*
s'inquiéter	*to get worried, worry*
se mettre en colère	*to get angry*
se sentir (fatigué)	*to feel (tired)*
se porter bien (mal)	*to be in good (bad) health*

Notes de vocabulaire

1. **S'asseoir** is irregular and has the following forms:

PRESENT	IMPERATIVE	PASSÉ COMPOSÉ
je m'assieds tu t'assieds il s'assied nous nous asseyons vous vous asseyez ils s'asseyent	Assieds-toi! Asseyons-nous! Asseyez-vous!	je me suis assis(e)

2. Remember that the definite article is used with parts of the body. This pattern is common with reflexive verbs such as **se laver, se brosser,** and so on.

   Je me lave **les** mains. — *I am washing **my*** hands.

   Nous nous brossons **les** cheveux. — *We brush **our** hair.*

Activité 2 Qu'est-ce qu'ils font?

Lisez ce que font les personnes suivantes. Refaites les phrases en remplaçant les expressions en italique par un verbe pronominal.

MODÈLE: Jean-Jacques *sort du lit.*
Il se lève.

1. Monsieur Renaud *utilise son rasoir.*
2. Ces filles *utilisent du mascara.*
3. Nous *mettons nos vêtements.*
4. Vous *utilisez un peigne.*
5. Je *fais une promenade* en voiture.
6. Tu *cours* pour être à l'heure.
7. Vous *allez au lit.*
8. Marcel *nage* dans l'océan.
9. Jean-Claude *fait la sieste.*
10. Le professeur *perd patience.*
11. Tu *perds le contrôle de tes émotions.*
12. Jacqueline *est en bonne santé.*

Activité 3 Suggestions

Lisez les suggestions suivantes et complétez-les. Pour cela, utilisez l'impératif affirmatif ou négatif des verbes entre parenthèses.

MODÈLE: Restons calmes! (s'énerver)
Ne nous énervons pas!

1. Va plus vite! (se dépêcher)
2. Sortons! (se promener)
3. Ne restez pas au lit! (se lever)
4. Ne travaille pas! (se reposer)
5. Soyons sérieux! (s'amuser)
6. Mets tes vêtements! (s'habiller)
7. Continue ton travail! (se reposer)
8. Prends ton temps! (se dépêcher)
9. Prenez cette chaise! (s'asseoir)
10. Attendons un peu! (s'impatienter)
11. Restez calmes! (se mettre en colère)
12. Soyons optimistes! (s'inquiéter)

Activité 4 Que vont-ils faire?

En général, quand on va dans un certain endroit, c'est parce qu'on veut y faire quelque chose. Exprimez cela pour les personnes de la colonne A, en choisissant un endroit de la colonne B et un verbe de la colonne C. Utilisez la construction **aller** + *infinitif* du verbe réfléchi. Soyez logique!

A	B	C
je	à la plage	s'amuser
tu	à la surprise-partie	se baigner
Nicole	dans la forêt	se laver
Marcel	dans une boutique	se promener
nous	dans la cuisine	se raser
vous	dans la chambre	se reposer
mes amis	dans la salle de bains	se maquiller
		s'acheter des vêtements
		se faire un sandwich

MODÈLE: *Nicole va dans la salle de bains. Elle va se maquiller.*

C. L'usage des verbes pronominaux: sens idiomatique

For many verbs, there is usually a close relationship in meaning between their reflexive and non-reflexive forms (e.g., **amuser,** *to amuse,* and **s'amuser,** *to have fun*). For other verbs, there is a much more distant relationship in meaning. Such reflexive verbs are considered to be *idiomatic.* Compare the meaning of the verbs in each set of sentences below:

Je **trouve** Nice sur la carte.	*I **find** Nice on the map.*
Nice **se trouve** dans le Sud de la France.	*Nice **is located** in the South of France.*
Nous **occupons** un petit appartement.	*We **are occupying** a small apartment.*
Vous **vous occupez** de ce problème.	*You **are taking care** of this problem.*
Tu **entends** cette chanson?	***Do** you **hear** that song?*
Tu **t'entends** avec ton frère?	***Do** you **get along** with your brother?*

➪ A few verbs are used only in the reflexive form.

se souvenir de	*to remember*	Est-ce que tu **te souviens de** moi?
se moquer de	*to make fun of*	Ne **vous moquez** pas **de** vos amis!

Vocabulaire: Quelques verbes pronominaux

s'appeler	*to be named*	Comment **t'appelles**-tu?
se rappeler	*to remember*	Je ne **me rappelle** pas votre adresse.
se demander	*to wonder*	Je **me demande** si tu as raison.
s'apercevoir de	*to notice*	Tu **t'aperçois de** tes erreurs.
se rendre compte de	*to realize*	Tu **te rends compte de** la situation?
se taire	*to be quiet*	Pourquoi **vous taisez**-vous?
se tromper	*to make a mistake*	Tout le monde peut **se tromper.**
s'excuser	*to apologize*	J'ai tort et je **m'excuse.**
s'installer	*to settle (down)*	Nous allons **nous installer** à Nice.
s'arrêter	*to stop*	Le bus **s'arrête** ici.
s'en aller	*to leave, go away*	Ne **vous en allez** pas! Attendez-moi!
se trouver	*to be (located)*	Où **se trouve** la pharmacie?
se passer	*to happen*	Qu'est-ce qui **se passe**?
s'intéresser à	*to be interested in*	Je **m'intéresse à** la musique pop.
s'attendre à	*to expect*	Je **m'attends à** une bonne nouvelle.
s'habituer à	*to get used to*	On ne **s'habitue** pas **à** l'injustice.
se mettre à	*to start, begin*	**Mettez-vous au** travail!
se rendre à	*to go to*	Le médecin va **se rendre à** l'hôpital.
s'approcher (de)	*to get close to*	Nous **nous approchons de** la ville.
se débarrasser de	*to get rid of*	Je vais **me débarrasser de** ces journaux.
s'occuper de	*to take care of*	**Occupez-vous de** vos affaires!
se moquer de	*to make fun of, laugh at*	Ne **te moque** pas **de** tes amis.
se préoccuper de	*to worry about*	Roland **se préoccupe de** son avenir.
se servir de	*to use*	Je **me sers de** la voiture de ma mère.
se souvenir de	*to remember*	Est-ce que vous **vous souvenez de** moi?

Notes de vocabulaire

1. The verb **se taire** is irregular. Note its forms.

PRESENT	je **me tais** tu **te tais** il/elle/on **se tait**	nous **nous taisons** vous **vous taisez** ils/elles **se taisent**
PASSÉ COMPOSÉ	je **me suis tu(e)**	

2. The verb **s'en aller** means *to leave, to go away.* Note its imperative forms.

AFFIRMATIVE	NEGATIVE
Va-t'en!	**Ne t'en va pas!**
Allons-nous-en!	**Ne nous en allons pas!**
Allez-vous-en!	**Ne vous en allez pas!**

3. Note the use of the pronouns **y** and **en** with reflexive verbs followed by the prepositions **à** and **de**.

   Tu t'intéresses **à la musique?** — Tu t'**y** intéresses?

   Tu te sers **de ton stylo?** — Tu t'**en** sers?

   When the object is a person, however, stress pronouns are often used.

   Éric s'intéresse **à cette fille.** — Il s'intéresse **à elle.**

   Tu te souviens **de Marc?** — Tu te souviens **de lui?**

4. Although **se rappeler** and **se souvenir de** both mean *to remember,* their constructions are different.

   se rappeler quelque chose — Non, je ne **me rappelle** pas cette date.

   se souvenir {de quelqu'un — **Tu te souviens de** Monsieur André?

   se souvenir {de quelque chose — Éric **se souvient** bien **de** cet événement.

5. **Se mettre à** is often followed by an infinitive.

   Il **se met à** écrire. — *He* ***starts*** *to write.*

Activité 5 Conversation

Demandez à vos camarades s'ils font les choses suivantes. Ils vont vous répondre affirmativement ou négativement, en utilisant les pronoms **y** ou **en.**

MODÈLE: s'intéresser à la politique?
—Est-ce que tu t'intéresses à la politique?
—Oui, je m'y intéresse. (Non, je ne m'y intéresse pas.)

1. s'intéresser à la musique?
2. se rendre aux concerts?
3. s'intéresser aux sports?
4. se rendre aux matchs de football de l'école?
5. s'attendre à une bonne note en français?
6. s'attendre à une surprise agréable dans quelques jours?
7. se préoccuper de ses notes en français?
8. se souvenir bien de son enfance *(childhood)*?
9. se débarrasser de ses vieux livres?
10. se servir d'une machine à écrire?
11. se servir d'un micro-ordinateur?
12. s'apercevoir de ses progrès en français?
13. se moquer des critiques?

Activité 6 Le bon verbe

Lisez attentivement les phrases suivantes. Remplacez les tirets par les verbes pronominaux de la liste ci-dessous *(below)* qui conviennent logiquement.

s'en aller / s'appeler / s'approcher / s'arrêter / s'attendre / se débarrasser

se demander / s'excuser / s'habituer / s'installer / se mettre / s'occuper

se rappeler / se rendre compte / se servir / se taire / se tromper / se trouver

1. J'ai une excellente mémoire. Je ___ très bien cet événement.
2. La voiture de Jacques ne marche pas. Il ___ de la voiture de sa mère.
3. Vous êtes optimiste. Vous ___ toujours à de bonnes nouvelles.
4. Robert habite maintenant à Paris. Il est très content de ce changement. Il ___ très bien à sa nouvelle existence.
5. Vous êtes trop curieux. Vous ___ toujours des choses qui ne vous concernent pas.
6. Nous avons nettoyé le grenier *(attic)*. Maintenant nous allons ___ de cette pile de vieux magazines.
7. Monsieur Rimbaud a soixante-trois ans. Il ___ de l'âge de la retraite *(retirement)*.
8. Je pensais que j'avais raison. En réalité, j'avais tort! Maintenant je ___ de mon erreur.
9. Je suis le fils de Monsieur Durand. Je ___ Patrick Durand.
10. Nous ne restons pas ici. Nous ___ dans dix minutes.
11. Tu fais erreur. Tu ___.
12. Je te présente mes regrets. Je ___.
13. Vous ne parlez jamais. Est-ce que vous ___ en classe de français?
14. L'hôpital n'est pas ici. Il ___ sur le boulevard Pasteur.
15. Marc vient de déménager. Il ___ dans son nouvel appartement.
16. Ce train n'est pas très rapide. Il ___ dans toutes les gares.
17. Thomas est très pâle. Je ___ s'il est malade.
18. Je commence ce travail. Je ___ à travailler.

Activité 7 Êtes-vous d'accord?

Voici certaines opinions. Dites si oui ou non vous êtes d'accord avec ces opinions. Si vous voulez, justifiez votre opinion avec un exemple.

1. Les journalistes se trompent souvent.
2. Les Américains ne s'occupent pas assez de leur santé *(health)*.
3. Les jeunes ne s'intéressent pas assez à la politique.
4. Les gens se préoccupent trop de leurs problèmes matériels.
5. Il ne faut pas trop se préoccuper de l'avenir *(future)*.
6. On s'habitue à tout *(everything)*.
7. On doit s'attendre à une guerre mondiale *(world war)*.
8. La fin du monde s'approche.

D. L'usage des verbes pronominaux: sens réciproque

Note the meanings of the reflexive verbs in the following sentences:

Le chien et le chat **se regardent.**	*The dog and the cat* ***look at each other.***
Vous **vous connaissez,** n'est-ce pas?	*You* ***know one another,*** *don't you?*
Nous **nous voyons** souvent le week-end.	*We often* ***see each other*** *on weekends.*

Reflexive verbs can be used to express a *reciprocal* action, that is, an action that the subjects perform for one another. In this case, the reflexive pronouns usually correspond to the English expressions *each other* or *one another.*

⇨ When the reflexive verb is used in a reciprocal sense, the subject is often in the plural: **nous, vous, ils, elles;** or **on** in the plural sense.

Est-ce qu'ils **s'aiment?**	*Do* ***they love each other?***
On se comprend bien.	***We understand each other*** *well.*

Vocabulaire: Quelques verbes pronominaux

se rencontrer	*to meet*	**se battre**	*to have a fight*
		se disputer	*to have an argument*
s'entendre	*to get along*		
s'embrasser	*to kiss*	**se fiancer**	*to get engaged*
		se marier	*to get married*

Note de vocabulaire

Both **épouser** and **se marier avec** mean *to marry (someone).* Note the constructions used with these two verbs.

Jean va **épouser** Nicole. Marc va **se marier avec** Hélène.

Activité 8 Relations personnelles

Lisez les descriptions des personnes suivantes. Décrivez leurs relations en utilisant les verbes entre parenthèses dans des phrases affirmatives ou négatives. Attention: Ces relations sont réciproques!

MODÈLE: Paul et Janine sont fiancés. (s'aimer)
Ils s'aiment.

1. Laurent et Suzanne sont fiancés, mais ils n'habitent pas dans la même ville. (s'écrire / se téléphoner / se voir tous les jours / se rencontrer après le travail)
2. Mes voisins et moi, nous sommes d'excellents amis. (s'inviter / s'écrire / se téléphoner / s'entendre bien / se battre)
3. Pierre et toi, vous êtes inséparables. (se connaître bien / se voir souvent / se disputer / se quitter)
4. Christine et Marie sont des jumelles *(twins)* mais elles ne sont jamais d'accord. (se ressembler / s'entendre / se disputer)

Entre nous

Que dire?

Ce que nous disons à nos amis dépend souvent des circonstances dans lesquelles ils se trouvent. Exprimez cela, en utilisant l'impératif affirmatif ou négatif d'un verbe réfléchi.

MODÈLE: Georges va passer un mois en France.
Je lui dis: «Amuse-toi!»

1. Vos sœurs vont à une surprise-partie.
2. Le réveil *(alarm clock)* vient de sonner mais votre cousin ne veut pas sortir du lit.
3. Une vieille dame est debout *(standing)* dans l'autobus. Vous lui offrez votre siège *(seat)*.
4. Le bus va arriver dans quelques minutes. Vos amis ne sont pas prêtes *(ready)*.
5. Sophie attend son petit ami depuis une heure.
6. Votre voisin sort de l'hôpital après une longue maladie.
7. Un ami va à une entrevue professionnelle.
8. Une amie n'a pas reçu de nouvelles de ses grands-parents depuis trois mois.

Contextes

Les phrases suivantes font partie de différentes conversations. Imaginez le contexte de ces conversations dans un petit paragraphe.

MODÈLE: «Taisez-vous, s'il vous plaît!»
Jacques était au cinéma. Devant lui, il y avait deux personnes qui parlaient continuellement.
Jacques n'a pas pu entendre le film. Il a demandé aux deux personnes de se taire.

1. «Dépêchez-vous!»
2. «Ne t'inquiète pas!»
3. «Allez-vous-en!»
4. «Amusez-vous bien!»
5. «Arrêtez-vous!»
6. «Où est-ce qu'on va se rencontrer?»
7. «Je ne m'y habitue pas.»
8. «Est-ce que vous vous en servez?»
9. «Pourquoi est-ce que vous vous mettez à rire?»
10. «Mais oui! Je m'en souviens très bien!»

À votre tour

1. Décrivez une journée typique pendant l'année scolaire et une journée typique de vacances. Utilisez au moins 10 verbes pronominaux pour chaque description.
2. Décrivez vos relations avec des personnes que vous connaissez bien (vos amis, vos cousins, vos parents, vos professeurs, etc.). Utilisez plusieurs verbes prominaux à sens réciproque.

Leçon 10 Les pronoms compléments aux temps composés

A. Les pronoms aux temps composés

B. Les verbes pronominaux aux temps composés

A. Les pronoms au temps composés

In the sentences below, the verbs are in a compound tense (**passé composé** or **plus-que-parfait**). Note the position of the object pronouns.

Tu as invité **Caroline?**	Oui, je **l'**ai invitée.
Tu avais invité **Paul et Robert?**	Non, je ne **les** ai pas invités.
Vous avez téléphoné **à Thérèse?**	Oui, nous **lui** avons téléphoné.
Vous aviez parlé **à vos cousins?**	Non, nous ne **leur** avions pas parlé.
Vous avez pris **des photos?**	Oui, nous **en** avons pris.
Tu étais allé **en Provence?**	Non, je n'**y** étais pas allé.

When the verb is in a compound tense, the object pronouns come *before* the auxiliary **avoir** or **être.**

⇨ If two objects are used, they follow the same sequence as in simple tenses.

François **m'**a prêté **sa voiture.**	Il **me l'**a prêtée.
J'ai parlé **de ce projet à Henri.**	Je **lui en** ai parlé.

When the compound tense is conjugated with **avoir,** the past participle agrees with the *direct object* if that direct object comes *before* the verb. Note that this preceding direct object may be a noun or a pronoun.

J'ai rencontré **une fille.**	**Quelle fille** as-tu rencontrée?
J'avais vu **cette exposition.**	Quand **l'**avais-tu vue?

⇨ There is *no* agreement with a preceding *indirect* object.

Nous avons écrit **à Charlotte.**	Nous **lui** avons **écrit.**

⇨ There is *no* agreement with **en.**

Nous avons parlé **de ces problèmes.**	Nous **en** avons **parlé.**

À remarquer

1. There is agreement with the pronouns **me/te/nous/vous** if they are the *direct* object of the verb. The ending of the past participle reflects the gender and number of the pronoun.

DIRECT OBJECT	INDIRECT OBJECT
Caroline, je **t'ai vue** hier,	...mais je ne t'ai pas parlé.
Mes amis, je **vous ai attendus** à midi,	...mais je ne vous ai pas téléphoné.

2. In spoken French, the agreement is not heard with past participles ending in *-é, -i,* and *-u,* since these past participles sound the same in the masculine and feminine forms. The agreement is heard, however, when the past participle ends in *-s* or *-t.*

Où as-tu **mis** ma raquette?	Je l'ai **mise** sur la table.

Activité 1 Conversation

Demandez à vos camarades de classe s'ils ont fait les choses suivantes dimanche dernier. Ils vont vous répondre affirmativement ou négativement en utilisant le pronom complément qui convient.

MODÈLE: faire du jogging?
—As-tu fait du jogging?
—Oui, j'en ai fait. (Non, je n'en ai pas fait.)

1. acheter le journal?
2. lire la page des sports?
3. faire les mots croisés?
4. téléphoner à ta meilleure amie?
5. écrire à tes cousins?
6. aller à la campagne?
7. dîner au restaurant?
8. jouer au tennis?
9. faire une promenade en voiture?
10. prendre des photos?

Activité 2 Accusations

Richard accuse son camarade de chambre Georges d'avoir fait ou de ne pas avoir fait les choses suivantes. Georges proteste. Jouez le rôle de Georges. À noter: *si* remplace *oui* pour contredire une phrase négative.

MODÈLE: Tu n'as pas fait les courses! (si)
Si, je les ai faites.

1. Tu as pris mes cassettes! (non)
2. Tu as ouvert cette lettre! (non)
3. Tu as conduit ma voiture! (non)
4. Tu as pris la clé du garage! (non)
5. Tu n'as pas fait la vaisselle! (si)
6. Tu n'as pas mis les provisions *(food)* dans le réfrigérateur! (si)
7. Tu n'as pas appris tes leçons! (si)
8. Tu n'as pas dit la vérité! (si)

Activité 3 Au revoir!

Les étudiants suivants ont passé l'été en France. Dites ce que chacun a fait la veille de son retour aux États-Unis. Pour cela, transformez les phrases avec le pronom (1 à 6) ou les deux pronoms (7 à 12) qui conviennent.

MODÈLE: Catherine a acheté du parfum.
Elle en a acheté.

1. Vous avez acheté des souvenirs.
2. J'ai fait mes valises.
3. Tu as dit au revoir à tes amis.
4. Nous avons cherché nos billets d'avion.
5. Robert a pris des photos de la tour Eiffel.
6. Christine a téléphoné à sa mère.
7. J'ai donné mon adresse à Pierre.
8. Tu as acheté des cadeaux à ta famille française.
9. Suzanne a invité ses amies au restaurant.
10. Albert a envoyé des cartes postales à ses cousins.
11. Nous avons donné nos bagages au porteur.
12. J'ai changé mes francs à la banque.

Activité 4 Avant

Lisez ce qu'ont fait les personnes suivantes. D'après cela, dites ce qu'elles avaient fait ou n'avaient pas fait avant. Utilisez le plus-que-parfait des verbes entre parenthèses et un pronom complément dans des phrases affirmatives ou négatives.

MODÈLE: Robert a raté ses examens. (préparer?)
Il ne les avait pas préparés.

1. Madeleine n'a pas trouvé ses clés. (laisser dans sa voiture? oublier?)
2. J'ai immédiatement reconnu cette fille. (rencontrer à la plage l'été dernier? parler plusieurs fois?)
3. Aujourd'hui André est sorti avec Isabelle. (téléphoner hier soir? inviter au cinéma?)
4. J'ai trouvé ces livres dans le grenier *(attic)*. (garder? rendre à la bibliothèque?)
5. Mes amis n'ont pas voulu revoir le film. (voir pendant les vacances? trouver formidable?)
6. Caroline a reçu une carte de Jacques. (écrire? demander de répondre?)
7. Nous n'avons pas retrouvé vos lettres. (garder? détruire?)
8. Jean-Pierre a payé François. (emprunter de l'argent? acheter sa moto?)

B. Les verbes pronominaux aux temps composés

In compound tenses, reflexive verbs are conjugated with **être**. Note the conjugation pattern of the reflexive verb **s'amuser** in the **passé composé** and the **plus-que-parfait**. Note also the forms of the past participle.

PASSÉ COMPOSÉ	PLUS-QUE-PARFAIT
je **me suis** amusé(e)	je **m'étais** amusé(e)
tu **t'es** amusé(e)	tu **t'étais** amusé(e)
il **s'est** amusé	il **s'était** amusé
elle **s'est** amusée	elle **s'était** amusée
nous **nous sommes** amusé(e)s	nous **nous étions** amusé(e)s
vous **vous êtes** amusé(e)(s)	vous **vous étiez** amusé(e)(s)
ils **se sont** amusés	ils **s'étaient** amusés
elles **se sont** amusées	elles **s'étaient** amusées

➪ Note the forms of these verbs in negative sentences and inverted questions.

NEGATIVE	INVERTED QUESTIONS
Il **ne s'est pas** amusé.	**S'est-il** amusé?
Elle **ne s'était pas** amusée.	**S'était-elle** amusée?

The past participle of a reflexive verb *agrees* with the reflexive pronoun when this pronoun functions as a *direct object*. This is the case with most reflexive verbs.

➪ There is *no* agreement when the reflexive pronoun functions as an *indirect object.* This occurs when:

- the corresponding non-reflexive verb takes an indirect object: **demander à, écrire à, téléphoner à.** Compare:

se = DIRECT OBJECT	se = INDIRECT OBJECT
Jeanne s'est impatientée.	Elle s'est demandé pourquoi Éric était en retard.

se = DIRECT OBJECT	se = INDIRECT OBJECT
Jeanne s'est impatientée.	Elle s'est demandé pourquoi Éric était en retard.

Julien et Anne **se** sont rencontrés.	Ils **se** sont téléphoné.

- the reflexive verb is followed by a direct object noun:

  Mes cousins se sont acheté **une Renault.**

  However, there is agreement with a *preceding direct object.*

  Quelle voiture est-ce qu'ils se sont achet**ée**?

À remarquer

Reflexive verbs, such as **se laver** or **se couper,** can be used alone or with parts of the body. Compare the forms of the past participles in the sentences below.

Paul et Alain se sont **lavés.**
(There is agreement because **se** functions as a *direct object.*)

Paul et Alain se sont **lavé** les mains.
(There is no agreement because the direct object—**les mains**—comes *after* the verb. Here **se** is the *indirect object*).

Activité 5 Conversation

Demandez à vos camarades de classe s'ils ont fait les choses suivantes hier.

MODÈLE: se réveiller tôt?
—Est-ce que tu t'es réveillé(e) tôt?
—Oui, je me suis réveillé(e) tôt. (Non, je ne me suis pas réveillé(e) tôt.)

1. se réveiller tard?
2. se promener?
3. se rendre en ville?
4. s'amuser?
5. se disputer avec un ami?
6. se mettre en colère?
7. se reposer après le dîner?
8. se coucher tôt?

Activité 6 Une histoire d'amour

Racontez l'histoire d'amour de Julien et de Sylvie. Pour cela, mettez les verbes suivants au passé composé.

MODÈLE: se connaître pendant les vacances
Ils se sont connus pendant les vacances.

1. se rencontrer à la plage
2. se parler
3. se trouver sympathiques
4. se téléphoner
5. se donner rendez-vous *(to make a date)*
6. se voir tous les jours
7. s'embrasser
8. se revoir après les vacances
9. s'écrire régulièrement
10. se fiancer
11. se marier

se marier est une affaire sérieuse : c'est pour la vie.

Vocabulaire: Quelques verbes pronominaux

LA SANTÉ ET LES ACCIDENTS

se blesser (à)	*to get hurt*	Je **me suis blessé au** pied en jouant au football.
se casser	*to break*	Anne **s'est cassé** la jambe en skiant.
se couper (à)	*to cut*	Marc **s'est coupé au** doigt avec ce couteau.
se faire mal (à)	*to hurt*	Claire **s'est fait mal à** la main en tombant.
se sentir (malade)	*to feel (sick)*	Comment **te sens-tu?** Je **me sens** malade.

D'AUTRES VERBES

s'absenter	*to go away, be absent*	Je vais **m'absenter** pendant trois jours.
se cacher	*to hide*	Ne **te cache** pas! Je te vois.
se débrouiller	*to manage, get by*	Nous n'avons pas beaucoup d'argent mais nous **nous débrouillons.**
s'échapper	*to escape*	L'oiseau **s'est échappé** de sa cage.

Activité 7 Oui ou non?

Lisez ce qu'ont fait les personnes suivantes et dites si elles font les choses entre parenthèses. Utilisez le passé composé de ces verbes à la forme affirmative ou négative.

MODÈLE: Janine est allée à une surprise-partie. (s'amuser?)
Elle s'est amusée.

1. François et Claude ont assisté à une conférence ennuyeuse. (s'amuser?)
2. Nous avons oublié de mettre le réveil *(alarm).* (se réveiller à l'heure?)
3. Anne et Alice ont attendu leurs amis pendant une heure. (s'impatienter?)
4. J'ai trop mangé. (se sentir bien?)
5. Vous avez eu un accident de ski assez sérieux. (se casser la jambe?)
6. Tu es tombé de bicyclette mais tu as eu de la chance. (se blesser?)
7. Monsieur Dupont est resté au bureau. (s'absenter?)
8. Vous avez bu trop de café. (s'endormir rapidement?)
9. Mon petit frère a eu peur. (se cacher sous la table?)
10. Les prisonniers ont trouvé la porte ouverte. (s'échapper?)
11. Vous n'avez pas beaucoup d'argent mais vous avez de l'imagination. (se débrouiller?)

Activité 8 Zut alors!

Les personnes suivantes parlent d'accidents qu'elles ont eus. Lisez ce qui est arrivé à ces personnes et décrivez le genre d'accident. Utilisez des verbes **se casser, se blesser à, se faire mal à** + une partie du corps.

MODÈLE: Paul est tombé dans les escaliers.
Il s'est cassé le pied.

1. Jeannette est tombée de bicyclette.
2. Nous avons heurté *(bumped into)* la porte.
3. Il y avait une pierre *(stone)* dans le plat de lentilles que j'ai mangé.
4. Tu as marché sur du verre.
5. Vous êtes entré dans une porte vitrée *(glass door).*
6. Jean-Pierre est tombé en faisant du jogging.

Activité 9 Tout s'explique

Dites ce qu'ont fait les personnes suivantes et expliquez ce qu'elles avaient fait avant. Pour cela, mettez le premier verbe au passé composé et le deuxième verbe au plus-que-parfait.

MODÈLE: Jean-Pierre et Michèle (se marier en juillet / se fiancer en février)
Jean-Pierre et Michèle se sont mariés en juillet. Ils s'étaient fiancés en février.

1. je (me réveiller en forme / me coucher avec une migraine terrible)
2. nous (nous réconcilier / nous disputer pour une chose idiote)
3. tu (te dépêcher / te lever en retard)
4. vous (vous reposer / vous sentir très fatigués)
5. Charles (se rendre à l'hôpital / se blesser au pied)
6. Lise et Marc (se revoir à Paris / se rencontrer pendant les vacances)
7. mon père (s'acheter un rasoir électrique / se couper avec son vieux rasoir)
8. nous (nous perdre / nous tromper de direction)

Entre nous

Situations

Marc a passé les vacances sur la Côte d'Azur. Un jour il a rencontré une jeune fille sur la plage. Malheureusement, il n'a pas eu de chance. Lisez l'histoire de Marc et puis mettez-la au passé composé.

«Un jour, je me promène sur la plage. J'aperçois une jeune fille. Je lui dis bonjour. Elle me sourit. Je m'arrête. Nous nous parlons. Je l'invite à prendre un café. Elle me dit d'accord! Nous nous rendons dans un café. Je m'assieds près d'elle. Je la trouve sympathique. Elle me trouve sympathique. Ensuite, nous nous promenons. Nous nous donnons rendez-vous pour le lendemain. Nous nous quittons. Le lendemain, je me réveille. Je me rase. Je m'habille bien. Je me dépêche pour être à l'heure au rendez-vous. Malheureusement je tombe dans l'escalier. Je me casse la jambe. Une ambulance me transporte à l'hôpital. Je ne peux pas aller au rendez-vous. Je me rends compte que je n'ai pas l'adresse de la jeune fille. Je ne l'oublie pas, mais nous ne nous revoyons jamais.»

MODÈLE: *Un jour, je me suis promené sur la plage...*

Problèmes

Vos amis vous décrivent certains problèmes. Posez à chacun trois questions en utilisant des verbes au passé composé. Utilisez des pronoms compléments et des verbes réfléchis si possible.

MODÈLE: «J'ai perdu mon sac ce matin.»
Est-ce que tu l'as oublié à la cafétéria?
Est-ce que tu l'as laissé dans l'autobus?
Est-ce que tu te souviens où tu t'es promené(e)?

1. «L'hiver dernier j'ai eu un accident de ski assez sérieux.»
2. «Je suis arrivé en retard à ma première classe ce matin.»
3. «Je me suis disputée avec mon meilleur ami.»
4. «J'ai perdu l'adresse d'une fille très sympathique que j'ai rencontrée le week-end dernier.»
5. «Vraiment, je me suis ennuyée le week-end dernier!»

À votre tour

1. Racontez votre journée d'hier. Si vous voulez, vous pouvez indiquer l'heure à laquelle *(which)* vous avez fait certaines choses. Vous pouvez utiliser les verbes suivants.

   se réveiller / se lever / s'habiller / se rendre à / se mettre à / s'occuper de / se promener / s'arrêter / se reposer / se coucher / s'endormir

2. Racontez une petite mésaventure *(mishap)* personnelle en utilisant 5 ou 6 verbes pronominaux au passé composé. Vous pouvez utiliser les verbes suivants.

   se rendre à / se blesser / se faire mal à / se tromper / s'excuser / se rendre compte / s'inquiéter / se souvenir

Constructions, expressions et locutions

1. Manquer; il manque et il reste

The verb **manquer** *(to miss, to lack, to be missing)* is used in several different constructions with different meanings.

♦ **manquer** + direct object *to miss*

Ne **manquez** pas votre train. — Ne **le** manquez pas.

Zut! J'ai **manqué** la classe de français. — Je l'ai manqu**ée**.

Note: a synonym of **manquer** is **rater.**

Nous **avons raté** notre avion.

♦ **manquer de** *to lack, to be lacking*

Tu **manques de** patience. — Tu **en** manques.

Ce livre **manque d'**originalité. — Il **en** manque.

♦ **manquer à** *to be missed by*

Nicole **manque à** ses amis. — Elle **leur** manque.

Compare this construction with its English equivalent.

Nicole **manque à** ses amis. — *Nicole's friends* ***miss*** *her.* / *Nicole* ***is missed by*** *her friends.*

Vous **me manquez.** — ***I miss*** *you.* / *You* ***are missed by me.***

Manquer is also used in the impersonal expression:

♦ **il manque** *there is/are...missing*

Il **manque** dix francs. — ***There are*** *ten francs* ***missing.*** / *Ten francs* ***are missing.***

Il me **manque** dix francs. — ***I am short*** *ten francs.* / *(Literally,* ***There are*** *ten francs* ***missing to me.****)*

The verb **rester** *(to stay, remain)* is used in a similar construction:

♦ **il reste** *there is/are...left*

Il **reste** du fromage. — ***There is*** *some cheese* ***left.***

Il ne me **reste** pas d'argent. — ***I don't have*** *any money* ***left.*** / *(Literally,* ***There is*** *no money* ***left*** *to me.)*

2. **Se passer; il se passe** et **il s'agit de**

Note the use of **se passer** *(to happen, take place)* in the following sentences.

Qu'est-ce qui **se passe**?	*What **is happening**?*
Où **se passe** le match?	*Where **does** the game **take place**?*
Cet événement **s'est passé** à Paris.	*That event **took place/happened** in Paris.*

In the last two examples, **se passer** is synonymous with **avoir lieu** *(to take place).*

En 1984, les Jeux Olympiques **ont eu lieu** à Los Angeles.	*In 1984, the Olympic Games **took place** in Los Angeles.*

Note: **se passer** is also used in the impersonal expression **il se passe** + *event.*

Il se passe des choses bizarres.	*Strange things **are happening**.*

The expression **il s'agit de** + *noun* is always used impersonally. Note its use in the sentences below and the English equivalent.

De quoi **s'agit-il**?	*What **is it about**?*
Dans ce film, **il s'agit** d'un crime.	*This movie **is about** crime.* *(Literally, In this movie, **it is about** a crime.)*

A synonymous expression is **il est question de.**

Dans ce livre, il **est question** d'un homme qui...	*This book **is about** a man who...* *(Literally, In this book, **it is about** a man who...)*

3. **S'asseoir** et **être assis**

Compare the meanings of **s'asseoir** and **être assis.**

Henri **s'assied** sur la chaise.	*Henri **sits down** on the chair.*
Maintenant il **est assis.**	*Now he **is seated.***

While **s'asseoir** expresses an action (the act of sitting down), **être assis** expresses the result of this action. Similar differences exist with other reflexive verbs.

se lever *(to get up)*	**être levé** *(to be up)*
se coucher *(to go to bed)*	**être couché** *(to be in bed)*
s'endormir *(to fall asleep)*	**être endormi** *(to be asleep)*

4. Usage de la construction réfléchie

The reflexive construction in French is often used to describe a change of state or condition, or a transformation process. In this case, it corresponds to the English construction *to be getting (growing, becoming)* + *adjective.*

Le ciel **se couvre.**	*The sky **is becoming cloudy.***
La situation **s'améliore.**	*The situation **is getting better.***
Les tensions internationales **s'aggravent.**	*International tensions **are getting worse.***

Unité 3

L'infinitif, le participe présent, le subjonctif

Le Chapeau épinglé, lithograph by Pierre-Auguste Renoir, 1898. The Metropolitan Museum of Art, Harris Brisbane Dick Fund, 1931.

Leçon 11 L'infinitif

A. L'infinitif: formes affirmative et négative

B. La construction: nom/adjectif + **de** + infinitif

C. La construction impersonnelle: **il est** + adjectif + **de** + infinitif

D. Les verbes suivis de l'infinitif

E. Les verbes de communication suivis de l'infinitif

A. L'infinitif: formes affirmative et négative

Note the affirmative and negative forms of the infinitive in the following sentences:

Alain veut **sortir.** — Moi, je préfère **ne pas sortir.**
Je t'interdis de **répéter** cela. — Je te promets de **ne jamais répéter** cela.
Il est dangereux de **fumer.** — Marc a décidé de **ne plus fumer.**
Qu'est-ce que tu allais **faire** ce soir? — J'avais l'intention de **ne rien faire.**

The infinitive is the basic form of the verb. In the negative, the construction is:

ne pas (jamais/plus/rien) + infinitive

- The negative expression **personne** comes *after* the infinitive.
  Tu veux voir quelqu'un? — Non, je préfère **ne** voir **personne.**

- Object and reflexive pronouns immediately *precede* the infinitive.
  Tu parles à Jérôme? — Non, je préfère **ne pas lui** parler.
  Ta sœur va se marier? — Non, elle a décidé de **ne pas se marier.**

The infinitive is much more common in French than in English. it can be used as:

- a subject
  Fumer peut être dangereux. — ***Smoking*** *can be dangerous.*
  Voir, c'est croire. — ***Seeing*** *is believing.*
- a direct object
  J'aime **nager.** — *I like* ***swimming.*** *(I like* ***to swim.****)*
- the object of a preposition
  Réfléchissez avant de **parler!** — *Think before* ***speaking.***

À remarquer

The infinitive is often used instead of the imperative in general (rather than personal) instructions. This usage occurs in recipes, technical instructions, public notices, and so on.

GENERAL INSTRUCTIONS	PERSONAL INSTRUCTIONS
Laver les légumes.	**Lavez** les légumes.
Les **mettre** dans une casserole *(pot).*	**Mettez**-les dans une casserole.

Activité 1 Et vous?

Lisez ce que font les personnes suivantes. Dites si vous aimez faire ces choses ou si vous préférez ne pas les faire.

MODÈLE: André reste à la maison le samedi soir.
Moi aussi, j'aime rester à la maison le samedi soir.
(Moi, je préfère ne pas rester à la maison le samedi soir.)

1. Sylvie étudie le week-end.
2. Henri va souvent chez le dentiste.
3. Guillaume critique ses amis.
4. Renée nage quand il fait froid.
5. Jean-Claude agit impulsivement.
6. Suzanne perd son temps.
7. Alain se dispute avec son frère.
8. Robert s'impatiente pendant ses examens.
9. Éric se lève très tôt le dimanche matin.
10. Thomas se promène quand il pleut.

B. La construction: nom/adjectif + **de** + infinitif

Note the use of the infinitive in the sentences below.

C'est **l'heure de rentrer.**	*It's **time to go home.***
As-tu **le temps d'écrire** à Paul?	*Do you have **time to write** to Paul?*
Je n'ai pas **la patience de** vous **répondre.**	*I don't have **the patience to answer** you.*
Je suis **content de** vous **voir.**	*I am **happy to see** you.*
Sylvie est **obligée de rester** ici.	*Sylvie **has to (is obliged to) stay** here.*
Nous sommes **fatigués d'étudier.**	*We are **tired of studying.***

When a noun or an adjective is followed by a verb, the most common pattern is:

noun / adjective } + de + infinitive

- The adjective **prêt** *(ready)* is followed by à + *infinitive.*

  Êtes-vous **prêts à partir?** — *Are you **ready to leave?***

- The expressions **être le premier/le dernier/le seul** *(the only one)* are also followed by à + *infinitive.*

  Vous n'**êtes** pas **les seuls à penser** cela. — *You **are** not **the only ones to think** that.*

À remarquer

Nouns may sometimes be followed by à + *infinitive* to express a passive idea.

C'est un client **à inviter.**	*This is a client **to invite.** (= to be invited)*
Nous cherchons une maison **à louer.**	*We are looking for a house **to rent.** (= to be rented)*

Note also the construction: **être à** + *infinitive.*

Ma voiture **n'est pas à vendre.**	*My car **is not for sale.** (= is not to be sold)*

Activité 2 Sentiments et attitudes

Lisez ce que font les personnes suivantes. Décrivez leurs sentiments ou attitudes en utilisant l'adjectif entre parenthèses dans une phrase affirmative ou négative.

MODÈLE: Jacques quitte sa fiancée. (heureux?)
Il n'est pas heureux de quitter sa fiancée.

1. Nous quittons nos amis. (tristes?)
2. Vous partez en vacances. (contents?)
3. Ces élèves reçoivent une mauvaise note. (heureux?)
4. Le professeur répète les mêmes choses. (fatigué?)
5. Les hommes politiques *(politicians)* parlent en public. (embarrassés?)
6. Mademoiselle Leriche a une Rolls. (fière [*proud*]?)
7. Nous faisons votre connaissance. (enchantés [*delighted*]?)
8. J'ai un «A» à l'examen. (surpris?)
9. Tu travailles comme volontaire pour la Croix-Rouge. (obligé?)
10. Je trouve un travail intéressant. (sûr?)

Edité par le Comité international de la Croix-Rouge

Département de l'Information - Genève

Activité 3 Expression personnelle

Complétez les phrases suivantes avec **de** + un verbe à l'infinitif. Utilisez votre imagination.

1. Je suis heureux/heureuse...
2. À l'école, nous sommes obligés...
3. Chez moi, je suis obligé(e)...
4. Parfois, je suis fatigué(e)...
5. Je suis capable...
6. Tout le monde est capable...
7. Aujourd'hui les gens ont rarement le temps...
8. Je voudrais avoir l'occasion...
9. Un jour j'ai eu la chance...
10. Pour les vacances, j'ai formulé le projet...
11. Mes amis et moi, nous avons l'intention...
12. Quand j'étais plus jeune, j'avais l'idée...
13. Parfois, j'ai l'impression...

C. La construction impersonnelle: **il est** + adjectif + **de** + infinitif

In the following sentences, general comments are made about certain activities. Note the use of the infinitive in these sentences.

Il est important d'être honnête.	***It is important to be*** *honest.*
Il n'est pas indispensable d'être riche.	***It is not absolutely necessary to be*** *rich.*
Est-il dangereux de prendre des risques?	***Is it dangerous to take*** *risks?*

General statements may be expressed according to the following pattern.

> il est + adjective + **de** + infinitive

À remarquer

1. These impersonal expressions can be "personalized" with an indirect object of reference.

Il **nous** est difficile de répondre.	***We*** *find it difficult to answer.* *(It is difficult **for us** to answer.)*
Il **m'**est impossible de rester.	***I*** *cannot possibly stay.* *(It is impossible **for me** to stay.)*

2. Adjectives such as **facile, difficile, utile,** and **impossible** may be followed by:
   - à + *infinitive* when they are used to modify a *specific* noun or pronoun
   - de + *infinitive* when they are used in an *impersonal* expression

   Compare:

SPECIFIC REFERENCE	IMPERSONAL REFERENCE
Cet exercice est impossible **à** faire.	Il est impossible **de** faire cet exercice.
La solution est facile **à** trouver.	Il est facile **de** trouver la solution.

Activité 4 Les candidats

Une firme internationale cherche du personnel pour son bureau à Paris. Les étudiants suivants se présentent. Faites un commentaire général sur leurs actions ou leurs attitudes. Pour cela, utilisez l'un des adjectifs suivants dans une phrase affirmative ou négative.

bon, nécessaire, important, recommandé, indispensable, essentiel, prudent, mauvais, utile, inutile

MODÈLE: Henri parle espagnol.
Il est bon de parler espagnol. (Il n'est pas indispensable de parler espagnol.)

1. Mathilde prépare son curriculum vitae.
2. François arrive au rendez-vous avec dix minutes de retard.
3. Jean-Claude a les cheveux très longs.
4. Georges connaît la fille du directeur.
5. Nathalie présente ses lettres de référence.
6. Marthe sait programmer un ordinateur.
7. Albert s'énerve.
8. Jacqueline se tait pendant l'interview.

D. Les verbes suivis de l'infinitif

Note the infinitive constructions in the sentences below.

J'aime sortir.	*I like to go out.*
Je veux aller au cinéma.	*I want to go to the movies.*
Nous apprenons **à** programmer.	*We are learning how to program.*
Nous avons commencé **à** faire des progrès.	*We have begun to make progress.*
Paul refuse **de** sortir.	*Paul refuses to go out.*
Il a décidé **de** rester chez lui.	*He has decided to stay home.*

French verbs are frequently followed by an infinitive construction. Depending on which main verb is used, the pattern is:

> main verb + infinitive
> main verb + **à** + infinitive
> main verb + **de** + infinitive

⇨ In such constructions, when the infinitive is used with an object pronoun, the pronoun comes immediately *before* the infinitive.

Je n'ose pas parler [au professeur].	Je n'ose pas [lui] parler.
J'ai commencé à lire [cet article].	J'ai commencé à [le] lire.
Nous avons décidé d'aller [à Paris].	Nous avons décidé d'[y] aller.

Vocabulaire: Quelques verbes suivis d'un infinitif

VERBE + INFINITIF

aimer	*to like, enjoy*	**devoir**	*to have to; must*	**préférer**	*to prefer*
aimer mieux	*to prefer*	**espérer**	*to hope*	**savoir**	*to know how*
compter	*to expect, intend*	**penser**	*to plan, expect*	**souhaiter**	*to wish*
désirer	*to want*	**pouvoir**	*to be able; can*	**vouloir**	*to want*
détester	*to dislike, hate*				

oser	*to dare*	Il a **osé** prendre des risques et il a réussi.
prétendre	*to claim*	Pourquoi **prétends-tu** avoir toujours raison?

Note de vocabulaire

The same construction can be used with verbs of movement, such as **aller, monter, descendre, venir, partir, sortir.**

Je **monte** chercher ma valise. Nous **venons** acheter les billets.

VERBE + à + INFINITIF

apprendre à	*to learn how to*	Quand **as**-tu **appris à** skier?
commencer à	*to begin*	Je n'ai pas **commencé à** travailler.
continuer à	*to continue*	**Continuez à** réfléchir à cette question!
chercher à	*to seek to, try*	Je **cherche à** savoir la vérité.
arriver à	*to manage to*	Je ne **suis** pas **arrivé à** réparer ma voiture!
réussir à	*to succeed in, be successful in*	As-tu **réussi à** résoudre ce problème?
hésiter à	*to hesitate*	**N'hésitez** pas **à** parler
renoncer à	*to give up, decide against*	Nous **avons renoncé à** faire ce voyage.
songer à	*to think about*	Henri et Sylvie **songent à** se marier.
tenir à	*to insist upon*	Je **tiens à** vous dire la vérité.
s'amuser à	*to have fun*	Il **s'amuse à** imiter ses amis.
se décider à	*to decide, make up one's mind*	**Décidez-vous à** faire du sport!
se préparer à	*to get ready to*	Le pilote **se prépare à** atterrir *(to land).*
se mettre à	*to begin*	Mon petit frère **s'est mis à** pleurer *(to cry).*

VERBE + **de** + INFINITIF

accepter de	*to accept, agree*	**Acceptes**-tu **de** prendre des risques?
cesser de	*to cease, stop*	**Cessez de** parler tout le temps!
finir de	*to stop, finish*	Nous **avons fini d'**étudier.
choisir de	*to choose*	J'**ai choisi d'**étudier le violon.
décider de	*to decide*	Henri **a décidé de** faire un voyage.
essayer de	*to try*	**Essayez d'**être patients!
éviter de	*to avoid*	**Évitez d'**être en retard!
oublier de	*to forger*	Zut! J'**ai oublié de** fermer les fenêtres et il pleut!
refuser de	*to refuse*	Antoine **a refusé de** répondre.
regretter de	*to regret, be sorry about*	Je **regrette de** vous poser cette question, mais...
menacer de	*to threaten*	J'**ai menacé de** partir.
négliger de	*to neglect, forget*	Il **a négligé de** répondre à ma lettre.
faire semblant de	*to pretend*	Ne **faites** pas **semblant de** travailler.
rêver de	*to dream of*	Mon cousin **rêve d'**être acteur de cinéma.
se dépêcher de	*to hurry*	**Dépêchez-vous de** partir!
s'excuser de	*to apologize for*	Il **s'est excusé d'**être en retard.
se souvenir de	*to remember*	Je **me souviens d'**avoir vu ce musée.
s'arrêter de	*to stop*	Elle ne **s'arrête** pas **de** parler.

Note de vocabulaire

Note the difference in the constructions with **décider**.

décider de	*to decide*	*Il **a décidé de** partir.*
se décider à	*to make up one's mind*	*Il **s'est décidé à** partir.*

Activité 5 Chez le médecin

Imaginez que vous êtes médecin en France. Vous donnez des conseils à Monsieur Legros, un homme d'affaires *(businessman)* qui ne fait pas beaucoup d'exercice. Renforcez ces conseils en utilisant l'impératif, affirmatif ou négatif des verbes entre parenthèses. Soyez logique dans vos conseils!

MODÈLE: Ne fumez pas! (cesser)
Cessez de fumer!

1. Perdez dix kilos! (essayer)
2. Suivez ce régime! (continuer)
3. Prenez vos vitamines! (oublier)
4. Prenez des vacances! (songer)
5. Ne vous énervez pas! (éviter)
6. Ne buvez pas de café! (s'arrêter)
7. Faites du sport! (se décider)
8. Nagez! (apprendre)

Activité 6 Une question de personnalité

Lisez la description des personnes suivantes. D'après cela, dites ce qu'elles font. Utilisez les verbes entre parenthèses dans des phrases affirmatives ou négatives.

MODÈLE: Antoine est réservé. (oser / parler en public)
Il n'ose pas parler en public.

1. Hélène est généreuse. (refuser / aider ses amis)
2. Je suis poli. (s'excuser / être en retard)
3. Vous aimez l'aventure. (hésiter / prendre des risques)
4. Janine a beaucoup d'imagination. (cesser / avoir des idées extraordinaires)
5. Tu es optimiste. (espérer / être millionnaire)
6. Éric est snob. (prétendre / connaître beaucoup de gens célèbres)
7. Ces étudiants sont sérieux. (se mettre / préparer leurs examens)
8. Tu n'es pas très persistant. (renoncer / suivre ce régime)
9. Vous êtes paresseux. (faire semblant / étudier)
10. Monsieur Rimbaud est ambitieux. (rêver / être le président de sa compagnie)
11. Le président est conservateur. (chercher / changer la constitution)
12. Ces candidats sont honnêtes. (tenir / dire la vérité)

Activité 7 Qu'est-ce qu'ils ont fait?

Imaginez ce qu'ont fait les personnes suivantes. Pour cela, utilisez les verbes au passé composé et la construction infinitive dans des expressions de votre choix. Vos phrases peuvent être affirmatives ou négatives.

MODÈLE: Cet athlète malchanceux *(unlucky)* / réussir...
Cet athlète malchanceux n'a pas réussi à battre le record du monde (à gagner, etc.).

1. Cet athlète victorieux / réussir...
2. Cet employé négligent / se souvenir...
3. Cette personne curieuse / chercher...
4. Les employés en grève *(on strike)* / menacer...
5. Pour être à l'heure au rendez-vous, ce garçon / se dépêcher...
6. Ces étudiants paresseux / finir...
7. À l'âge d'un an, ce bébé / se mettre...
8. Les enfants espiègles *(mischievous)* / s'amuser...
9. Ce garçon indécis *(hesitant)* / oser...
10. Après sa dernière visite médicale, cette personne / s'arrêter...

Activité 8 Questions personnelles

Répondez aux questions suivantes.

1. Êtes-vous sportif/sportive? Avez-vous appris à jouer au tennis? à faire du ski? à faire de la planche à voile *(wind-surfing)?*
2. Souhaitez-vous avoir beaucoup de responsabilités? jouer un rôle politique? avoir un rôle dans la vie de votre communauté? Qu'est-ce que vous souhaitez faire plus tard?
3. Comptez-vous voyager? continuer vos études? vous marier? avoir une famille? Qu'est-ce que vous comptez faire l'année prochaine?

4. En général, osez-vous prendre des risques? dire la vérité quand elle n'est pas facile à dire? contredire vos professeurs?
5. Quand vous étudiez, arrivez-vous à vous concentrer? Quand vous avez un problème sérieux avec l'un de vos amis, arrivez-vous à rester calme? à analyser logiquement la situation?
6. Tenez-vous beaucoup à être riche? à avoir une existence confortable? à être indépendant(e)?
7. Oubliez-vous parfois d'étudier? de préparer vos devoirs? d'écrire à vos amis pour leur anniversaire?
8. Parfois faites-vous semblant d'étudier? d'écouter vos parents? de vous intéresser aux problèmes de vos amis?

Activité 9 **Expression personnelle**

Complétez les phrases avec une construction infinitive de votre choix.

1. Quand j'étais enfant, je m'amusais...
2. Un jour, j'ai réussi...
3. Je ne regrette pas...
4. J'ai décidé...
5. Je me suis arrêté(e)...
6. Je tiens..., mais je ne tiens pas spécialement...
7. Un jour ou l'autre, tout le monde doit se préparer...

E. Les verbes de communication suivis de l'infinitif

In the sentences below, the main verb is a verb of communication. Note the use of the infinitive construction.

Je demande à Éric **de** téléphoner.	*I am asking Eric to call.*
Le professeur apprend **aux** élèves **à** programmer.	*The teacher teaches the students how to program.*
Je remercie Pierre **de** m'aider.	*I thank Pierre for helping me.*
Albert oblige son frère **à** dire la vérité.	*Albert forces his brother to tell the truth.*

Verbs of communication are often followed by an infinitive. Depending on which verb of communication is used, the pattern is:

verb of communication + **à quelqu'un** + **de** + infinitive
verb of communication + **à quelqu'un** + **à** + infinitive

verb of communication + **quelqu'un** + **de** + infinitive
verb of communication + **quelqu'un** + **à** + infinitive

➪ Most verbs of communication follow the first of the patterns above.

In these constructions, object pronouns come before the verb to which they refer. This may be the verb of communication or the infinitive.

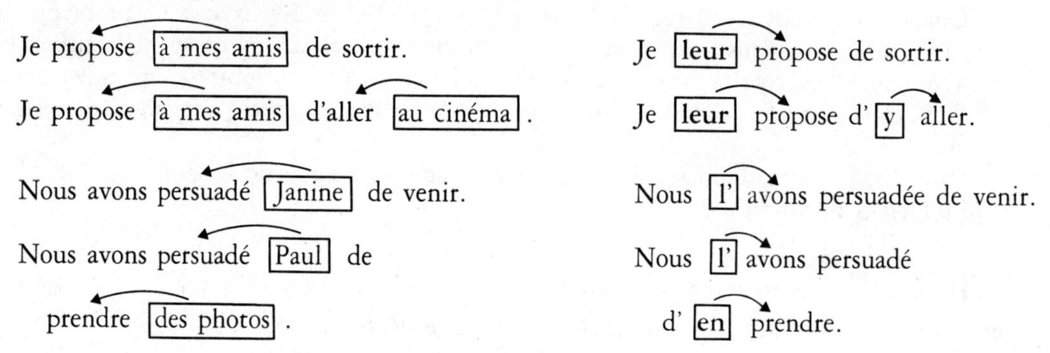

Vocabulaire: Quelques verbes de communication et leur constructions

LA CONSTRUCTION: **DEMANDER À QUELQU'UN DE FAIRE QUELQUE CHOSE**

demander à...de	*to ask*	proposer à...de	*to suggest*
recommander à...de	*to recommend*	offrir à...de	*to offer*
commander à...de	*to order*	promettre à...de	*to promise*
ordonner à...de	*to order*	permettre à...de	*to allow, let, give permission*
dire à...de	*to tell*		
écrire à...de	*to write*	défendre à...de	*to forbid*
conseiller à...de	*to advise*	interdire à...de	*to forbid*
suggérer à...de	*to suggest*	reprocher à...de	*to reproach*

LA CONSTRUCTION: **APPRENDRE À QUELQU'UN À FAIRE QUELQUE CHOSE**

apprendre à...à	*to teach*
enseigner à...à	*to teach*

LA CONSTRUCTION: **PERSUADER QUELQU'UN DE FAIRE QUELQUE CHOSE**

convaincre...de	*to convince*	remercier...de	*to thank*
persuader...de	*to persuade*	féliciter...de	*to congratulate*
prier...de	*to ask, beg*	accuser...de	*to accuse*
supplier...de	*to beg*	empêcher...de	*to prevent, stop*

LA CONSTRUCTION: **AUTORISER QUELQU'UN À FAIRE QUELQUE CHOSE**

autoriser...à	*to authorize*	obliger...à	*to oblige, force*
inviter...à	*to invite*	encourager...à	*to encourage*
aider...à	*to help*		
décider...à	*to convince*		

Activité 10 Logique!

Les personnes de la colonne A demandent aux personnes de la colonne C de faire ou de ne pas faire certaines choses. Exprimez cela d'une façon logique, en utilisant les éléments des colonnes A, B, C et D. Les verbes de la colonne D peuvent être affirmatifs ou négatifs.

A	B	C	D
le médecin	demander	les passagers	obéir
le pilote	conseiller	les touristes	fumer
le professeur	reprocher	l'élève	trop manger
l'officier	défendre	les enfants	écouter
le guide	ordonner	les soldats	attacher leurs ceintures *(seat belts)*
les parents	interdire	les joueurs	faire des efforts
l'arbitre *(umpire)*	persuader	les clients	faire du sport
l'entraîneur *(coach)*	obliger		tricher *(to cheat)*
	encourager		se taire
	prier		suivre un régime
	inviter		visiter le musée
	apprendre		parler français
	commander		

MODÈLE: *Le médecin conseille à ses clients de suivre un régime.*
Il les encourage à ne pas fumer.

Activité 11 En France

Les personnes suivantes voyagent en France. Lisez ce qu'elles font. Puis dites sous quelle influence elles font ou elles ne font pas ces choses. Pour cela, utilisez le passé composé des verbes entre parenthèses et le pronom complément qui convient. Faites l'accord du participe passé quand c'est nécessaire.

MODÈLE: Pierre dîne dans ce petit restaurant. (un ami / recommander)
Un ami lui a recommandé de dîner dans ce petit restaurant.

1. Je montre mon passeport. (le douanier [*customs officer*] / demander)
2. Nous visitons les châteaux de la Loire. (l'agent touristique / suggérer)
3. Ces étudiants boivent un verre de vin. (le vigneron [*wine grower*] / inviter)
4. Tu prends des escargots *(snails)*. (le garçon / recommander)
5. Jeanette parle français. (ses amis / encourager)
6. Paul et David font du camping dans ce champ. (le fermier / permettre)
7. Vous ne marchez pas sur les pelouses *(lawns)*. (le gardien / interdire)
8. Nous ne prenons pas de photos. (le mauvais temps / empêcher)
9. Je reste chez eux. (mes amis français / supplier)
10. Marc respecte le code de la route *(highway regulations)*. (la police / prier)
11. Nous faisons de la planche à voile. (une amie / apprendre)
12. Gisèle passe une semaine en Provence. (l'agence de tourisme / convaincre)

Entre nous

À votre tour

Dites aux personnes suivantes ce qu'il faut faire ou ne pas faire. Pour cela, vous pouvez utiliser les verbes entre parenthèses... et votre imagination.

MODÈLE: Un ami cherche du travail. (conseiller)
Je lui conseille de lire les petites annonces.

1. Des amis français vont visiter votre région (conseiller / suggérer / recommander)
2. Quelqu'un vous téléphone. C'est un faux numéro *(wrong number)*. La personne s'excuse, mais recommence... (conseiller / suggérer)
3. Un ami veut emprunter votre bicyclette, mais vous savez qu'il n'est pas très prudent. (prier / permettre / interdire)
4. Vous vous disputez avec votre meilleur(e) ami(e). (reprocher / interdire / ordonner / défendre)
5. Un(e) ami(e) français(e) veut passer l'été aux États-Unis mais il (elle) n'a pas beaucoup d'argent. (conseiller / proposer / inviter / offrir / aider)
6. Un(e) ami(e) a des difficultés avec sa classe de français. (aider / convaincre / empêcher / apprendre)
7. Votre petit frère a cassé votre chaîne-stéréo. (demander / empêcher / reprocher / accuser / interdire)
8. Votre cousine vous invite à son mariage. (féliciter / remercier / dire / offrir)
9. Un(e) ami(e) veut quitter l'école. (suggérer / convaincre / persuader / empêcher)

Situations

Certaines personnes parlent à d'autres gens. Imaginez ce qu'elles leur disent en utilisant les verbes de la leçon. Créez deux ou trois phrases pour chaque situation.

MODÈLE: Un patron parle à ses employés consciencieux.
Je vous félicite de bien travailler.
J'ai décidé d'augmenter vos salaires.
Continuez à faire des efforts.
N'hésitez pas à me faire certaines suggestions.

1. Un patron parle à un employé négligent.
2. Un entraîneur *(coach)* parle aux joueurs de l'équipe de football avant un match très important.
3. Une jeune guide parisienne parle à un groupe de touristes canadiens.
4. Avant une mission secrète, le chef du contre-espionnage parle à ses agents.
5. Monsieur Richard donne sa Rolls Royce à réparer à un mécanicien.
6. Pendant la campagne électorale, une candidate parle à un groupe d'électeurs.
7. Madame Rimbaud parle à sa fille qui va passer deux mois aux États-Unis.

Leçon 12 L'infinitif et le participe présent

A. L'infinitif passé
B. L'infinitif après certaines prépositions
C. Le participe présent: formation
D. Le participe présent: usages
E. L'adjectif verbal en ***-ant***

A. L'infinitif passé

Note the forms of the *past infinitive* in the sentences below.

Je suis content d'**avoir vu** ce film.	*I am happy* ***to have seen*** *that film.*
Nous te félicitons d'**avoir réussi** à ton examen.	*We congratulate you on* ***having passed*** *your exam.*
Est-ce que tu regrettes d'**être parti**?	*Are you sorry* ***to have left?***
Je m'excuse de **m'être impatienté.**	*I apologize for* ***having become impatient.***

The past infinitive is formed according to the following pattern.

avoir or **être** + past participle

- In the negative, two constructions are possible:
  - **ne pas (jamais, rien)** may come *before* the past infinitive
  - **ne** may come before the verb and **pas (jamais, rien)** between **avoir** or **être** and the past participle

    Le professeur nous reproche de **ne pas** avoir étudié assez.

    Le professeur nous reproche de **n'**avoir **pas** étudié assez.

À remarquer

The rules for agreement of the past participle also apply to the past infinitive.

- For verbs conjugated with **être,** the past participle agrees with the subject.

  Mes cousines se souviennent d'être **resté[es]** dans cet hôtel.

- For verbs conjugated with **avoir,** the past participle agrees with a preceding direct object.

  Où sont **tes photos?** Je ne me souviens pas de **les** avoir **vu[es]**.

- For reflexive verbs, the past participle agrees with the reflexive pronoun when that pronoun functions as the direct object.

  Nous regrettons de **nous** être **disputé[s]**.

Activité 1 Réactions

Lisez ce qu'ont fait les personnes suivantes et expliquez leurs réactions. Pour chaque personne, dites si elle est contente ou furieuse.

MODÈLE: Monsieur Lombard a raté son avion.
Il est furieux d'avoir raté son avion.

1. Jean-Jacques a perdu ses lunettes.
2. Christine a retrouvé les clés de la voiture.
3. Mes parents ont eu une contravention *(traffic ticket).*
4. Tu as gagné ton match de tennis.

5. Élisabeth est sortie avec un garçon sympathique.
6. Vous êtes arrivés en retard au rendez-vous.
7. Henri s'est trompé de train.
8. Mes cousins se sont perdus.

Activité 2 Excuses

Les personnes suivantes s'excusent d'avoir fait ou de ne pas avoir fait certaines choses. Présentez leurs excuses.

MODÈLE: Nous n'avons pas répondu à votre lettre.
Nous nous excusons de ne pas avoir répondu à votre lettre.

1. Pauline a oublié la date de ton anniversaire.
2. Gérard s'est impatienté.
3. Je me suis mis en colère.
4. Tu t'es endormi pendant la classe de français.
5. Christine n'est pas arrivée à l'heure.
6. Henri n'a pas été poli avec tes cousins.
7. Je ne suis pas resté pour la conférence.
8. Nous sommes arrivés en retard au rendez-vous.

B. L'infinitif après certaines prépositions

Note the use of the infinitive in the following sentences:

J'économise mon argent **pour aller** en Europe cet été. — *I am saving my money* ***in order to go*** *to Europe this summer.*

Je vais vous écrire **avant de partir.** — *I am going to write you* ***before leaving.***

Ne pars pas **sans dire** au revoir. — *Don't leave* ***without saying*** *good-by.*

Réfléchissez un peu **au lieu de parler** tout le temps. — *Think a little* ***instead of talking*** *all the time.*

The present infinitive is used after most prepositions (**pour, sans, avant de, au lieu de**).

The *past* infinitive is used after **après.**

Je vais partir **après avoir fait** mes valises. — *I am going to leave* ***after packing (having packed)*** *my suitcases.*

Nous allons travailler **après nous être reposés** un peu. — *We are going to work* ***after resting (having rested)*** *a little.*

À remarquer

The construction **pour** + *past infinitive* is used to express the cause of a past event or action.

J'ai reçu une contravention **pour** n'**avoir** pas **respecté** la limite de vitesse. — *I got a ticket* ***for*** *not* ***having observed*** *the speed limit.*

Vocabulaire: Les prépositions suivies de l'infinitif

pour	*(in order) to*	Je te téléphone **pour** t'inviter à dîner.
afin de	*(in order) to, for the purpose of*	Je suis allé à la banque **afin d'y déposer** mon argent.
avant de	*before*	Téléphone-moi **avant de venir.**
après	*after*	Je suis sorti **après avoir fini** mon travail.
sans	*without*	Ne parlez pas **sans réfléchir!**
au lieu de	*instead of*	**Au lieu d'étudier,** je regarde la télé.
à condition de	*provided*	On peut conduire vite **à condition d'être** prudent.

Note de vocabulaire

After verbs of movement, the preposition **pour** is usually not expresed.

Yves monte chercher mes valises — *Yves is going up to get my suitcases.*

Activité 3 Pourquoi

Nous avons chacun des motifs différents pour aller à certains endroits. Dites où sont allées les personnes entre parenthèses et expliquez pourquoi. Utilisez la construction **pour** + *infinitif* et votre imagination.

MODÈLE: au café (je)
Je suis allé(e) au café pour téléphoner (pour rencontrer mes amis, pour jouer aux jeux électroniques, pour boire une limonade).

1. à la banque (je / mon père / le cambrioleur [*burglar*])
2. en Russie (le Président / les touristes / l'espion / nous)
3. au stade (je / ces athlètes / les spectateurs)
4. au restaurant (nous / le garçon / mes parents)
5. à New York (je / vous / mes grands-parents / ce banquier japonais / ces étudiants français)
6. chez moi (je / mes amis / le facteur [*mailman*])
7. à la Maison Blanche (le Président / les journalistes / les représentants du mouvement écologique)
8. en Floride (nous / mon petit cousin / les gens âgés)

Activité 4 Avant et après

Expliquez l'ordre dans lequel les personnes suivantes ont fait certaines choses. Faites deux phrases pour chaque personne suivant le modèle.

MODÈLE: Henri / dîner (se laver les mains, se brosser les dents)
Avant de dîner, Henri s'est lavé les mains.
Après avoir dîné, il s'est brossé les dents.

1. nous / déjeuner (regarder le menu, payer l'addition)
2. tu / regarder la télé (étudier, se coucher)
3. les touristes / aller au Centre Pompidou (visiter le Louvre, rentrer à l'hôtel)
4. le candidat / parler (regarder ses notes, répondre aux questions)
5. André et Michèle / se fiancer (sortir souvent ensemble, se marier)
6. ce professeur / écrire un livre (faire des recherches [*research*], donner des conférences [*lectures*])
7. George Washington / être président (être général, se retirer à Mount Vernon)
8. LaFayette / être nommé général (se présenter au Congrès, combattre avec Washington)

Activité 5 Est-ce bien?

Dites ce que font les personnes suivantes. Pour cela, transformez les phrases en utilisant les prépositions entre parenthèses. Faites un commentaire personnel sur ces actions en disant si c'est bien ou non.

MODÈLE: Vous répondez et vous ne faites pas d'erreur. (sans)
Vous répondez sans faire d'erreur. C'est bien!

MODÈLE: Tu t'amuses et tu n'étudies pas. (au lieu de)
Tu t'amuses au lieu d'étudier. Ce n'est pas bien!

1. Le garçon parle et il ne réfléchit pas. (sans)
2. Catherine invente une histoire et elle ne dit pas la vérité. (au lieu de)
3. Jacqueline attend ses amis et elle ne s'impatiente pas. (sans)
4. Nous aidons nos amis et nous ne nous reposons pas. (au lieu de)
5. Tu quittes le restaurant et tu ne paies pas. (sans)
6. Cette ville construit un hôpital et elle ne construit pas une centrale *(power plant)* nucléaire. (au lieu de)
7. Tu critiques tout et tu ne t'informes pas. (sans)
8. Ces sénateurs votent des crédits pour les chômeurs *(unemployed)* et ils ne votent pas des crédits militaires. (au lieu de)

Activité 6 Expression personnelle

Complétez les phrases suivantes avec une expression de votre choix.

1. J'étudie le français pour...
2. J'aimerais être riche afin de...
3. J'ai un peu peur avant de...
4. Je me sens bien après...
5. D'habitude, je me repose après...
6. J'ai parfois mal à la tête après...
7. Je consulte mes amis avant de...
8. Parfois, j'agis sans...
9. Plus tard, j'aimerais...au lieu de...
10. Je veux...avant de...
11. Dans la vie, il est difficile de réussir sans...
12. On peut être heureux à condition de...

C. Le participe présent: formation

Note the form of the *present participle* in the following sentences:

Parlant français, nous avons passé une semaine très agréable à Paris.	***Speaking*** *French, we spent a very pleasant week in Paris.*
Ne **parlant** pas anglais, Pierre n'a pas compris le film de Hitchcock.	*Not* ***speaking*** *English, Pierre did not understand the Hitchcock movie.*
En **allant** au cinéma, Sylvie a rencontré ses amis.	*While* ***going*** *to the movie theater, Sylvie met her friends.*

The present participle is a verbal form ending in ***-ant.*** It is formed according to the following pattern:

> **nous** form of the present minus ***-ons*** + ***-ant***

travailler	(nous **travaill**ons)	**travaillant**
finir	(nous **finiss**ons)	**finissant**
répondre	(nous **répond**ons)	**répondant**
commencer	(nous **commenç**ons)	**commençant**
nager	(nous **nage**ons)	**nageant**
partir	(nous **part**ons)	**partant**
écrire	(nous **écriv**ons)	**écrivant**
boire	(nous **buv**ons)	**buvant**

There are three irregular present participles.

être	**étant**	**Étant** malade, Catherine n'est pas sortie.
avoir	**ayant**	N'**ayant** pas d'argent, nous avons dîné chez nous.
savoir	**sachant**	Ne **sachant** pas ton adresse, je ne t'ai pas écrit.

⇨ Object pronouns come before the present participle.

Je n'ai pas vu **Nathalie.**	Ne **la** voyant pas, je lui ai téléphoné.
Nous sommes allés **à la plage.**	En **y** allant, nous avons eu un accident.

⇨ When a reflexive verb is used in its present participle form, the reflexive pronoun always represents the same person as the subject.

se promener	En **nous** promenant, **nous** avons rencontré Jacques.
se dépêcher	En **me** dépêchant, **je** suis tombé.

⇨ The present participle is *invariable.* It does not take endings to agree with the subject.

À remarquer

The perfect participle **(le participe passé composé)** is formed as follows:

ayant or **étant** + past participle

Ayant fini mon travail, je suis parti.	***Having finished*** *my work, I left.*
Etant partis à l'heure, nous sommes arrivés à l'heure.	***Having left*** *on time, we arrived on time.*
S'étant levée tôt, elle était fatiguée.	***Having gotten up*** *early, she was tired.*

Activité 7 Pas de chance!

Les personnes suivantes ont eu certains problèmes. Expliquez les circonstances de ces problèmes en utilisant la construction **en** + *participe présent.*

MODÈLE: Claire s'est blessée. Elle jouait au basketball.
Claire s'est blessée en jouant au basketball.

1. Je me suis cassé la jambe. Je faisais du ski.
2. Mon cousin s'est cassé une dent. Il mangeait du homard *(lobster).*
3. Tu as perdu ton porte-monnaie *(wallet).* Tu allais au marché.
4. J'ai eu un accident. Je conduisais la voiture de mes parents.
5. Vous vous êtes coupés. Vous vous rasiez.
6. Nous nous sommes perdus. Nous nous promenions dans la forêt.
7. Nous sommes tombés à l'eau. Nous faisions une promenade en bateau.

D. Le participe présent: usages

The present participle is not used as frequently in French as it is in English. It is used mainly after the preposition **en.**

The construction **en** + *present participle* is used to express:

- simultaneous actions

  J'étudie **en écoutant** la radio. — *I study **while listening to** the radio.*

  En partant, n'oublie pas de fermer la fenêtre. — ***Upon (On, When) leaving,** don't forget to close the window.*

- means or method

  Éric apprend le russe **en écoutant** des cassettes. — *Eric is learning Russian **by listening** to cassettes.*

  En partant tôt, vous êtes sûr de ne pas rater votre bus. — ***By (In) leaving** early, you are sure not to miss your bus.*

- manner

  Anne répond **en souriant.** — *Anne answers **smiling** (with a smile).*

  Robert est arrivé **en courant.** — *Robert arrived **running** (on the run).*

➪ The present participle is used by itself:

- to explain the reason why an action is carried out

  Étant fatigués, nous ne sommes pas sortis. — ***Being** tired (= Since we were tired), we didn't go out.*

  Voulant être à l'heure, j'ai pris un taxi. — ***Wanting** to be on time (= Since I wanted to be on time), I took a cab.*

- to express the circumstances of an action

  Elle est arrivée à l'aéroport **portant** ses valises. — *She arrived at the airport **carrying** her suitcases.*

  Comprenant son erreur, il s'est excusé. — ***Realizing** his mistake, he apologized.*

À remarquer

1. The present participle can also be used by itself in clauses that describe a noun or a pronoun. In such cases, however, the French tend to prefer **qui** + *verb.*

   Un homme **portant** un chapeau noir est entré dans la banque. — Un homme **qui portait** un chapeau noir est entré dans la banque.

   Nous cherchons une personee **parlant** français et espagnol. — Nous cherchons une personne **qui parle** français et espagnol.

2. The perfect participle is used instead of the present participle to indicate that one of two actions was completed earlier than the other.

   Ayant fini mon travail, je vais me reposer.

   Ayant dîné, il a quitté le restaurant.

   S'étant perdus, ils ont demandé leur chemin *(way)* à l'agent de police.

Activité 8 Comment?

Dites comment les personnes suivantes font certaines choses. Ensuite expliquez comment vous faites ces mêmes choses.

> MODÈLE: Monsieur Carré célèbre son anniversaire. Il boit du champagne.
> *Monsieur Carré célèbre son anniversaire en buvant du champagne.*
> *Moi, je célèbre mon anniversaire en organisant une surprise-partie.*

1. Vous restez en bonne condition physique. Vous nagez tous les jours.
2. Christine apprend le français. Elle sort avec des Français.
3. Tu te reposes. Tu fais du yoga.
4. François gagne de l'argent. Il lave des voitures.
5. Nous nous préparons aux examens. Nous dormons bien la veille.
6. Marie-Claire soigne *(takes care of)* sa grippe. Elle boit du thé chaud.
7. Thomas reste en bonne santé. Il ne fume pas.
8. Tu amuses tes amis. Tu imites Woody Allen.
9. Martine étonne *(amazes)* ses amis. Elle avale des poissons rouges *(goldfish).*

Activité 9 En même temps

On peut faire plusieurs choses en même temps. Décrivez ce que font les personnes suivantes en utilisant la construction **en** + *participe présent.* Ensuite faites un commentaire sur leurs activités en utilisant l'adjectif entre parenthèses.

> MODÈLE: Tu réfléchis et tu réponds à la question. (intelligent?)
> *Tu réfléchis en répondant à la question. C'est intelligent!*

1. J'écoute de la musique et je fais du jogging. (amusant?)
2. Monsieur Rimbaud ronfle *(snores)* et il dort. (amusant pour sa femme?)
3. Vous parlez et vous mangez. (poli?)
4. On boit du vin blanc et on mange du poisson. (bon?)
5. Philippe lit le journal et il conduit. (prudent?)
6. L'acrobate fume un cigare et il marche sur les mains. (facile?)
7. Cet étudiant mâche *(chews)* du chewing-gum et il répond au professeur. (impoli?)
8. Le chat attend la souris *(mouse)* et il fait semblant de dormir. (hypocrite?)
9. Roméo ferme les yeux et il embrasse Juliete. (romantique?)

EN PROVINCE
COMME A PARIS,
DANS LES VILLES
COMME DANS LES VIGNES,
ON TROUVE TOUJOURS
DE VRAIS
PROFESSIONNELS DU VIN

E. L'adjectif verbal en *-ant*

The words in heavy type are modifying nouns. Note the forms of these adjectives.

Paul est un garçon **amusant.**	*Paul is an **amusing** boy.*
Hélène est une fille **intéressante.**	*Hélène is an **interesting** girl.*
Vos propos sont **irritants.**	*Your remarks are **irritating.***
Vous posez des questions **troublantes.**	*You are raising **troubling** questions.*

Most verbal adjectives in ***-ant*** are derived from verbs in the same manner as the present participle. However, since these words are adjectives, they *agree* with the nouns or pronouns they modify.

À remarquer

Adjectives in ***-ant*** modify a noun or pronoun. They are never followed by an object. On the other hand, present participles are verbs and may be used with a direct or indirect object. Compare:

ADJECTIF VERBAL	PARTICIPE PRESENT
Voici des remèdes **calmants.**	Ce sont des remèdes **calmant la toux** *(cough).*
Anne et Sophie sont des filles **étonnantes.**	**Étonnant leurs amis,** elles ont décidé de faire le tour du monde en ballon.

Activité 10 C'est vrai!

Robert raconte ce qui lui est arrivé. Soyez d'accord avec lui, d'après le modèle.

MODÈLE: Cette histoire m'a amusé.
C'est vrai! C'est une histoire amusante!

1. Ces gens m'ont amusé.
2. Cette nouvelle m'a étonné.
3. Ce livre m'a passionné *(fascinated).*
4. Ces rumeurs m'ont inquiété.
5. Ces remarques m'ont irrité.
6. Ce remède m'a calmé.
7. Ces enfants m'ont obéi.
8. Ce chien m'a désobéi.

****

****

Entre nous

Séries

Nos actions forment souvent une série d'événements successifs. Racontez ce que vous avez fait aux époques *(times)* suivantes en décrivant l'enchaînement *(sequence)* de vos actions. Pour cela, composez un petit paragraphe en faisant des phrases commençant par *après*.

MODÈLE: ce matin
D'abord, je me suis levé(e).
Après m'être levé(e), j'ai pris un bain.
Après avoir pris un bain, je me suis habillé(e).
Après m'être habillé(e), j'ai pris le petit déjeuner.

1. hier soir
2. samedi après-midi
3. dimanche matin
4. l'été dernier
5. quand j'étais très jeune

Expression personnelle

Décrivez vos actions en complétant les phrases suivantes avec les prépositions entre parenthèses.

1. J'apprends le français (en..., pour...).
2. Ce soir, je vais étudier (afin de..., avant de..., après).
3. Ce week-end, je vais sortir (pour..., à condition de..., après...).
4. J'espère trouver du travail (en..., avant de...., après...).
5. Je veux obtenir mon indépendance (en..., pour..., sans...).
6. Dans la vie, il faut s'entraider *(to help one another)* (afin de..., au lieu de..., en...).
7. Je me détends *(relax)* (en...)
8. J'enrichis mon existence (en...)
9. Je m'informe *(keep abreast with the news)* (en...)

Leçon 13 Le subjonctif (I)

A. Le concept du subjonctif
B. La formation régulière du subjonctif: verbes à un radical
C. La formation régulière du subjonctif: verbes à deux radicaux
D. L'usage du subjonctif après **il faut que**
E. L'usage du subjonctif après certaines expressions impersonnelles d'opinion

A. Le concept du subjonctif

Tenses and moods

In a sentence, the verb is the word or group of words that identifies the action. A verb is characterized by its tense and its mood.

- The *tense* indicates the *time of the action.*
  The present, the **passé composé,** the **imparfait,** and the future are tenses.
- The *mood* indicates the *attitude of the speaker* toward the action.
  The indicative, the imperative, the subjunctive, and the conditional are moods.

In English, the subjunctive is used only rarely.

INDICATIVE	SUBJUNCTIVE
You *are* late.	It is important that you *be* on time.
I *am* in school.	I wish I *were* on vacation.
Paul *speaks* English.	The teacher insists that he *speak* French in class.

In French, however, the subjunctive is used very frequently. As in English, it occurs mainly in dependent clauses, that is, in clauses that cannot stand alone and that are connected to a main (or independent) clause.

MAIN CLAUSE	DEPENDENT CLAUSE
Je suggère	que votre ami **soit** à l'heure.
I suggest	*that your friend* **be** *on time.*

The indicative and the subjunctive

Compare the use of the indicative and the subjunctive in the following sentences.

INDICATIVE	SUBJUNCTIVE
Alain **part.**	Il faut qu'il **parte.**
Je sais qu'il **part** demain.	Je regrette qu'il **parte** bientôt.
Je pense qu'il **va** en France.	Je doute qu'il **aille** en Angleterre.

The *indicative* mood is *objective.* It is used to describe facts. It states what is considered certain. It is the mood of *what is.*
The indicative is the most frequently used mood in French.

The indicative is used:

- in main clauses
- in dependent clauses introduced by **que,** after verbs and expressions asserting the knowledge of a fact (**je sais que..., je pense que...**).

The *subjunctive* mood is *subjective.* It is used to express feelings, judgments, and emotions relating to an action. It states what is considered desirable, possible, doubtful, uncertain, and so on. It is the mood of *what may be* or *might be.*

The subjunctive is used primarily:

- in dependent clauses introduced by **que,** after verbs and expressions of will, desire, emotion, doubt (**il faut que..., je regrette que..., je doute que...**).

⇨ Note that either the indicative or the subjunctive may be used in a dependent clause introduced by **que.** The choice between the indicative or the subjunctive depends on what is expressed by the verb in the main clause.

MAIN CLAUSE		DEPENDENT CLAUSE
statement of fact or belief	⟶	indicative
statement of will, emotion, or doubt	⟶	subjunctive

⇨ The indicative and the subjunctive are also used in dependent clauses introduced by certain conjunctions other than **que.** Here, the choice of the mood depends on which conjunction is used.

INDICATIVE	SUBJUNCTIVE
Je te téléphone **parce que** tu **pars** demain.	Je te téléphone **avant que** tu **partes** demain.

B. La formation régulière du subjonctif: verbes à un radical

Note the present subjunctive forms of the following three regular verbs (**parler, finir, vendre**) and the irregular verb (**sortir**).

		parler	finir	vendre	sortir	ENDINGS
PRESENT INDICATIVE	ils	parlent	finissent	vendent	sortent	
PRESENT SUBJUNCTIVE	que je	parle	finisse	vende	sorte	*-e*
	que tu	parles	finisses	vendes	sortes	*-es*
	qu'il/elle/on	parle	finisse	vende	sorte	*-e*
	que nous	parlions	finissions	vendions	sortions	*-ions*
	que vous	parliez	finissiez	vendiez	sortiez	*-iez*
	qu'ils/elles	parlent	finissent	vendent	sortent	*-ent*

In the present indicative, the verbs above have the same *stem* in the **nous** and **ils** forms.

In the present subjunctive, these verbs have:

- one stem: the **ils** stem of the present indicative;
- a common set of endings.

➪ The preceding pattern applies to regular verbs in *-er, -ir,* and *-re,* and to many verbs that are irregular in the present indicative.

	PRESENT INDICATIVE	PRESENT SUBJUNCTIVE
s'asseoir	ils **s'asseyent**	que je **m'asseye**
battre	ils **battent**	que je **batte**
conduire	ils **conduisent**	que je **conduise**
connaître	ils **connaissent**	que je **connaisse**
courir	ils **courent**	que je **coure**
dire	ils **disent**	que je **dise**
écrire	ils **écrivent**	que j'**écrive**
lire	ils **lisent**	que je **lise**
mettre	ils **mettent**	que je **mette**
partir	ils **partent**	que je **parte**
plaire	ils **plaisent**	que je **plaise**
rire	ils **rient**	que je **rie**
suivre	ils **suivent**	que je **suive**
vivre	ils **vivent**	que je **vive**

➪ This pattern also applies to the verbs in *-cer* and *-ger.*

annoncer	ils **annoncent**	que j'**annonce**	que nous **annoncions**
manger	ils **mangent**	que je **mange**	que nous **mangions**

Activité 1 Pour trouver du travail...

Les étudiants suivants cherchent du travail pour l'été prochain. Dites ce que chacun doit faire. Pour cela, utilisez la construction **il faut que** *(it is necessary that)* + *subjonctif.*

MODÈLE: préparer son curriculum vitae (Caroline)
Il faut que Caroline prépare son curriculum vitae.

1. téléphoner à cette agence d'emploi (tu / vous / nous)
2. demander une lettre de recommandation au professeur (Robert / Annie et Marie)
3. regarder les offres d'emploi (je / Jean-Pierre)
4. remplir ce questionnaire (je / nous / Mélanie)
5. réussir à ce test psychologique (je / tu / vous / mes amis / Denise)
6. répondre à cette offre (nous / je / Madeleine)
7. attendre la réponse de cette compagnie (vous / Pierre et Jacques)
8. lire les petites annonces *(classified ads)* (tu / ces filles)
9. écrire un curriculum vitae intelligent (je / mes cousins / vous)
10. se sentir prêt pour cette entrevue (ces étudiants / Marc / je)
11. mettre une chemise blanche (tu / Albert / Roger et Denis)
12. produire une bonne impression (je / vous / Jacqueline)

Activité 2 Oui ou non?

Madame Lambert est directrice d'une fabrique de parfums. Elle vient d'engager un nouveau secrétaire à qui elle donne ses instructions. Jouez le rôle de Madame Lambert en commençant vos phrases par **il faut que** ou **il ne faut pas que.**

MODÈLE: répondre au téléphone?
Il faut que vous répondiez au téléphone.

1. écrire à cette banque?
2. mettre ces lettres à la poste?
3. reproduire ces documents?
4. détruire ce contrat important?
5. ouvrir ma correspondance personnelle?
6. lire le journal pendant les heures de bureau?
7. sourire aux clients?
8. se servir du téléphone pour vos conversations privées?
9. connaître bien la liste de nos produits?
10. dire nos secrets de fabrication à nos concurrents *(competitors)?*
11. partir avant l'heure?
12. suivre mes instructions?

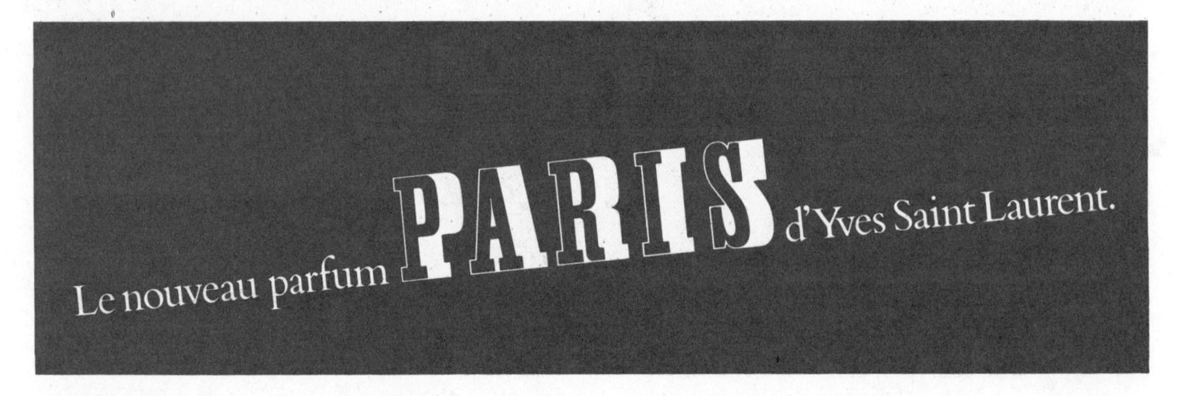

Activité 3 Et vous?

Dites si oui ou non vous devez faire les choses suivantes. Commencez vos phrases par **il faut que** ou **il n'est pas nécessaire que.**

MODÈLE: étudier ce soir?
Oui, il faut que j'étudie ce soir. (Non, il n'est pas nécessaire que j'étudie ce soir.)

1. travailler ce week-end?
2. réussir à l'examen?
3. sortir ce soir?
4. suivre un régime?
5. courir tous les jours?
6. se rendre à la bibliothèque aujourd'hui?
7. se coucher tôt ce soir?
8. offrir un cadeau au professeur?
9. relire mes notes avant la classe?
10. dormir huit heures par jour?
11. mettre des lunettes pour lire?
12. se servir d'un dictionnaire pour épeler correctement?

C. La formation régulière du subjonctif: verbs à deux radicaux

The verbs **payer, prendre,** and **venir** have different stems in the **nous** and **ils** forms of the present indicative. Note their present subjunctive forms in the chart below.

		payer	prendre	venir	ENDINGS
PRESENT INDICATIVE	ils	paient	prennent	viennent	
	nous	payons	prenons	venons	
PRESENT SUBJUNCTIVE	que je	paie	prenne	vienne	*-e*
	que tu	paies	prennes	viennes	*-es*
	qu'il/elle/on	paie	prenne	vienne	*-e*
	que nous	payions	prenions	venions	*-ions*
	que vous	payiez	preniez	veniez	*-iez*
	qu'ils/elles	paient	prennent	viennent	*-ent*

In the present indicative, some verbs have different stems in the **nous** and **ils** forms. In the present subjunctive, these verbs have two stems:

- the **ils** stem of the present indicative (for the **je, tu, il,** and **ils** forms);
- the **nous** stem of the present indicative (for the **nous** and **vous** forms).

➪ This pattern applies to:

- regular verbs in *-er* that have a stem change, such as:

acheter	que j'**achète**	que nous **achetions**
appeler	que j'**appelle**	que nous **appelions**
préférer	que je **préfère**	que nous **préférions**

- to a few verbs that are irregular in the present indicative, such as:

boire	que je **boive**	que nous **buvions**
voir	que je **voie**	que nous **voyions**
recevoir	que je **reçoive**	que nous **recevions**
mourir	que je **meure**	que nous **mourions**

➪ Note also the subjunctive forms of the following impersonal expressions:

il pleut	qu'il **pleuve**
il faut	qu'il **faille**

Activité 4 Voyage en Touraine

Françoise habite en Touraine et elle est très fière de sa région qu'elle fait visiter *(is showing)* à ses amis. Jouez le rôle de Françoise, d'après le modèle.

MODÈLE: (tu) visiter ma région
Il faut que tu visites ma région.

1. (tu / Marc / vous) venir en Touraine
2. (tu / Philippe et André / vous / nous) voir le château d'Amboise
3. (tu / Marthe / vous / vos amis) prendre une photo du château de Blois
4. (tu / nous / Gilbert et Sylvie) boire du vin de Vouvray
5. (tu / tes cousins / vous) apprendre l'histoire de la Touraine
6. (Henri / ces touristes / vous) recevoir une bonne impression de la région
7. (tu / Albert et Thérèse / vous) se souvenir de ce séjour ici
8. (tu / Sophie / Paul et Michel / vous) revenir l'année prochaine

D. L'usage du subjonctif après **il faut que**

The expression **il faut** expresses an obligation and has several English equivalents *(someone must, should, has to, needs to; it is necessary that)*. Note the use of this expression in the sentences below.

Il faut que je parte.	***I have to (I must) leave.***
Il faut que tu prennes ton passeport.	***You must (need to) take** your passport.*
Il faut que vous visitiez Paris.	***You should (must, have to) visit** Paris.*
Il faut absolument **que vous veniez** chez moi.	***It is** absolutely **necessary that you come** to my house.*

To express an obligation concerning someone or something specific, the following construction is used:

il faut que + subjunctive

➪ However, when the obligation is a *general* or *impersonal* one, the following construction is used:

il faut + infinitive

EN GÉNÉRAL	PLUS SPÉCIFIQUEMENT
Pour voyager, **il faut obtenir** un passeport.	Si tu veux voyager, **il faut que tu obtiennes** un passeport.
Dans la vie, **il faut prendre** des risques.	**Il faut que vous preniez** des risques.

⇨ Similar constructions are used after **il vaut mieux** *(it is better).*

Il vaut mieux que nous **partions** avant la pluie.

The negative expression **il ne faut pas que** + *subjunctive* can be used to forbid or to advise someone against doing something. It corresponds to the English *someone must not* or *should not.*

Il ne faut pas que vous fumiez.	***You should not smoke.***

⇨ The expression *it is not necessary that* is expressed by **il ne faut pas nécessairement que** or **il n'est pas nécessaire que.**

Il n'est pas nécessaire que vous restiez ici.	***It is not necessary that*** *you stay here. (You don't have to stay here.)*

À remarquer

In conversational French, the impersonal construction **il faut** + *infinitive* is sometimes used to express a personal obligation.

Dépêche-toi, Henri! **Il faut partir** maintenant.	*Hurry up, Henri!* ***You must go*** *now.*
Mes amis, **il ne faut pas vous inquiéter.**	*My friends,* ***you should not worry.***

Activité 5 Que faire?

Lisez les situations suivantes et dites comment les personnes doivent réagir. Dites s'il faut ou s'il ne faut pas qu'elles fassent les choses entre parenthèses.

MODÈLE: Jacques veut aller en Australie. Qu'est-ce qu'il doit faire?
apprendre l'anglais?
Oui, il faut qu'il apprenne l'anglais. (Non, il ne faut pas qu'il apprenne l'anglais.)

1. Paul veut acheter une voiture, mais il n'a pas beaucoup d'argent. Que doit-il faire? (acheter une voiture neuve? lire les petites annonces? choisir une voiture d'occasion? négocier le prix? choisir une grosse voiture? demander une garantie?)
2. Thérèse et Annette sont deux étudiantes françaises qui veulent passer l'été aux États-Unis. Elles veulent voir beaucoup de choses, mais elles ont un budget limité. Qu'est-ce qu'elles doivent faire? (voyager en avion? faire de l'auto-stop *(hitchhike)?* louer une voiture? rester dans des auberges de jeunesse *(youth hostels)?* prendre le bus? acheter des billets de loterie?)
3. Nous sommes des étudiants américains qui allons passer une année en France. Nous sommes arrivés à Paris il y a deux semaines et maintenant nous avons un cafard *(homesickness)* terrible. Qu'est-ce que nous devons faire? (rentrer aux États-Unis? nous inscrire *(to join)* dans un club sportif? connaître d'autres Américains? voir un psychiatre? sortir avec des Français?)
4. Thomas a vingt ans. Il vient d'avoir une grande déception *(disappointment)* sentimentale. Qu'est-ce qu'il doit faire? (quitter son travail? écrire une lettre d'insulte à sa petite amie? demander conseil a ses amis? réfléchir? partir en voyage? s'engager *(to enlist)* dans la Légion Étrangère?)

5. Vous êtes toujours nerveux quand vous passez un examen. Demain vous avez un examen très important. Qu'est-ce que vous devez faire ce soir? (étudier toute la nuit? sortir avec des amis? sortir avec des amis? vous reposer? voir un film à la télé? dormir?)
6. Tu passes la nuit seul(e) dans une grande maison isolée à la campagne. Il est deux heures du matin et tu entends des bruits très étranges. Qu'est-ce que tu dois faire? (te lever? te cacher sous le lit? allumer la lumière? alerter la police? agir avec calme? appeler un exorciste?)
7. Monsieur Roland est un employé modèle. Tous les ans il reçoit une augmentation *(raise)* de salaire, mais cette année, à cause des restrictions de budget, il ne reçoit rien. Qu'est-ce qu'il doit faire? (quitter son travail? écrire une lettre au président de la compagnie? parler à son patron? se mettre en grève *(go on strike)?* attendre l'année prochaine?)
8. Tu te promènes dans la campagne. Tu vois de petits hommes verts qui sortent d'un objet circulaire. Qu'est-ce que tu dois faire? (téléphoner à la police? engager la conversation avec ces petits hommes? prendre des photos? finir ce rêve *(dream)* absurde? te réveiller?)

E. L'usage du subjonctif après certaines expressions impersonnelles d'opinion

Note the use of the subjunctive in the following sentences:

Il est important que tu réfléchisses à l'avenir.	***It is important that you think** of the future.*
Il est bon que vous agissiez prudemment.	***It is good that you act** cautiously.*
Il est dommage que Paul ne me **croie** pas.	***It is too bad that Paul does** not **believe** me.*

An opinion concerning someone or something specific can be expressed by the following construction.

il est + adjective or noun + **que** + subjunctive

When the opinion expressed is a general one, the following construction is used.

il est + adjective or noun + **de** + infinitive

EN GÉNÉRAL	EN PARTICULIER
Il est important **de voter.**	Il est important **que vous votiez.**
Il est utile **d'apprendre** le français.	Il est utile **que vos amis apprennent** le français.

➪ Certain impersonal expressions are used to state *facts* (rather than to express opinions). These expressions are followed by the *indicative.*

Il est évident que vous **dites** la vérité. ***It is obvious that*** *you* ***are telling*** *the truth.*

Vocabulaire: Quelques expressions d'opinion et de nécessité

il faut	*it is necessary*	il est injuste	*it is unfair*
il vaut mieux	*it is better*	il est inutile	*it is useless*
il est bon	*it is good, advisable*	il est regrettable	*it is regrettable, too bad*
il est souhaitable	*it is desirable*	il est absurde	*it is absurd*
il est utile	*it is useful*	il est ridicule	*it is ridiculous*
il est essentiel	*it is essential*	il est bizarre	*it is odd*
il est important	*it is important*	il est curieux	*it is curious*
il est nécessaire	*it is necessary*	il est étrange	*it is strange*
il est indispensable	*it is indispensable, absolutely necessary*	il est étonnant	*it is astonishing*
il est juste	*it is fair*	il est surprenant	*it is surprising*
il est normal	*it is to be expected*	il est dommage	*it is a pity*
il est naturel	*it is natural*	c'est dommage	*it is a pity*

Activité 6 Et vous?

Évaluez personnellement les choses suivantes. Pour cela, utilisez l'adjectif entre parenthèses dans des phrases affirmatives ou négatives, selon le modèle.

MODÈLE: apprendre le français? (utile)
Oui, il est utile que j'apprenne le français. (Non, il n'est pas utile que j'apprenne le français.)

1. recevoir un «A» en français? (juste)
2. réfléchir à l'avenir? (important)
3. apprendre à programmer un ordinateur? (utile)
4. suivre des cours de karaté? (ridicule)
5. aider mes amis? (naturel)
6. gagner beaucoup d'argent? (indispensable)
7. devenir plus tolérant? (nécessaire)
8. perdre mon temps? (bon)
9. réussir dans l'existence? (important)
10. prendre des risques quand je conduis? (absurde)

Activité 7 Commentaires personnels

Faites un commentaire personnel sur les sujets suivants. Pour cela, utilisez des expressions qui reflètent votre opinion dans des phrases affirmatives ou négatives. Si vous voulez, justifiez votre opinion.

MODÈLE: les femmes / recevoir le même salaire que les hommes
Il est juste que les femmes reçoivent le même salaire que les hommes. Après tout, elles font le même travail.

1. les parents / aider leurs enfants
2. les enfants / obéir aux adultes
3. les gens / agir souvent par intérêt personnel
4. nous / élire des candidats libéraux
5. on / construire des centrales *(power plants)* nucléaires
6. le gouvernement / financer la recherche médicale
7. on / abolir la peine de mort *(death penalty)*
8. les Américains et les Russes / s'entendre
9. on / détruire le stock d'armes nucléaires
10. les États-Unis / réduire les dépenses *(spending)* militaires
11. nous / militer pour la paix *(peace)* dans le monde
12. les pays développés / aider les pays sous-développés
13. le gouvernement / combattre l'inflation
14. beaucoup de gens / souffrir de l'injustice
15. les Américains / maintenir leurs traditions

Activité 8 Quelques conseils

Imaginez que les personnes suivantes viennent vous consulter. Dites-leur ce qu'elles doivent faire. Utilisez des expressions impersonnelles dans des phrases affirmatives ou négatives et le subjonctif des expressions entre parenthèses.

MODÈLE: Philippe a la grippe. (sortir?)
Il n'est pas bon que tu sortes.

1. Votre cousine parle parfaitement le chinois. Elle vient d'obtenir son diplôme de littérature chinoise. Elle veut être professeur mais elle ne trouve pas de travail. (perdre courage? mettre une annonce dans les journaux professionnels? continuer ses études de chinois? accepter n'importe quel [*any*] travail? changer d'objectif professionnel? chercher du travail dans une entreprise qui fait le commerce avec la Chine?)
2. Roland a dix-huit ans et il est étudiant. Il vient d'hériter cent mille dollars de sa grand-mère. (mettre tout l'argent à la banque? acheter une voiture? utiliser une partie de cet argent pour payer sa scolarité [*tuition*]? quitter l'université?)
3. Jacques a vingt ans. Pauline a dix-neuf ans. Ils sont étudiants et veulent se marier, mais ils n'ont pas d'argent et pas de travail. (réfléchir? attendre un peu? finir les études? demander le conseil de leurs parents?)
4. Monsieur Martin a quarante-cinq ans. C'est le président de sa compagnie. C'est un homme jovial mais un peu obèse et pas très athlétique. (fumer? dîner tous les jours au restaurant? maigrir? suivre un régime? prendre des vacances à la campagne?)

Entre nous

À votre tour

Complétez les phrases suivantes avec une idée personnelle. Utilisez, si vous voulez, les sujets suggérés:

je, mes parents, mes amis, les jeunes, les Américains, nous, on

1. Il faut que...
2. Il ne faut pas que...
3. Il vaut mieux que...
4. Il est important que...
5. Il est indispensable que...
6. Il est dommage que...
7. Il est regrettable que...

MODÈLE: *Il est dommage que les jeunes ne s'intéressent pas à la politique.*
Il est important qu'ils reçoivent plus de responsabilités.

Expression personnelle

Ce que nous devons faire dépend souvent des circonstances dans lesquelles nous nous trouvons. Décrivez trois choses que vous devez faire dans les circonstances suivantes. Pour cela, faites des phrases en utilisant l'expression *Il faut que je.*

MODÈLE: Avant le dîner...
Avant le dîner, il faut que je mette la table. Il faut que je nettoie ma chambre. Il faut que je promène le chien.

1. Après le dîner...
2. Avant le week-end...
3. Avant l'examen de français...
4. Avant les vacances...
5. Si je veux trouver du travail cet été...
6. Si je veux acheter une voiture...
7. Si je veux avoir une carrière intéressante plus tard...
8. Si je veux parler français comme un Français...

Leçon 14 Le subjonctif (II)

A. Le subjonctif des verbes **avoir, être, aller** et **faire**
B. L'usage du subjonctif après les verbes de volonté
C. Le subjonctif après les expressions d'émotion
D. Le subjonctif après les expressions de doute
E. Le passé du subjonctif

A. Le subjonctif des verbes **avoir, être, aller** et **faire**

The subjunctive forms of **avoir, être, aller,** and **faire** are irregular. Note these forms.

avoir	être	aller	faire
que j'**aie** que tu **aies** qu'il **ait**	que je **sois** que tu **sois** qu'il **soit**	que j'**aille** que tu **ailles** qu'il **aille**	que je **fasse** que tu **fasses** qu'il **fasse**
que nous **ayons** que vous **ayez** qu'ils **aient**	que nous **soyons** que vous **soyez** qu'ils **soient**	que nous **allions** que vous **alliez** qu'ils **aillent**	que nous **fassions** que vous **fassiez** qu'ils **fassent**

- Both the endings and the stems of the subjunctive of **avoir** and **être** are irregular.
- The endings of the subjunctive of **aller** and **faire** are regular, but their stems are irregular. Note that **aller** has two subjunctive stems, while **faire** has only one.
- Note that the present subjunctive of **il y a** is **qu'il y ait.**

Activité 1 Oui ou non?

Informez-vous sur les personnes suivantes. Puis dites ce qu'elles doivent faire et ce qu'elles ne doivent pas faire. Utilisez la construction **il faut que** ou **il ne faut pas que** + *subjonctif.*

MODÈLE: Tu veux maigrir. (faire du sport?)
Il faut que tu fasses du sport.

1. Je veux obtenir une bonne note en français. (aller au laboratoire de langues? être studieux? faire semblant d'étudier?)
2. Vous allez passer le permis de conduire *(driver's license).* (être prudent? faire attention? aller à 100 à l'heure?)
3. Tu veux courir un marathon. (être en bonne condition physique? avoir du courage? faire du jogging régulièrement?)
4. Ces filles veulent être médecins. (avoir un diplôme? aller à l'université? faire de la biologie?)
5. Claudine va à une entrevue professionnelle. (avoir son curriculum vitae? être arrogante? faire mauvaise impression?)
6. Thérèse veut être actrice. (être timide? avoir du talent? aller à Hollywood?)
7. Nous allons prendre l'avion pour Paris. (faire nos valises? avoir nos passeports? aller à l'aéroport? être en retard?)
8. Les jeunes veulent réformer la société. (avoir un idéal? être réalistes? faire de la politique? faire la révolution?)

Activité 2 Le monde d'aujourd'hui

Lisez les phrases suivantes et exprimez votre opinion. Utilisez une expression comme **il (n') est (pas) bon que...**, **il (n') est (pas) normal que...**, **il est regrettable que...**, etc.

1. Les femmes ont plus de responsabilités qu'avant.
2. Beaucoup de jeunes vont à l'université.
3. Les gens sont assez matérialistes.
4. Les relations familiales sont moins solides qu'autrefois.
5. La médecine fait beaucoup de progrès.
6. Il y a beaucoup de violence à la télévision.
7. Une guerre nucléaire est possible.
8. On ne fait pas assez d'efforts pour aider les pays pauvres.
9. Nous avons un idéal pacifiste.
10. Nous sommes mieux informés qu'autrefois.

B. L'usage du subjonctif après les verbes de volonté

Note the use of the subjunctive in the following sentences:

Je **veux** que tu **fasses** attention.	*I **want** you **to be** careful.*
Mon ami **ne veut pas** que je **prenne** sa voiture.	*My friend **does not want** me **to take** his car.*

The subjunctive is used after verbs that express a wish, will, or desire when the wish concerns someone or something other than the subject. In this case, the main clause and the dependent clause introduced by **que** have different subjects.

➪ When the wish concerns the subject itself, an infinitive construction is used. In this case, the main clause and the infinitive clause have the same subject.

INFINITIVE	SUBJUNCTIVE
Je veux sortir.	J'aimerais que **mes amis sortent** avec moi.
Vous désirez partir.	**Vous** désirez **que je parte** aussi?

À remarquer

1. In the affirmative, **espérer** is followed by **que** + *indicative.* In the negative, it is followed by the subjunctive.

   J'espère que vous **êtes** honnête. — Je **n'espère pas que** vous **soyez** riche.

2. When used to express an indirect request, certain verbs of communication, such as **demander, permettre, ordonner, interdire, défendre,** may be followed by **que** + *subjunctive.* Compare the following constructions:

Je demande **qu'il vienne.**	*I ask **that he come.***	(The request is made indirectly.)
Je lui demande **de venir.**	*I ask him **to come.***	(The request is made directly.)

Activité 3 Pas d'accord!

Lisez ce que veulent faire les personnes suivantes. Dites que les personnes entre parenthèses ne sont pas d'accord.

MODÈLE: Mélanie veut sortir ce soir. (sa mère)
Sa mère ne veut pas qu'elle sorte ce soir.

1. Je veux prendre la voiture. (mon père)
2. Vous voulez acheter une moto. (vos parents)
3. Tu veux partir après le dîner. (je)
4. Jean veut payer pour elle. (Hélène)
5. Marc veut conduire très vite. (ses amis)
6. Nous voulons nous servir de ta machine à écrire. (tu)
7. Certains étudiants veulent dormir pendant la classe. (le professeur)
8. Les libéraux veulent faire des réformes. (les conservateurs)
9. Juliette veut voir Roméo. (ses parents)
10. Les employés veulent faire la grève *(to go on strike).* (le patron)
11. L'accusé veut se taire. (le juge)
12. César veut s'en aller. (Cléopâtre)

En combien de temps voulez-vous apprendre un métier?

Vocabulaire: Quelques verbes et expressions de volonté

accepter	*to agree*	Je n'**accepte** pas **que** la société soit injuste.
admettre	*to accept, admit*	**Admettez**-vous **que** les inégalités persistent?
aimer mieux	*to prefer*	Nous **aimons mieux que** le gouvernement change de politique.
désirer	*to wish*	**Désirez**-vous qu'il fasse des réformes?
exiger	*to insist, demand*	Le professeur **exige que** les étudiants fassent attention.
préférer	*to prefer*	Nous **préférons que** ce candidat soit élu.
souhaiter	*to wish*	Je **souhaite que** mes amis réussissent dans la vie.
vouloir	*to want*	**Veux**-tu **que** j'aille à la réunion avec toi?
vouloir bien	*to agree, be willing, accept*	Je **veux bien que** vous m'accompagniez.

Activité 4 Logique

Faites des phrases logiques en utilisant les éléments des colonnes A, B, C et D. Notez que les verbes dans les colonnes B et D peuvent être affirmatifs ou négatifs.

A	B	C	D
le public	souhaiter	les enfants	être consciencieux
le professeur	exiger	le président	être malhonnête
les parents	désirer	les commerçants	dire la vérité
les gens	accepter	les étudiants	avoir de l'ambition
	préférer	les journalistes	faire des réformes
			faire attention
			désobéir
			faire des erreurs
			s'occuper de lui/d'eux

MODÈLE: *Le public ne souhaite pas que les commerçants soient malhonnêtes. (Le public exige que les commerçants ne soient pas malhonnêtes.)*

C. Le subjonctif après les expressions d'émotion

Note the use of the subjunctive in the following sentences:

Nous sommes contents **que tu ailles** à Paris.	*We are happy* ***that you are going*** *to Paris.*
Je crains **que vous soyez** malades.	*I am afraid* ***that you are*** *sick.*
Je regrette **que tu** ne **comprennes** pas.	*I am sorry* ***that you do*** *not* ***understand.***

The subjunctive is used after verbs and expressions of emotion when the emotion concerns someone or something other than the subject. (In this case, the main clause and the dependent clause introduced by **que** have different subjects.)

- When the emotion concerns the subject itself, the infinitive construction is used.

INFINITIVE	SUBJUNCTIVE
Je suis heureux de **faire** un voyage.	**Je** suis heureux que **vous fassiez** un voyage.
Nous regrettons de ne pas **venir.**	**Nous** regrettons que **tu** ne **viennes** pas.
Je crains d'**être** malade.	**Le médecin** craint que **je sois** malade.

Vocabulaire: Verbes et expressions d'émotion

la joie *(happiness)*
- **être heureux (heureuse)**, **être content** — *to be happy*
- **être enchanté**, **être ravi** — *to be very happy*
- **se réjouir** — *to be happy, delighted*

la crainte *(fear)*
- **avoir peur** — *to be afraid*
- **craindre** — *to fear*

la colère *(anger)*
- **être furieux (furieuse)** — *to be mad*
- **être fâché** — *to be upset*

l'orgueil *(pride)*
- **être fier** — *to be proud*
- **être flatté** — *to be flattered*

la tristesse et le regret *(sadness and regret)*
- **être triste** — *to be sad*
- **être malheureux (malheureuse)** — *to be unhappy*
- **être désolé** — *to be sorry*
- **être navré** — *to be very sorry*
- **regretter** — *to regret*
- **déplorer** — *to deplore*

l'étonnement *(amazement, astonishment)*
- **être surpris** — *to be surprised*
- **être étonné** — *to be astonished, amazed*

la honte *(shame)*
- **avoir honte** — *to be ashamed*
- **être gêné** — *to be bothered*
- **être embarrassé** — *to be embarrassed*

l'émotion *(emotion)*
- **être ému** — *to be moved*

Activité 5 Craintes

Dites ce que craignent les personnes suivantes. Pour cela, utilisez la construction **craindre +** *subjonctif*. Notez que le subjonctif peut être à la forme affirmative ou négative. Soyez logique!

MODÈLE: le professeur (les étudiants: réussir à l'examen?)
Le professeur craint que les étudiants ne réussissent pas à l'examen.

1. ce candidat (les électeurs: voter pour lui?)
2. le chef d'orchestre (les musiciens: être prêts pour le concert?)
3. le médecin (le malade: avoir une pneumonie?)
4. les touristes (le restaurant: être cher?)
5. cet enfant (le père Noël: venir?)
6. la police (les bandits: s'échapper?)
7. le parachutiste (son parachute: s'ouvrir?)
8. les passagers (le conducteur: s'endormir?)
9. l'acteur (la critique: être bonne?)

Activité 6 Au Café de l'Avenir

Monsieur Legrand et Monsieur Dumas se rencontrent souvent au Café de l'Avenir pour discuter de politique. Monsieur Legrand est plutôt conservateur et Monsieur Dumas est plutôt libéral. Jouez le rôle de ces deux personnes en utilisant des expressions du *Vocabulaire*.

MODÈLE: La France / aider les pays pauvres
Monsieur Legrand: *Je déplore que la France aide les pays pauvres.*
Monsieur Dumas: *Eh bien, moi, je me réjouis que la France aide les pays pauvres.*

1. on / construire des centrales *(power plants)* nucléaires
2. les étudiants / être pour le désarmement
3. les jeunes de dix-huit ans / avoir le droit de vote
4. le président / faire des réformes
5. les femmes / avoir les mêmes responsabilités que les hommes
6. beaucoup de gens / appartenir au parti socialiste
7. les Français / tenir à leurs traditions
8. la police / être très stricte

Activité 7 Réactions

Décrivez les réactions des personnes suivantes face aux événements entre parenthèses. Pour cela, utilisez l'une des expressions du *Vocabulaire*. Plusieurs choix sont souvent possibles. Soyez logique!

MODÈLE: mes parents (je reçois un «A» en français)
Mes parents sont heureux que je reçoive un «A» en francais. (Mes parents se réjouissent que je reçoive un «A» en français.)

1. le professeur (nous sommes sérieux / nous faisons des progrès / nous ne réussissons pas tous à l'examen)
2. je (tu ne dis pas toujours la vérité / tu es souvent impatient / tu es mon meilleur ami)
3. mes parents (je réfléchis à l'avenir / je prends mes responsabilités / je suis trop indépendant / je suis des cours de karaté)

4. le patron (les employés sont mécontents [*dissatisfied*] de leur travail / ils ont beaucoup de réclamations [*complaints*] / ils font la grève [*go on strike*])
5. les amis d'Annie (leur amie est malade / elle a l'appendicite / elle sort de l'hôpital dans une semaine)
6. le médecin (Monsieur Roland fait du jogging / il a toujours soif / il boit trop de café)
7. Jean-Claude (sa fiancée lui écrit / elle lui dit qu'elle sort avec un autre garçon / elle a l'intention de se marier avec ce garçon)
8. les parents de Juliette (leur fille connaît Roméo / elle est amoureuse de lui / elle a l'intention de se marier avec lui)

Activité 8 Double effet

Certains événements provoquent une réaction double—chez les personnes qu'ils affectent directement mais aussi chez d'autres personnes. Exprimez cela d'après le modèle.

MODÈLE: Vous partez en vacances. (vous / vos amis: se réjouir)
Vous vous réjouissez de partir en vacances.
Vos amis se réjouissent que vous partiez en vacances.

1. Tu vends ta moto. (tu / tes parents: être content)
2. Je comprends tout. (je / le professeur: être surpris)
3. Nous nous en allons. (nous / nos amis: être triste)
4. Nathalie est la présidente de sa classe. (elle / ses parents: être fier)
5. J'ai la mononucléose. (je / le médecin: avoir peur)
6. Les employés sont en retard. (ils / le patron: regretter)
7. Ce chimiste obtient le Prix Nobel. (il / ses collègues: être fier)
8. Ulysse revient chez lui après dix ans d'absence. (il / sa femme: être ému)

D. Le subjonctif après les expressions de doute

Note the use of the subjunctive in the following sentences:

Je doute **qu'il fasse** beau demain.	*I doubt* ***that the weather will be*** *nice tomorrow.*
Il est possible **que nous restions** ici.	*It is possible* ***that we will stay*** *here.*
Croyez-vous **qu'il pleuve?**	*Do you believe* ***that it will rain?***

The subjunctive is used after expressions of *doubt* or *uncertainty*.

Verbs like **croire, penser, se souvenir, être sûr, être certain,** and expressions like **il est sûr, il est certain,** are used to convey belief, knowledge, or conviction of certain facts. When used in the *affirmative* they are followed by the *indicative.* When used in the *interrogative* or the *negative,* however, these verbs and expressions may convey an element of doubt or uncertainty. In this case they are followed by the *subjunctive.*

CERTAINTY (INDICATIVE)	UNCERTAINTY AND DOUBT (SUBJUNCTIVE)
Je pense que cette histoire **est** amusante.	Je ne pense pas qu'elle **soit** vraie.
Le médecin croit que je **suis** fatigué.	Il ne croit pas que je **sois** malade.
Il est vrai qu'il **fait** beau ici.	Est-il vrai qu'il **fasse** beau à Paris?

À remarquer

1. Depending on the level of certainty or doubt that the speaker wants to convey, certain expressions may be followed by the indicative *or* the subjunctive.

   Il semble que tu **as** raison. — *It seems that you are right.* (This is pretty sure.)
   Il semble que tu **aies** raison. — *It would seem that you are right.* (It is much less sure.)

2. When used in the negative, the verb **douter** conveys belief. It is followed by the indicative.

   Je **ne doute pas** que tu **es** intelligent. — Mais **je doute** que tu **sois** sérieux.

Activité 9 L'optimiste et le pessimiste

L'optimiste voit l'existence sous un aspect positif. Le pessimiste voit l'existence sous un aspect négatif. Jouez le rôle de l'optimiste et du pessimiste. Commencez vos phrases par **je crois que** ou **je doute que,** selon votre personnalité.

MODÈLE: la vie / être belle
L'optimiste: Je crois que la vie est belle.
Le pessimiste: Je doute que la vie soit belle.

1. les gens / être généreux
2. les jeunes / avoir un idéal
3. les parents / faire le maximum pour aider leurs enfants
4. la situation économique / s'améliorer
5. nos problèmes / disparaître
6. les journalistes / dire la vérité
7. le président / être honnête avec le public
8. nous / vivre dans un monde moins dangereux qu'avant
9. on / découvrir prochainement *(soon)* une cure contre le cancer
10. une guerre nucléaire / être impossible

Vocabulaire: Verbes et expressions de certitude et de doute

EXPRESSIONS DE CERTITUDE (+ INDICATIF)	EXPRESSIONS DE DOUTE (+ SUBJONCTIF)
je sais que... j'affirme que... je dis que...	je doute que...
je crois que...	je ne crois pas que... crois-tu que...?
je pense que...	je ne pense pas que... penses-tu que...?
je suis sûr(e) que...	je ne suis pas sûr(e) que... es-tu sûr(e) que...?
il est sûr / vrai / certain que...	il n'est pas sûr / vrai / certain que... est-il sûr / vrai / certain que...?
il est clair que... il est probable que... il est évident que...	il est douteux que... il est possible que... il est impossible que... il se peut que... *(it's possible)*

Activité 10 Êtes-vous d'accord?

Voici quelques propositions. Exprimez votre opinion sur ces sujets. Pour cela, utilisez l'une des expressions du *Vocabulaire.* Si possible, illustrez votre opinion en formulant une réflexion personnelle.

MODÈLE: les Américains / être superstitieux?
Je ne pense pas que les Américains soient superstitieux.
Moi, par exemple, je n'hésite pas à voyager le vendredi 13.

1. l'argent / faire le bonheur?
2. les gens / être fondamentalement honnêtes?
3. les gens idéalistes / être naïfs
4. les média / manipuler l'opinion publique?
5. on / devenir plus conservateur avec l'âge?
6. la politesse / appartenir au passé?
7. la logique / gouverner le monde?
8. la liberté / être un mythe?
9. les injustices / aujourd'hui tendre à disparaître?
10. il / être facile de changer son destin?

E. Le passé du subjonctif

The subjunctive mood, like the indicative mood, has several tenses. Read each set of sentences below. In the first sentence of each pair, the subject expresses feelings about a present event and uses the *present subjunctive.* In the second sentence of each pair, the subject expresses feelings about a past event and uses the *past subjunctive.* Compare the verbs in heavy type.

Je doute que Paul **téléphone** ce soir. — *I doubt that Paul* ***will call*** *tonight.*
Je doute qu'il **ait téléphoné** hier. — *I doubt that he* ***called*** *yesterday.*

Je regrette que vous ne **veniez** pas cet après-midi. — *I am sorry that you* ***are*** *not* ***coming*** *this afternoon.*

Je regrette que vous ne **soyez** pas **venu** samedi. — *I am sorry that you* ***did*** *not* ***come*** *on Saturday.*

Il est possible que je **me trompe.** — *It is possible that I* ***am making a mistake.***
Il est possible que je **me sois trompé.** — *It is possible that I* ***made a mistake.***

Forms

The past subjunctive is a compound tense formed according to the pattern:

present subjunctive of **avoir** or **être** + past participle

parler	aller	s'amuser
que j'**aie** parlé	que je **sois** allé(e)	que je **me sois** amusé(e)
que tu **aies** parlé	que tu **sois** allé(e)	que tu **te sois** amusé(e)
qu'il **ait** parlé	qu'il **soit** allé	qu'il **se soit** amusé
qu'elle **ait** parlé	qu'elle **soit** allée	qu'elle **se soit** amusée
que nous **ayons** parlé	que nous **soyons** allé(e)s	que nous **nous soyons** amusé(e)s
que vous **ayez** parlé	que vous **soyez** allé(e)(s)	que vous **vous soyez** amusé(e)(s)
qu'ils **aient** parlé	qu'ils **soient** allés	qu'ils **se soient** amusés
qu'elles **aient** parlé	qu'elles **soient** allées	qu'elles **se soient** amusées

➪ The agreement pattern of the past participle in compound tenses also applies to the past subjunctive.

Je suis heureux que tu aies téléphoné à ces filles et que tu **les** aies invité**es**.

Use

The past subjunctive is used to refer to an action that took place before the action expressed in the main clause.

Compare the uses of the tenses in the sentences below.

Je suis content que vous **veniez** cet après-midi.	Je suis content que vous **soyez venu** hier soir.
J'ai craint que tu **te perdes** en venant chez moi.	J'ai craint que tu **aies perdu** mon adresse.

Activité 11 Où est Anne-Marie?

Anne-Marie avait rendez-vous avec ses amis, mais elle n'est pas là. Ses amis font des suppositions sur la cause possible de son retard. Exprimez ces suppositions. Pour cela, faites des phrases qui commencent par **il est possible** + *le passé du subjonctif*.

MODÈLE: Elle a oublié le rendez-vous.
Il est possible qu'elle ait oublié le rendez-vous.

1. Elle a perdu notre adresse.
2. Elle a rencontré son petit ami.
3. Elle a raté le bus.
4. Elle a eu un accident.
5. Elle est allée à la bibliothèque.
6. Elle ne s'est pas souvenue de la date.
7. Elle s'est perdue.
8. Elle s'est reposée et elle ne s'est pas réveillée.

Activité 12 Les mystères de l'univers

Beaucoup de mystères n'ont pas été élucidés *(cleared up)*. Que pensez-vous des choses suivantes? Exprimez votre opinion en utilisant une expression de doute ou de certitude, et le passé du subjonctif ou le passé composé de l'indicatif.

MODÈLE: les Vikings / découvrir l'Amérique?
Je doute que les Vikings aient découvert l'Amérique.
(Je suis sûr(e) que les Vikings ont découvert l'Amérique.)

1. les Égyptiens / utiliser l'électricité?
2. Dracula / exister?
3. un écrivain inconnu *(unknown)* / écrire les pièces *(plays)* de Shakespeare?
4. des navigateurs romains / explorer l'Amérique du Sud?
5. des extra-terrestres / venir sur la Terre?
6. des ingénieurs russes / inventer la bombe atomique?
7. un agent soviétique / assassiner le président Kennedy?

Entre nous

Interactions

Quand on demande quelque chose à quelqu'un, cette personne exige souvent quelque chose de vous. Exprimez ces interactions entre les personnes suivantes. Pour cela, utilisez les verbes et expressions de cette leçon ... et votre imagination.

MODÈLE: le candidat / le public
Le candidat veut que le public vote pour lui.
Le public souhaite que le candidat défende ses intérêts.

1. le professeur / les étudiants
2. les électeurs / le président
3. le patron / les employés
4. le médecin / les patients
5. le chef d'orchestre / les musiciens
6. les parents / les enfants
7. les Américains / les Russes
8. les hommes / les femmes

Situations

Les personnes suivantes ne sont pas d'accord. Pour chaque personne, imaginez trois arguments en utilisant les verbes et les expressions de la lęcon.

MODÈLE: Monsieur Camus n'est pas satisfait du micro-ordinateur qu'il vient d'acheter. Il va se plaindre au vendeur qui le lui a vendu. (Monsieur Camus / le vendeur)

Monsieur Camus: *Je crains que votre micro-ordinateur ne fonctionne pas.*
Je suis étonné que vous vendiez des produits de mauvaise qualité.
J'exige que vous me remboursiez.

Le vendeur: *Je regrette que vous ne soyez pas satisfait de nos produits.*
Il est possible que vous n'utilisiez pas cette machine correctement.
Je ne suis pas sûr que vous ayez suivi les instructions.

1. Jean-Claude veut emprunter la voiture de ses parents. Son père refuse catégoriquement. (Jean-Claude / son père)
2. On va installer une centrale *(power plant)* nucléaire près de la ville où habitent Nathalie et Pierre. Nathalie est pour. Pierre est contre. (Nathalie / Pierre)
3. Aux Nations Unies, les délégués des États-Unis et de l'Union soviétique s'accusent mutuellement d'impérialisme en citant des exemples. (le délégué américain / le délégué russe)
4. La secrétaire de Madame Brunot vient demander une augmentation. Madame Brunot s'étonne de cette demande et reproche à sa secrétaire d'être négligente dans son travail. La secrétaire est surprise par l'attitude de sa patronne et menace de partir. (la secrétaire / Madame Brunot)

Leçon 15 Le subjonctif (III)

A. Le subjonctif des verbes **pouvoir, savoir** et **vouloir**

B. L'usage du subjonctif après certaines conjonctions

C. Le subjonctif après un pronom relatif

A. Le subjonctif des verbes **pouvoir, savoir et vouloir**

The present subjunctive forms of **pouvoir, savoir,** and **vouloir** are irregular.

INFINITIVE		pouvoir	savoir	vouloir
PRESENT SUBJUNCTIVE	que je	puisse	sache	veuille
	que tu	puisses	saches	veuilles
	qu'il/elle/on	puisse	sache	veuille
	que nous	puissions	sachions	voulions
	que vous	puissiez	sachiez	vouliez
	qu'ils/elles	puissent	sachent	veuillent

➪ The subjunctive endings of **pouvoir, savoir,** and **vouloir** are regular.

- ♦ **Pouvoir** and **savoir** have one subjunctive stem.
- ♦ **Vouloir** has two subjunctive stems.

ENSEMBLE INSTRUMENTAL
"DIVERTISSEMENT"
Violon solo: JOSETTE ROUX
Direction: LOUIS-VINCENT BRUERE
HAENDEL - VIVALDI - MOZART

Activité 1 Doutes

Informez-vous sur les personnes suivantes. Ensuite, exprimez vos doutes sur ce qu'elles savent, peuvent ou veulent faire. Commencez vos phrases par **je doute que** et utilisez le subjonctif.

MODÈLE: Nicole est fatiguée! (Elle veut sortir ce soir?)
Je doute qu'elle veuille sortir ce soir.

1. Françoise a beaucoup de travail ce week-end! (Elle peut aller à la surprise-partie? Elle veut faire une promenade en auto?)
2. Mon cousin n'est pas doué *(gifted)* pour la mécanique! (Il sait réparer le téléviseur? Il peut réparer cette voiture? Il veut changer le moteur?)
3. Ces garçons ne sont pas très sportifs! (Ils savent faire de la planche à voile? Ils veulent jouer au tennis avec nous?)
4. Vous ne vous intéressez pas à l'actualité *(current events)*. (Vous savez la nouvelle? Vous pouvez répondre à cette question? Vous voulez aller à la conférence de presse?)
5. Tu n'es vraiment pas doué pour la musique! (Tu peux reconnaître cet opéra? Tu veux aller au concert? Tu sais jouer de la guitare?)
6. Oh là là, vos amis ne savent rien faire! (Ils peuvent vous aider? Ils veulent préparer le dîner? Ils savent faire la cuisine?)

B. L'usage du subjonctif après certaines conjonctions

Note the use of the subjunctive in the following sentences:

Je te prête mon auto
pour que tu ailles à la plage.
I am lending you my car
***so that you may go** to the beach.*

Nous allons téléphoner à Jacques
avant qu'il parte au Canada.
We are going to call Jacques
***before he leaves** for Canada.*

Je vais sortir
à moins qu'il fasse très mauvais.
I am going to go out
***unless the weather is** very bad.*

Nous allons étudier
bien que nous soyons fatigués.
We are going to study
***even though we are** tired.*

Je vais travailler
jusqu'à ce que j'aie fini.
I am going to work
until I have finished.

Nous allons voyager,
pourvu que nous ayons notre diplôme.
We are going to travel,
***provided that we have** our degree.*

The subjunctive is used after conjunctions that express:

- a purpose: **pour que**
- a restriction: **à moins que, bien que, pourvu que**
- a time limitation: **avant que, jusqu'à ce que**

In general, these conjunctions indicate an element of *uncertainty* since they introduce an event that may or may not take place.

➪ The indicative is used after conjunctions such as **pendant que** *(while),* **parce que** *(because),* **puisque** *(since),* **depuis que** *(since),* **après que** *(after),* which introduce *facts* considered as certain.

Je reste chez moi **parce que** je dois travailler.

Après que j'ai fini mon travail, je me suis reposé.

➪ The infinitive is used after propositions such as **pour, sans** *(without),* **avant de,** etc., when *there is no change of subject.* Compare:

SUBJUNCTIVE	INFINITIVE
Je te téléphone **pour que tu saches** la vérité.	Je te téléphone **pour savoir** la vérité.
Il est sorti **sans que nous lui disions** au revoir.	Il est sorti **sans dire** au revoir.
Nous voulons vous voir **avant que vous partiez.**	Nous voulons vous voir **avant de partir.**

À remarquer

The French tend to avoid the subjunctive construction with conjunctions such as **avant que, bien que, jusqu'à ce que.** When possible, the construction *preposition* + *noun* is preferred. Compare:

Je vais vous téléphoner **avant que vous partiez.**	Je vais vous téléphoner **avant votre départ.**
Cet homme a travaillé **jusqu'à ce qu'il meure.**	Cet homme a travaillé **jusqu'à sa mort.**
Bien qu'il fasse froid, ils sont restés dehors.	**Malgré le froid,** ils sont restés dehors.

Activité 2 Pourquoi?

Quand on fait quelque chose, c'est généralement dans un certain but *(goal).* Expliquez les motifs des personnes suivantes. Utilisez la construction **pour que** + *subjonctif* dans des phrases affirmatives ou négatives. Soyez logique!

MODÈLE: Je prête vingt francs à Philippe. Il va au cinéma?
Je prête vingt francs à Philippe pour qu'il aille au cinéma.

MODÈLE: Je vous explique cela. Vous faites des erreurs dans votre composition?
Je vous explique cela pour que vous ne fassiez pas d'erreurs dans votre composition.

1. Ma mère me donne de l'argent. Je fais les courses?
2. Je te prépare un bon café. Tu dors pendant l'examen?
3. Tu as parlé au professeur. Il t'écrit une lettre de recommandation?
4. Le professeur écrit des lettres de recommendation. Nous trouvons du travail?
5. Le dentiste vous a fait une piqûre *(shot).* Vous souffrez?
6. Lucien ouvre la porte. Son chien sort?
7. Je ferme la fenêtre. Vous avez froid?
8. Je te donne de l'aspirine. Tu as mal à la tête?
9. Marc a invité sa cousine. Je fais sa connaissance.
10. Je donne un bon pourboire *(tip)* tu garçon. Il nous sert comme des rois?

pour qu'un séjour à Paris soit (enfin) un séjour parisien.

GRAND HÔTEL, tél. : 260.33.50
2 rue Scribe 75009 PARIS, télex : 220875

Vocabulaire: Quelques conjonctions suivies du subjonctif

pour que	*so that*	Je te prête le journal **pour que** tu lises cet article.
avant que	*before*	Je veux vous parler **avant que** vous partiez.
sans que	*without*	Paul est entré **sans que** ses amis le voient.
à condition que	*on condition that, assuming that*	Je vais sortir avec toi, **à condition que** tu aies fini ton travail.
à moins que	*unless*	**À moins que** mes amis aient une voiture, nous n'allons pas sortir ce week-end.
bien que	*although*	**Bien que** je n'aie pas beaucoup d'argent, j'ai décidé de voyager.
pourvu que	*provided that*	Nous allons sortir, **pourvu qu'**il fasse beau.
jusqu'à ce que	*until*	Je vais rester en France **jusqu'à ce que** les vacances soient finies.
quoique	*although*	Je vais vous aider **quoique** je n'aie pas beaucoup de temps.
afin que	*so that, in order that*	Je te prête mon appareil-photo **afin que** tu prennes des photos.
de peur que	*for fear that*	Je répète la question **de peur que** vous n'ayez pas compris.
en attendant que	*while waiting for*	**En attendant que** vous veniez, j'ai continué à travailler.

Notes de vocabulaire

1. In literary French, **ne** is used with the verb after **à moins que, de peur que,** and **avant que.** In these cases, the **ne** has no negative value and no English equivalent.

   Je vous téléphonerai **avant que vous (ne) partiez.** *(...before you leave.)*

2. When there is no change of subject, the construction *conjunction + subjunctive* is replaced by the construction *preposition + infinitive* with the following prepositions:

pour	*(in order) to*	J'achète le journal **pour** lire cet article.
avant de	*before*	Je veux vous parler **avant de** partir.
sans	*without*	Paul est entré **sans** voir ses amis.
afin de	*in order to*	J'ai pris mon appareil-photo **afin de** prendre des photos.

   The infinitive construction can also be used with the prepositions **à condition de, à moins de, de peur de, en attendant de.**

3. The conjunctions **jusqu'à ce que, pourvu que,** and **bien que** are used even when there is no change in subject. There are no corresponding infinitive constructions.

Activité 3 Dépêchez-vous!

Dites aux personnes suivantes de se dépêcher. Utilisez la conjonction **avant que** et les expressions suggérées.

MODÈLE: Achète ton billet. Le bus va partir!
Achète ton billet avant que le bus parte!

1. Passe à la librairie. Elle va fermer!
2. Rentrons. Il va faire nuit!
3. Achète un manteau. Il va faire froid!
4. Prenez des photos. Le soleil va disparaître!
5. Ralentis! *(Slow down!)* La police va te voir!
6. Étudiez. Le professeur va se mettre en colère!
7. Nettoie ta chambre. Tes amis vont venir!
8. Faisons une pétition. On va construire une centrale *(power plant)* nucléaire!
9. Travaillons pour la paix dans le monde. Il est trop tard!

Activité 4 Une excursion en voiture!

Gérard a proposé à ses amis de faire une promenade en voiture. Jouez le rôle de Gérard.

MODÈLE: Nous allons faire une excursion. Il fait beau. (à condition que)
Nous allons faire une excursion à condition qu'il fasse beau.

1. Nous allons partir. Il y a trop de circulation. (avant que)
2. Je vais prendre de l'essence dans cette station-service. Elle est ouverte. (à condition que)
3. Je vais mettre la radio. Vous préférez regarder le paysage. (à moins que)
4. Je vais m'arrêter ici. Vous pouvez prendre des photos de ce village pittoresque. (pour que)
5. Nous pouvons déjeuner dans ce restaurant. Il n'est pas dans le Guide Michelin. (bien que)
6. Nous n'allons pas repartir. Vous avez bu un bon café. (sans que)
7. Nous allons visiter ce château. On peut le visiter. (pourvu que)
8. Vous pouvez prendre des photos. Le gardien vient. (en attendant que)
9. Je vais conduire. Je suis fatigué. (jusqu'à ce que)
10. Nous allons rentrer. Il n'y a pas de brouillard *(fog).* (à condition que)

Activité 5 Interactions

Nos actions nous concernent non seulement nous-mêmes. Souvent elles affectent ou dépendent d'autres personnes. Exprimez cela d'après le modèle.

MODÈLE: Monsieur Lamblet va passer une année au Mexique pour apprendre l'espagnol. (ses enfants)
Monsieur Lamblet va passer une année au Mexique pour que ses enfants apprennent l'espagnol.

1. Je vais téléphoner à la gare pour savoir l'heure du train. (vous)
2. Nous allons passer dans ce magasin pour acheter une valise. (tu)
3. Nous pouvons faire une excursion avec nos amis à condition d'avoir une auto. (ils)
4. Je vais rendre visite à Marie-Claude avant de partir en vacances. (elle)
5. Nous n'allons pas quitter Paris sans avoir visité le Louvre. (vous)
6. Nous allons nous arrêter dans ce café afin de boire le vin du pays. (tu)
7. Jacques est arrivé tôt à l'aéroport de peur de rater son avion. (sa sœur)
8. Nous pouvons déjeuner ici en attendant de partir. (le train)

Activité 6 Stratégie

Madame Bellamy dirige une entreprise de parfumerie. Tous les mois, elle réunit son état-major *(staff)* pour discuter la stratégie de son entreprise. Jouez le rôle de Madame Bellamy en complétant les phrases suivantes. Attention: Certaines conjonctions sont suivies du subjonctif; les autres sont suivies de l'indicatif.

1. Je vous ai demandé de venir pour que... (nous / revoir la situation de l'entreprise)
2. Nos ventes progressent bien que... (la situation économique générale / n'être pas très bonne)
3. Nos exportations vers les États-Unis augmentent depuis que... (le franc / avoir été dévalué)
4. J'ai contacté notre agence de New York afin que... (elle / faire de la publicité pour nos produits à la télévision)
5. Nous devons développer de nouveaux produits sans que... (nos concurrents [*competitors*] / le savoir)
6. Pour financer ces produits, je vais emprunter au Crédit Lyonnais pendant que... (les taux [*rates*] d'intérêt / être bas)
7. Nous allons réussir dans notre programme à condition que... (vous / faire un effort supplémentaire)
8. J'ai l'intention de vous récompenser pourvu que... (nous / obtenir des résultats suffisants)
9. Pour ma part, je vais continuer à travailler jusqu'à ce que... (notre entreprise / être la première parfumerie mondiale)
10. Nous allons atteindre cet objectif parce que... (nos produits / être les meilleurs)

C. Le subjonctif après un pronom relatif

In the sentences on the left, the speaker is referring to people or things that exist. In the sentences on the right, the speaker is referring to people or things that may or may not exist. Compare the use of the subjunctive and indicative moods in these sentences.

INDICATIVE	SUBJUNCTIVE
Monsieur Durand a un secrétaire **qui sait** l'anglais.	Monsieur Durand cherche un secrétaire **qui sache** le japonais.
Je connais un hôtel **qui est** très confortable.	Connaissez-vous un hôtel **qui soit** bon marché?
Il y a un film **que les enfants peuvent** regarder.	Est-ce qu'il y a un film **que les enfants puissent** comprendre?
J'ai un instrument **avec lequel** *(which)* **tu peux** réparer ta moto.	Je n'ai pas d'instrument **avec lequel tu puisses** réparer ton auto.
Je cherche le magazine **où il y a** des bandes dessinées.	Je cherche un magazine **où il y ait** des mots croisés faciles.

Both the *indicative* and the *subjunctive* may be used after a relative pronoun (**qui, que, lequel, où**). The choice between these two moods depends on what the speaker has in mind.

- The *indicative* is used to refer to people or things whose existence is *certain.*
- The *subjunctive* is used to refer to people or things whose existence is still *uncertain* in the mind of the speaker.

Je cherche la personne **qui va** à Paris.	(This person does exist. In fact, I saw her buying her ticket.)
Je cherche une personne **qui aille** à Paris.	(Although many people are at the airport, I am not sure if there is anyone going to Paris.)

À remarquer

In general, the subjunctive is used in a relative clause preceded by **le premier, le dernier, le seul,** a *superlative* construction, or a negative expression such as **personne** or **rien.** This is because these expressions convey *feelings, emotions, judgments, or doubts* on the part of the speaker.

The indicative is used, however, when the speaker is describing a definite *fact.* Compare:

Paris est la plus belle ville **que j'aie visitée.**	(This is my own opinion, but other people may have different opinions.)
Paris est la plus grande ville **que j'ai visitée** cet été.	(This is a fact. I did not visit New York, Tokyo, or any other larger cities.)

Activité 7 Offres d'emploi

Vous travaillez comme chef du personnel dans une entreprise française. Vous cherchez des employés qui ont certaines qualifications. Préparez les offres d'emploi que vous voulez mettre dans un journal professionnel. Commencez chaque phrase par **nous cherchons.**

MODÈLE: une secrétaire / elle sait l'anglais
Nous cherchons une secrétaire qui sache l'anglais.

1. deux vendeurs / ils savent l'allemand
2. un comptable / il sait programmer un micro-ordinateur
3. un directeur financier / il connaît les méthodes modernes de gestion *(management)*
4. des employés / ils ont un diplôme de technicien supérieur
5. un mécanicien / il sait réparer les tracteurs
6. deux ingénieurs / ils peuvent prendre en charge la production de notre usine *(factory)*
7. un représentant *(sales representative)* / il veut passer un an au Japon
8. un jeune cadre / il peut assister le vice-président

Nous cherchons pour organisme industriel

jeune technicien ou ingénieur

de nationalité suisse, connaissant parfaitement le français, l'allemand et l'anglais.
Poste intéressant dans le domaine technico-commercial.
Excellentes conditions de salaire.
Faire offres manuscrites avec curriculum vitae, références et photo à :
GESPLAN S.A., 15, bd Helvétique, 1207 Genève.

18-4686

Secrétaire de direction

PMI - Banlieue Sud (R.E.R.)

Ce poste, très polyvalent, implique la connaissance de l'Anglais et la pratique acquise en milieu industriel de tâches administratives et de gestion très variées.
Merci d'adresser votre C.V., lettre manuscrite, photo et prétentions, sous la référence 1403, à M. FONLLADOSA, 7 rue de Logelbach 75017 Paris.

Activité 8 Au bureau de tourisme

Vous travaillez en France dans un bureau de tourisme. Des touristes demandent aux employés s'ils connaissent certains endroits ou certaines personnes. Les employés répondent affirmativement. Jouez les deux rôles.

MODÈLE: un hôtel (être confortable)
Le/la touriste: *Connaissez-vous un hôtel qui soit confortable?*
L'employé(e): *Bien sûr, je connais un hôtel qui est confortable.*

1. un hôtel (être bon marché)
2. un hôtel (avoir une piscine)
3. une librairie (vendre le plan de la ville)
4. un restaurant (servir les spécialités régionales)
5. une banque (prendre les chèques de voyage)
6. une famille (prendre des pensionnaires [*boarders*])
7. un guide (connaître bien la ville)
8. un guide (comprendre le japonais)
9. un cinéma (faire des réductions aux étudiants)
10. un mécanicien (savoir réparer les voitures de sport)

Activité 9 Et vous?

Indiquez vos préférences. Pour cela, complétez les phrases avec le pronom **qui** et la caractéristique entre parenthèses qui vous semble la plus importante.

MODÈLE: J'aimerais avois des amis... (être brillants? être sincères? me comprendre?)
J'aimerais avoir des amis qui soient sincères (qui soient brillants, qui me comprennent).

1. Je voudrais avoir une voiture... (être confortable? aller vite? consommer peu?)
2. Je voudrais avoir un chien... (obéir? être intelligent? garder ma maison?)
3. Je voudrais avoir des professeurs... (être brillants? donner de bons conseils? donner des examens faciles?)
4. Ce week-end je voudrais sortir avec une personne... (avoir le sens de l'humour? savoir danser? vouloir bien m'inviter au restaurant?)
5. Plus tard, je voudrais vivre dans une maison... (avoir une piscine? être très confortable? avoir une belle vue?)
6. J'aimerais avoir un travail... (être intéressant? payer bien? offrir des possibilités d'avancement?)
7. J'aimerais avoir un patron/une patronne... (être intelligent(e)? n'être pas trop strict(e)? respecter mes idées?)
8. Un jour, j'espère me marier avec quelqu'un... (aimer les enfants? savoir faire la cuisine? avoir les mêmes opinions que moi?)

Entre nous

À votre tour

Complétez les phrases suivantes avec des idées personnelles.

1. Si je veux réussir dans la vie, il faut que je...
2. Je souhaite que mes amis...
3. Si nous voulons la paix *(peace),* il est essentiel que...
4. Je suis heureux (heureuse) que...
5. Je suis optimiste (pessimiste) parce que...
6. Je suis sûr(e) que... mais je doute que...
7. Il est dommage que...
8. Je voudrais avoir des responsabilités pour (pour que)...
9. Aujourd'hui, il y a trop de gens qui...
10. J'aimerais connaître des gens qui...

Contextes

Les phrases suivantes font partie de différentes conversations. Imaginez le contexte de ces conversations dans un petit paragraphe.

MODÈLE: «D'accord, mais à condition que tu sois prudent!»
Jean-Claude a promis à Isabelle de faire une promenade en voiture avec elle. Malheureusement sa voiture est chez le mécanicien. Il demande à son père s'il peut emprunter la voiture familiale. Son père accepte mais sous une certaine condition...

1. «D'accord! À condition que vous veniez avec moi!»
2. «Bien que ce soit dimanche, il faut que j'aille au bureau!»
3. «Je veux bien pourvu que ce ne soit pas trop cher.»
4. «Au revoir et à samedi...à moins évidemment qu'il fasse mauvais!»
5. «Il faut finir cela avant qu'il fasse nuit!»
6. «Nous cherchons des gens qui puissent nous aider.»
7. «Je cherche quelqu'un qui sache comment fonctionne cette machine!»
8. «Connaissez-vous un hôtel qui soit confortable et bon marché?»

Constructions, expressions et locutions

1. Quelques expressions pour exprimer son opinion
2. Le subjonctif dans les propositions indépendantes

1. Quelques expressions pour exprimer son opinion

à mon avis	*in my opinion*	**À mon avis,** il est utile de parler plusieurs langues.
selon d'après	*according to*	**Selon** les médecins, le sport est bon pour la santé. **D'après** eux, il faut faire des exercices tous les jours.
en réalité	*actually*	Pierre a dit qu'il a étudié mais **en réalité** il n'a rien fait.
en fait	*as a matter of fact, in fact*	**En fait,** il est allé voir un film avec ses amis.
en effet	*as a matter of fact, indeed*	Nous l'avons rencontré **en effet** au cinéma.
en tout cas	*in any case, at any rate*	**En tout cas,** il n'était pas chez lui hier.
en outre	*besides, moreover*	**En outre,** il n'est pas rentré avant minuit.
cependant	*nevertheless, still, however*	Janine dit qu'elle m'a écrit. **Cependant,** je n'ai pas reçu sa lettre.
pourtant	*nevertheless, however*	Véronique n'est pas riche. **Pourtant,** elle prête de l'argent à ses amis.
néanmoins	*nevertheless, nonetheless*	Dans ce film espagnol, les acteurs parlaient très vite. **Néanmoins,** nous avons compris.
toutefois	*nevertheless*	Je n'ai pas beaucoup de temps. **Toutefois,** je vais vous aider.
quand même	*nevertheless, however*	Vous n'avez pas étudié mais **quand même** vous avez réussi à l'examen.
d'un côté	*on the one hand*	**D'un côté,** ma sœur est généreuse.
de l'autre côté	*on the other hand*	**De l'autre côté,** elle ne prête jamais sa voiture.
par contre	*on the other hand, however*	Je ne peux pas venir chez vous demain. **Par contre,** je peux passer samedi.
de plus	*besides, moreover*	Apprendre une langue étrangère est amusant. **De plus,** c'est utile.
du reste	*besides, moreover*	**Du reste,** beaucoup de compagnies aujourd'hui exigent la connaissance de plusieurs langues.
d'ailleurs	*besides, moreover*	Moi, **d'ailleurs,** je suis des cours d'anglais commercial.
par ailleurs	*on the other hand*	**Par ailleurs,** je parle déjà italien et espagnol.

par conséquent	*therefore, consequently*	J'ai beaucoup de travail. **Par conséquent,** je ne peux pas sortir.
malgré cela	*in spite of that, nevertheless*	**Malgré cela,** je vais inviter quelques amis après le dîner.
malgré tout	*in spite of everything, after all*	**Malgré tout,** on doit s'amuser un peu, n'est-ce pas?

2. Le subjonctif dans les propositions indépendantes

The subjunctive is sometimes used in independent (that is, free-standing) clauses. Note its uses in the following sentences:

REQUEST

Qu'ils **entrent**!	***Have*** *them* ***come in!***
Que la musique **continue**!	***May*** *the music* ***play on!***
Que les jeunes mariés **s'embrassent**!	***Let*** *the newlyweds* ***kiss each other!***

WISH

Qu'ils **soient** heureux!	***May*** *they* ***be*** *happy!*
Que la chance les **aide**!	***May*** *good luck* ***be*** *with them!*

The subjunctive is sometimes used after **que** in independent clauses to express a request or wish. Note that when used to express a request, the subjunctive clause is equivalent to an imperative construction.

- ♦ In clauses of this type, the subjunctive occurs only in the **il/ils** forms.
- ♦ The subjunctive may also occur in an independent clause after **pourvu que** *(let's hope that).*

Pourvu qu'il fasse beau demain!	***Let's hope that*** *the weather is nice tomorrow!*
Pourvu que vous ayez de la chance!	***Let's hope that*** *you will be lucky!*

Unité 4

Adjectifs, adverbes, expressions indéfinies et négatives

Café Terrace at Night, plate 10 from *Paysages et Intérieurs* lithograph by Jean-Édouard Vuillard, 1899. The Museum of Modern Art, New York, Gift of Abby Aldrich Rockefeller.

Leçon 16 Les adjectifs; le comparatif et le superlatif

A. Quelques adjectifs irréguliers
B. Le comparatif des adjectifs
C. Le superlatif des adjectifs
D. Le comparatif et le superlatif avec les noms

A. Quelques adjectifs irréguliers

For most adjectives, the feminine form is obtained by adding an **-e** to the masculine form. Some common irregular patterns were presented in **leçon préliminaire** 4. Here are some less common irregular patterns.

-s → -sse

bas	**basse**	*low*
gros	**grosse**	*big, fat*
gras	**grasse**	*fat, fatty*
épais	**épaisse**	*thick*

-x → -sse

roux	**rousse**	*redhaired*
faux	**fausse**	*false*

-x → -ce

doux	**douce**	*soft, mild, gentle, sweet*

-il → -ille

gentil	**gentille**	*nice, kind*
pareil	**pareille**	*similar*

-s, -c → -che

frais	**fraîche**	*fresh, cool*
blanc	**blanche**	*white*
franc	**franche**	*frank*
sec	**sèche**	*dry*

-c → -que, -cque

public	**publique**	*public*
turc	**turque**	*Turkish*
grec	**grecque**	*Greek*

-g → -gue

long	**longue**	*long*

-ou → -olle

fou	**folle**	*crazy*
mou	**molle**	*soft, slack, flabby*

⇨ Note also: **favori** **favorite** favorite

Activité 1 Le contraire

Refaites les phrases suivantes affirmativement. Pour cela, utilisez un adjectif irrégulier de sens contraire.

MODÈLE: Cette veste n'est pas noire.
Elle est blanche.

1. Cette robe n'est pas courte.
2. Cette femme n'est pas hypocrite.
3. Cette altitude n'est pas élevée.
4. Ces photos ne sont pas différentes.
5. Cette histoire n'est pas vraie.
6. Cette feuille de papier n'est pas mince *(thin)*.
7. Cette Cadillac n'est pas une petite voiture.
8. Au Sahara l'atmosphère *(f)* n'est pas humide.
9. Ces personnes ne sont pas rationnelles.
10. Cette plage n'est pas privée.

Activité 2 Définitions

Lisez les phrases suivantes et complétez-les avec l'adjectif irrégulier qui convient.

1. Ma cousine dit toujours la vérité. Elle est...
2. Meryl Streep est l'actrice que je préfère. C'est mon actrice...
3. Fatima habite à Istanbul. Elle est...
4. Hélène est née à Athènes. Elle est...
5. Cette fille aide ses amis. Elle est...avec eux.
6. Au printemps, les températures ne sont pas très froides. Elles sont...
7. La margarine et le beurre sont des produits riches en lipides *(fats)*. Ce sont des matières...
8. Quand la glace n'est pas mise au réfrigérateur, elle devient...

B. Le comparatif des adjectifs

Comparative constructions are used to compare people or things on a one-to-one basis. Note the forms of these constructions with adjectives.

André est **plus intelligent qu'**Éric.	*André is **more intelligent than** Eric.* *André is **smarter than** Eric.*
Mais il est **moins sportif que** lui.	*But he is **less athletic than** he.*
Je suis **aussi travailleur que** toi.	*I am **as hardworking as** you.*
Vous n'êtes pas **aussi sérieux qu'**avant.	*You are not **as serious as** before.*

The comparative forms of adjectives follow the pattern:

(+) **plus** (−) **moins** (=) **aussi**	+ adjective + **que** +	noun stress pronoun adverb

- The adjectives in comparative constructions agree with the nouns or pronouns they modify. Note that the second element of the comparison (**que** + noun/pronoun) is often not expressed.

  Voici un garçon **sérieux.** Voici des filles **plus sérieuses.**

- The comparative (**plus** form) of **bon/bonne** is **meilleur/meilleure.**

  Ce vin de Californie est **bon,** mais ce vin français est **meilleur.**

  but: Ce vin italien est **moins bon.**

- The position of adjectives in a comparative construction is the same as in a regular construction. For emphasis, however, adjectives that usually come before the noun may be placed after the noun in a comparative construction.

  Voici une **petite** voiture. Voici une voiture **plus petite.**

À remarquer

1. The adverbs **beaucoup** or **bien** can be used to reinforce a comparative construction.

   Aujourd'hui les voitures sont **beaucoup plus économiques** qu'avant, mais elles sont **bien moins solides.**

2. A comparative construction may be followed by **que** + *clause.* In such a construction, **si** may replace **aussi** when the verb is negative.

   Vous êtes plus sérieux **que je pensais.**

   Vous n'êtes pas **si** malheureux **que vous pensez.**

Activité 3 Ah, le bon vieux temps!

Monsieur Ladoux a passé toute sa vie dans le même village. Il se souvient du bon temps de sa jeunesse où tout était meilleur qu'aujourd'hui. Jouez le rôle de Monsieur Ladoux. Soyez logique!

MODÈLE: l'air / pur?
Autrefois l'air était plus pur.

1. la vie / simple?
2. les rivières / polluées?
3. les produits agricoles / bons?
4. les jeunes / travailleurs?
5. les gens / préoccupés par l'argent?
6. les relations entre les gens / bonnes?
7. la société / matérialiste?
8. les problèmes de l'existence / sérieux?

Activité 4 À votre avis

Comparez les choses ou les personnes suivantes en utilisant les adjectifs entre parenthèses. Mettez ces adjectifs à la forme qui convient.

MODÈLE: l'Alaska: le Texas (grand)
L'Alaska est plus grand que le Texas.

1. l'hiver: le printemps (froid / agréable)
2. l'amitié: l'amour (important / difficile / durable)
3. les relations *(connections)*: l'argent (utile / nécessaire / superflu)
4. l'eau minérale: l'eau ordinaire (cher / naturel / bon)
5. les voitures françaises: les voitures américaines (petit / confortable / cher / économique / aérodynamique / bon)
6. les Américains: les Français (indépendant / sportif / cultivé / élégant)
7. les femmes: les hommes (généreux / intuitif / impulsif / patient / franc / indépendant / réaliste)
8. ma mère: mon père (optimiste / idéaliste / généreux / gentil)

SUPPLÉMENT PUBLIÉ
LE 31 AOÛT 1980

AUTOMNE
HIVER

PUBLICITÉ SEULEMENT
RENSEIGNEMENTS ET RÉSERVATIONS
LOCAL: Phil. Laurier, 382-8800 / NATIONAL: Gérald Dufour, 382-1317

C. Le superlatif des adjectifs

Superlative constructions are used to compare people or things with the rest of a group. Note the forms of these constructions with adjectives.

Le 21 juin est **le jour le plus long** de l'année. — *June 21 is **the longest day** of the year.*

La Californie est l'état **le plus peuplé** des États-Unis. — *California is **the most populated** state in the United States.*

Pierre et Marc sont les garçons **les moins sérieux** de la classe. — *Pierre and Marc are **the least serious** students in the class.*

The superlative forms of adjectives follow the pattern:

> **le/la/les** + {**plus** / **moins**} + adjective (+ **de** + noun)

- After a superlative construction, the preposition **de** is used to introduce the reference group.

  Est-ce que Paris est la plus belle ville **du monde?** — *Is Paris the most beautiful city **in the world?***

- The superlative (**plus** form) of **bon/bonne** is **le meilleur/la meilleure.**

  C'est une **bonne** actrice. — C'est **la meilleure** actrice.

- In a superlative construction, the position of the adjective (before or after the noun) is usually the same as in a regular construction.

  Montréal est une **grande** ville. — C'est **la plus grande** ville du Canada.

  C'est une ville **cosmopolite.** — C'est la ville **la plus cosmopolite.**

  Note that when the superlative adjective comes before the noun, the definite article can be replaced by a possessive or a demonstrative adjective.

  Nathalie est **la** meilleure amie de Christine.

  C'est aussi **ma** meilleure amie.

À remarquer

A superlative construction can be followed by a relative clause (introduced by **qui, que, où...**). In such a construction, the verb is usually in the *subjunctive.* This is because the use of a superlative often implies an opinion, a judgment, or an emotion on the part of the speaker.

Paris est **la plus belle** ville que je **connaisse.**
(This is my opinion. Other people may have different ideas.)

- When the speaker wants to state a fact in an objective manner, however, the indicative is used.

  Paris est **la plus grande** ville que **j'ai visitée** cet été.
  (This is a fact. I did not visit any other large cities.)

Activité 5 Comparaisons

Comparez les choses suivantes. Donnez à chacune son importance relative, d'après le modèle. Exprimez votre opinion personnelle.

MODÈLE: (la France / le Canada / les États-Unis): un pays intéressant
Les États-Unis sont un pays intéressant.
Le Canada est un pays plus intéressant.
La France est le pays le plus intéressant.

1. (New York / San Francisco / la Nouvelle Orléans): une belle ville
2. (le platine / l'argent / l'or): un métal précieux
3. (la santé / l'argent / l'amour): une chose importante
4. (l'inflation / le chômage [*unemployment*] / l'injustice): un problème dangereux
5. (le courage / l'honnêteté / la générosité): une qualité importante
6. (les Yankees / les Orioles / les Indiens): une bonne équipe

Activité 6 Oui ou non?

Lisez les descriptions suivantes. Pour chaque chose, dites si elle représente le sommet dans sa catégorie.

MODÈLE: Paris est une grande ville. (le monde)
Paris n'est pas la plus grande ville du monde.

1. Le Connecticut est un petit état. (les États-Unis)
2. Le mont Everest est un sommet élevé. (l'Asie)
3. La France est un pays prospère. (l'Europe)
4. Mars est un mois froid. (l'année)
5. La tour Eiffel est un haut monument. (Paris)
6. Les Yankees sont une bonne équipe. (la Ligue américaine)
7. Raphaël et Michel-Ange étaient des peintres inspirés. (leur génération)
8. Picasso est un artiste célèbre. (le vingtième siècle [*twentieth century*])
9. Meryl Streep est une bonne actrice. (notre époque)

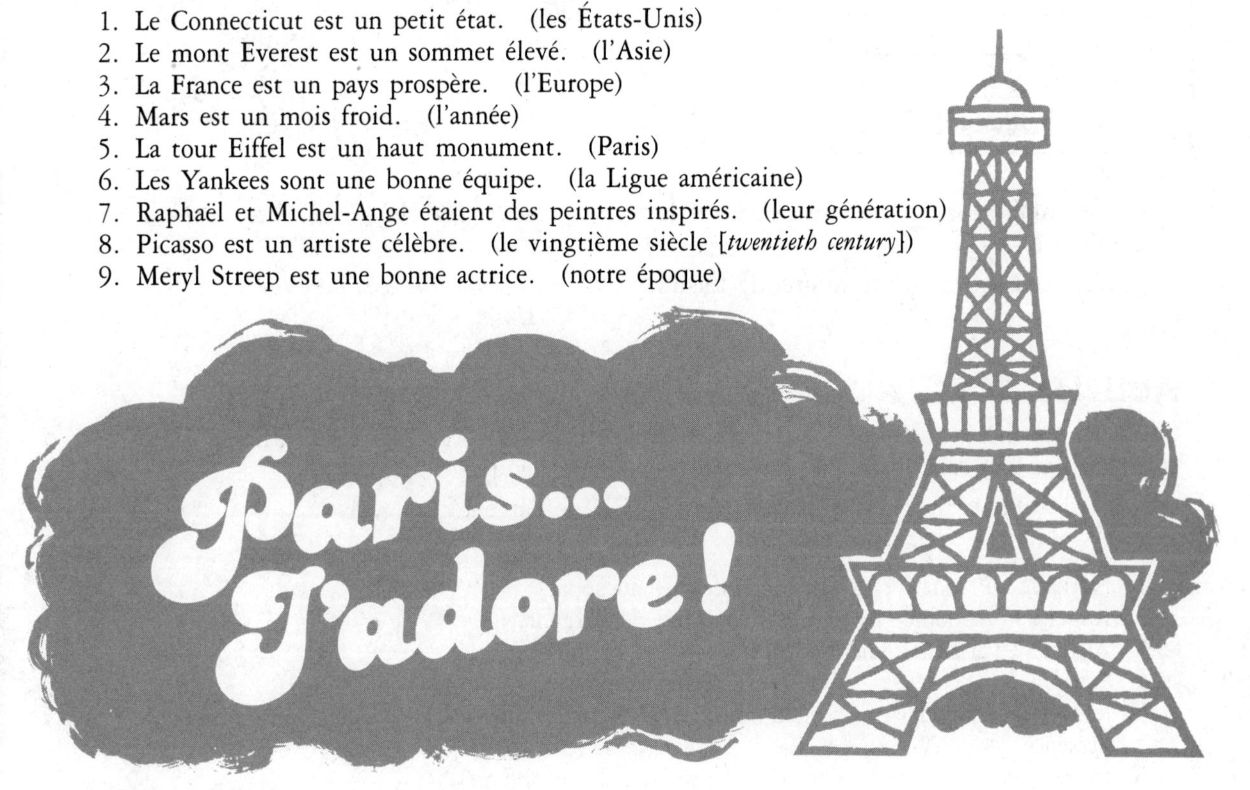

D. Le comparatif et le superlatif avec les noms

Comparative and superlative constructions can also be used with nouns.

Comparative constructions with nouns are formed according to the pattern:

(+) **plus de** (−) **moins de** (=) **autant de**	+ noun + **que** +	noun stress pronoun adverb

J'ai **plus de travail que** Paul. — *I have **more work than** Paul.*

Et j'ai **moins de loisirs que** lui. — *And I have **less free time than** he (does).*

Je fais **autant d'efforts qu'**avant, mais je ne fais pas **autant de progrès.** — *I make **as much effort as** before, but I don't make **as much progress.***

⇨ In such constructions, there is no article before the noun.

J'ai **du** travail. — J'ai plus **de** travail que toi.

Tu fais **des** efforts. — Tu fais moins **d'**efforts que moi.

Superlative constructions with nouns are formed according to the pattern:

le plus de **le moins de**	+ noun (+ **de** + noun)

C'est moi qui ai **le plus de travail** de la classe. — *I am the one who has **the most work** in the class.*

C'est nous qui avons **le moins de loisirs.** — *We are the ones who have **the least free time.***

Activité 7 C'est évident!

Comparez les choses ou les personnes suivantes en utilisant l'adjectif entre parenthèses. Faites une autre comparaison en utilisant la phrase qui suit. Soyez logique!

MODÈLE: Jacques (+ pauvre) Annie / Il a de l'argent.
Jacques est plus pauvre qu'Annie. Il a moins d'argent.

1. Nathalie (+ sportive) Philippe / Elle fait du sport.
2. Roger (+ économe) Antoine / Il dépense de l'argent.
3. Albert (= brillant) Thérèse / Il a des idées originales.
4. Suzanne (− heureuse) Sylvie / Elle a des problèmes.
5. les voitures japonaises (+ économiques) les voitures américaines / Elles consomment de l'essence.
6. le français (− facile) l'espagnol / Il présente des problèmes.

Activité 8 Questions personnelles

1. À votre avis, qui est l'actrice la plus intelligente? l'acteur le plus drôle? l'acteur qui a le plus de talent? l'actrice qui a le plus de succès? le meilleur chanteur? la meilleure chanteuse?
2. Quel est le meilleur film que vous ayez vu récemment? la meilleure pièce de théâtre? l'événement sportif le plus intéressant? Pourquoi?
3. Quel est le programme de télé le plus intéressant? le moins intéressant? Quel est le jeu vidéo le plus difficile? le moins drôle?
4. Aujourd'hui, qui est le meilleur joueur de tennis? la meilleure joueuse? la meilleure équipe de football américain? les meilleurs joueurs de baseball?
5. Quel est le meilleur sport pour la santé? le sport le plus spectaculaire? le sport le moins violent?
6. Selon vous, quel est le meilleur restaurant de votre ville? le restaurant le moins cher? le restaurant qui a le plus d'ambiance *(atmosphere)*?
7. Quels sont les magasins les moins chers? les magasins qui offrent la meilleure qualité? les magasins les plus populaires?

Entre nous

Situations

Imaginez un débat entre les personnes suivantes. Chaque personne présente les avantages de sa situation dans un petit paragraphe en utilisant le comparatif ou le superlatif. Si vous voulez, vous pouvez faire des phrases avec les noms entre parenthèses.

MODÈLE: Jacqueline habite dans le Sud. Robert habite dans le Nord.
(le climat / la vie / les gens)
Jacqueline: *Dans le Sud le climat est moins froid. En hiver, il fait beaucoup plus doux. La vie est plus facile. Les gens sont... Il y a plus de... Il y a moins de...*
Robert: *Oui, mais dans le Nord, le climat est peut-être plus froid, mais il est plus sain* (healthy)...

1. Antoine habite en ville. Sylvie habite à la campagne.
(l'air / la pollution / les gens / les relations humaines / les possibilités de loisirs)
2. Henri va passer un an en France. Béatrice va passer un an au Mexique.
(le climat / la mode de vie / l'environnement / la cuisine / les loisirs / le confort / les gens)
3. Gilbert a une Renault. Alice a une Jaguar.
(les performances / le confort / le prestige / la consommation d'essence / les frais d'entretien [*upkeep*])
4. Cet été, Nicole va faire du camping dans les Alpes. Daniel va aller chez ses cousins en Bretagne.
(le confort / l'exercice / la possibilité de rencontrer des gens / les risques)

À votre tour

1. Avec le temps, beaucoup de choses changent. Comparez votre existence d'aujourd'hui avec votre existence d'il y a deux ou trois ans. Dites pourquoi elle est plus intéressante et pourquoi elle est moins intéressante. Si vous voulez, vous pouvez considérer les éléments suivants:

   le travail / les loisirs / les amis / l'argent / les responsabilités / les relations avec les parents / les études

   MODÈLE: *En général, ma vie est plus intéressante qu'avant. J'ai moins d'amis, mais mes amis sont plus sincères et plus généreux...*

2. Indiquez vos préférences dans les domaines suivants et expliquez pourquoi:

   les sports / les sujets d'étude / les loisirs / le genre de musique / le mode de transport / la ville / la région / la profession

   MODÈLE: *Mon sport préféré est le tennis. Il est peut-être moins spectaculaire que le football ou le hockey, mais il est moins violent...*

Leçon 17 Les adverbes

A. Les adverbes: introduction
B. Les adverbes de manière en *-ment*
C. La position des adverbes aux temps simples
D. La position des adverbes aux temps composés
E. Le comparatif et le superlatif des adverbes

A. Les adverbes: introduction

Adverbs are invariable words or groups of words that generally answer the questions *how?* (adverbs of manner), *when?* (adverbs of time), *where?* (adverbs of place), *how much?* (adverbs of quantity).

(manner)	Tu cours **vite**.	*You run **fast**.*
(time)	Je me lève **tôt**.	*I am getting up **early**.*
(place)	Nous habitons **là-bas**.	*We live **over there**.*
(quantity)	Vous n'étudiez pas **assez**.	*You do not study **enough**.*

À remarquer

In the preceding sentences, the adverbs modify a verb. An adverb can also modify an adjective or another adverb.

Vous êtes **très** bon en français. Vous parlez **très** bien.

Vocabulaire: Quelques adverbes

ADVERBS OF MANNER

bien	*well*	**ensemble**	*together*
mal	*badly, poorly*	**vite**	*fast, quickly*

ADVERBS OF PLACE

ici	*here*	**près**	*near*
là	*there*	**loin**	*far*
là-bas	*over there*	**à l'intérieur**	*inside*
ailleurs	*elsewhere*	**dehors**	*outside, out*
partout	*everywhere*		

ADVERBS OF TIME

aujourd'hui	*today*	**aussitôt**	*at once*
hier	*yesterday*	**tout de suite**	*right now, immediately*
demain	*tomorrow*	**bientôt**	*soon*
tôt	*early*	**déjà**	*already*
tard	*late*	**à nouveau**	*again*
avant	*before*	**encore**	*again, still, another time*
après	*after, afterward*		
maintenant	*now*	**d'abord**	*first, at first*
autrefois	*in the past*	**ensuite**	*then, after*
quelquefois	*sometimes*	**alors**	*then*
souvent	*often*	**enfin**	*at last, finally*
longtemps	*for a long time*		
toujours	*always*		

ADVERBS OF QUANTITY

peu	*little, not much*	**tant**	*so much, that much*
assez	*enough*	**tellement**	*so much, that much*
beaucoup	*a lot, very much*	**plus**	*more*
trop	*too much*	**davantage**	*more*
suffisamment	*enough*	**moins**	*less*
énormément	*a lot*		

ADVERBS OF RESTRICTION

presque	*almost*	**seulement**	*only*
peut-être	*maybe, perhaps*	**à peine**	*hardly, scarcely*

Notes de vocabulaire

The expressions **presque pas** and **presque jamais** correspond to *hardly* and *hardly ever.*

Il ne pleut **presque pas.** — *It is* ***hardly*** *raining.*

Il ne se trompe **presque jamais.** — *He* ***hardly ever*** *makes a mistake.*

Activité 1 La vie de Bernard Masson

Complétez le texte avec les adverbes suivants:

ailleurs / autrefois / bien / bientôt / dehors / encore / ensemble / ensuite / longtemps / maintenant / presque / tard / tôt

Bernard Masson a vécu ___ à New York. Voilà pourquoi il parle très ___ anglais. Il travaille comme interprète. ___ il travaillait pour les Nations Unies. ___ il travaille pour l'UNESCO à Paris.

Bernard Masson est un employé modèle. Il arrive ___ à son bureau le matin et il part ___ le soir. Regardez. Il est ___ neuf heures du soir et il travaille ___! Il espère obtenir ___ une promotion. Sinon, il va chercher du travail ___!

Le week-end Bernard Masson se repose. Il se lève ___. En général, il ne reste pas chez lui pour le déjeuner. Il déjeune ___. ___ il téléphone à une amie et ils vont ___ au cinéma.

B. Les adverbes de manière en *-ment*

Many adverbs of manner end in *-ment,* which corresponds to the English ending *-ly.* In each pair of sentences below, compare the adjective and the corresponding adverb in *-ment.*

Jacques est **loyal.**	Il agit **loyalement.**
Nathalie est **sérieuse.**	Elle étudie **sérieusement.**
Vous êtes **naïf.**	Vous répondez **naïvement.**

Adverbs in *-ment* are derived from adjectives according to the following pattern:

> feminine form of the adjective + *-ment*

spécial, **spéciale** → **spécialement**
calme, **calme** → **calmement**
but: gentil, **gentille** → **gentiment**
curieux, **curieuse** → **curieusement**
actif, **active** → **activement**

- If the feminine form ends in *vowel* + *e,* the final *-e* is dropped.

  vrai, **vraie** → **vraiment**   poli, **polie** → **poliment**

- Adjectives of two or more syllables ending in *-ent* and *-ant* have corresponding adverbs in *-emment* and *-ammant.*[1]

  récent → **récemment**
  évident → **évidemment**
  différent → **différemment**
  élégant → **élégamment**
  constant → **constamment**
  brillant → **brillamment**

- A few adverbs end in *-ément:*

  précis, précise → **précisément**
  énorme, énorme → **énormément**
  confus, confuse → **confusément**

À remarquer

Many English adverbs ending in *-ly* have no French equivalent ending in *-ment.* Such adverbs are often expressed in French by the construction **d'une façon** or **d'une manière** + *adjective.*

Cet artiste peint **d'une façon réaliste.** — *That artist paints* ***realistically.***

These constructions are often used in French even when a corresponding adverb in *-ment* does exist.

Cette jeune fille s'exprime **d'une manière très naturelle.**
Cette jeune fille s'exprime **très naturellement.**
— *That young woman expresses herself* ***very naturally.***

[1] These endings are pronounced /amɑ̃/, to rhyme with «amant».

Activité 2 À votre avis

Quand on fait quelque chose, on doit bien faire cette chose. Exprimez cela pour les personnes de la colonne A, en utilisant les verbes de la colonne B et les adverbes dérivés des adjectifs de la colonne C. Pour chaque personne faites deux phrases, une affirmative, l'autre négative. Soyez logique!

A	B	C	
les chauffeurs de taxi	agir avec (leurs) amis	dangereux	lent
les journalistes	traiter (leurs) employés	juste	égoïste
les patrons	présenter les faits	sévère	correct
les juges	défendre (leurs) idées	honnête	intelligent
les citoyens	traiter les criminels	généreux	stupide
le professeur	servir (leurs) clients	poli	calme
les commerçants	respecter la loi	rapide	objectif
les gens	parler français	doux	sec
je	conduire	patient	prudent
nous	agir		
tu	étudier		

MODÈLE: *Le professeur doit parler français lentement. Il ne doit pas parler français rapidement.*

Activité 3 Une question de personnalité

Informez-vous sur les personnes suivantes et dites comment elles agissent. Pour cela utilisez les verbes entre parenthèses avec les adverbes dérivés des adjectifs suggérés. Vos phrases peuvent être affirmatives ou négatives.

MODÈLE: Charles s'énerve. (agir / patient)
Il n'agit pas patiemment.

1. Tu prends trop de risques. (conduire: prudent, dangereux)
2. Vous vous dépêchez. (aller: rapide, lent)
3. J'aide mes amis. (agir: égoïste, généreux)
4. Henri a tendance à être pessimiste. (réagir: négatif, positif)
5. Caroline est une excellente étudiante. (répondre: brillant, intelligent)
6. Notre professeur est facile à comprendre. (parler: clair, confus)
7. Jacques est amoureux de Catherine. (aimer cette fille: fou, énorme)
8. Ces étudiants font attention. (écouter le professeur: attentif, distrait [*absent-minded*])
9. Pauline n'est pas comme tout le monde. (faire les choses: originale, différent)
10. Beaucoup de gens ne réfléchissent pas avant de prendre des décisions. (agir: imprudent, logique, rationnel)
11. Vous dites la vérité! (répondre: franc, sincère, hypocrite)
12. Monsieur Durand n'aime pas parler. (s'exprimer: sec, long, discret)

Vocabulaire: Quelques adverbes en *-ment*

heureusement	*fortunately*	**Heureusement,** Je suis arrivé à l'heure.
malheureusement	*unfortunately*	**Malheureusement,** nos amis sont arrivés en retard.
vraiment	*really*	**Vraiment,** nous n'avons pas eu de chance.
réellement	*really, actually*	**Réellement,** je n'ai pas le temps de vous parler.
habituellement	*usually*	**Habituellement,** nous sortons le samedi.
actuellement	*at present*	**Actuellement,** mes cousins sont en Suisse.
finalement	*finally, at last*	**Finalement,** vous avez compris!
seulement	*only, however*	Je voudrais voyager. **Seulement,** je n'ai pas d'argent.
autrement	*otherwise*	**Autrement,** tout va bien.
justement	*precisely, as a matter of fact*	Voilà François! **Justement,** j'allais lui téléphoner.
brusquement	*all of a sudden*	**Brusquement,** il a décidé de partir.

Notes de vocabulaire

1. The adverbs above are used to reinforce or modify the meaning of an entire sentence. As such, they usually come at the beginning of the sentence.
2. The meanings of some of these adverbs are distantly related to the adjectives from which they are derived.

   heureux *(happy)* → **heureusement** *(fortunately)*

Activité 4 Situations

Lisez les situations suivantes et complétez les phrases en utilisant votre imagination.

MODÈLE: Daniel s'est cassé la jambe en skiant. Vraiment...
Vraiment, il n'a pas de chance.

1. J'avais oublié que le professeur avait annoncé un examen pour ce matin. Heureusement...
2. Claire m'a invité au restaurant. Malheureusement...
3. La nuit dernière, je dormais tranquillement quand brusquement...
4. J'ai décidé d'aller en Suisse cet été. Seulement...
5. Tu me demandes ce que *(what)* je fais le samedi. Habituellement...
6. Nous avons attendu Jean-Claude pendant une heure. Finalement...
7. Élisabeth fait un voyage en Europe. Actuellement...
8. Tu me dis que tu viens de gagner à la loterie. Justement...
9. Il faut absolument que tu finisses le travail avant ce soir. Autrement...

C. La position des adverbes aux temps simples

In the sentences below, the adverbs in heavy print are modifying the verbs. Note the position of these adverbs.

Je vais **rarement** au cinéma.	*I **rarely** go to the movies.*
Nous parlons **toujours** français en classe.	*We **always** speak French in class.*
Pierre sort **souvent** le samedi.	*Pierre **often** goes out on Saturdays.*

In French, adverbs never come between the subject and the verb. Most adverbs come immediately after the verb in a simple tense.

♦ **bien, mal**	Marie joue **mal** au tennis.
♦ adverbs of quantity	Tu aimes **beaucoup** les sports.
♦ adverbs of manner in ***-ment***	Robert agit **calmement.**
♦ general adverbs of time	Nous allons **souvent** au cinéma.

➪ For emphasis, adverbs of manner in ***-ment*** and general adverbs of time may be placed at the end of the sentence.

Je vais **souvent** en ville.	*I **often** go downtown.*
Je vais en ville **souvent.**	***I often** go downtown.*
Répondez **franchement** à cette question.	*Answer this question **frankly**.*
Répondez à cette question **franchement.**	*Answer this question **frankly**.*

Certain adverbs usually come at or near the end of the sentence.

♦ adverbs of place	Je vais rencontrer mes amis **ici.**
♦ specific adverbs of time	Anne va finir ce livre **aujourd'hui.**

➪ For emphasis, many adverbs of place and time, and some adverbs in ***-ment*** may come at the beginning of the sentence.

Ici on parle français.	*French is spoken **here**.*
Maintenant nous allons dîner.	***Now** we are going to have dinner.*
Généralement Paul est à l'heure.	***Generally** Paul is on time.*

À remarquer

When the adverbs **peut-être, probablement, sans doute** *(probably)* come at the beginning of the sentence, they are followed by *inversion.*

Pierre est **peut-être** en France.	**Peut-être est-il** à Paris!
Vous avez **sans doute** raison.	**Sans doute avez-vous** raison cette fois-ci!

Activité 5 Une question de degré

Dites si vous aimez ou non les choses suivantes en utilisant un adverbe de quantité.

MODÈLE: la musique classique?
J'aime beaucoup (assez) la musique classique.
(Je n'aime pas tellement (trop, beaucoup) la musique classique.)

1. le rock?
2. les spaghetti?
3. la cuisine chinoise?
4. les escargots *(snails)?*
5. l'art moderne?
6. l'humour de Woody Allen?
7. les films de science fiction?
8. les romans policiers *(detective stories)?*
9. l'effort physique?
10. l'effort intellectuel?
11. les promenades à pied?
12. votre vie actuelle *(present-day)?*

Activité 6 Comment? Quand?

Dites comment et quand vous faites les choses suivantes. Pour cela, utilisez l'adverbe entre parenthèses.

MODÈLE: dormir (bien?)
Je dors bien. (Je ne dors pas bien.)

1. jouer au tennis (bien?)
2. aller au cinéma (souvent? aujourd'hui?)
3. sortir avec mes camarades (régulièrement? demain?)
4. parler français (facilement? bien? souvent?)
5. faire mes devoirs (vite? maintenant? ici?)
6. répondre aux lettres que je reçois (très vite? toujours?)
7. préparer mes examens (consciencieusement?)
8. réagir au danger (calmement?)
9. analyser mes problèmes (objectivement?)
10. préparer mon avenir (activement?)

D. La position des adverbes aux temps composés

In the following sentences the verb is in a compound tense. Compare the position of the adverbs in these sentences.

Nous avons **trop** dormi.
André n'a pas **bien** joué au tennis.
J'étais **déjà** allé à Paris.
Vous avez **parfaitement** compris.

Nous nous sommes levés **tard.**
Mais il a joué **courageusement.**
J'étais allé **là-bas** en avril.
Vous vous êtes exprimés **clairement.**

The position of an adverb in a compound tense varies according to the type of adverb.

	ALMOST ALWAYS BETWEEN THE AUXILIARY AND THE PAST PARTICIPLE	NEVER BETWEEN THE AUXILIARY AND THE PAST PARTICIPLE
ADVERBS OF QUANTITY	**beaucoup, trop, peu, tellement**	
ADVERBS OF PLACE		**ici, là, là-bas, ailleurs, dehors**
ADVERBS OF MANNER	**bien, mal**	**ensemble**
ADVERBS OF RESTRICTION	**presque, à peine, seulement, peut-être**	
ADVERBS OF TIME	**déjà, encore, ne...pas encore, toujours**	**avant, après, aujourd'hui, hier, autrefois, tôt, tard**

▷ The following adverbs usually come between the auxiliary and the past participle unless they are stressed:

- adverbs of time
  enfin, longtemps, tout de suite, aussitôt, bientôt, souvent
  Il est **souvent** allé à Paris. (accent on **allé à Paris**)
  Il est allé à Paris **souvent.** (accent on **souvent**)
- adverbs in ***-ment*** that strengthen or weaken the meaning of the verb:
  vraiment, réellement, certainement, complètement, absolument, totalement, parfaitement, finalement, probablement
  Il est **finalement** parti.

▷ Adverbs of manner in ***-ment*** usually come after the past participle. However, they may come between the auxiliary and the past participle.

Nous avons examiné **sérieusement** cette question.
Nous avons **sérieusement** examiné cette question.

▷ The position of **vite** *(fast, quickly)* varies with its meaning.

vite: *quickly, in no time* — Il a **vite** compris.

vite: *at a fast pace* — Nous avons marché **vite.**

▷ In questions, **déjà** may correspond to *ever.* Compare:

Est-ce que Pierre est **déjà** allé à Québec? — *Has Pierre* ***ever*** *gone to Quebec City?*

Est-il **déjà** parti? — *Has he* ***already*** *left?*

In negative sentences, adverbs that come between the auxiliary and the past participle *follow* **pas.**

Je n'ai **pas bien** compris votre question. — Je ne me suis **pas beaucoup** amusé.

▷ **Peut-être, presque,** and certain adverbs in ***-ment,*** such as **probablement, certainement, totalement,** come *before* **pas.**

Vous n' avez **probablement** pas compris. — Henri n'est **peut-être** pas sorti.

Activité 7 Conversation

Demandez à vos camarades de classe ce qu'ils ont fait pendant les dernières vacances d'été. Ils vont vous répondre affirmativement ou négativement en utilisant un adverbe de quantité.

MODÈLE: travailler?
—Tu as travaillé?
—Oui, j'ai beaucoup travaillé. (Oui, mais j'ai peu travaillé.)
(Non, je n'ai pas beaucoup (tant, assez, suffisamment, tellement) travaillé.)

1. voyager?
2. sortir?
3. se reposer?
4. s'amuser?
5. se promener?
6. lire
7. jouer au tennis?
8. faire la fête *(to live it up)?*
9. bronzer *(to get a tan)?*

Activité 8 Aujourd'hui et hier

Dites ce que les personnes font d'habitude. Dites aussi qu'elles n'ont pas fait ces choses hier. Pour cela, utilisez les éléments suivants et mettez l'adverbe à la place convenable.

MODÈLE: Henri / jouer au tennis (bien)
D'habitude, Henri joue bien au tennis.
Mais hier, il n'a pas bien joué au tennis.

1. Thérèse / prépare ses leçons (bien)
2. nous / aller à l'école (rapidement)
3. Monsieur Durand / téléphoner à ses clients (souvent)
4. nous / répondre au téléphone (tout de suite)
5. mon petit frère / dormir (beaucoup)
6. Jacques / parler à sa fiancée (longtemps)
7. vous / rentrer à la maison (tard)
8. je / me lever (tôt)
9. mes frères / jouer (dehors)

Activité 9 Pourquoi?

Informez-vous sur les personnes suivantes et expliquez ce qu'elles ont fait. Pour cela, faites des phrases au passé composé en mettant l'adverbe à la place convenable. Ces phrases peuvent être affirmatives ou négatives.

MODÈLE: Nous avons perdu le match. (jouer bien?)
Nous n'avons pas bien joué.

1. Paul a eu un accident. (conduire prudemment? voir mal la signalisation [*traffic signs*]?)
2. Nous nous sommes perdus. (comprendre mal les instructions? lire bien la carte?)
3. Je suis tombé malade. (manger trop? me reposer suffisamment?)
4. Caroline parle bien espagnol. (étudier sérieusement cette langue? aller souvent au Mexique? sortir longtemps avec un Espagnol?)
5. Vous êtes fatigués. (dormir assez? travailler beaucoup? vous lever tôt?)
6. Nous avons eu très peur. (tomber presque dans le fossé [*ditch*]? voir vraiment un fantôme [*ghost*]?)
7. François a gagné un prix à un jeu télévisé. (comprendre tout de suite la question? s'énerver trop? répondre correctement?)
8. Monsieur Verdier a eu une contravention *(ticket)*. (aller vite? conduire prudemment?)
9. Nous sommes prêts à partir en voyage. (acheter les billets hier? faire déjà les valises?)

E. Le comparatif et le superlatif des adverbes

Note the comparative and superlative forms of the adverbs in the sentences below.

Nous travaillons **plus sérieusement que** vous.
Je me suis reposé **moins longtemps que** Jacques.
Anne est venue **aussi rapidement que** possible.

C'est Jeannette qui étudie **le plus sérieusement** de cette classe.
Ce sont ces garçons qui ont travaillé **le moins longtemps.**

The comparative and superlative constructions with adverbs are formed according to the following patterns:

comparative	plus / moins / aussi } + adverb + (que...)
superlative	le plus / le moins } + adverb + (de...)

➪ The comparative form of **bien** is **mieux**. The superlative form is **le mieux**. Contrast the forms of the adjective **bon** and the adverb **bien**.

ADJECTIVES	ADVERBS
Jeanne est **bonne** en tennis.	Elle joue **bien**.
Elle est **meilleure** que moi.	Elle joue **mieux** que moi.
C'est **la meilleure** joueuse de l'école.	C'est elle qui joue **le mieux**.

À remarquer

Note the use of the construction: **le plus** + adverb + **possible** *(as...as possible)*.

Un journaliste doit présenter les nouvelles **le plus objectivement possible.** — *A reporter should present the news **as objectively as possible.***

Activité 10 Comparaison

Comparez les gens suivants en utilisant le verbe entre parenthèses et l'adverbe formé sur l'adjectif des phrases ci-dessous.

MODÈLE: Hélène est plus prudente que Jean-Pierre. (conduire)
Elle conduit plus prudemment que lui.

1. Nous sommes plus consciencieux que vous. (travailler)
2. Paul est moins brillant que Denise. (répondre)
3. Tu es aussi élégante que ta cousine. (t'habiller)
4. Vous êtes plus franc que vos amis. (vous exprimer)
5. Marc n'est pas aussi généreux que toi. (agir)
6. En tennis, je suis meilleur que mon frère. (jouer)
7. En français, nous sommes aussi bons que vous. (réussir)

Activité 11 À votre avis

Répondez aux questions suivantes.

1. Parmi *(Among)* les journalistes de télévision, quel/quelle est celui/celle *(the one)* qui présente les nouvelles le plus objectivement? le plus clairement? le mieux?
2. Parmi les vedettes de cinéma, quelle est celle qui joue le plus intensément? le plus intelligemment? le mieux? le plus mal?
3. Parmi les chanteurs et les chanteuses d'aujourd'hui, quel/quelle est celui/celle qui chante le plus originalement? le mieux? le moins bien? Quel/Quelle est celui/celle qui s'habille le plus élégamment? le plus bizarrement? le mieux? le plus mal?
4. Parmi les personnalités politiques d'aujourd'hui, quelle est celle qui agit le plus honnêtement? le plus conservativement? le mieux pour l'intérêt du pays?

Entre nous

Contextes

Les phrases suivantes font partie de différentes conversations. Imaginez le contexte de ces conversations dans un petit paragraphe.

MODÈLE: «Ailleurs, ce n'est pas mieux!»
Robert et Jean-Pierre ont décidé de faire un pique-nique. Ils partent en voiture. À midi, Robert s'arrête, mais Jean-Pierre trouve que l'endroit où ils sont n'est pas assez isolé. Ils cherchent un autre endroit. Là, Jean-Pierre se plaint qu'il n'y a pas assez d'ombre (shade). *Ils s'arrêtent à un nouvel endroit. Jean-Pierre se plaint qu'il y a des fourmis* (ants). *Cette fois-ci, Robert refuse d'aller plus loin.*

1. «Heureusement, je n'étais pas là quand c'est arrivé!»
2. «Elle a vraiment changé! Je l'ai à peine reconnue!»
3. «Ne parlez pas tant et réfléchissez davantage!»
4. «Je veux bien te les rendre. Seulement, actuellement j'ai un petit problème.»
5. «Si tu ne cours pas plus vite, nous n'allons jamais arriver là-bas à l'heure. Peut-être le film a-t-il déjà commencé!»
6. «Ne t'impatiente pas tant! J'arrive tout de suite.»
7. «Franchement, vous avez mal joué! Il va falloir faire mieux la prochaine fois!»
8. «C'est elle qui habite le plus loin, mais c'est elle qui m'écrit le plus souvent.»

À votre tour

Dites comment vous faites certaines choses en général et comment vous les avez faites en une occasion particulière. Vous pouvez utiliser les verbes ci-dessous avec un adverbe de manière.

agir / parler / courir / jouer au tennis / conduire / faire des devoirs / dormir / exprimer mes opinions

MODÈLE: *En général, j'agis calmement. Je n'ai pas agi calmement quand quelqu'un m'a insulté la semaine dernière...*

Leçon 18 Les nombres

A. Les nombres cardinaux
B. Les nombres ordinaux
C. Les fractions et les pourcentages

A. Les nombres cardinaux

Note the cardinal numbers in heavy print.

Comptons jusqu'à **vingt: un, deux, trois**...

L'année a **365 (trois cent soixante-cinq)** jours.

Cardinal numbers are used in counting and in expressing amounts.

- Cardinal numbers are used in the titles of rulers.

le roi Louis **XIV (Quatorze)**	*King Louis **the Fourteenth***
le pape Jean-Paul **II (Deux)**	*Pope John Paul **the Second***

Note the exception with **premier/première:**

la reine Elizabeth **Ière (Première)**	*Queen Elizabeth **the First***
le roi François **Ier (Premier)**	*King François **the First***

- Cardinal numbers are used in dates, according to the pattern:

le + cardinal number + month + year

Pauline est née **le 22 (vingt-deux) novembre 1966.**

Note the exception with **premier:**

Je suis né **le premier janvier.**

Notes:

1. There is no **élision** with **huit** and **onze.**

   En France, **le onze** novembre est un jour de fête.

2. Dates are abbreviated by giving the day first and the month second.

   le 1/4/83 le premier avril 1983

3. The year may be read in two ways.

   1 954 mil neuf cent cinquante-quatre

   19 54 dix-neuf-cent cinquante-quatre

À remarquer

Remember **en** is used to replace a direct object noun that is introduced by a number.

J'ai **trois frères.**	J'**en** ai **trois.**
Nous avons acheté **cinq disques.**	Nous **en** avons acheté **cinq.**

Vocabulaire: Les nombres cardinaux

0	zéro						
1	un	11	onze	21	vingt et un	75	soixante-quinze
2	deux	12	douze	22	vingt-deux	77	soixante-dix-sept
3	trois	13	treize	23	vingt-trois	80	quatre-vingts
4	quatre	14	quatorze	30	trente	81	quatre-vingt-un
5	cinq	15	quinze	31	trente et un	84	quatre-vingt-quatre
6	six	16	seize	40	quarante	90	quatre-vingt-dix
7	sept	17	dix-sept	50	cinquante	91	quatre-vingt-onze
8	huit	18	dix-huit	60	soixante	92	quatre-vingt-douze
9	neuf	19	dix-neuf	70	soixante-dix	98	quatre-vingt-dix-huit
10	dix	20	vingt	71	soixante et onze	99	quatre-vingt-dix-neuf

100	cent	200	deux cents	2.000	deux mille
101	cent un	202	deux cent deux	10.000	dix mille
102	cent deux	300	trois cents	100.000	cent mille
110	cent dix	1.000	mille	1.000.000	un million
121	cent vingt et un	1.001	mille un	10.000.000	dix millions
150	cent cinquante	1.100	mille cent	1.000.000.000	un milliard

Notes de vocabulaire

1. **Un** becomes **une** before a feminine noun.

   vingt et un garçons — **vingt et une** filles

2. The conjunction **et** is used with **un** in the numbers 21, 31, 41, 51, 61 (and other numbers containing them: 121, 221, 1041).
   The conjunction **et** is used with **onze** in 71 (and numbers containing it: 171, 271).
3. The number **quatre-vingts** and multiples of **cent (deux cents, trois cents)** are written with an *-s,* unless they are followed by another number. Compare:

   quatre-vingts livres — **quatre-vingt-cinq** livres
   trois cents disques — **trois cent cinquante** disques

4. The numbers **cent** and **mille** are never introduced by **un. Mille** never takes an *-s.*

   Peux-tu me prêter **cent** francs? — *Can you lend me* ***one hundred*** *francs?*
   Voici **mille** dollars. — *Here is* ***a thousand*** *dollars.*
   deux cent **mille** soldats

5. In the singular, **million** and **milliard** are introduced by **un.** In the plural, they take an *-s.* **Million(s)** and **milliard(s)** are followed by **de** + *noun.*

   J'ai **un million** de questions à vous poser.
   La terre a plus de **quatre milliards** d'habitants.

6. In contrast to English, commas are used to separate the decimals, and periods are used to indicate the thousands.

0,8	(zéro virgule huit)	1.000	(mille)
10,2	(dix virgule deux)	1.000.000	(un million)

Activité 1 Au standard *(switchboard)*

En France, sauf à Paris,[1] les numéros de téléphone sont donnés par groupes de deux chiffres. Demandez les numéros suivants.

MODÈLE: 56.11.09 à Tours
Je voudrais le cinquante-six, onze, zéro neuf à Tours, s'il vous plaît.

1. 21.36.45 à Lyon
2. 62.01.98 à Lille
3. 99.12.81 à Annecy
4. 54.75.16 à Dijon
5. 07.88.26 à Marseille
6. 69.46.71 à Strasbourg
7. 78.41.29 à Nice
8. 38.05.84 à Cannes
9. 91.34.52 à Bordeaux

Activité 2 La vie en chiffres

Notre vie est marquée par un grand nombre de données *(data)* statistiques. Décrivez Monsieur Jean Dufour en lisant les phrases suivantes.

1. Monsieur Jean Dufour a 34 ans.
2. Il mesure 1 mètre 81.
3. Il pèse 77 kilos.
4. Il habite à Paris au 127, rue de Sèvres.
5. Son numéro de téléphone est le 222-31.65.
6. Il est chef du personnel dans une entreprise de 1.200 employés.
7. Il gagne 27.000 francs par mois.
8. Il conduit une Peugeot 504.
9. Hier il a reçu une contravention *(ticket)* de 250 francs parce qu'il conduisait à 130 kilomètres à l'heure.

Maintenant, faites la description d'un Américain ou d'une Américaine que vous connaissez, en utilisant des statistiques sembables.

[1] In Paris, phone numbers have seven digits.

Activité 3 Le savez-vous?

À votre avis, quelle est la réponse aux questions suivantes?

1. Le marathon est une course d'endurance. Quelle est la longueur de cette course?
   a. 21 kilomètres b. 35 kilomètres 400 c. 42 kilomètres 195
2. La tour Eiffel est le plus haut monument de France. Quelle est sa hauteur?
   a. 100 mètres b. 300 mètres c. 1.000 mètres
3. Le Concorde est un avion de transport supersonique. Combien de temps faut-il pour aller de Paris à New York en Concorde?
   a. 2 heures 35 minutes b. 3 heures 45 minutes c. 4 heures 50 minutes
4. Le chameau est un animal célèbre pour sa grande sobriété. Combien de jours un chameau peut-il rester sans boire d'eau?
   a. 16 jours b. 32 jours c. 96 jours
5. Les tortues ont une longue durée de vie. Combien d'années peut vivre une tortue?
   a. 75 ans b. 100 ans c. 150 ans
6. Les vins de Bordeaux sont très réputés. Quel est le prix record pour une bouteille de vin de Bordeaux de l'année 1864?
   a. 350 dollars b. 1.000 dollars c. 18.000 dollars
7. Le roi Louis XIV est le roi de France qui a régné le plus longtemps. Pendant combien de temps a-t-il régné?
   a. 28 ans b. 55 ans c. 72 ans
8. L'atome est la plus petite quantité de matière. Combien y a-t-il d'atomes dans une goutte *(drop)* d'eau?
   a. 1 million b. 10 milliards c. 90.000 milliards

Voici les réponses:

1. c 2. b 3. b 4. a 5. c 6. c 7. c 8. c

Activité 4 Quelques dates importantes

Faites correspondre les événements de la colonne A avec les dates de la colonne B.

A	B
la conquête de la lune	12-10-1492
la prise de la Bastille	1-9-1715
le jour le plus long (Jour-J [*D-Day*])	4-7-1776
l'armistice de la Première Guerre mondiale	14-7-1789
la défaite de Napoléon Ier à Waterloo	21-6-1815
la découverte de l'Amérique	11-11-1918
la mort de Louis XIV	6-6-1944
la déclaration d'Indépendence américaine	21-7-1969
ma naissance *(birth)*	?

MODÈLE: *Ma naissance a eu lieu le 8 septembre 1966.*

B. Les nombres ordinaux

Ordinal numbers are used to rank people, things, or events. Note the ordinal numbers in the sentences below.

Paul a gagné le **premier** prix.	*Paul won the* ***first*** *prize.*
J'habite au **sixième** étage.	*I live on the* ***sixth*** *floor.*
Nous vivons au **vingtième** siècle.	*We live in the* ***twentieth*** *century.*
Pour la **centième** fois, je vous dis non!	*For the* ***hundredth*** *time, I'm telling you no!*

Forms

Ordinal numbers are derived from cardinal numbers according to the following pattern.

cardinal number (minus final ***-e,*** if any) + ***-ième***

trois → **troisième**
quinze → **quinzième**
vingt et un → **vingt et unième**
trente-deux → **trente-deuxième**

Exceptions: un, une → **premier, première**
cinq → **cinquième**
neuf → **neuvième**

- Ordinal numbers are abbreviated as follows:

  1er (1ère), 2e, 3e...100e

- **Second(e)** is sometimes used instead of **deuxième,** especially in a series of only two items.

  la **Seconde** Guerre mondiale — *World War* ***II***

Uses

Ordinal numbers are adjectives that agree with the nouns or pronouns that they modify.

- When **premier** and **dernier** are used with a cardinal number, they always come in second position. Compare:

Lisez les **cinq premières** lignes.	*Read the* ***first five*** *lines.*
Novembre et décembre sont les **deux derniers** mois de l'année.	*November and December are the* ***last two months*** *of the year.*

- Ordinal numbers can function as nouns. In this case they are introduced by articles.

Vous êtes **la première.**	*You are the* ***first*** *(one).*
À quel étage habites-tu? Moi, j'habite **au cinquième.**	*What floor do you live on? I live* ***on the fifth*** *(floor).*

À remarquer

Adverbs are derived from ordinal numbers according to the following pattern.

ordinal number (feminine form) + ***-ment***

Premièrement, mettez votre parachute.
Deuxièmement, ouvrez la porte.
Troisièmement, sautez!

➪ **Premièrement** is often replaced by **d'abord.**

D'abord, nous allons visiter Notre-Dame.

Activité 5 L'immeuble commercial

Mademoiselle Giraud travaille à la réception d'un immeuble commercial. Les visiteurs lui demandent à quel étage se trouvent certains bureaux. Elle les renseigne *(informs).* Jouez le rôle des visiteurs et de Mademoiselle Giraud.

MODÈLE: la Société Mercier (22)
Le visiteur: *Pardon, Mademoiselle. Où se trouve la Société Mercier?*
Mlle Giraud: *Elle se trouve au vingt-deuxième étage, Monsieur.*

1. la Société CINEPUB (11)
2. la Société Lambert (34)
3. l'Agence Anderson (21)
4. l'Agence Alpha (15)
5. la Compagnie Industrielle du Nord (8)
6. la Compagnie IMPEX (19)
7. la Compagnie LOCABUS (5)
8. les bureaux de l'Agence France-Export (31)

Activité 6 Vrai ou faux?

Lisez les phrases suivantes et dites si elles sont vraies ou fausses. Si elles sont fausses, rectifiez-les.

MODÈLE: Avril est le 3e mois de l'année.
C'est faux. Avril est le quatrième mois de l'année.

1. Décembre est le 12e mois de l'année.
2. Octobre est le 9e mois.
3. George Washington est le 2e président des États-Unis.
4. Léonard de Vinci a vécu au 17e siècle.
5. La Révolution française a eu lieu au 18e siècle.
6. La photographie a été inventée au 19e siècle.
7. En 1976, les Américains ont célébré le 150e anniversaire de la Déclaration d'Indépendance.
8. On a déjà célébré le 2.000^{e} anniversaire de la ville de Paris.

C. Les fractions et les pourcentages

Note how fractions are expressed in French.

1/2	**une moitié**		
1/3	**un tiers**	2/3	**deux tiers**
1/4	**un quart**	3/4	**trois quarts**
1/5	**un cinquième**	4/5	**quatre cinquièmes**
1/6	**un sixième**	5/6	**cinq sixièmes**
1/10	**un dixième**	7/10	**sept dixièmes**
1/100	**un centième**	9/10	**neuf dixièmes**

In general, fractions are expressed according to the following pattern.

cardinal number / ordinal number

- Fractions are nouns. In a sentence they are often introduced by a definite article.

  J'ai lu **la moitié (le tiers)** de ce livre. — *I read **half (one third)** of this book.*

  Paul a dépensé **les trois quarts** de son argent. — *Paul spent **three fourths** of his money.*

  Les quatre cinquièmes des Français habitent dans les villes. — ***Four fifths** of the French people live in cities.*

- **Moitié** and **demi** both mean *half.* **Moitié** is a noun. **Demi** is an adjective that can be used either:

  - in the invariable combination **demi-** (+ *noun*) to form a new noun: une **demi-heure,** un **demi-kilo.**
  - as **et demi(e)** after a noun

    une heure **et demie,** un kilo **et demi.**

  Compare the use of **moitié** and **demi** in the sentences below.

  Donnez-moi **la moitié du** gâteau. — *Give me **half of** the cake.*

  Donnez-moi une **demi-**tasse de café. — *Give me **half** a cup of coffee.*

  Donnez-moi un kilo **et demi** d'oranges. — *Give me a kilo **and a half** of oranges.*

Percentages are expressed according to the construction:

cardinal number + **pour cent**

Quatre-vingt-un pour cent (81%) des jeunes Français étudient l'anglais.

L'année derniére, l'inflation a été de **six pour cent** (6%).

Je suis d'accord avec vous **cent pour cent** (100%).

Activité 7 Le savez-vous?

Indiquez la réponse aux questions suivantes en choisissant l'une des options a, b ou c.

1. Quelle proportion de la surface du globe est représentée par les océans?
   a. 1/4 b. 2/3 c. 3/4
2. Quelle proportion de la population mondiale habite en Asie?
   a. 1/3 b. 1/2 c. 2/3
3. Quelle proportion de la population française habite dans la région parisienne?
   a. 1/20 b. 1/10 c. 1/5
4. Quel est le pourcentage de jeunes Français allant à l'université?
   a. 5% b. 20% c. 50%
5. Quel est le pourcentage de lycéens français étudiant l'anglais comme première langue?
   a. 20% b. 40% c. 80%
6. Quel est le pourcentage des résidences françaises équipées d'un téléphone?
   a. 70% b. 80% c. 90%
7. Quel pourcentage de l'énergie produite en France est d'origine nucléaire?
   a. 5% b. 20% c. 50%
8. Quel est le pourcentage d'abstentions aux élections présidentielles françaises?
   a. 15% b. 25% c. 35%

Voici les réponses:

1. c 2. c 3. a 4. b 5. c 6. a 7. b 8. a

Activité 8 Quelle proportion?

Les gens suivants ont commencé à faire certaines choses. Quelle proportion de leurs tâches *(tasks)* ont-ils déjà accomplie?

MODÈLE: Cet article a trente pages. J'ai déjà lu dix pages de cet article.
J'ai déjà lu un tiers de cet article.

1. Ce livre a trois cents pages. J'ai déjà lu deux cents pages de ce livre.
2. Ce rapport a cent pages. Nous avons déjà écrit trente pages de ce rapport.
3. Ce documentaire va durer deux heures. Le cinéaste *(film maker)* a déjà filmé une heure.
4. Ce mur a dix mètres carrés. Le peintre a déjà peint neuf mètres carrés.
5. Cet immeuble a huit étages. Les ouvriers ont déjà construit 3 étages.
6. La distance entre Paris et Lyon est de cinq cents kilomètres. Nous avons déjà conduit deux cents kilomètres.

Entre nous

Contextes

Les phrases suivantes font partie de différentes conversations. Imaginez le contexte de ces conversations dans un petit paragraphe.

> MODÈLE: «La France a battu l'Allemagne par un score de cinq à trois.»
> *Henri vient de regarder les nouvelles sportives à la télé. Sa sœur lui demande quel est le résultat du match de football France-Allemagne.*

1. «C'est au dix-huitième étage, Monsieur.»
2. «J'en ai pris la moitié.»
3. «Vous faites erreur! Ici c'est le vingt-deux, quarante et un, douze.»
4. «Si vous payez en espèces *(cash),* je peux vous faire une réduction de cinq pour cent.»
5. «Vous alliez à plus de cent vingt à l'heure. Cela va vous coûter deux cents francs.»
6. «Sa construction a commencé en mille quatre cent cinquante, Mademoiselle.»
7. «Pour la millième fois, je te dis non!»
8. «Nous pouvons compter sur une participation électorale de soixante-cinq pour cent.»
9. «Mais oui! Nos modèles sont garantis cent pour cent.»
10. «Nous avons fait des trois quarts du chemin *(way).* Il nous reste encore cent cinquante kilomètres.»

À votre tour

1. Faites un portrait numérique de vous-même. Vous pouvez donner, par exemple, votre âge, votre taille *(height),* votre numéro de téléphone, votre numéro de sécurité sociale, votre adresse,... .
2. Faites une petite étude statistique de votre ville ou de votre région. Vous pouvez décrire en chiffres sa population, son économie, ses ressources naturelles, sa production,... .
3. Imaginez qu'un magazine français prépare un article sur la jeunesse américaine. Ce magazine vous demande de faire une enquête auprès de *(with)* vos amis. Faites cette enquête et donnez les résultats en pourcentage. Quel est leur sport préféré? leur loisir préféré? Combien de fois vont-ils au cinéma ou au concert par mois? Combien ont une auto? une chaîne-stéréo? un micro-ordinateur?

Leçon 19 Expressions indéfinies

A. L'adjectif indéfini **tout**

B. Le pronom **tout**

C. Quelques expressions indéfinies de quantité

D. Quelques autres expressions indéfinies

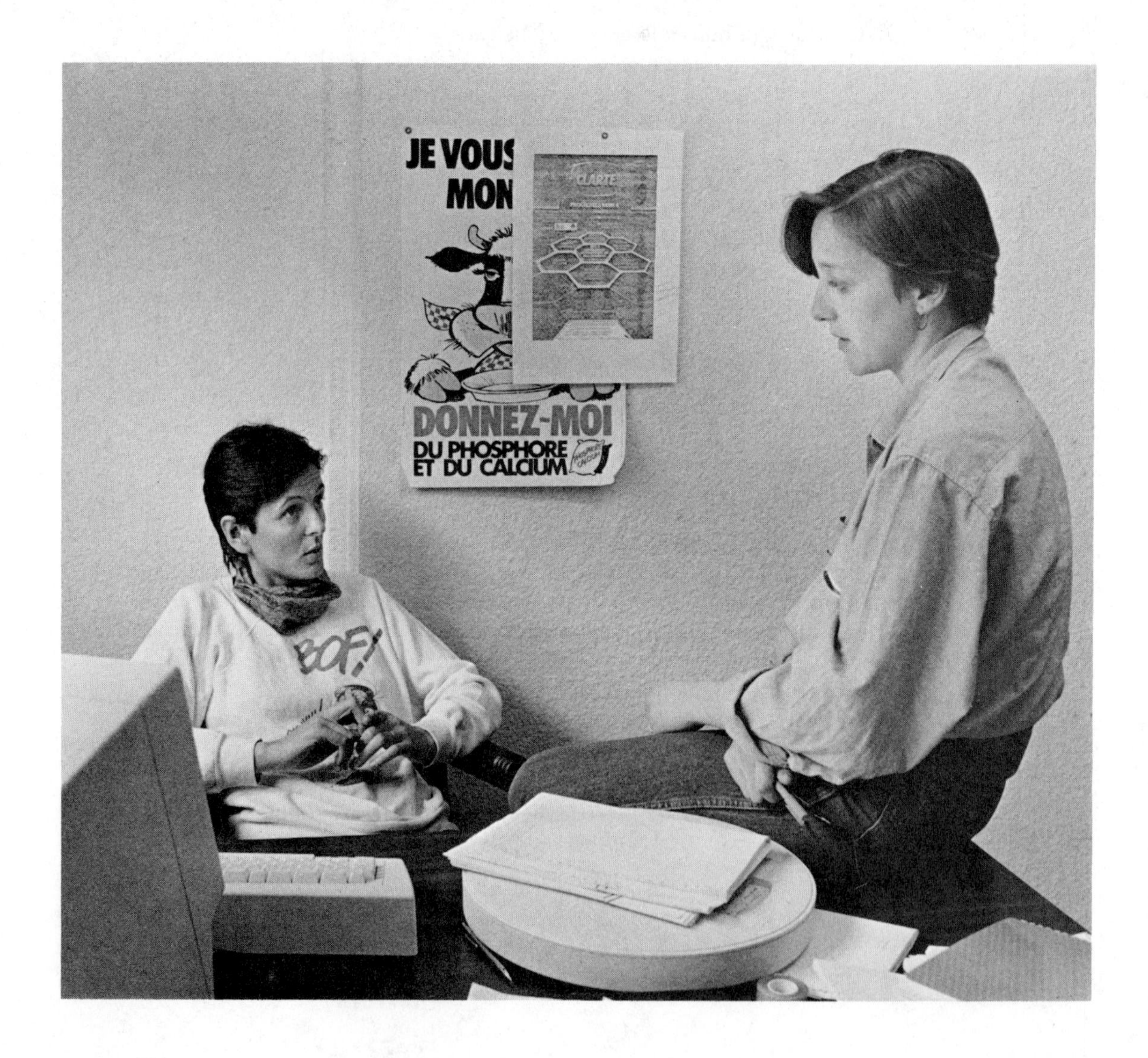

A. L'adjectif indéfini **tout**

Note the forms and uses of the indefinite determiner **tout.**

J'ai lu **tout ce livre.** — *I read* ***this whole (entire) book.***
Nous avons travaillé **toute la journée.** — *We worked* ***all (the whole) day.***

As-tu parlé à **tous tes amis?** — *Did you talk to* ***all of your friends?***
Toutes les semaines, je vais au cinéma. — ***Every week,*** *I go to the movies.*

The indefinite adjective **tout** agrees in gender and number with the noun it introduces. It has the following forms:

	MASCULINE	FEMININE	EXAMPLES	
SINGULAR	tout (le)	toute (la)	tout le livre	toute la leçon
PLURAL	tous (les)	toutes (les)	tous les journaux	toutes les revues

➪ The adjective **tout** is generally followed by an article, or by a possessive or demonstrative adjective.

In the singular, **tout, toute** means *all, (the) whole, the entire.* In the plural, **tous, toutes,** means *all (the), every.*

À remarquer

1. In the singular, the adjective **tout** is sometimes directly followed by a noun. In this case, it means *every.*

   Tout voyageur doit avoir son passeport. — ***Every*** *traveler should have his passport.*

2. Note the use of **tous les/toutes les** + *number* + *expression of time.*

   Les Français élisent leur président **tous les sept ans.** — *The French elect their president* ***every seven years.***

   J'ai une classe de français **tous les deux jours.** — *I have a French class* ***every other day.***

3. Note the use of **tous les/toutes les** + *number.*

   J'ai deux sœurs. Elles habitent **toutes les deux** à Paris. — *I have two sisters.* ***Both of them*** *live in Paris.*

   Où allez-vous **tous les trois?** — *Where are* ***the three of you*** *going?*

Activité 1 Quel travail!

Monsieur Imbert veut que ses employés finissent tout leur travail avant de partir en week-end. Jouez le rôle de Monsieur Imbert en utilisant **tout** dans les phrases suivantes.

MODÈLE: Finissez votre travail!
Finissez tout votre travail!

1. Envoyez ces lettres!
2. Téléphonez à nos clients!
3. Classez ces papiers!
4. Recopiez cette liste!
5. Déposez les chèques à la banque!
6. Mettez l'argent liquide *(cash)* dans le coffre *(safe)*!
7. Éteignez les lumières *(lights)*!
8. Fermez les portes!

Activité 2 Généralisations

Quelqu'un fait les observations suivantes. Faites des généralisations personnelles dans des phrases affirmatives ou négatives.

MODÈLE: Cet étudiant est sérieux.
Tous les étudiants sont sérieux. (Tous les étudiants ne sont pas sérieux.)

1. Ce professeur est strict.
2. Cet homme politique est honnête.
3. Cette fille est indépendante.
4. Ce jeune Américain est sportif.
5. Ce millionnaire est heureux.
6. Cette industrie pollue l'atmosphère.
7. Cette guerre *(war)* est injuste.
8. Cette vérité doit être dite.
9. Cette généralisation est absurde.

Activité 3 Expression personnelle

Faites-vous les choses suivantes régulièrement? Répondez affirmativement ou négativement en utilisant **tous** et **toutes**, et le mot entre parenthèses.

MODÈLE: parler français? (le jour)
Oui, je parle français tous les jours. (Non, je ne parle pas français tous les jours.)

1. regarder la télé? (le soir)
2. sortir avec mes amis? (le samedi soir)
3. faire du jogging? (l'après-midi)
4. acheter le journal? (le matin)
5. aller au cinéma? (la semaine)
6. aller chez le coiffeur? (le mois)
7. célébrer mon anniversaire? (l'an)
8. être de bonne humeur? (le jour)

B. Le pronom **tout**

Note the forms and uses of the pronoun **tout** in the following groups of sentences.

1. Chez moi, je fais **tout**.	*At home, I do* ***everything.***
Dans la vie, **tout** est possible.	*In life,* ***everything*** *is possible.*
Nous avons **tout** compris.	*We understood* ***everything.***
Je n'ai pas **tout** lu.	*I didn't read* ***everything.***

In the singular, the pronoun **tout** is invariable and means *everything.* It does not refer to a specific antecedent.

- When **tout** is used as the direct object of a verb in a compound tense, it usually comes *between* the auxiliary and the past participle.

2. J'ai invité mes amis.	
Tous sont venus.	***All*** *came. (****Every one of them*** *came.)*
(Ils sont **tous** venus.)	*(****They all*** *came.)*
J'ai écrit à mes amies.	
Toutes ne m'ont pas répondu.	*Not* ***all*** *of them answered me.*
(Elles ne m'ont pas **toutes** répondu.)	*(They did not* ***all*** *answer me.)*

In the plural, the pronouns **tous**[1] and **toutes** mean *all (all of them), everyone (everyone of them)* and usually refer to people or things specifically mentioned.

- When **tous / toutes** is used as the direct object of a verb in a compound tense, it usually comes **between** the auxiliary and the past participle.

Nous les avons **toutes** invitées.	*We invited them* ***all.***

À remarquer

Note the use of **tous/toutes** with the pronouns **nous** and **vous.**

Nous parlons **tous** français.	***We all*** *speak French.* *(****All of us*** *speak French.)*
Vous êtes **toutes** allées en France, n'est-ce pas?	***You all*** *went to France, didn't you?* *(****All of you*** *went to France, didn't you?)*

[1] When used as a pronoun, **tous** is pronounced /tus/.

Activité 4 Oui ou non?

Lisez ce qu'ont fait les personnes suivantes. Complétez la description en utilisant **tout** et le passé composé du verbe entre parenthèses dans une phrase affirmative ou négative.

MODÈLE: Tu as oublié quelque chose. (dire)
Tu n'as pas tout dit.

1. Ces gens ont été victimes d'un grave incendie *(fire)*. (perdre)
2. Excusez-moi! Je n'ai pas bien entendu. (comprendre)
3. Ce garçon est vraiment maladroit *(clumsy)*. (casser)
4. Vous n'avez pas eu assez d'argent. (acheter)
5. Marc a fini la bouteille. (boire)
6. Nous avons laissé le dessert. (manger)

Activité 5 Conversation

Demandez à vos camarades s'ils ont fait toutes les choses suivantes. Ils vont vous répondre en utilisant un pronom.

MODÈLE: voir les films de Woody Allen?
—As-tu vu tous les films de Woody Allen?
—Oui, je les ai tous vus. (Non, je ne les ai pas tous vus.)

1. regarder les bandes dessinées du journal de dimanche dernier?
2. lire les pièces de Shakespeare?
3. écouter les disques des Beatles?
4. inviter tes amis pour ton anniversaire?
5. comprendre les explications de ce livre?
6. faire les exercices de cette leçon?

C. Quelques expressions indéfinies de quantité

Indefinite expressions of quantity refer to an undetermined number of people or things.

- As indefinite adjectives, these expressions introduce nouns.
- As pronouns, they replace nouns.

Forms

Note the forms of the indefinite adjectives of quantity and their corresponding pronouns.

ADJECTIVE		PRONOUN	
quelques...	*some, a few*	quelques-uns quelques-unes	*some, a few*
un(e) autre... d'autres...	*another* *other, some other*	un(e) autre d'autres	*another one* *others, some others, other ones*
plusieurs...	*several*	plusieurs	*several*
certain(e)s...	*some, certain*	certain(e)s	*some, certain ones*
la plupart de...	*most of*	la plupart	*most (of them)*

Uses

The preceding expressions of quantity can be used either as subjects or as objects. Compare the use of the indefinite adjectives and pronouns in the sentences below.

	ADJECTIVE	PRONOUN
SUBJECT	**Quelques** amis m'ont écrit.	**Quelques-uns** m'ont écrit.
	Quelques cassettes sont en solde *(on sale)*.	**Quelques-unes** sont en solde.
	Plusieurs lettres sont arrivées hier.	**Plusieurs** sont arrivées hier.
	Une autre lettre est arrivée ce matin.	**Une autre** est arrivée ce matin.
DIRECT OBJECT	J'invite **quelques** amies.	J'**en** invite **quelques-unes.**
	Nous avons acheté **quelques** disques.	Nous **en** avons acheté **quelques-uns.**
	J'ai vendu **la plupart de** mes livres.	J'**en** ai vendu **la plupart.**
	J'ai reçu **plusieurs** lettres.	J'**en** ai reçu **plusieurs.**
	Prenez **d'autres** photos.	Prenez-**en d'autres.**
	Voici **plusieurs** magazines.	**En** voici **plusieurs.**

➪ When a pronoun of quantity functions as the direct object of a verb, **en** must be used with that verb.

À remarquer

1. The adjective **quelques** means *some* in the sense of *a few* or *a limited number of.* It is more specific than the indefinite article **des.**

   Paul a **des** amis à Paris. — *Paul has friends in Paris (maybe 3 or 5 or dozens...who knows?).*

   Henri a **quelques** amis à Paris. — *Henri has some friends in Paris (certainly not more than 10, and maybe only 2 or 3).*

2. As a subject, **la plupart** is usually followed by a plural verb.

   La plupart des invités **sont arrivés.** — **La plupart sont venus** en auto.

3. When used in a negative sentence as a direct object, the pronoun **un/une autre** becomes **pas d'autre.**

   Tu as **une autre** cassette? — Non, je n'en ai **pas d'autre.**

4. Indefinite adjectives are always followed by a noun. The indefinite pronouns are sometimes followed by **de** + *determiner* + *noun.*

ADJECTIVE	J'ai acheté **quelques** livres.	*I bought* ***a few*** *books.*
PRONOUN	J'ai acheté **quelques-uns** de ces livres.	*I bought* ***a few of*** *those books.*
ADJECTIVE	*J'ai vu* ***plusieurs*** *amis.*	*I saw* ***several friends.***
PRONOUN	*J'ai vu* ***plusieurs de*** *mes amis.*	*I saw* ***several of*** *my friends.*

5. Indefinite pronouns of quantity may be followed by **d'entre eux/elles** *(of them)* in referring to people or things already mentioned.

   Ces étudiantes travaillent bien. — **Certains d'entre elles** sont vraiment brillantes.

   J'ai beaucoup d'amis en France. — Voici l'adresse **de quelques-uns d'entre eux.**

Activité 6 Oui et non!

Tout le monde ne fait pas les mêmes choses. Exprimez cela en répondant aux questions suivantes. Dans votre première réponse, utilisez l'adjectif entre parenthèses dans une phrase affirmative. Dans votre seconde réponse, utilisez le pronom correspondant dans une phrase négative.

MODÈLE: Les étudiants ont étudié? (certains)
Certains étudiants ont étudié.
Certains n'ont pas étudié.

1. Les étudiantes ont réussi à l'examen? (plusieurs)
2. Les professeurs sont sympathiques? (certains)
3. Les personnes riches sont avares *(stingy)?* (quelques)
4. Les sports sont violents? (quelques)
5. Les journalistes disent la vérité? (certains)
6. Les montres japonaises sont bon marché? (quelques)
7. Les vins français sont extraordinaires? (quelques)

Activité 7 Une semaine à Paris

Supposez que vous venez de passer une semaine à Paris. Répondez affirmativement aux questions suivantes. Utilisez un pronom indéfini dans vos réponses.

MODÈLE: Vous avez acheté quelques cartes postales?
Oui, j'en ai acheté quelques-unes.

1. Vous avez acheté quelques souvenirs?
2. Vous avez pris quelques photos?
3. Vous avez vu plusieurs musées hier?
4. Vous avez visité un autre musée cet après-midi?
5. Vous avez envoyé plusieurs lettres?
6. Vous avez acheté quelques disques?
7. Vous avez rencontré quelques Françaises?

Activité 8 À nouveau

Dites ce que les personnes suivantes ont fait et dites qu'elles ont refait ces choses plus tard. Utilisez la forme appropriée du pronom **un autre.**

MODÈLE: J'ai vu un film lundi. (vendredi)
J'en ai vu un autre vendredi.

1. Henri a pris des photos ce matin. (cet après-midi)
2. Madame Moreau a acheté une voiture il y a six ans. (cette année)
3. Nous avons acheté des cartes postales à la librairie. (au bureau de tabac)
4. Monsieur Richard a bu un bon café ce matin. (après le déjeuner)
5. Cet architecte a construit une maison pour nous. (pour nos cousins)
6. Cette journaliste a écrit des articles sur la Normandie. (sur la Bretagne)

D. Quelques autres expressions indéfinies

Forms

Note the forms of the following indefinite adjectives and their corresponding pronouns.

ADJECTIVE		PRONOUN	
chaque...	*each*	chacun, chacune	*each one*
—		l'un, l'une les uns, les unes	*(the) one* *(the) ones, some*
l'autre... les autres...	*the other* *the others*	l'autre les autres	*the other (one)* *(the) others, the other ones*
le même, la même... les mêmes...	*the same* *the same*	le même, la même les mêmes	*the same (one)* *the same (ones)*

Uses

The above expressions can be used as subjects or as objects of the verb.

ADJECTIVE	PRONOUN
Chaque région de France est différente.	**Chacune** a ses traditions.
Je vais prendre **l'autre** autobus.	Je vais prendre **l'autre.**
J'ai acheté **la même** cravate que toi.	J'ai acheté **la même.**
	La même coûte 100 francs ici.

➪ The pronouns **le même, les mêmes, les uns, les autres** contract with **à** and **de.**

Albert appartient **à un club sportif.** — J'appartiens **au même.**

Je me souviens **de ces personnes.** — Je ne me souviens pas **des autres.**

À remarquer

1. Note the difference between **tous/toutes les** *(every)* and **chaque** *(each)*. **Tous/toutes les** emphasizes the collective aspect of members of a group. It is a plural expression which, as a subject, takes a plural verb. **Chaque** and the corresponding pronoun **chacun(e)** emphasize the individual aspect of each member of the group. They are singular expressions which, as subjects, take singular verbs.

   Tous les hommes sont égaux. — ***Every man** is equal. (**All men** are equal.)*

   Chacun est différent. — ***Each one** is different.*

   ♦ The pronoun **chacun/chacune** can be followed by **de** + *noun* or the expression **d'entre eux/elles** *(of them)* to refer to a previously mentioned noun.

   J'ai écrit à **chacun de mes amis** pendant les vacances.

   Chacun d'entre eux m'a répondu.

2. The pronouns **l'un, l'une, les uns,** and **les unes** are often used together with **l'autre** and **les autres** to point out a contrast or comparison. Note the use of these pronouns in the sentences below.

   J'ai deux sœurs.
   L'une est journaliste. — ***One** is a reporter.*
   L'autre est avocate. — ***The other one** is a lawyer.*

   Ces étudiants vont voyager.
   Les uns vont aller en France. — ***Some** are going to France.*
   Les autres vont aller en Espagne. — ***The others** are going to Spain.*

3. The constructions **l'un (l'une) et l'autre** and **les uns (les unes) les autres** are sometimes used to express reciprocity. They correspond to the English expressions *one another* and *each other.*

   Aidons-nous **les uns les autres!** — *Let's help **each other!***

Activité 9 À la douane *(At customs)*

Aujourd'hui le contrôle est particulièrement strict à Roissy, l'aéroport de Paris. Un jeune douanier *(customs officer)* demande ses instructions à son chef. Le chef lui dit d'être très vigilant. Jouez les rôles du jeune inspecteur et de son chef.

MODÈLE: contrôler *(to check)* les passagers?
Le douanier: *Est-ce que je contrôle tous les passagers?*
Son chef: *Oui, il faut que vous contrôliez chaque passager!*

1. vérifier les passeports?
2. contrôler les visas?
3. ouvrir les valises?
4. examiner les bagages à main?
5. inspecter les paquets *(packages)?*
6. vérifier l'identité des voyageurs?

Activité 10 Vive la différence!

Nous vivons dans un monde où les différences individuelles sont importantes. Exprimez cela, en insistant sur le caractère unique des personnes et des choses suivantes. Utilisez les pronoms **chacun** et **chacune**, d'après le modèle.

MODÈLE: Les régions françaises ont les mêmes traditions?
Non! Chacune a des traditions différentes.

1. Les restaurants ont le même menu?
2. Les magasins vendent les mêmes produits?
3. Les aliments *(foods)* ont la même valeur nutritive?
4. Les voitures ont les mêmes caractéristiques techniques?
5. Les revues traitent les mêmes sujets?
6. Les joueurs de football portent le même numéro?
7. Les individus expriment *(express)* les mêmes opinions?
8. Les électeurs votent pour les mêmes candidats?

Activité 11 On ne peut pas tout faire!

Madame Lamblet demande à son assistant s'il a fait certaines choses. Il répond qu'il a fait les unes mais pas les autres. Jouez le rôle de l'assistant. Utilisez **l'un, l'autre** dans les phrases 1 à 4, et **les uns, les autres** dans les phrases 5 à 8.

MODÈLE: Avez-vous copié ces deux documents?
J'ai copié l'un mais je n'ai pas copié l'autre.

1. Avez-vous répondu à ces deux lettres?
2. Avez-vous encaissé *(cashed)* ces deux chèques?
3. Avez-vous envoyé ces deux factures *(invoices)*?
4. Êtes-vous passé à ces deux agences de publicité?
5. Avez-vous étudié ces contrats?
6. Avez-vous téléphoné à ces clients?
7. Vous êtes-vous occupé de ces dossiers *(files)*?
8. Avez-vous écrit à ces fournisseurs *(suppliers)*?

Entre nous

D'accord?

Voici certaines opinions. Dites si oui ou non vous êtes d'accord avec chacune de ces opinions. Si possible, justifiez votre position avec un exemple personnel.

MODÈLE: Dans la vie, chacun pense d'abord à soi.
Je ne suis pas d'accord. Cette opinion est trop égoïste et pessimiste. Au contraire, je pense que chacun doit aider les autres.

1. Ce sont toujours les autres qui ont de la chance.
2. La justice n'est pas la même pour tout le monde.
3. Le malheur des uns fait le bonheur des autres.
4. La justice consiste à donner à chacun les mêmes chances.
5. Chacun a le devoir *(duty)* d'aider les autres.
6. Il y a plusieurs individus en chacun de nous.

À votre tour

1. Décrivez votre ville en disant ce qu'elle a à offrir. Vous pouvez parler des choses suivantes: les hôtels, les restaurants, les magasins, les monuments, les écoles, les jardins publics, les gens, les commerçants,... Utilisez les expressions de la leçon dans votre description.

   MODÈLE: *Dans ma ville, il y a plusieurs hôtels. Tous ces hôtels sont confortables. Certains sont assez chers mais les autres sont relativement bon marché...*

2. Imaginez que vous êtes un(e) journaliste français(e) en visite aux États-Unis pour couvrir certains événements importants. Décrivez ce que vous voyez en utilisant 5 ou 6 expressions de la leçon. Vous pouvez choisir parmi les événements suivants:

   une conférence de presse du Président / la célébration de la fête nationale / l'ouverture *(opening)* de l'Assemblée générale des Nations Unies / l'arrivée du Marathon de New York / les World Series...

   MODÈLE: *J'assiste à l'ouverture de l'Assemblée générale des Nations Unies. Tous les délégués sont présents. Plusieurs orateurs prennent la parole* (speak). *Chacun fait un discours* (speech). *Certains parlent du problème de l'énergie. Un autre parle du problème du désarmement. À la fin de la session, j'interviewe quelques délégués sur la situation internationale. Les uns me disent que...*

Leçon 20 La négation

A. La construction négative

B. **Quelqu'un, quelque chose, ne...personne** et **ne...rien**

C. L'expression négative **ne...aucun**

D. Quelques autres expressions négatives

E. Résumé: Les expressions négatives

F. L'expression **ne...que**

A. La construction négative

In each of the following pairs of sentences, the one on the right is in the negative. Note these negative constructions.

J'ai un vélo.	Je **n'**ai **pas** de voiture.
Nous travaillons beaucoup.	Nous **ne** travaillons **jamais** le week-end.
Nous avons visité Paris.	Nous **n'**avons **pas** visité Genève.
Henri est allé au Canada.	Il **n'**était **jamais** allé au Canada avant.
Je refuse de rester ici.	Je préfère **ne pas** rester ici.
Mes parents aiment voyager.	Ils regrettent de **ne jamais** voyager.

The negative construction consists of two words:

- **ne,** which always comes before the verb (and any object pronouns)
- **pas, jamais** (or other negative word), which usually comes
  —immediately after the verb when the verb is in a simple tense
  —between the auxiliary **(avoir** or **être)** and the past participle when the verb is in a compound tense
  —before the infinitive when the negative construction refers to that infinitive

➪ In sentences without a verb, only the second negative word is used.

Qui a pris mon livre?	**Pas** moi!
Vous êtes allé au Brésil?	Non, **jamais!**

➪ With the past infinitive, the second negative word can come either before the auxiliary (and the object pronouns, if any) or between the auxiliary and the past participle.

Je regrette de **ne pas** vous avoir répondu.
Je regrette de **ne** vous avoir **pas** répondu.
} *I'm sorry **not** to have answered you.*

➪ The expression **pas du tout** *(not at all)* follows the patterns above.
Vous n'avez **pas du tout** compris.

À remarquer

1. **Jamais** can be used without **ne** in a non-negative question. In this sense it corresponds to the English *ever.*

   As-tu **jamais** piloté un avion? — *Have you **ever** flown a plane?*

2. For emphasis, **jamais** can be placed at the beginning of the sentence.

   Jamais je n'ai dit cela! — *I NEVER said that!*

3. After certain verbs, such as **pouvoir, cesser** *(to stop),* or **oser** *(to dare),* **pas** is often omitted when these verbs are followed by an infinitive.

Nous **ne** pouvons vous répondre.	*We can**not** answer you.*
Je **n'**ose lui dire la vérité.	*I do **not** dare to tell him the truth.*
Il **ne** cesse de neiger.	*It does **not** stop snowing.*

Activité 1 Ignorance

Les personnes suivantes ne connaissent pas certaines choses ou certaines personnes. Expliquez pourquoi. Pour cela, utilisez le passé composé du verbe entre parenthèses et l'expression négative **ne...jamais.**

MODÈLE: Je ne connais pas Marseille. (visiter)
Je n'ai jamais visité Marseille.

1. Nous ne connaissons pas cette étudiante. (rencontrer)
2. Tu ne connais pas mes cousins. (voir)
3. Je ne connais pas votre fiancée. (parler)
4. Mes amis ne connaissent pas ce restaurant. (dîner dans)
5. Vous ne connaissez pas ce programme. (regarder)
6. Je ne connais pas Monaco. (aller à)
7. Tu ne connais pas ce magasin. (entrer dans)
8. Nous ne connaissons pas cette rue. (passer par)

Activité 2 Regrets

Les personnes suivantes ne font pas ou n'ont pas fait certaines choses et le regrettent. Exprimez cela, en utilisant la construction **regretter de** + *infinitif négatif* et un pronom complément d'objet. Attention: Utilisez l'infinitif passé pour les phrases 5 à 8.

MODÈLE: Madame Dupont ne regarde jamais la télévision.
Elle regrette de ne jamais la regarder.

1. Tu ne fais jamais de jogging.
2. Nous ne dînons jamais au restaurant.
3. Monsieur Delorme ne s'intéresse pas à la politique.
4. Vous n'appartenez pas à ce club.
5. Madame Smith n'a pas appris le français.
6. Philippe n'a pas assité à la conférence.
7. Les étudiants n'ont pas réussi à l'examen.
8. Isabelle n'est jamais allée à Québec.

B. Quelqu'un, quelque chose, ne...personne et ne...rien

Note the negative constructions that correspond to the indefinite pronouns **quelqu'un** and **quelque chose.**

Tu connais **quelqu'un** ici?	Non, je **ne** connais **personne.**
Vous avez vu **quelqu'un?**	Non, nous **n'**avons vu **personne.**
Quelqu'un a téléphoné?	Non, **personne n'**a téléphoné.
Tu fais **quelque chose** ce soir?	Non, je **ne** fais **rien.**
Vous avez entendu **quelque chose?**	Non, nous **n'**avons **rien** entendu.
Quelque chose est arrivé?	Non, **rien n'**est arrivé.

Forms

To refer to unspecified people or things, French speakers use the following expressions:

AFFIRMATIVE		NEGATIVE	
quelqu'un	*someone, somebody*	ne... personne	*nobody, no one, not anybody, not anyone*
quelque chose	*something*	ne... rien	*nothing, not anything*

- The above expressions are indefinite pronouns. In sentences requiring agreement, they are treated as masculine singular forms.

Est-ce que quelqu'un est venu?	Oui, Françoise est venue. Non, personne n'est venu.
Est-ce que quelque chose est arrivé au courrier *(mail)?*	Oui, une lettre de Paris.

- Note the following constructions:

quelqu'un, quelque chose ne... personne, ne... rien	+ de + masculine adjective
quelqu'un, quelque chose ne... personne, ne... rien	+ à + infinitive

Florence est **quelqu'un de très occupé.**	*Florence is* ***someone very busy.***
Elle a **quelque chose à faire.**	*She has* ***something to do.***
Je n'ai rencontré **personne d'intéressant.**	*I met* ***no one interesting.***
Je n'ai **rien** eu **à faire.**	*I had* ***nothing to do.***

Uses

As pronouns, **personne** and **rien** may be used as the subject or the object of the sentence. When they are subjects, they come before the verb (and **ne** remains in its usual place).

Personne n'est parfait. **Rien** n'est impossible.

In compound tenses, the direct object **rien** comes between the auxiliary and the past participle. The direct object **personne** comes after the past participle.

Je **n'**ai **rien** vu. Je **n'**ai vu **personne.**

Rien and **personne** may be the direct object of an infinitive. **Rien** comes before the infinitive. **Personne** comes after the infinitive.

Je préfère **ne rien** faire et **ne** voir **personne.**

Activité 3 C'est évident

Informez-vous sur les personnes suivantes et dites ce qu'elles ne font pas. Utilisez le présent des verbes entre parenthèses et l'expression négative **ne...personne** ou **ne...rien.**

MODÈLE: André se repose. (faire)
Il ne fait rien.

1. Ce garçon est timide. (parler à)
2. Tu te tais. (dire)
3. Vous n'êtes pas généreux. (inviter)
4. Je n'ai pas d'argent. (acheter)
5. Nous sommes courageux. (avoir peur de)
6. Henri n'est pas très curieux. (s'intéresser à)
7. Nous restons chez nous. (sortir avec)
8. Ce chien est très désobéissant. (obéir à)

Activité 4 Pourquoi?

Donnez une explication à l'action ou à la condition des personnes suivantes. Pour cela, utilisez la construction **avoir quelque chose à** ou **n'avoir rien à** + *infinitif* dans des phrases affirmatives ou négatives. Utilisez le verbe **avoir** au présent dans les phrases 1 à 5 et au passé composé dans les phrases 6 à 8.

MODÈLE: J'ai soif. (boire)
Je n'ai rien à boire.

1. Nous avons faim. (manger)
2. Cet étudiant lève la main. (dire)
3. Vous êtes inactif. (faire)
4. Ces personnes sont innocentes. (se reprocher)
5. Vous ne devez pas avoir peur. (craindre)
6. Ces touristes ont payé des droits de douane *(customs duties).* (déclarer)
7. Tu es resté silencieux. (dire)
8. J'ai été invité au restaurant. (dépenser [*to spend*])

Activité 5 Une mauvaise surprise

Quand Brigitte est rentrée du concert, elle a trouvé la porte et les fenêtres de son appartement grande ouvertes *(wide open)* et les lumières allumées. Elle appelle un inspecteur de police qui lui pose les questions suivantes. Brigitte répond négativement. Jouez le rôle de Brigitte.

MODÈLE: L'inspecteur: Avez-vous entendu quelque chose?
Brigitte: *Non, je n'ai rien entendu.*

1. Avez-vous vu quelqu'un en rentrant?
2. Avez-vous observé quelque chose d'anormal?
3. Avez-vous remarqué quelqu'un de suspect?
4. Est-ce que vous avez donné votre adresse à quelqu'un récemment?
5. Est-ce que vous avez fait quelque chose de spécial hier soir?
6. Est-ce que vous avez invité quelqu'un chez vous la semaine dernière?
7. Est-ce que quelqu'un vous a téléphoné dans l'après-midi?
8. Est-ce que quelque chose d'important a disparu?
9. Est-ce que quelqu'un est venu réparer l'électricité récemment?
10. Est-ce qu'il y avait quelque chose de grande valeur *(value)* dans votre appartement?

C. L'expression négative **ne...aucun**

Note the use of the negative expression **ne...aucun(e)** *(not any, no, not a single)* in the sentences below.

Tu **ne** fais **aucun** effort.	*You are **not** making **any** effort.*
Je **n'**ai pris **aucune** photo.	*I have **not** taken **a single** picture.*

Aucun(e) is an indefinite negative expression of quantity that is always in the singular. It can be used as an adjective or a pronoun.

ADJECTIVE	PRONOUN
Aucun client **n'**a téléphoné.	**Aucun n'**a téléphoné.
Cet artiste **n'**a **aucun** talent.	Il **n'en** a **aucun.**
Je **n'**ai acheté **aucune** revue.	Je **n'en** ai acheté **aucune.**

➪ As a pronoun, **aucun(e)** can be a subject or an object.

Since **aucun(e)** is an expression of quantity, it must be used with **en** when it functions as a direct object.

À remarquer

When used as a pronoun, **aucun** can be followed by **de** + *noun* or by **d'entre eux/elles.** In this case, **en** is not used.

Tu as lu ces livres?	Non, je n'ai lu **aucun de ces livres.**
Tu connais ces filles?	Non, je ne connais **aucune d'entre elles.**

Activité 6 La tempête de neige

Imaginez qu'une tempête de neige *(snowstorm)* paralyse complètement la ville où vous passez les vacances de Noël. Expliquez les conséquences de cette tempête en répondant négativement aux questions suivantes. Utilisez **aucun** ou **aucune.**

MODÈLE: Les magasins sont ouverts?
Non, aucun magasin n'est ouvert aujourd'hui.

1. Les banques sont ouvertes?
2. Les autobus fonctionnent?
3. Les rues sont dégagées *(cleared)?*
4. Les lettres sont livrées *(delivered)?*
5. Les voitures peuvent circuler?
6. Les avions peuvent décoller *(take off)?*

Activité 7 Critiques

Critiquez les personnes ou les choses suivantes. Pour cela, refaites les phrases en utilisant l'expression **ne...aucun** et le pronom **en.**

MODÈLE: Tu n'as pas d'ambition.
Tu n'en as aucune.

1. Vous ne faites pas d'effort!
2. Nos professeurs n'ont pas d'humour!
3. Ces artistes n'ont pas de talent!
4. Ce cinéma ne fait pas de prix spéciaux pour les étudiants.
5. Ces employés ne montrent pas d'initiative.
6. Les joueurs de notre équipe n'ont pas fait d'effort.
7. Tu n'as pas fait de progrès en français!
8. Mon patron ne m'a pas donné de responsabilités.

D. Quelques autres expressions négatives

Compare the affirmative and corresponding negative expressions in the groups of sentences below.

1. Il neige **encore?** — Non, il **ne** neige **plus.**
Vous voulez **encore** du café? — Non merci, je **ne** veux **plus** de café.
Vos amis partent **déjà?** — Non, ils **ne** partent **pas encore.**

AFFIRMATIVE		NEGATIVE	
encore	*still*	ne... plus	*no longer, not any longer, no more, not anymore*
déjà	*already*	ne... pas encore	*not yet*

➪ In compound tenses, the second negative expression **(plus, pas encore)** comes between the auxiliary **(avoir** or **être)** and the past participle.

Mon père n'a **plus** fumé. — Vous n'avez **pas encore** fini!
Il n'a **plus** acheté de cigarettes. — Vous n'êtes **pas encore** partis!

2. Vous allez **quelque part?** — Je **ne** vais **nulle part.**
Tu as rencontré cette personne **quelque part?** — Je **ne** l'ai rencontrée **nulle part.**

AFFIRMATIVE		NEGATIVE	
quelque part	*somewhere*	ne...nulle part	*nowhere, not anywhere*

➪ In compound tenses, **nulle part** comes after the past participle.

3. Tu veux du café **ou** du thé? — Je **ne** veux **ni** café **ni** thé.
Est-ce que c'est ton père **ou** ta mère qui t'a prêté de l'argent? — **Ni** mon père **ni** ma mère **ne** m'a prêté d'argent.
La radio **et** les journaux ont annoncé cet événement. — **Ni** la radio **ni** les journaux **n**'ont annoncé cet événement.

AFFIRMATIVE		NEGATIVE	
(et...) et (ou...) ou	*(both...) and* *(either...) or*	ne... ni... ni...	*neither...nor*

➪ After **ni,** the indefinite and partitive articles are generally not used.

➪ The words **ni... ni...** come immediately before the words that they modify.

Je **n**'ai lu **ni** cette pièce **ni** ce roman. — *I have read neither that play* ***nor*** *that novel.*
Je **n**'ai **ni** lu **ni** vu cette pièce. — *I have* ***neither*** *read* ***nor*** *seen this play.*

Activité 8 Bonnes décisions

Les personnes suivantes ont décidé de faire certaines choses. Dites qu'elles n'ont plus fait les choses entre parenthèses.

MODÈLE: J'ai décidé d'économiser mon argent. (acheter des choses inutiles)
Je n'ai plus acheté de choses inutiles.

1. Monsieur Duché a décidé de suivre un régime. (boire de la bière / manger des spaghetti)
2. Tu as décidé de rester calme. (t'énerver / te mettre en colère)
3. J'ai décidé d'étudier. (sortir tous les soirs / penser aux vacances)
4. André a décidé de se marier avec Catherine. (écrire à Sophie / sortir avec Nadine)
5. Vous avez décidé d'être prudents. (conduire à 100 km à l'heure / prendre des risques inutiles)

Activité 9 Pas d'accord!

Aujourd'hui vous êtes de mauvaise humeur et vous contredisez tout. Contredisez les phrases suivantes en utilisant l'expression négative **ne... ni... ni...**.

MODÈLE: Les jeunes sont idéalistes et sincères.
Ah non! Les jeunes ne sont ni idéalistes ni sincères!

1. Les étudiants sont sérieux et travailleurs.
2. Les gens sont honnêtes et généreux.
3. Nos professeurs sont justes et patients.
4. Les jeunes ont de l'ambition et du courage.
5. Le Président et le Congrès veulent faire des réformes.
6. La radio et la télévision disent la vérité.
7. Les Américains et les Russes veulent la paix.

E. Résumé: Les expressions négatives

Review the negative expressions and their positions in the table below.

SIMPLE TENSES	COMPOUND TENSES	INFINITIVE
Je **ne** sors **pas.**	Je **ne** suis **pas** sorti.	Je préfère **ne pas** sortir.
Je **ne** fume **jamais.**	Je **n'**ai **jamais** fumé.	Je décide de **ne jamais** fumer.
Je **ne** voyage **plus.**	Je **n'**ai **plus** voyagé.	Je regrette de **ne plus** voyager.
Je **ne** fais **rien.**	Je **n'**ai **rien** fait.	J'ai décidé de **ne rien** faire.
Je **n'**invite **personne.**	Je **n'**ai invité **personne.**	Je préfère **n'**inviter **personne.**
Je **ne** pars **pas encore.**	Je **ne** suis pas **encore** parti.	J'ai décidé de **ne pas encore** partir.
Je **ne** vais **nulle part.**	Je **ne** suis allé **nulle part.**	J'ai décidé de **n'**aller **nulle part.**
Je **ne** reçois **aucune** lettre.	Je **n'**ai reçu **aucune** lettre.	Je suis triste de **n'**avoir reçu **aucune** lettre.
Je **ne** vois **ni** Pierre **ni** Paul.	Je **n'**ai vu **ni** Pierre **ni** Paul.	J'ai décidé de **ne** voir **ni** Pierre **ni** Paul.

À remarquer

Several negative expressions can be used in combination.

Henri **n'**a **jamais plus** parlé de ses projets à ses amis. — *Henry **never** talked about his plans **anymore** to his friends.*

Il **n'**a **jamais plus rien** dit à **personne.** — *He **never** said **anything** to **anyone** **anymore.***

The most common sequence of negative expressions is:

ne... {jamais} > {plus} > [personne / rien / aucun(e)]

Activité 10 Non!

Lisez la description des personnes suivantes et complétez cette description. Pour cela, utilisez l'expression entre parenthèses au présent et l'une des expressions négatives du tableau récapitulatif (excepté **ne...pas**).

MODÈLE: Jacques réussit à ses examens sans étudier. (avoir du mérite?)
Il n'a aucun mérite.

1. Je déteste attendre. (avoir de la patience?)
2. Monsieur Martinot vient de déménager. (habiter ici?)

3. Vous restez chez vous. (aller?)
4. Yvette et Robert sont fiancés. (être mariés?)
5. François est végétarienne. (manger du jambon ou du poulet?)
6. Vous êtes bien silencieux! (dire?)
7. Marc est toujours de bonne humeur. (s'ennuyer?)
8. Nous ne sortons pas. (se rendre?)
9. Je viens de prendre de l'aspirine. (avoir mal à la tête?)
10. Tu n'as pas dix-huit ans. (pouvoir voter?)

Activité 11 Jean Malchance

Jean Malchance n'a pas la chance de son cousin Robert Bonnechance. Lisez ce qui est arrivé à Robert. Puis décrivez ce qui est arrivé à Jean en mettant les expressions en italique à la forme négative.

1. Le mécanicien a *déjà* réparé ma voiture et je peux aller *quelque part* ce week-end avec mes amis.
2. *Un* magasin était ouvert dimanche dernier et j'ai acheté *quelque chose* pour l'anniversaire de ma tante.
3. *Quelqu'un* m'a téléphoné samedi dernier et j'ai fait *quelque chose* d'intéressant. Je suis allé *quelque part* où je me suis amusé.
4. *Une* lettre est arrivée du Canada ce matin. Je constate *(realize)* que mes amis canadiens pensent *encore* à moi.
5. Mes voisins me parlent *encore.* Ils sont polis *et* serviables *(helpful)* avec moi.
6. Mon patron est *toujours* content de mon travail. Il va me donner une promotion *et* une augmentation *(raise)* de salaire.
7. Quand je suis parti ce matin, le magasin de journaux était *déjà* ouvert. J'ai pu acheter un journal *et* des magazines. J'ai eu *quelque chose* d'intéressant à lire dans le train.
8. Mon train a eu deux heures de retard. Quand je suis arrivé à Paris, *quelqu'un* m'attendait *encore* à la gare.

Horaire Du 25 sept. 1983 au 02 juin 1984

SNCF Paris - Nice

• **Paris-Gare-de-Lyon**	• **Nice-Ville**
• Dijon-Ville	• Cagnes-sur-Mer
• Arles	• Antibes
● Cannes	• Juan-les-Pins
● Juan-les-Pins	• Cannes
● Antibes	● Arles
● Cagnes-sur-Mer	● Dijon-Ville
● **Nice-Ville**	● **Paris-Gare-de-Lyon**

Cette fiche ne comporte que les horaires pour les relations au départ d'une gare • à destination des gares ●

F. L'expression **ne...que**

The expression **ne...que** is not a negative expression. It is a limiting expression that means *only.* Note its use in the following sentences.

Je parle français.	
Je **ne** parle **que** français.	*I speak **only** French.*
Je **ne** parle français **qu'**en France.	*I speak French **only** in France.*
Je **ne** parle français en France **qu'**avec mes amis.	*I speak French in France **only** with my friends.*

With the limiting construction **ne... que, ne** comes before the verb and **que** comes before the word or phrase to which the restriction applies.

- Because **ne... que** is not a negative expression, the indefinite and partitive articles do not change after the verb.

Je mange des légumes.	Je **ne** mange **que des** légumes.

À remarquer

If the restriction applies to an object pronoun, the following construction is used.

ne + verb + que + (à) + stress pronoun

Je le connais.	Je **ne** connais **que** lui.
Je t'écris.	Je **n'**écris **qu'à** toi.

Activité 12 Dommage!

Exprimez votre déception *(disappointment)* aux choses suivantes. Pour cela, remplacez l'expression **seulement** *(only)* par la construction **ne... que.**

MODÈLE: Je sors seulement le samedi soir.
Je ne sors que le samedi soir.

1. Le professeur donne seulement des examens difficiles.
2. La cafétéria sert seulement des spaghetti!
3. Ce cinéma donne seulement des films stupides!
4. Nous avons seulement une semaine de vacances à Noël!
5. Je reçois seulement des notes à payer *(bills).*
6. Mes amis me rendent visite seulement quand ils ont besoin de moi.
7. J'ai reçu seulement un «C» à l'examen.
8. Mes parents ont eu seulement des problèmes avec leur nouvelle auto!

Activité 13 Restrictions

Informez-vous sur les personnes ou les choses suivantes. Décrivez les restrictions correspondantes. Pour cela, faites des phrases en utilisant la construction **ne...que** et les éléments entre parenthèses.

MODÈLE: Thérèse est végétarienne. (manger des légumes)
Elle ne mange que des légumes.

1. Ce film n'est pas très long. (durer [*to last*] une heure)
2. Ce magasin est spécialisé. (vendre des micro-ordinateurs / réparer les machines à écrire)
3. Je suis au régime. (boire de l'eau minérale / manger des fruits)
4. Thomas est amoureux de Jeannette. (penser à elle / sortir avec elle)
5. Le cinéma est fermé. (ouvrir à sept heures / donner des westerns)
6. Vous êtes égoïstes. (penser à vous / vous intéresser à vos problèmes personnels / vous occuper de vos intérêts)
7. Ma tante est très riche. (voyager en première classe / dîner dans les restaurants trois étoiles)
8. Ces gens travaillent beaucoup. (dormir six heures par nuit / se reposer le dimanche / prendre une semaine de vacances par an)
9. Nous faisons des économies. (voyager en bus / aller dans des restaurants bon marché)

Entre nous

Situations

Volontairement ou non, beaucoup de gens se limitent à certaines activités. Exprimez cela pour les personnes suivantes. Pour cela, composez un paragraphe de plusieurs phrases en utilisant des expressions négatives ou l'expression ***ne...que.***

MODÈLE: Régine suit un régime.
Elle ne mange plus de pain. Elle ne mange ni viande ni pomme de terre. Elle ne mange que des fruits et des légumes. Elle n'a pas encore perdu dix kilos, mais elle ne perd pas courage.

1. Je suis en vacances.
2. François est un étudiant qui n'a pas beaucoup d'argent.
3. Monsieur Allard a décidé de faire attention à sa santé.
4. Nous sommes perdus sur une île déserte.
5. Mademoiselle Lenoir a hérité d'un vieil oncle très riche.
6. Sylvie a rompu *(broke up)* avec son fiancé.
7. Monsieur Roland vient de prendre sa retraite *(has just retired).*
8. Monsieur Richard, millionnaire snob et dépensier *(extravagant),* vient de perdre sa fortune au Casino de Monte-Carlo.
9. Le grand pianiste Trémolo s'est cassé le bras dans un accident de ski.

Constructions, expressions et locutions

1. Les adverbes d'intensité
2. Adjectifs utilisés comme adverbes
3. La construction **de plus en plus**
4. La construction **plus...plus**

1. Les adverbes d'intensité

Adverbs of intensity reinforce the meaning of an adjective or another adverb. The main adverbs of intensity are **très** *(very)*, **fort** *(quite, very)*, **bien** *(quite, really)*, **si** *(so)*, **tout** *(quite, all)*, **vraiment** *(really)*.

Vous êtes **très** bon en français.	Vous parlez **très** bien.
Cette fille est **fort** intelligente.	Elle s'exprime **fort** intelligemment.
Oh là là, vous êtes **bien** arrogants.	Vous agissez **bien** arrogamment.
Cette personne est **si** généreuse!	Elle aide **si** généreusement ses amis!
C'est **tout** simple!	Répondez **tout** simplement à cette question.

⇨ As an adverb of intensity, **bien** can be used to reinforce the meaning of a verb.

Je comprends **bien.**	*I **do** understand.*
Vos amis partent **bien** à midi?	*Your friends are **indeed** leaving at noon?*

Note however that **bien** softens the meaning of verbs like **aimer** and **vouloir.**

Anne **aime bien** Charles.	*Anne **likes** Charles (but she does not love him).*
Je **veux bien** vous aider.	***I am willing** (but not eager) to help you.*

2. Adjectifs utilisés comme adverbes

A few adjectives are used as adverbs in the construction *verb + adjective.* Used in this manner, the adjectives are invariable. Note the following expressions:

coûter **cher**	*to be expensive*	Ces chemises **coûtent cher.**
parler **fort (haut, bas)**	*to speak in a loud (high, low) voice*	Silence! Ne **parlez** pas si **fort!**
sentir **bon (mauvais)**	*to smell good (bad)*	Ce parfum **sent bon.** Qu'est-ce que c'est?
chanter **juste (faux)**	*to sing on key (off key)*	J'adore chanter, mais malheureusement je **chante faux.**
voir **clair**	*to see clearly*	Quand il fait nuit, on ne **voit** pas **clair.**
travailler **dur**	*to work hard*	Les ouvriers **travaillent dur** pour finir cette maison.

3. La construction **de plus en plus**

The expressions **de plus en plus** *(more and more)* and **de moins en moins** *(less and less)* can be used:

- by themselves, to modify a *verb*

  Nous travaillons **de plus en plus**...
  et nous nous reposons **de moins en moins.**

- to modify an *adjective* or an *adverb*

  Il fait **de plus en plus** froid.
  Pourquoi êtes-vous **de moins en moins** optimiste?

  Cette personne parle **de plus en plus** fort.
  La voiture va **de moins en moins** vite.

- to introduce **de** + *noun*

  J'ai **de plus en plus de** travail...
  et **de moins en moins de** vacances.

Note: When **de plus en plus** modifies the adverb **bien,** the resulting expression is **de mieux en mieux.**

Vous jouez **bien** au tennis.	*You play tennis **well.***
Vous jouez **de mieux en mieux.**	*You are playing **better and better.***

4. La construction **plus...plus**

Note the use of the construction **plus...plus** in the following sentences:

Plus on a d'amis, **plus** on est heureux.	***The more** friends you have, **the happier** you are.*
Plus vous parlez, **plus** vous dites des bêtises.	***The more** you talk, **the more** you say stupid things.*

The construction **plus... plus** corresponds to the English constructions *the more...the more,* or (with short adjectives) *the...-er, the...-er.* Note that after **plus,** regular word order is used.

➪ Similar constructions occur with **moins... moins** *(the less...the less),* **plus... moins** *(the more...the less),* and **moins... plus** *(the less...the more).*

Moins on fait d'effort, **moins** on réussit.	***The less** effort you make, **the less** you succeed.*
Plus on est actif, **moins** on perd son temps.	***The more** active you are, **the less** time you waste.*
Moins vous mangez, **plus** vous maigrissez.	***The less** you eat, **the more** weight you lose.*

Unité 5

Le futur, le conditionnel, le passif

Seated Woman, etching by Jacques Villon, 1913. Yale University Art Gallery, Gift of Collection Société Anonyme.

Leçon 21 Le futur

A. Le futur: formation régulière et usage
B. Le futur: formes irrégulières
C. L'usage du futur dans les phrases avec **si**
D. L'usage du futur après **quand**

A. Le futur: formation régulière

In the following sentences, the verbs are in the future tense.

Je **passerai** l'été en France. — *I **will spend** next summer in France.*

Nous **visiterons** la Bretagne. — *We **will visit** Brittany.*

Forms

In French, the future is a simple tense. It consists of one word and is formed according to the following pattern.

future stem + future endings

parler	écrire	FUTURE ENDINGS
je **parlerai**	j'**écrirai**	*-ai*
tu **parleras**	tu **écriras**	*-as*
il/elle/on **parlera**	il/elle/on **écrira**	*-a*
nous **parlerons**	nous **écrirons**	*-ons*
vous **parlerez**	vous **écrirez**	*-ez*
ils/elles **parleront**	ils/elles **écriront**	*-ont*

- All verbs have the same set of future endings.

For all regular verbs and many irregular verbs:

future stem = infinitive (minus final *-e*, if any)

- For all verbs, the future stem ends in ***-r***.
- Note the future stems of verbs such as **acheter**, **payer**, **appeler**, and **jeter**.

INFINITIVE	FUTURE STEM	
acheter	**achèter-**	J'**achèterai** une guitare.
payer	**paier-**	Je **paierai** avec un chèque.
appeler	**appeller-**	Je t'**appellerai** demain.
jeter	**jetter-**	Je **jetterai** ces vieux journaux.

There is no stem change for verbs such as **répéter**: Je **répéterai** la question.

- The interrogative and negative forms of the future are formed according to the same patterns used for other simple tenses.

—**Sortirez-vous** ce soir? —Non, nous **ne sortirons pas.**

—Et Paul? **Restera-t-il** chez lui? —Non, **il ne restera pas** chez lui.

Uses

The future tense is generally used to describe events that will or will not happen sometime in the future.

Nous **arriverons** demain à midi.	*We **will arrive** tomorrow at noon.*
Tu ne **changeras** jamais!	*You **will** never **change**!*

➪ The construction **aller** + *infinitive* is used to express the near future, especially in conversational style.

Ce soir, je **vais sortir.**	*Tonight I **am going to go out.***

Activité 1 Conversation

Demandez à vos camarades s'ils feront les choses suivantes dans le courant de l'année.

MODÈLE: acheter une auto?
—Achèteras-tu une auto?
—Oui, j'achèterai une auto. (Non, je n'achèterai pas d'auto.)

1. changer de résidence?
2. chercher du travail?
3. partir en vacances?
4. voyager?
5. suivre des cours de judo?
6. apprendre à faire de la planche à voile?
7. t'acheter un micro-ordinateur?
8. t'inscrire à *(to join)* un club sportif?
9. jouer un rôle dans une comédie musicale?
10. te fiancer?

Vocabulaire: Pour décrire le futur

l'avenir = le futur	*future*
un but = un objectif	*goal, objective*
un projet	*plan*
un rêve	*dream*
atteindre (un but)	*to reach (a goal)*
réaliser (un rêve)	*to see (a dream) come true, to achieve*

prochain	*next*	L'été **prochain** je travaillerai dans une banque.
bientôt	*soon*	Claude partira **bientôt** au Canada.
tout à l'heure	*shortly*	Je te répondrai **tout à l'heure.**
dès	*as of*	Je m'occuperai de cela **dès** demain.
jusqu'à	*until*	Je resterai ici **jusqu'à** cinq heures.
dans (+ *time*)	*in...*	Le bus partira **dans dix minutes.**
d'ici (+ *time*)	*within...; between now and...*	Je vous téléphonerai **d'ici une heure.**
dans (+ *time*) **d'ici**	*in...from now*	**Dans deux mois d'ici,** les vacances commenceront.

Note de vocabulaire

Note the difference between **en** + *time* and **dans** + *time*.

Je réparerai votre voiture **en une heure.**	*I'll fix your car* ***in*** *(within the time span of)* ***one hour.***
Je réparerai votre voiture **dans une heure.**	*I'll fix your car* ***(in) one hour (from now).***

Activité 2 Vive le progrès!

Avec le progrès, tout est possible ou presque. Dites si les choses suivantes se réaliseront et dans combien de temps. Dans un an? dans cinq ans? dans dix ans? dans vingt ans? ou jamais?

MODÈLE: on (éliminer complètement la pollution?)
Dans dix ans on éliminera complètement la pollution.
(On n'éliminera jamais complètement la pollution.)

1. les médecins (découvrir une cure contre le cancer? fabriquer un cerveau [*brain*] artificiel?)
2. les savants (contrôler le climat? produire des aliments totalement artificiels?)
3. tout le monde (se servir de micro-ordinateurs? employer des robots domestiques? parler une langue universelle?)
4. les Américains (signer un traité de limitation d'armements avec l'Union soviétique? établir des relations diplomatiques avec Cuba?)
5. nous (passer les vacances sur la lune? voyager en fusée [*rocket*]?
6. je (parler français sans accent? vivre en France?)

Activité 3 Conséquences

Nos actions ou notre personnalité déterminent souvent ce que nous ferons ou ce que nous serons plus tard. Informez-vous sur les personnes suivantes et décrivez ce qu'elles feront. Utilisez les verbes entre parenthèses dans des phrases affirmatives ou négatives.

MODÈLE: Nicole suit un régime. (grossir?)
Elle ne grossira pas.

1. Vous buvez trop de café. (vous énerver pendant l'examen? vous coucher tôt? dormir bien cette nuit?)
2. Oh là là! J'ai mal à la tête! (sortir ce soir? pendre de l'aspirine? étudier jusqu'à minuit? me coucher tard?)
3. Thérèse veut faire des économies. (acheter des choses inutiles? mettre son argent à la banque? prendre un taxi pour aller à l'école?)
4. Ah vraiment, vous ne vous dépêchez pas! (arriver en retard à la gare? rater votre train?)
5. Tu es très indépendant. (vivre chez tes parents jusqu'à l'âge de 30 ans? écouter les conseils de tes amis? suivre ta propre [*own*] inspiration?)
6. Mes cousins sont très prudents. (prendre des risques? tenter [*to try*] leur chance à Las Vegas? réfléchir avant d'agir?)
7. Jacqueline a beaucoup de talent artistique. (étudier les maths? suivre des cours de peinture? produire des chefs-d'œuvre [*masterpieces*]?)
8. Claire est très méticuleuse. (nettoyer sa chambre? ranger ses vêtements? laisser ses livres en désordre?)

B. Le futur: formes irrégulières

All verbs have regular future endings. A few verbs, however, have irregular future stems. Note these stems in the chart below.

INFINITIVE	FUTURE STEM	
avoir	aur-	Quand **auras**-tu ton passeport?
être	ser-	À quelle heure **serez**-vous ici?
faire	fer-	Nous **ferons** un voyage cet été.
aller	ir-	Où **irez**-vous?
devoir	devr-	Nous **devrons** prendre nos billets.
pouvoir	pourr-	Paul ne **pourra** pas venir avec nous.
vouloir	voudr-	Mes amis **voudront** voir Paris.
envoyer	enverr-	Je vous **enverrai** mon adresse.
recevoir	recevr-	—Quelle note **recevrons**-nous?
savoir	saur-	—Vous **saurez** cela après l'examen.
venir	viendr-	À quelle heure **viendras**-tu?
voir	verr-	Nous **verrons** nos amis au café.
courir	courr-	Vous **courrez** un grand risque!
mourir	mourr-	Nous **mourrons** tous un jour.
s'asseoir	s'assiér-	Je **m'assiérai** à côté de vous.
acquérir	acquerr-	Vous **acquerrez** de l'expérience.

PRESENT	FUTURE	
il y a	**il y aura**	**Il y aura** une tempête.
il pleut	**il pleuvra**	Est-ce qu'**il pleuvra** ce week-end?
il faut	**il faudra**	**Il faudra** que tu fermes la porte.
il vaut mieux	**il vaudra mieux**	**Il vaudra mieux** que vous rentriez.

⇨ Verbs conjugated in the present tense like the verbs above have similar future stems.

refaire	refer-	Nous **referons** cet exercice.
s'apercevoir	s'apercevr-	Vous **vous apercevrez** de votre erreur.
obtenir	obtiendr-	Quand **obtiendras**-tu ton diplôme?

Activité 4 Rêves ou réalités?

Il est permis de rêver. Dites si vous réaliserez un jour les rêves suivants.

MODÈLE: être millionnaire?
Oui, un jour je serai millionnaire! (Non, je ne serai jamais millionnaire!)

1. être un écrivain célèbre?
2. avoir des petits-enfants?
3. faire le tour du monde?
4. savoir piloter un avion?
5. voir Paris?
6. aller à Pékin?
7. courir un marathon?
8. devenir sénateur?
9. obtenir le prix Nobel?
10. pouvoir changer le charbon en or?
11. acquérir un château?

Activité 5 Oui ou non?

Lisez ce que les gens viennent de faire et dites si oui ou non ils feront les choses entre parenthèses.

MODÈLE: Je viens de boire un bon café. (avoir sommeil?)
Je n'aurai pas sommeil.

1. Suzanne vient de s'inscrire à un club de sport. (faire du sport régulièrement? être en bonne santé? savoir mieux jouer au tennis?)
2. Vous venez d'étudier. (être prêts pour l'examen? savoir les réponses? recevoir une bonne note?)
3. Zut! Je viens de rater mon examen du permis de conduire *(driver's test)*! (obtenir mon permis? pouvoir conduire? devoir passer l'examen encore une fois?)
4. Nous venons d'inviter des amis à dîner chez nous. (aller au supermarché? faire les courses? aller au restaurant ce soir?)
5. Ces étudiants viennent de partir pour la France. (voir Paris? pouvoir parler français? revenir avec des merveilleux souvenirs de vacances?)
6. Tu viens de te casser la jambe. (aller à l'hôpital? avoir un plâtre [*cast*]? vouloir danser ce soir?)
7. Nicole vient d'apprendre le mariage de sa cousine qui habite en Australie. (aller au mariage? envoyer un télégramme de félicitations? faire un cadeau?)
8. Monsieur Simon vient d'être arrêté par la police pour excès de vitesse *(speeding)*. (avoir une contravention [*ticket*]? être plus prudent? aller moins vite la prochaine fois?)
9. On vient d'annoncer une tempête pour le week-end. (il pleut? il vaut mieux rester chez soi? il faut laisser les fenêtres ouvertes?)

C. L'usage du futur dans les phrases avec **si**

The sentences below express future possibilities. They describe what will happen *if* a certain condition is met. Each sentence contains two clauses.

- a **si** clause (*if* clause), which states the condition;
- a main clause (result clause), which expresses the possible outcome.

Note the sequence of tenses in these sentences.

Si le bus n'**arrive** pas, nous **prendrons** un taxi.	*If the bus* ***does*** *not* ***come,*** *we* ***will take*** *a taxi.*
Anne **ira** au Mexique si elle **a** assez d'argent.	*Anne* ***will go*** *to Mexico if she* ***has*** *enough money.*
S'il **a** le temps, Pierre nous **rendra** visite.	*If he* ***has*** *the time, Pierre* ***will pay*** *us a visit.*

In sentences in which the **si** clause expresses a supposition about the future, the sequence of tenses is:

SI CLAUSE	MAIN (OR RESULT) CLAUSE
present	future

- **Si** becomes **s'** only before **il** and **ils.** There is no **élision** with **elle, elles, on,** or with a word beginning with a vowel sound.
- The **si** clause may come before or after the main clause. It is placed at the end of the sentence for emphasis.

À remarquer

In similar constructions, English may use the future in both the *if* clause and the result clause. In French, the **si** clause must be expressed in the present.

Si tu m'**aides,** nous **finirons** plus vite.

If you ***help*** *me, we* ***will finish*** *faster.*
If you ***will help*** *me, we* ***will finish*** *faster.*

Activité 6 Conditions

Il y a souvent des conditions à ce que l'on veut faire. Dites ce que feront les personnes suivantes si certaines conditions sont réalisées. Attention! Ces conditions peuvent être affirmatives ou négatives.

MODÈLE: je (sortir / être malade)
Je sortirai si je ne suis pas malade.

1. Madame Martin (voyager / avoir son passeport)
2. Monsieur Rémi (aller en Chine / obtenir un visa)
3. les étudiants (recevoir un «A» / rater l'examen)
4. vous (pouvoir voter / avoir 18 ans)
5. tu (réussir / avoir peur du danger)

6. nous (avoir des amis / être égoïstes)
7. ma cousine (être architecte / obtenir son diplôme)
8. tu (savoir faire du ski / avoir peur de tomber)
9. je (m'asseoir à la table d'honneur / y être invité)
10. vous (vous souvenir de mon adresse / l'écrire dans un carnet)

Activité 7 Possibilités

On a prédit les choses suivantes. Dites ce que feront (ou ne feront pas) les personnes entre parenthèses dans ces circonstances.

MODÈLE: Il fera beau cet après-midi. (moi: prendre mon imperméable?)
S'il fait beau cet après-midi, je ne prendrai pas mon imperméable.

1. Il pleuvra ce week-end. (nous: sortir? je: faire une promenade? vous: rester chez vous?)
2. Les transports publics seront en grève *(strike)* la semaine prochaine. (nous: aller à pied à l'école? Madame Durand: prendre un taxi pour aller à son bureau? vous: prendre le bus?)
3. Il y aura une tempête de neige demain. (les magasins: fermer? la circulation [*traffic*]: être paralysée? les automobilistes: devoir être prudents?)
4. Il y aura une nouvelle crise de l'énergie. (l'essence: coûter moins cher? l'inflation: diminuer? les entreprises: connaître [*to experience*] de graves difficultés?)
5. La situation économique s'améliorera. (les entreprises: investir? le chômage [*unemployment*]: augmenter? les gens: avoir plus d'argent? tout le monde: être plus heureux?)
6. L'inflation continuera. (tout: coûter plus cher? les employés: demander des augmentations de salaire? je: faire des économies?)

D. L'usage du futur après **quand**

Read the pairs of sentences below carefully. The first sentence describes a situation that exists in the present. The second sentence describes a situation that will occur in the future. Compare the use of tenses.

Quand André **a** de l'argent,
il **s'achète** des vêtements.
Quand il **aura** beaucoup d'argent,
il **s'achètera** une voiture.

***When** André **has** money,*
*he **buys** clothes.*
***When** he **has** a lot of money,*
*he **will buy** himself a car.*

Quand je **suis** chez moi,
je ne **parle** pas français.
Quand je **serai** en France,
je **parlerai** français.

***When** I **am** at home,*
*I **don't speak** French.*
***When** I **am** in France,*
*I **will speak** French.*

When referring to a future situation or event, the French use the future tense in both the **quand** clause (*when* clause) and the main clause. The pattern is:

QUAND CLAUSE	MAIN CLAUSE
future	future

- The future is also used after **quand** when the verb of the main clause is in the *near future* (**aller** + *infinitive*) or when it is in the *imperative* and a future event is implied.

Quand je **serai** à Paris, je **vais** vous **rendre** visite.	**Quand** vous **serez** à Paris, **rendez**-moi visite!

- The **quand** clause may come at the beginning or at the end of the sentence. It comes at the end for emphasis.

  Nous sortirons **quand** il fera beau.

- In sentences of this type, the future is also used after the conjunctions **lorsque** *(when)*, **dès que** *(as soon as)*, **aussitôt que** *(as soon as)*, **tant que** *(as long as)*.

Lorsque j'aurai mon passeport, je **partirai.**	***When I have*** *my passport,* ***I will leave.***
J'écrirai à Alain **dès que** j'aurai son adresse.	*I* ***will write*** *to Alain* ***as soon as I have*** *his address.*
Nous vous **téléphonerons aussitôt que** nous **serons** à Nice.	*We* ***will phone*** *you* ***as soon as*** *we* ***are*** *in Nice.*
Tant qu'il pleuvra, nous **resterons** à la maison.	***As long as it rains,*** *we* ***will stay*** *home.*

Vocabulaire: Quelques conjonctions de temps

quand	*when*	**aussitôt que**	*as soon as*	**tant que**	*as long as*
lorsque	*when*	**dès que**	*as soon as*		

Activité 8 Projets de voyage

Les étudiants de la colonne A ont décidé de voyager cet été. Décrivez leurs projets de voyage. Pour cela, utilisez la construction *quand* + le futur d'*aller* avec l'un des endroits de la colonne B et le futur d'un des verbes de la colonne C. Soyez logique et respectez la géographie!

A	B	C
je	au Mexique	parler français/espagnol/arabe
vous	en Grèce	aller à la plage tous les jours
Nicole et Monique	en Egypte	faire de la planche à voile
nous	à la Martinique	faire une croisière *(cruise)* sur le Nil
mes cousins	sur la Côte d'Azur	se promener à Fort-de-France
tu	*(French Riviera)*	voir Athènes
		visiter les ruines Aztèques
		prendre des photos des Pyramides

MODÈLE: *Quand j'irai au Mexique, je parlerai espagnol.*

Activité 9 S'il te plaît

Imaginez que vous avez un(e) ami(e) français(e) qui habite avec votre famille. Dites-lui de faire certaines choses à un certain moment. Utilisez l'impératif et la construction **quand** + *futur.*

MODÈLE: être prudent(e) / conduire ma voiture
Sois prudent(e) quand tu conduiras ma voiture.

1. faire attention / traverser *(to cross)* la rue
2. éteindre la télévision / sortir
3. rester calme / passer le permis de conduire *(driver's license)*
4. fermer la porte à clé *(to lock the door)* / quitter l'appartement
5. acheter le journal / aller en ville
6. rendre ce livre / passer à la bibliothèque
7. me rendre mes disques / retourner en France
8. m'écrire / être chez toi

Activité 10 La bonne occasion

Il y a toujours un moment opportun pour faire certaines choses. Exprimez cela en disant ce que feront les personnes suivantes quand l'occasion se présentera.

MODÈLE: Madame Mercier (acheter des tomates / dès que / elles sont meilleur marché)
Madame Mercier achètera des tomates dès qu'elles seront meilleur marché.

1. Nicole (acheter ces robes / lorsque / elles sont en solde [*on sale*])
2. tu (demander la voiture à ton père / quand / il est de bonne humeur)
3. vous (aller en France / dès que / le prix du voyage est moins élevé)
4. nous (prendre des photos / aussitôt que / la lumière [*light*] est meilleure)
5. les employés (demander une augmentation [*raise*] / lorsque / la compagnie fait des bénéfices importants [*big profits*])
6. je (mettre mon argent à la banque / dès que / les taux [*rates*] d'intérêt sont plus élevés)
7. tu (demander de l'argent à tes parents / quand / ils reviennent de la banque)
8. Roméo (grimper [*to climb*] au balcon / aussitôt que / Juliette ouvre la fenêtre)
9. les souris [*mice*] (danser / tant que / le chat n'est plus là)
10. les prisonniers (s'échapper / aussitôt que / le gardien ne regarde pas)

Entre nous

En France

Les personnes suivantes vont passer quelque temps en France. Imaginez leur séjour (comment voyageront-elles? où resteront-elles? que feront-elles? où iront-elles?). Pour chaque personne, composez un paragraphe de cinq à sept phrases en utilisant le futur et votre imagination.

1. Nous sommes étudiants. Nous n'avons pas beaucoup d'argent. Avant de partir, nous avons acheté un Eurail-Pass.
2. Monsieur Martin est vice-président d'une compagnie qui fabrique des micro-ordinateurs. Il vient en France pour ouvrir une filiale *(branch).*
3. Irène prépare un diplôme d'architecture. Elle s'intéresse à la restauration des maisons anciennes.
4. Je suis étudiant. Je voudrais prendre contact avec des étudiants français pour organiser un club d'échange avec mon université.
5. Madame Simon est acheteuse en chef pour une chaîne de grands magasins spécialisés dans les produits de luxe. Elle voudrait augmenter ses ventes *(sales)* de produits importés.

À votre tour

Complétez les phrases suivantes avec une réflexion personnelle.

1. Si je veux gagner de l'argent cet été...
2. Si je ne trouve pas de travail...
3. Si un jour, je suis très riche...
4. Quand j'aurai mon diplôme...
5. Quand j'aurai 25 ans...
6. Je serai vraiment indépendant(e) lorsque...
7. Je serai totalement heureux (heureuse) quand...
8. J'achèterai une maison dès que...
9. Je cesserai de travailler aussitôt que...
10. Je resterai célibataire tant que...

Leçon 22 Le conditionnel

A. Le conditionnel présent
B. L'usage du conditionnel dans les phrases avec **si**
C. L'usage du conditionnel dans le discours indirect

A. Le conditionnel présent

The conditional is a mood that has a present and a past tense. In the following sentences, the verbs in heavy print are in the present conditional.

Nous **voyagerions** si nous avions le temps. — *We **would travel** if we had the time.*

J'**aimerais** visiter Genève. — ***I would like** to visit Geneva.*

Forms

The present conditional is a simple tense. It consists of one word and is formed according to the following pattern.

future stem + imperfect endings

INFINITIVE		parler	prendre	aller	ENDINGS
FUTURE	je	parlerai	prendrai	irai	
PRESENT CONDITIONAL	je (j')	parlerais	prendrais	irais	*-ais*
	tu	parlerais	prendrais	irais	*-ais*
	il/elle/on	parlerait	prendrait	irait	*-ait*
	nous	parlerions	prendrions	irions	*-ions*
	vous	parleriez	prendriez	iriez	*-iez*
	ils/elles	parleraient	prendraient	iraient	*-aient*

➪ The interrogative and negative forms of the present conditional are formed according to the same patterns as for other simple tenses.

—**Achèteriez-vous** une voiture de sport?

—Non, je **n'achèterais pas** de voiture de sport.

Uses

In general, the present conditional is used to express what *would* happen (if a certain condition were met).

Si on était en vacances... — *If we were on vacation...*

Je **serais** à la plage. — ***I would be** on the beach.*

Mes amis **voyageraient**. — *My friends **would travel.***

Personne n'**étudierait**. — *Nobody **would be studying.***

The present conditional of verbs like **aimer, vouloir, pouvoir, devoir, il faut,** and **il vaut mieux** may be used instead of the present indicative to express a wish or request in a more polite manner.

Je veux te parler.	*I want to talk to you.*
Je **voudrais** te parler. J'**aimerais** te parler.	*I* ***would like*** *to talk to you.*
Peux-tu me prêter ton auto? **Pourrais**-tu me prêter ton auto?	*Can you lend me your car?* ***Could*** *you lend me your car?*
Vous devez faire attention. Vous **devriez** faire attention.	*You must pay attention.* *You* ***should (ought to)*** *pay attention.*
If faut que tu sois prudent. Il **faudrait** que tu sois prudent.	*You must be careful.* *You* ***should*** *be careful.*

À remarquer

Note also the following expressions.

Je serais heureux de vous inviter à dîner.	***I would be happy*** *to invite you to dinner.*
Auriez-vous l'amabilité de venir?	***Would you be kind enough*** *to come?*

Activité 1 Projets en l'air

Des étudiants se rencontrent à la cafétéria. Pendant le déjeuner ils discutent de ce qu'ils feraient s'ils n'étaient pas étudiants. Exprimez le choix de chacun en utilisant le conditionnel des verbes entre parenthèses.

MODÈLE: François (écrire un roman)
François écrirait un roman.

1. nous (voyager; visiter l'Égypte; naviguer [*to sail*] sur le Nil)
2. tu (te reposer; te lever tard; te coucher tôt)
3. vous (apprendre à jouer de la guitare; jouer dans un orchestre de jazz)
4. je (choisir une existence simple; vivre à la campagne; travailler dans une ferme)
5. Jean-Luc (visiter l'Orient; découvrir la civilisation indienne; décrire ses aventures dans un roman)
6. Thomas et Charles (apprendre à faire la cuisine; ouvrir un restaurant; préparer les spécialités de la région)
7. Mélanie (suivre des cours d'art dramatique; fonder une troupe théâtrale; jouer des pièces d'Ionesco)
8. mes cousines (s'intéresser à la politique; travailler pour la paix; combattre l'injustice)
9. nous (travailler dans un hôpital comme volontaire; aider les gens; servir notre communauté)
10. vous (vous inscrire dans un club écologiste; militer pour le respect de la nature; prendre position contre l'énergie nucléaire)

Activité 2 À vous le choix

Imaginez que vous avez le choix entre les choses suivantes. Indiquez votre choix en utilisant le conditionnel.

MODÈLE: aller au cinéma ou à un concert?
Si j'avais le choix, j'irais au cinéma (à un concert).

1. être un grand artiste ou un grand savant *(scientist)*?
2. être avocat(e) ou médecin?
3. avoir beaucoup de responsabilités ou beaucoup de temps libre?
4. avoir un yacht ou un château en France?
5. faire un voyage en ballon ou en planeur *(glider)*?
6. faire une promenade à cheval ou à dos de chameau *(camel)*?
7. aller au cirque ou à la fête foraine *(carnival)*?
8. aller à un concert de jazz ou à une conférence sur la para-psychologie?
9. savoir piloter un avion ou programmer un ordinateur?
10. recevoir des compliments ou des cadeaux?
11. recevoir un Oscar ou le prix Nobel de littérature?
12. voir un film de science-fiction ou un drame psychologique?
13. voir Paris ou Rome?
14. devenir riche ou célèbre?

225 millions de DM
La nouvelle série de jeux commence le 10 novembre 1984

Aimeriez-vous vite faire fortune?

Le Jeu des Grands Lots pour 225 millions de DM vous offre des chances qu'aucune autre loterie ne vous a jamais offertes et que vous ne devriez pas ignorer.

Activité 3 Un peu de politesse

On peut exprimer ses requêtes d'une manière directe mais brusque. On peut aussi les exprimer avec politesse. Choisissez la seconde solution. Pour cela, transformez les phrases suivantes en utilisant le conditionnel.

MODÈLE: Je veux vous parler.
Je voudrais vous parler.

1. Je veux parler à votre directeur.
2. Nous voulons exprimer notre opinion.
3. Est-ce que tu peux m'aider?
4. Pouvez-vous me prêter votre voiture?
5. Il faut que vous me téléphoniez.
6. Il faut que votre secrétaire m'envoie cette lettre.
7. Vous devez réfléchir à ma proposition.
8. Il vaut mieux que vous preniez une décision maintenant.

B. L'usage du conditionnel dans les phrases avec **si**

The following sentences state what would happen if a certain condition were met. Here, the *if* clause (**si** clause) expresses a situation contrary to fact or reality. Note the sequence of tenses.

Si j'**étais** riche,
je **voyagerais**.

*If I **were** rich (...and I am not),*
*I **would travel**.*

Vous **réussiriez** à vos examens
si vous **travailliez** plus!

*You **would pass** your exams*
*if you **were studying** more (...but you are not).*

In sentences where **si** introduces a condition that has not yet been met or that is contrary to fact, the sequence of tenses is:

SI CLAUSE	MAIN (OR RESULT) CLAUSE
imparfait	present conditional

- The conditional is always used in the main clause, never in the **si** clause.

Si tu **dormais** davantage...

*If you **would sleep** more...*
*If you **were to sleep** more...*
*If you **slept** more...*

tu ne **serais** pas toujours fatigué.

*you **wouldn't** always **be** tired.*

- A similar construction is used with **même si** *(even if)*.

Nous **serions** heureux
même si nous n'**avions** pas d'argent.

*We **would be** happy*
***even if** we **didn't have** any money.*

- The condition may be expressed by a phrase rather than by a **si** clause.

À votre place,
je ferais un effort.

***In your place** (if I were you),*
I would make an effort.

Avec plus d'argent,
Sophie achèterait une auto.

***With more money** (if she had more money),*
Sophie would buy a car.

À remarquer

The conditional is used in clauses introduced by **au cas où** *(in case)*.

Téléphone-moi **au cas où** tu **serais** en retard.

*Phone me **in case** you **are** late.*

Activité 4 Rêves

Rêver ne coûte rien. Expliquez le rêve des personnes de la colonne A en utilisant les éléments des colonnes B et C. Les expressions de la colonne C peuvent être affirmatives ou négatives. Soyez logique!

A	B	C
Hélène	multi-millionnaire	mourir
je	invisible	savoir tout
vous	immortel	protéger les innocents
nous	hyper-intelligent	voler *(to fly)* comme un oiseau
mes amis	extra-lucide	se préoccuper de l'avenir
Monsieur Rivière	Superman	voyager dans l'espace
ces étudiants	Robin des Bois *(Robin Hood)*	vivre dans un château
Madame Mercier	la reine Élizabeth	combattre les méchants *(bad people)*
		passer à travers *(through)* les murs
		avoir besoin d'argent
		connaître le présent, le passé et l'avenir
		entrer sans sonner *(without ringing)*
		comprendre la théorie de la relativité

MODÈLE: *Si j'étais immortel, je ne me préoccuperais pas de l'avenir.*

Activité 5 La réalité et le rêve

Les personnes suivantes font certaines choses mais préféreraient faire autre chose. Décrivez ce qu'elles feraient si elles ne faisaient pas ce qu'elles font.

MODÈLE: Paul est étudiant. (faire du théâtre)
Si Paul n'était pas étudiant, il ferait du théâtre.

1. Nous sommes étudiants. (voyager)
2. Vous préparez l'examen. (aller au café)
3. Madame Mercier travaille. (se reposer)
4. Monsieur Simon est au régime. (boire de la bière)

5. J'étudie. (sortir avec mes amis)
6. Ma sœur est à l'université. (travailler dans une agence de publicité)
7. Nous finissons ce travail. (faire une promenade en voiture)
8. Tu dois attendre tes parents. (voir le match de football)
9. Je suis fauché *(broke).* (m'acheter une voiture de sport)

Activité 6 Oui ou non?

Dites comment les gens réagiraient dans les circonstances suivantes. Pour cela, utilisez les verbes entre parenthèses dans des phrases affirmatives ou négatives.

> **MODÈLE:** Tu es alerte. Qu'est-ce que tu ferais si tu voyais un accident? (téléphoner à la police?)
> *Oui, tu téléphonerais à la police si tu voyais un accident.*

1. Nous sommes des gens calmes. Que ferions-nous s'il y avait un incendie *(fire)* dans notre hôtel? (nous énerver? attendre l'arrivée des pompiers [*firefighters*]? sauter par [*to jump out*] la fenêtre?)
2. Notre professeur est une personne intelligente et cultivée. Qu'est-ce qu'il ferait s'il allait en France? (aller au théâtre? visiter des musées? voir des opéras?)
3. Vous êtes une personne généreuse mais prudente. Que feriez-vous si un inconnu vous demandait de l'argent dans la rue? (lui donner cent dollars? lui donner un dollar? refuser de lui parler?)
4. Demain j'ai un examen important. Qu'est-ce que je ferais si j'avais une forte migraine? (aller au lit? prendre de l'aspirine? boire du café? continuer à étudier?)
5. Nathalie est une jeune fille élégante et raffinée. Qu'est-ce qu'elle ferait si elle était invitée à un grand gala? (aller chez le coiffeur? porter des blue-jeans? se maquiller?)
6. Madame Martin est une personne honnête et sensée *(sensible).* Qu'est-ce qu'elle ferait si elle avait besoin d'argent? (acheter des billets de loterie? attaquer une banque? chercher du travail?)
7. Vous êtes très timide. Que feriez-vous si vous voyiez des extra-terrestres? (avoir peur? parler avec eux? prendre des photos? vous cacher? courir très vite?)
8. Madame Boutron est la présidente d'une compagnie de textiles. Qu'est-ce qu'elle ferait si sa compagnie était en difficulté? (augmenter son salaire? réduire les salaires de ses employés? contrôler les dépenses? vendre ses machines?)

Activité 7 Décisions

Supposez que vous ayez la possibilité de faire les choses suivantes. Que feriez-vous?

> **MODÈLE:** visiter un pays étranger?
> *Si je visitais un pays étranger, je visiterais le Japon (la Chine, la France...).*

1. acheter une voiture?
2. habiter dans une autre ville?
3. faire un nouveau sport?
4. apprendre une autre langue?
5. voir un film ce week-end?
6. dîner dans un bon restaurant?
7. inviter quelqu'un à dîner?
8. être une autre personne?

C. L'usage du conditionnel dans le discours indirect

In French as in English, a statement may be made directly.

Paul est au Portugal.

The same statement may be reported *indirectly* by using a declarative verb such as **dire, déclarer, écrire, annoncer, savoir,** and **croire.**

Paul écrit qu'il est au Portugal.

In the following sentences, the declarative verbs introduce a future event. Note the use of tenses.

On **annonce** qu'il **fera** beau ce week-end. — *They* ***are announcing*** *that* ***it will be*** *nice weather this weekend.*

On **a annoncé** qu'il **ferait** beau le week-end dernier. — *They* ***announced*** *that it* ***would be*** *nice weather last weekend.*

Maintenant Pauline **dit** qu'elle **viendra** demain. — *Now Pauline* ***says*** *that she* ***will come*** *tomorrow.*

Hier elle **avait dit** qu'elle **viendrait** aujourd'hui. — *Yesterday she* ***had said*** *that she* ***would come*** *today.*

After a declarative verb, future events are expressed according to the following tense sequence.

DECLARATIVE VERB	FUTURE EVENT
present	future
past (**imparfait, passé composé, plus-que-parfait**)	present conditional

À remarquer

The future and the present conditional may be used after the verbs **savoir si** and **demander si.** Note that in such cases, **si** *(whether, if)* introduces a question, and not a condition.

Je ne **sais** pas si Alain **viendra** avec nous.

Je ne **savais** pas si Alain **viendrait** avec nous.

Activité 8 Promesses

Les personnes suivantes ont promis certaines choses. Exprimez ces promesses en utilisant le passé composé de **dire.**

MODÈLE: les étudiants (étudier)
Les étudiants ont dit qu'ils étudieraient.

1. le professeur (donner un examen facile)
2. le président (réduire les impôts [*taxes*])
3. la banque (nous envoyer un chèque)
4. mes parents (m'offrir un micro-ordinateur)

5. tu (m'aider à peindre ma chambre)
6. je (faire des progrès en français)
7. mon cousin (venir me chercher à l'aéroport)
8. Janine et Robert (se marier en décembre)

Activité 9 L'optimisme paie

Notre succès dépend souvent de notre optimisme. Dites que les personnes suivantes savaient que leurs projets réussiraient. Pour cela, mettez le premier verbe à l'imparfait et le second au conditionnel.

MODÈLE: Marie Curie (savoir / découvrir le radium)
Marie Curie savait qu'elle découvrirait le radium.

1. Christophe Colomb (être persuadé / découvrir un nouveau continent)
2. Jeanne d'Arc (déclarer / libérer la France)
3. Lindbergh (savoir / traverser l'Atlantique)
4. les Américains (penser / gagner la guerre contre le Japon)
5. Martin Luther King (espérer / son rêve se réaliser)
6. Gandhi (être sûr / son pays être indépendant)
7. les frères Wright (être convaincus / leur merveilleuse machine voler [*to fly*])
8. les parents de Mozart (penser / leur fils devenir un grand compositeur)

Entre nous

Choix professionnels

Voici plusieurs professions. Décrivez ce que vous feriez si vous exerciez l'une de ces professions.

MODÈLE: journaliste
Si j'étais journaliste, je me spécialiserais dans les problèmes de politique internationale.
J'essaierais de rester objectif. Évidemment, je voyagerais beaucoup. Je...

1. médecin
2. architecte
3. avocat(e)
4. photographe
5. acteur/actrice
6. ingénieur
7. homme/femme d'affaires *(businessman/woman)*
8. ??? (une autre profession de votre choix)

À votre tour

Dites ce que vous feriez dans les conditions suivantes. Si possible, faites deux phrases, l'une affirmative, l'autre négative.

MODÈLE: gagner à la loterie?
Si je gagnais à la loterie, j'achèterais une voiture. Je ne changerais pas mes habitudes.

1. recevoir un héritage *(inheritance)* important?
2. avoir une dispute sérieuse avec mon meilleur ami / ma meilleure amie?
3. aller en Europe?
4. devoir passer un an en France?
5. se casser le bras?
6. voir un ours *(bear)* dans la forêt?
7. voir un fantôme *(ghost)*?
8. être invité(e) à la Maison Blanche?

Leçon 23 Deux temps composés: le futur antérieur et le conditionnel passé

A. Révision: le plus-que-parfait
B. Le futur antérieur
C. Le conditionnel passé
D. Résumé: L'usage des temps avec **quand** et **si**

A. Révision: le plus-que-parfait

The verbs in the following sentences are in the **plus-que-parfait.**[1]

Nous **avions rencontré** nos amis.	*We **had met** our friends.*
Nous **étions sortis** avec eux.	*We **had gone out** with them.*
Nous **nous étions amusés.**	*We **had enjoyed ourselves.***

In general, the **plus-que-parfait** is used to describe a past event that took place before another past event.

➪ The **plus-que-parfait** is sometimes used after **si** to express a wish about the past.

Ah, **si** j'**avais gagné** à la loterie...	***If** (only) I **had won** the lottery...*
Si seulement vous **aviez écouté** nos conseils!	***If** only you **had listened** to our advice!*
Si je n'**avais** pas **eu** tant de travail!	***If** (only) I **had** not **had** so much work!*

Activité 1 Trop tard

Les personnes suivantes ont fait certaines choses, mais elles auraient préféré faire autre chose. Exprimez leurs regrets.

MODÈLE: Mes parents ont acheté une voiture confortable. (économique)
Ah, s'ils avaient acheté une voiture économique!

1. Henri a acheté une voiture. (une moto)
2. Nous avons travaillé pour une banque. (une agence de voyages)
3. Vous avez appris le russe. (le français)
4. Mes grands-parents ont visité la Belgique. (la France)
5. Tu es allé à Lisbonne. (Paris)
6. Jacqueline est sortie avec son cousin. (un étudiant français)
7. Nous sommes restés dans un hôtel de luxe. (un petit hôtel bon marché)
8. Je suis allé au cinéma. (à un concert de rock)
9. Monsieur Durand s'est acheté une machine à écrire. (une machine de traitement de texte [*word processor*])
10. Vous vous êtes promenés en ville. (sur la plage)
11. André s'est assis à côté de Paul. (Nathalie)
12. Tu t'es arrêté dans ce restaurant ultra-chic. (ce petit café sympathique)

[1] Review the forms of the **plus-que-parfait** in **leçon** 4 and **leçon** 10.

B. Le futur antérieur

In the following sentences, the verb is in the *future perfect* tense.

Dans deux ans, Sylvie **aura quitté** l'université.	*In two years, Sylvie* ***will have left*** *college.*
Ses amis **auront obtenu** leur diplôme aussi.	*Her friends* ***will have received*** *their diplomas also.*
Ma sœur **se sera mariée.**	*My sister* ***will have gotten married.***

Forms

The future perfect is a compound tense. It is formed according to the following pattern.

> future of **avoir** or **être** + past participle

INFINITIVE	parler	partir	s'amuser
FUTURE PERFECT	j' **aurai** parlé tu **auras** parlé il **aura** parlé elle **aura** parlé nous **aurons** parlé vous **aurez** parlé ils **auront** parlé elles **auront** parlé	je **serai** parti(e) tu **seras** parti(e) il **sera** parti elle **sera** partie nous **serons** parti(e)s vous **serez** parti(e)(s) ils **seront** partis elles **seront** parties	je **me serai** amusé(e) tu **te seras** amusé(e) il **se sera** amusé elle **se sera** amusée nous **nous serons** amusé(e)s vous **vous serez** amusé(e)(s) ils **se seront** amusés elles **se seront** amusées

INTERROGATIVE FORMS	**NEGATIVE FORMS**
Est-ce qu'il aura parlé? **Aura-t-il parlé?**	**Il n'aura pas parlé.**
Est-ce qu'elle se sera amusée? **Se sera-t-elle amusée?**	**Elle ne se sera pas amusée.**

➪ In the future perfect, the agreement rules of the past participle are the same as for any other compound tense.

Je n'ai pas fini **mes devoirs.**	Je **les** aurai **finis** dans une heure.

Uses

In general, the future perfect is used to describe a future event that will have taken place before another future event.

Compare the use of the future and the future perfect in the sentences below.

Nous **partirons** bientôt.	*We **will leave** soon.*
Dans deux heures nous **serons partis.**	*In two hours we **will have left.***
Les médecins **découvriront** une cure contre le cancer dans quelques années.	*Doctors **will discover** a cure for cancer in a few years.*
Ils **auront découvert** cette cure avant l'an 2000.	*They **will have discovered** this cure before the year 2000.*

➪ The future perfect can be used after **quand, lorsque, dès que, aussitôt que,** when the future event it describes takes place *before* the future event of the main clause. Note that in sentences of this type, English would use the present perfect rather than the future perfect.

Quand j'aurai lu ce livre, je te le prêterai.	***When I have read** this book, I will lend it to you.*
Paul écrira à ses parents **aussitôt qu'il sera arrivé** à Paris.	*Paul will write to his parents **as soon as he has arrived** in Paris.*
Téléphone-moi **dès que** tu **auras fini** ton travail.	*Phone me **as soon as** you **have finished** your work.*

À remarquer

The future perfect is sometimes used in an independent clause to express a supposition concerning something that may have happened.

Jacques n'est pas là.	*Jacques is not here.*
Il **aura oublié** notre rendez-vous!	*He **may have forgotten** our date!* *He **must have forgotten** our date!* *He **probably forgot** our date!*

Activité 2 Oui ou non?

Dites si oui ou non vous aurez fait les choses suivantes avant l'époque indiquée.

MODÈLE: ce soir à six heures (dîner?)
Ce soir à six heures, j'aurai dîné. (Ce soir à six heures, je n'aurai pas dîné.)

1. ce soir à dix heures (préparer mes classes de demain?)
2. demain à sept heures (me réveiller?)
3. à la fin de l'année (finir ce livre?)
4. dans deux ans (terminer mes études?)
5. dans cinq ans (me marier?)
6. à l'âge de 30 ans (écrire mon premier roman?)
7. à l'âge de 40 ans (obtenir le prix Nobel?)
8. à l'âge de 50 ans (devenir millionnaire?)

Activité 3 L'an 2000

Tout est possible, mais dans un certain temps. Dites si oui ou non les personnes suivantes auront réalisé les objectifs entre parenthèses en l'an 2000.

> MODÈLE: je (célébrer mon $40^{\text{ème}}$ anniversaire?)
> *Oui, j'aurai célébré mon quarantième anniversaire.*
> *(Non, je n'aurai pas célébré mon quarantième anniversaire.)*

1. les savants *(scientists)* (créer une intelligence artificielle?)
2. les Américains (négocier un traité de non-agression avec les Russes?)
3. le gouvernement (supprimer l'inflation? trouver une solution au problème du chômage [*unemployment*]? éliminer les sources de pollution?)
4. les médecins (trouver une cure contre les maladies de cœur? découvrir un vaccin contre la grippe? éliminer le cancer?)
5. nous (apprendre à parler parfaitement français? passer une année en France?)
6. notre professeur (obtenir un prix littéraire? prendre sa retraite [*to retire*]? quitter cette université?)
7. mes parents (gagner à la loterie? devenir millionnaires? acheter un château en France?)

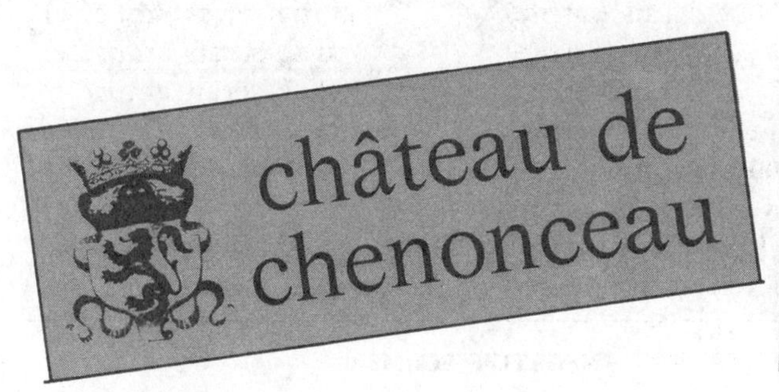

Activité 4 Tout en son temps

La réalisation de certaines choses nécessite souvent la réalisation préalable *(prior)* d'autres choses. Exprimez cela, d'après le modèle.

> MODÈLE: les supporteurs / célébrer la victoire / quand / équipe / gagner
> *Les supporteurs célébreront la victoire quand l'équipe aura gagné.*

1. Monsieur Thomas / acheter une maison / lorsque / son patron / lui donner une augmentation
2. nous / dîner / quand / les invités / arriver
3. je / partir / dès que / le mécanicien / réparer ma voiture
4. les passagers / descendre / dès que / le bus / s'arrêter
5. Madame Rémi / fermer le magasin / lorsque / le dernier client / partir
6. les journalistes / poser des questions / aussitôt que / le président / finir son discours
7. vous / pouvoir fumer / quand / le capitaine / enlever *(to turn off)* le signal
8. tu / t'excuser / aussitôt que / tu / t'apercevoir de ton erreur

C. Le conditionnel passé

In the following sentences, the verb is in the *past conditional.*

J'**aurais été** content de vous voir. — ***I would have been** happy to see you.*

Nous **serions sortis** ensemble. — ***We would have gone out** together.*

Vous **vous seriez amusés.** — ***You would have had fun.***

Forms

The past conditional is a compound tense. It is formed according to the following pattern.

present conditional of **avoir** or **être** + past participle

INFINITIVE	parler	partir	s'amuser
PAST CONDITIONAL	j' **aurais parlé**	je **serais parti(e)**	je **me serais amusé(e)**
	tu **aurais parlé**	tu **serais parti(e)**	tu **te serais amusé(e)**
	il **aurait parlé**	il **serait parti**	il **se serait amusé**
	elle **aurait parlé**	elle **serait partie**	elle **se serait amusée**
	nous **aurions parlé**	nous **serions parti(e)s**	nous **nous serions amusé(e)s**
	vous **auriez parlé**	vous **seriez parti(e)(s)**	vous **vous seriez amusé(e)(s)**
	ils **auraient parlé**	ils **seraient partis**	ils **se seraient amusés**
	elles **auraient parlé**	elles **seraient parties**	elles **se seraient amusées**

INTERROGATIVE FORMS	NEGATIVE FORMS
Est-ce qu'il aurait parlé? **Aurait-il parlé?**	Non, il **n'aurait pas parlé.**
Est-ce qu'elle se serait amusée? **Se serait-elle amusée?**	Non, elle **ne se serait pas amusée.**

- In the past conditional, the agreement rules of the past participle are the same as for any other compound tense.

  Tu n'as pas invité **Denise.** — À ta place, je l'aurais invit**ée**.

- Note the forms and meanings of the past conditional of **vouloir, pouvoir, devoir,** and **il faut.**

  J'aurais voulu sortir avec vous! — ***I would have liked to go out** with you!* / ***I wish I had gone out** with you!*

  Vous auriez pu m'écrire! — ***You could have written** to me!*

  Tu aurais dû dire la vérité! — ***You should (ought to) have told** the truth!*

  Il aurait fallu que vous insistiez! — ***You should have insisted!***

Uses

The past conditional is used to describe what *would have* happened if certain conditions had been met.

Si vous aviez étudié, vous **auriez réussi.**	*If you had studied, you **would have passed.***
Si tu avais fait attention, cet accident ne **serait** pas **arrivé.**	*If you had been careful, that accident **wouldn't have happened.***
Si j'avais su, je ne t'**aurais** pas **prêté** ma moto.	*If I had known (better), I **wouldn't have lent** you my motorcycle.*

Contrary-to-fact sentences that refer to the past are usually formed according to the following pattern.

SI CLAUSE	MAIN (OR RESULT) CLAUSE
plus-que-parfait	past conditional

- The past conditional occurs only in the result clause. It is never used in the **si** clause, as in English. Compare:

  Si tu **avais écouté,** tu aurais compris. — *If you **would have listened** (if you **had listened**), you would have understood.*

- The underlying condition may be expressed by a phrase other than a **si** clause. Note the phrases in heavy type in the sentences below.

  Avec plus d'argent, nous aurions acheté une voiture plus confortable. — ***With more money,** we would have bought a more comfortable car.*

  À votre place, je n'aurais pas fait cela. — ***(If I were) in your place,** I wouldn't have done that.*

- A similar construction is used with **même si** *(even if).*

  Même si j'**avais eu** le temps, je ne **serais** pas **allé** voir ce film. — ***Even if** I **had had** the time, I **wouldn't have gone** to see that movie.*

À remarquer

The past conditional is also used after a declarative verb in the past to describe a future event preceding another one.

Je pensais que
tu **aurais téléphoné** avant de venir. — *I thought (that)
you **would have phoned** before coming.*

Activité 5 L'incendie

André habite à Paris au deuxième étage d'un immeuble. Hier il y a eu un incendie *(fire)* dans cet immeuble. Voici ce qu'André a fait. Dites si oui ou non vous auriez fait les mêmes choses dans les mêmes conditions.

MODÈLE: téléphoner à la police
Moi aussi, j'aurais téléphoné à la police. (Moi, je n'aurais pas téléphoné à la police.)

1. appeler les pompiers *(firefighters)*
2. fermer les fenêtres
3. prendre ses notes de français
4. laisser son argent dans un tiroir *(drawer)*
5. ouvrir la porte
6. sortir de son appartement
7. aller chez le voisin
8. s'énerver
9. avoir peur
10. ouvrir la fenêtre
11. sauter *(to jump)*
12. se casser la jambe

Activité 6 Regrets

On regrette parfois ce qu'on fait. Lisez ce que les personnes suivantes ont fait et dites que si elles avaient su, elles n'auraient pas fait ces choses.

MODÈLE: Tu t'es mis en colère.
Si tu avais su, tu ne te serais pas mis en colère.

1. J'ai dépensé tout mon argent.
2. Vous avez pris beaucoup de risques.
3. Tu t'es énervé pendant l'examen.
4. Nous avons laissé la porte ouverte.
5. Tu es arrivé en retard.
6. Les Indiens ont vendu Manhattan pour 24 dollars.
7. Anne Boleyn a épousé Henri VIII.
8. Ce millionnaire a pris le Titanic.
9. Napoléon est allé en Russie.
10. Les Japonais ont attaqué Pearl Harbor.

Activité 7 Zut alors!

Lisez ce qui est arrivé aux personnes suivantes. Dites ce qu'elles auraient dû faire pour éviter ces problèmes. Pour cela, utilisez le conditionnel passé du verbe **devoir** et le verbe entre parenthèses dans une phrase affirmative ou négative.

MODÉLE: Philippe a raté son examen. (étudier)
Il aurait dû étudier.

1. Nous avons raté l'avion. (se dépêcher)
2. Mes cousins ont eu un accident. (prendre des risques)
3. Tu as attrapé un rhume *(cold)*. (ouvrir la fenêtre)
4. Vous vous êtes perdus. (acheter un plan de la ville)
5. Jacques s'est disputé avec sa fiancée. (rester calme)
6. Hélène a été mordue *(bitten)* par un chien. (se promener dans cette ferme)
7. Je me suis cassé la cheville *(ankle)* en skiant. (faire attention)
8. Tu as grossi pendant les vacances de Noël. (manger tant de chocolat)

Activité 8 Tant pis (ou tant mieux)!

Nous ne faisons pas toujours ce que nous devrions faire. Lisez ce que les personnes n'ont pas fait. Expliquez les conséquences agréables ou désagréables de leurs actions si elles avaient fait ces choses. Pour cela, utilisez le conditionnel passé des verbes entre parenthèses à la forme affirmative ou négative. Étudiez le modèle.

MODÈLE: Tu n'as pas pris d'aspirine. (avoir mal à la tête?)
Si tu avais pris de l'aspirine, tu n'aurais pas eu mal à la tête.

1. Vous n'avez pas étudié. (avoir une bonne note? rater l'examen? faire plaisir à vos professeurs?)
2. Tu n'as pas mis ta ceinture de sécurité *(seat belt)*. (être blessé(e) à la tête? passer deux semaines à l'hôpital?)
3. Je ne suis pas allé(e) à la surprise-partie. (danser? rencontrer mes amis? m'amuser? m'ennuyer chez moi?)
4. Mes cousins n'ont pas appris le français. (passer des vacances intéressantes à Paris? rencontrer des Français? s'amuser?)
5. Le Petit Chaperon Rouge *(Red Riding Hood)* n'a pas écouté sa mère. (aller directement chez sa grand-mère? parler au loup [*wolf*]?)
6. Nous n'avons pas acheté la carte *(map)* de la région. (nous tromper de route? nous perdre? arriver à l'heure à notre destination? trouver ce petit restaurant? passer une soirée agréable ensemble?)
7. Jean-Philippe n'a pas fait attention. (voir l'obstacle? tomber dans le ravin? se casser les côtes [*ribs*]? aller à l'hôpital? rencontrer une infirmière très sympathique? se marier avec elle?)
8. Tu n'as pas eu assez d'argent pour t'acheter un billet d'avion. (prendre le bus? prendre l'avion? périr dans l'accident d'avion?)

D. Résumé: L'usage des temps avec **quand et si**

Review the sequence of tenses in sentences with **quand**.

TO DESCRIBE:	QUAND CLAUSE	MAIN CLAUSE	
TWO PRESENT ACTIONS	present	present	**Quand** j'**étudie**, j'**écoute** de la musique.
		imperative	Ne me **téléphone** pas **quand** je **travaille.**
TWO FUTURE ACTIONS THAT ARE SIMULTANEOUS (OR NEARLY SIMULTANEOUS	future	future	**Quand** je **travaillerai,** je **gagnerai** de l'argent.
		imperative	**Téléphone**-moi **quand** tu **seras** à Paris.
TWO FUTURE ACTIONS, ONE OF WHICH OCCURS BEFORE THE OTHER	future perfect	future	**Quand** j'**aurai gagné** assez d'argent, j'**achèterai** une voiture.
		imperative	**Téléphone**-moi **quand** tu **seras arrivé** à ton hôtel.

- The **quand** clause may come before or after the main clause, depending on the emphasis it receives.
- The same sequence of tenses is used with **lorsque, aussitôt que** and **dès que,** and **tant que.**

Tant que je n'**aurai** pas **reçu** ta réponse, je ne **prendrai** pas de decision.	*As long as I have not received your answer, I will not make a decision.*

- In sentences with **quand** and **lorsque,** the verb in the main clause may be in the future perfect if the action it describes occurred first. The verb of the **quand** clause is then in the future.

Quand vous **partirez,** **j'aurai donné** ma réponse.	*When you leave, I will have given my answer.*

Review the sequence of tenses in sentences with **si.**

TO DESCRIBE:	SI CLAUSE	MAIN OR RESULT CLAUSE	
A POSSIBILITY (CONCERNING A FUTURE EVENT)	present	future imperative	Si j'**étudie,** je **réussirai** à mon examen. Si tu **étudies** beaucoup, **prends** des vitamines!
A SITUATION CONTRARY TO REALITY	imparfait	present conditional	Si j'**étudiais,** je **réussirais.**
A PAST SITUATION CONTRARY TO REALITY	plus-que-parfait	past conditional	Si j'**avais étudié,** j'**aurais réussi.**

- The **si** clause may come before or after the main clause, depending on the emphasis it receives.
- The same sequence of tenses is used with **même si** *(even if).*

Même si j'**avais** le temps, je n'**irais** pas au cinéma.	*Even if I had the time, I would not go to the movies.*

- In French, as in English, the above sequence of tenses may be modified to fit the sequence of facts or situations described.

SI CLAUSE	MAIN OR RESULT CLAUSE	
imparfait	past conditional	Si j'**étais** égoïste, je ne t'**aurais** pas **prêté** ma voiture.
plus-que-parfait	present conditional	Si tu **avais déjeuné** à midi, tu n'**aurais** pas faim maintenant.

Activité 9 Achats

Complétez les phrases suivantes avec la forme du verbe **acheter** qui convient.

1. Si tu ___ une voiture de sport, qu'est-ce que ce serait?
2. Je préparerai les sandwichs dès que j'___ le pain et le jambon.
3. Si mes parents en ont vraiment besoin, ils ___ un micro-ordinateur.
4. Si Paul ___ des billets, il aurait pu aller au concert samedi dernier.
5. Si j'avais été à ta place, j'___ une voiture plus économique.
6. Quand Pierre ira en France, il ___ du parfum pour sa cousine.
7. Anne, si tu vas en Suisse, ___-moi une boîte de ce fameux chocolat!
8. Quand vous ___ cette maison, vous devrez immédiatement signer un chèque de 10.000 dollars.
9. Lorsque tu ___ ta nouvelle auto, demande au vendeur la carte de garantie.
10. Est-ce que vous ___ cette maison si vous aviez su que les dépenses de chauffage *(heating expenses)* étaient si élevées?
11. Quand on ___ une voiture d'occasion, on prend toujours des risques.
12. Si j'avais eu plus d'argent, j'___ un cadeau pour ma nièce.
13. Quand j'___ le journal, j'achèterai aussi des cartes postales.
14. Si Madame Bertrand ___ son réfrigérateur l'année dernière, elle l'aurait payé moins cher.
15. Même si Christine ___ des disques, elle ne me les prêterait pas!
16. Si ma cousine avait de l'argent, elle___ une guitare.
17. Tu répareras ta radio aussitôt que tu ___ les pièces *(parts)* nécessaires.
18. Si nous vivions à la campagne, nous ___ du lait frais tous les jours.

Entre nous

Expression personnelle

Complétez les phrases suivantes avec une expression de votre choix.

1. J'irai en France lorsque...
2. Je chercherai du travail aussitôt que...
3. Si j'avais beaucoup d'argent, je...
4. Si c'était les vacances, je...
5. Si je n'étais pas étudiant(e), je...
6. Je serai complètement indépendant(e) quand...
7. Je serais parfaitement heureux (heureuse) si...
8. Si un jour je suis élu(e) président(e) des États-Unis,...
9. Le monde sera meilleur quand...
10. Si mes parents avaient été français,...
11. Si j'avais vécu au 18e siècle,...

Situations

Lisez ce qui est arrivé aux personnes suivantes. Dites ce que vous auriez fait ou pas fait dans les mêmes circonstances. Utilisez le conditionnel passé et votre imagination. Faites au moins deux phrases pour chaque situation.

MODÈLE: Roland a vu des bandits qui s'échappaient d'une banque.
Si j'avais été à la place de Roland, j'aurais appelé la police.
Je n'aurais pas couru après les bandits. J'aurais noté le numéro de leur voiture.

1. Gilbert a eu un accident avec la nouvelle voiture de sport de son frère.
2. Catherine a trouvé mille dollars dans la rue.
3. Jean-Pierre a reçu un million de francs en héritage de sa grand-mère.
4. Sylvie a vu des lumières *(lights)* étranges dans une maison abandonnée.
5. Quand Marthe est rentrée chez elle hier soir, elle a vu des flammes qui s'échappaient d'une fenêtre.
6. Nathalie a acheté au Marché aux Puces *(Flea Market)* un tableau qui vaut *(is worth)* une fortune.
7. Les parents de Thomas sont en voyage. Hier Thomas est rentré du cinéma très tard. Il a voulu ouvrir la porte de son appartement mais il n'a pas trouvé les clés.
8. Jacques a vu une personne qui se noyait *(was drowning).* Jacques est assez bon nageur mais il ne connaît pas les techniques de sauvetage *(life saving).*

Leçon 24 Le passif

A. La construction passive

B. Comment éviter le passif

A. La construction passive

In an *active* construction, the subject performs the action. In a *passive* construction, the subject is the recipient of the action that is performed by a named or unnamed agent. Compare the two constructions:

ACTIVE	Le congrès **vote** les lois.	*Congress **votes** the laws.*
PASSIVE	Les lois **sont votées** par le congrès.	*The laws **are voted** by Congress.*
ACTIVE	Shakespeare **a écrit** «Hamlet.»	*Shakespeare **wrote** "Hamlet."*
PASSIVE	«Hamlet» **a été écrit** par Shakespeare.	*"Hamlet" **was written** by Shakespeare.*

Form

The passive construction is formed according to the following pattern.

subject + **être** + past participle + (**par** + agent)

- In such constructions, the verb **être** can be in any tense (present, **imparfait, passé composé**...) or any mood (indicative, conditional, subjunctive).

  Ma voiture **est** réparée
  Ma voiture **a été** réparée
  Ma voiture **sera** réparée
  Je pensais que ma voiture **serait** réparée
  Je suis content que ma voiture **soit** réparée
  } par ce mécanicien.

- The past participle of the passive verb agrees with the subject of the sentence.

  Les **cathédrales** ont été **construites** au Moyen Âge.

- Questions and negative sentences are formed by using the interrogative and negative forms of **être.**

  Les bandits **ont-t-ils été arrêtés?** — ***Have** the bandits **been arrested?***
  Non, ils **n'ont pas été arrêtés.** — *No, they **have not been arrested.***

Uses

The passive construction is used mainly:

- to describe situations in which there is no clear agent

  Ma sœur **a été blessée** dans un accident d'auto. — *My sister **was injured** in a car accident. (No specific person injured her.)*
  Ces terrains **ont été inondés.** — *These lands **were flooded.** (No one person was responsible.)*
  Paris **a été fondé** il y a 2000 ans. — *Paris **was founded** 2000 years ago. (There is no specific person who founded it.)*

- to focus on the subject, rather than the agent

Aïe! **J'ai été piqué** par une abeille.	*Ouch!* ***I have been stung*** *by a bee.* *(The focus is on the victim, me, rather than on the agent, the bee.)*
Cette maison **a été détruite** par un incendie.	*This house* ***was destroyed*** *by a fire.* *(The focus is on the house, not the fire.)*

À remarquer

A distinction can be made between true passive constructions and false passive constructions.

- A *true passive* construction describes an *action.*
- A *false passive* construction describes the *result* of an action. The past participle functions as an adjective.

TRUE PASSIVE	FALSE PASSIVE
La fenêtre **est ouverte** par le vent. *The window* ***is opened*** *by the wind.*	La fenêtre **est ouverte.** *The window* ***is open*** *(and not closed).*
Ma voiture **est réparée** par un excellent mécanicien. *My car* ***is being fixed*** *by an excellent mechanic.*	Ma voiture **est réparée.** *My car* ***is fixed*** *(and now runs again).*

Whereas false passive constructions are very frequent in French, true passive constructions tend to be avoided.

Activité 1 Oui ou non?

Décrivez ce qui arrive aux personnes ou aux choses suivantes. Pour cela, faites des phrases affirmatives ou négatives en utilisant la construction passive avec les verbes entre parenthèses. Soyez logique!

MODÈLE: le pain / le boucher (vendre?)
Le pain n'est pas vendu par le boucher.

1. les bons étudiants / le professeur (encourager? féliciter? punir?)
2. cette grande championne / son public (applaudir? saluer? critiquer?)
3. ces documents secrets / l'espion (photographier? copier? oublier dans l'avion?)
4. la constitution / les citoyens *(citizens)* (voter? respecter? approuver?)
5. les criminels / la police (poursuivre? arrêter? mettre en prison?)
6. cette lettre confidentielle / l'employé indiscret (ouvrir? lire? signer?)
7. moi / mon meilleur ami (critiquer? inviter? conseiller?)
8. nous, les Américains / les Russes (admirer? menacer? imiter?)

Vocabulaire: Quelques mésaventures

attaquer	*to attack*	**mordre**	*to bite*
blesser	*to hurt, wound, injure*	**piquer**	*to sting*
cambrioler	*to burglarize*	**poursuivre**	*to pursue, chase*
casser	*to break*	**renverser**	*to knock down; to spill; to run over*
chasser	*to chase*		
empoisonner	*to poison*	**voler**	*to steal*

Activité 2 Mésaventures

Les personnes de la colonne A se rencontrent à l'hôpital. Expliquez leur mésaventure en utilisant les éléments des colonnes B et C. Soyez logique!

A	B	C
je	attaquer	un chien
vous	blesser	un taureau *(bull)*
Catherine	chasser	une vipère *(poisonous snake)*
ces enfants	empoisonner	une guêpe *(wasp)*
nous	mordre	une moto
Marc	piquer	un rat
Monsieur Simon	renverser	des champignons vénéneux *(poisonous)*
mon frère	poursuivre	un camion *(truck)*

MODÈLE: *Ces enfants ont été mordus par un chien.*

B. Comment éviter le passif

The passive construction occurs much less frequently in French than in English.

In French, an active construction is preferred:

- when the agent is explicitly named

  The agent becomes the subject of the active construction.

PASSIVE	ACTIVE
L'auto est réparée **par Éric.**	**Éric** répare l'auto.
Notre maison a été construite **par un architecte.**	**Un architecte** a construit notre maison.

- when the agent is not named but known to be a person or group of people

  The indefinite pronoun **on** becomes the subject of the sentence.

PASSIVE	ACTIVE
Le français est parlé à Montréal.	**On** parle français à Montréal.
Notre voiture a été volée.	**On** a volé notre voiture.

When the unnamed agent is not a person or group of people, a passive construction must be used.

Pendant la tempête, des arbres **ont été renversés.**	*During the storm, trees* ***were knocked down.*** *(The damage was created not by people, but by the wind.)*

- When the English passive construction refers to a habitual activity, French often uses a reflexive construction. Such reflexive constructions can be used only when the subject of the sentence is inanimate.

Cela ne **se fait** pas.	*That* ***is*** *not* ***done.***
Cela ne **se dit** jamais.	*That* ***is*** *never* ***said.***
Le champagne **se sert** frais.	*Champagne* ***is served*** *cool.*
Les tomates **se vendent** au kilo.	*Tomatoes* ***are sold*** *by the kilo.*

À remarquer

Certain English passive constructions cannot be expressed by a parallel construction in French. This is the case with verbs that take an indirect object, such as **téléphoner à**, **répondre à**, **permettre à**, **promettre à**, **dire à**, **demander à**, **donner à**, **prêter à**, **envoyer à**.

In French, the indirect object of an active verb cannot become the subject of a passive construction. Instead, an active construction with **on** as the subject is used. Compare:

ACTIVE CONSTRUCTION IN FRENCH	PASSIVE CONSTRUCTION IN ENGLISH
on + active verb + indirect object + (rest of sentence)	subject + passive verb + (rest of sentence)
On a répondu à ma lettre.	*My letter **was answered**.*
On a téléphoné à Paul immédiatement.	*Paul **was telephoned** immediately.*
On ne nous **permet** pas de partir.	*We **are** not **allowed** to leave.*
On leur **a promis** une augmentation.	*They **were promised** a raise.*

Activité 3 Le monde comme il est

Répondez affirmativement ou négativement aux questions suivantes. Utilisez des constructions actives avec un sujet spécifique.

MODÈLE: Le président est respecté par le public?
Oui, le public respecte le président. (Non, le public ne respecte pas le président.)

1. La limite de vitesse *(speed limit)* est respectée par les automobilistes?
2. La vérité est toujours dite par les média?
3. L'opinion est manipulée par la télévision?
4. Les rivières sont polluées par les industries?
5. Les ressources naturelles sont protégées par le gouvernement?
6. Notre existence est facilitée par le progrès?
7. L'injustice est condamnée par tout le monde?

Activité 4 Et demain?

Dites comment vous voyez l'avenir. Pour cela, répondez aux questions suivantes affirmativement ou négativement. Utilisez **on** et une construction active.

MODÈLE: L'inflation sera contrôlée?
Oui, on contrôlera l'inflation. (Non, on ne contrôlera pas l'inflation.)

1. La constitution sera changée?
2. La pollution sera arrêtée?
3. De nouvelles sources d'énergie seront développées?
4. De nouvelles centrales nucléaires seront construites?
5. Une cure contre le cancer sera découverte?
6. Les robots seront utilisés dans les usines *(factories)*?
7. L'énergie solaire sera utilisée dans toutes les maisons?
8. Le français sera appris avec des micro-ordinateurs?

Activité 5 Réactions!

Décrivez les événements suivants en utilisant **on** et une construction active. Ensuite faites un commentaire sur l'événement en utilisant l'expression entre parenthèses dans une phrase affirmative ou négative.

MODÈLE: Les films violents ont été interdits à la télé. (juste?)
On a interdit les films violents à la télé. C'est juste! (Ce n'est pas juste!)

1. L'usage des cigarettes a été interdit dans les hôpitaux. (normal?)
2. Un cœur artificiel a été inventé. (une invention importante?)
3. Deux dangereux bandits ont été arrêtés. (bien?)
4. La statue de la Liberté a été peinte en rouge. (un scandale?)
5. Un Martien a été observé à Central Park. (possible?)
6. Un trésor a été découvert dans mon jardin. (sensationnel?)
7. Ma bicyclette a été volée. (drôle?)
8. Notre école a été fermée à cause d'une tempête de neige. (tragique?)
9. Une semaine de vacances a été annoncée. (un désastre?)
10. Les réserves d'or de Fort Knox ont été cambriolées. (impossible?)

Activité 6 Comment?

Dites comment on fait les choses suivantes. Pour cela, remplacez la construction passive par une construction réflexive et l'une des expressions entre parenthèses.

MODÈLE: En été, le thé est servi souvent... (chaud ou froid?)
En été, le thé se sert souvent froid.

1. En France, le café est bu... (après ou pendant le déjeuner?)
2. En France, le pain est mangé... (avec ou sans beurre?)
3. En France, les cigarettes sont vendues... (au supermarché ou au bureau de tabac?)
4. À table, le couteau est mis... (à droite ou à gauche?)
5. Au passé composé, le verbe **aller** est conjugué... (avec **être** ou **avoir**?)
6. Le basketball est joué... (avec cinq ou sept joueurs?)
7. Aux jeux Olympiques, les distances sont calculées... (en yards ou en mètres?)
8. En général, les matchs de football sont disputés *(played)*... (en été ou en automne?)

Entre nous

Situations

Complétez les phrases suivantes en utilisant le passif. Choisissez le temps approprié. Si vous voulez, vous pouvez utiliser les verbes suivants: améliorer, attaquer par, blesser, construire, contrôler, créer, développer, mordre par, réduire, rénover, supprimer.

> MODÈLE: Monsieur Poulain n'a vraiment pas de chance.
> Hier soir, sa maison... *a été cambriolée (a été détruite par un incendie...)*

1. Catherine a eu un accident.
   Heureusement, elle...
2. Notre pique-nique à la campagne avait bien commencé, mais il a mal fini.
   J'... Ma sœur... Mes cousins...
3. Quand Monsieur Renaud est retourné dans son village natal après trente ans d'absence, il a remarqué beaucoup de changements positifs.
   La pollution... Les quartiers anciens... De nouvelles industries... Un nouveau stade...
4. Nous pouvons faire confiance *(trust)* dans la science.
   Dans quelques années, le cancer... De nouveaux vaccins... Nos conditions de vie...
5. Dans sa conférence de presse, le président a dit que les problèmes économiques seraient résolus.
   Selon lui, l'inflation... Les impôts *(taxes)*...
   Et le chômage *(unemployment)*...

Leçon 25 Les constructions infinitives avec faire et les verbes de perception

A. La construction: **faire** + infinitif
B. La construction: **se faire** + infinitif
C. La construction: verbe de perception + infinitif
D. La construction: **laisser** + infinitif

A. La construction: **faire** + infinitif

In a *causative* construction, the subject does not perform the action, but has it performed by someone else. In English, there are two main causative constructions:

—to make/have someone (the actor or agent) do something

—to have something done

Causative constructions are expressed in French as follows:

faire + infinitive

Note the use of this construction in the sentences below, paying attention to the position of the words in heavy print.

TO MAKE/HAVE SOMEONE DO SOMETHING

Mes amis rient.	Je fais rire **mes amis.**	*I make **my friends** laugh.*
Jacques étudie.	Le professeur fait étudier **Jacques.**	*The teacher makes (has) **Jacques** study.*

TO HAVE SOMETHING DONE

Ma voiture est lavée.	Je fais laver **ma voiture.**	*I have **my car** washed.*
Ta maison est vendue.	Tu fais vendre **ta maison.**	*You have **your house** sold.*

The causative construction **faire** + *infinitive* constitutes a block that generally cannot be broken. The actor or agent and/or the thing or persons acted upon are the objects of the construction **faire** + *infinitive.* As nouns, they come after the infinitive; as pronouns, they come before **faire**, according to the following patterns.

faire + infinitive + noun object	pronoun object + **faire** + infinitive
Éric fait rire **Pauline.**	Il **la** fait rire. Il **me** fait rire aussi.
Le professeur fera étudier **les élèves.**	Il **les** fera étudier. Il **nous** fera étudier.
J'ai fait réparer **ma voiture.**	Je **l'**ai fait réparer.
Il faut que je fasse nettoyer **mes vêtements.**	Il faut que je **les** fasse nettoyer.

- In the construction **faire** + *infinitive,* the verb **faire** can be used in any tense (present, future, etc.) and any mood (indicative, subjunctive, etc.)
- In the negative, it is the verb **faire** that takes the negative expression.

Éric fait réparer sa montre.	Il **ne fait pas** réparer sa chaîne-stéréo.
J'ai fait laver mon pantalon.	Je **n'ai pas fait** laver mes chemises.

➪ In questions, it is the verb **faire** that takes the interrogative construction.

Tu fais nettoyer cette veste. — Où **fais-tu** nettoyer cette veste?

Vous avez fait laver votre auto. — **Avez-vous fait** laver votre auto?

➪ In an affirmative command, object pronouns come after **faire**.

Faites travailler **ces élèves**! — Faites-**les** travailler!

Fais nettoyer **cette veste**! — Fais-**la** nettoyer!

➪ In the **passé composé**, the past participle **fait** does *not* agree with a preceding direct object pronoun.

J'ai fait réparer mon vélo. — Je l'ai **fait** réparer.

J'ai fait réparer ma montre. — Je l'ai **fait** réparer.

À remarquer

When both the actor and the thing acted upon are mentioned, the construction **faire** + *infinitive* has two objects, according to the following pattern.

faire + infinitive + quelque chose à quelqu'un

Le mécanicien répare **l'auto**.
Je fais réparer **l'auto au mécanicien**. — *I have* **the mechanic** *fix* **the car.**

Marc a lu **la lettre**.
J'ai fait lire **la lettre à Marc**. — *I had* **Marc** *read* **the letter.**

Activité 1 Oui ou non?

Décrivez l'effet que les personnes ou les choses suivantes provoquent chez vous. Pour cela, utilisez la construction **me faire** + *infinitif* dans des phrases affirmatives ou négatives.

MODÈLE: Woody Allen (rire?)
Woody Allen me fait rire. (Woody Allen ne me fait pas rire.)

1. mes professeurs (étudier? trembler? rire?)
2. le sport (maigrir? grossir? garder la forme?)
3. la cuisine de la cafétéria (maigrir? grossir? vomir?)
4. les films d'épouvante *(horror movies)* (rire? sourire? pleurer [*to cry*]?)
5. les compliments (rougir? sourire? perdre la tête?)
6. l'avenir (rêver? réfléchir?)

Activité 2 Causes et effets

Lisez ce que font les personnes ou les choses suivantes et dites sous quelle influence elles font cela. Utilisez la construction **faire** + *infinitif.*

MODÈLE: Janine rit. (Paul)
Paul fait rire Janine.

1. Les élèves étudient. (le professeur)
2. Les enfants obéissent. (les parents)
3. Les enfants chantent. (le directeur de la chorale)
4. Les employés travaillent. (le patron)
5. Les touristes partent. (le mauvais temps)
6. Le criminel parle. (la police)
7. La société change. (les réformes)
8. Les usines *(factories)* ferment. (la crise économique)
9. Les plantes meurent. (le froid)
10. Le lapin *(rabbit)* disparaît. (le magicien)

Activité 3 Les résidences secondaires

Les personnes suivantes ont acheté des résidences secondaires *(vacation homes)* dans le sud de la France. Dites comment chacun fera transformer sa maison.

MODÈLE: Madame Bernard: la cuisine sera transformée
Madame Bernard fera transformer la cuisine.

1. mes cousins: les serrures *(locks)* seront changées
2. Monsieur André: les fenêtres seront réparées
3. les jeunes mariés: la salle à manger sera décorée
4. Madame Richard: une piscine sera installée
5. vous: un garage pour votre Mercédès sera construit
6. je: le toit *(roof)* sera remplacé
7. tu: les arbres seront coupés
8. nous: l'électricité sera mise
9. ma mère: des fleurs seront plantées
10. vous: les volets *(shutters)* seront peints

Activité 4 Tout change!

Autrefois les personnes faisaient elles-mêmes certaines choses. Maintenant elles les font faire. Exprimez cela, en utilisant la construction **faire** + *infinitif* et un pronom.

MODÈLE: Monsieur Lenoir réparait sa voiture.
Maintenant il la fait réparer.

1. Tu lavais tes chemises.
2. Je développais mes photos.
3. Vous nettoyiez le jardin.
4. On lavait ses vêtements.
5. Sylvie réparait sa chaîne-stéréo.
6. Nous peignions notre maison.
7. Monsieur Roland tapait ses lettres.

Activité 5 Les joies de la propriété *(ownership)*

Après un an de mariage, Pierre et Janine Lamarque ont acheté un appartement. Malheureusement, il y a beaucoup de travaux à faire dans cet appartement. Lisez les commentaires de Pierre et jouez le rôle de Janine.

MODÈLE: Pierre: Le thermostat ne marche pas! (changer)
Janine: *Il faut que nous le fassions changer.*

1. La baignoire *(bathtub)* est vraiment archaïque! (changer)
2. Le chauffe-eau *(water heater)* ne fonctionne pas! (remplacer)
3. Les rideaux sont sales! (nettoyer)
4. Le sofa est usé *(worn)!* (recouvrir)
5. La cuisine est ancienne! (refaire)
6. Les chambres ne sont pas propres! (repeindre)
7. La sonnette *(doorbell)* ne marche pas! (réparer)

B. La construction: **se faire** + infinitif

The construction **se faire** + *infinitive* can be used to indicate that the subject is having something done for himself or herself. Compare the constructions:

Antoine **se coupe** les cheveux.	*Antoine* ***cuts his (own)*** *hair.*
Antoine **se fait couper** les cheveux.	*Antoine* ***is having*** *his hair* ***cut.***
Marthe **se fait** une robe.	*Marthe* ***is making herself*** *a dress.*
Marthe **se fait faire** une robe.	*Marthe* ***is having*** *a dress* ***made (for herself).***

⇨ **Se faire** is a reflexive verb. In the **passé composé** and other compound tenses, it is conjugated with **être**. Note that the past participle does *not* agree with the reflexive pronoun.

Ma mère **s'est fait** faire un manteau.

Nous **nous sommes fait** conduire à la gare en taxi.

Activité 6 En ville

Les personnes de la colonne A ont été en ville. Dites où chacune est allée et ce qu'elle s'est fait faire. Utilisez le passé composé de la construction **se faire** + *infinitif,* et soyez logique.

A	B	C
nous	à l'hôpital	photographier
tu	chez le dentiste	couper les cheveux
Monsieur Duroc	chez le coiffeur	faire un shampooing
mes amis	chez la voyante *(fortune teller)*	vacciner contre la grippe
Anne et Sylvie	chez le tailleur *(tailor)*	arracher *(to pull)* une dent
je	chez le photographe	prédire l'avenir
ma sœur	chez la couturière *(seamstress)*	faire un costume/une robe
		opérer de l'appendicite

MODÈLE: *Je suis allé à l'hôpital. Je me suis fait vacciner contre le grippe.*

C. La construction: verbe de perception + infinitif

Verbs of perception such as **voir, regarder, écouter, entendre,** are often followed by an infinitive construction.

In the sentences below, the nouns in heavy print are the *subject* of the infinitive. Note the position of these nouns.

Mélanie chante.
J'écoute **Mélanie** chanter.
J'écoute chanter **Mélanie.**
} *I listen to **Melanie** sing (singing).*

Les enfants jouent.
Je vois **les enfants** jouer.
Je vois jouer **les enfants.**
} *I see **the children** play (playing).*

When a verb of perception is followed by an infinitive, this infinitive usually has a subject. When this subject is a noun, the noun can come before or after the infinitive.

- When the infinitive has both a noun subject and an object, the noun *subject* comes before the infinitive.

  Anne chante une chanson.
  J'écoute **Anne** chanter une chanson. — *I listen to **Anne** singing a song.*

  Les enfants jouent au ballon.
  Je regarde **les enfants** jouer au ballon. — *I watch **the children** play ball.*

➪ Object pronouns come before the verb to which they are related. Note that the subject of the infinitive becomes the direct object of the verb of perception.

Je vois Pierre jouer.
Je le vois jouer. — *I see **him** play.*

J'entends Marthe jouer du piano.
Je l' entends en jouer. — *I hear **her** play (it).*

Activité 7 Le Carnaval

Les personnes suivantes assistent au Carnaval de Fort-de-France. Dites ce que chacun voit ou entend.

MODÈLE: Les gens dansent. Henri regarde.
Henri regarde les gens danser. (Henri regarde danser les gens.)

MODÈLE: Les gens jettent des confetti. Henri regarde.
Henri regarde les gens jeter des confetti.

1. Les orchestres jouent. Francine écoute.
2. Les chars fleuris *(floats)* passent. Nous regardons.
3. Un garçon lance un pétard *(firecracker)*. Je vois.
4. Le pétard explose. Vous entendez.
5. Les jeunes chantent des chansons créoles. Nous écoutons.
6. La Reine du Carnaval salue *(greets)* la foule. Tu vois.
7. L'effigie du Carnaval passe dans la rue. On regarde.
8. Les gens applaudissent. On peut entendre.
9. Les touristes prennent des photos. Nous voyons.

D. La construction: **laisser** + infinitif

Note the constructions used with **laisser** *(to let)* + *infinitive.*

NOUNS	PRONOUNS
Les enfants partent.	**Ils** partent.
Nous laissons partir **les enfants.** Nous laissons **les enfants** partir.	Nous **les** laissons partir.
Les enfants vont **au cirque.** Nous laissons **les enfants** aller **au cirque.**	Ils y vont. Nous **les** laissons y aller.

The constructions with **laisser** + *infinitive* are similar to the constructions used with verbs of perception.

À remarquer

In a construction with **laisser,** the infinitive may have both a subject and a direct object.

Éric prend **mes disques.**	*Eric takes **my records.***
Je laisse **Éric** prendre **mes disques.**	*I let **Eric** take **my records.***

➪ The noun subject of the infinitive can be replaced either by a direct or an indirect object pronoun. Compare these two constructions:

DIRECT OBJECT		INDIRECT OBJECT
Je laisse [Éric] lire ces livres.	=	Je laisse lire ces livres [à Éric.]
Je [le] laisse lire [ces livres.]		Je [lui] laisse lire [ces livres].
Je [le] laisse [les] lire.		Je [les] [lui] laisse lire.

Activité 8 Oui ou non?

Lisez ce que les personnes suivantes veulent faire et dites si vous les laisseriez faire.

MODÈLE: Un ami veut regarder votre album de photos.
Je le laisserais regarder mon album de photos.
(Je ne le laisserais pas regarder mon album de photos.)

1. Une amie veut écouter vos disques.
2. Vos voisins veulent utiliser votre tondeuse *(lawnmower).*
3. Un enfant veut jouer avec des allumettes *(matches).*
4. Quelqu'un veut copier sur vous pendant un examen.
5. Votre frère veut lire votre journal *(diary).*
6. Un inconnu *(stranger)* veut entrer chez vous.

Entre nous

Situations

Lisez les situations suivantes et dites ce que les personnes font faire. Pour cela, utilisez la forme appropriée de la constructon **faire** + infinitif et votre imagination. Faites trois phrases pour chaque situation.

MODÈLE: Christine va bientôt se marier.
Christine va se faire faire une robe de mariée.
Elle va faire mettre une annonce dans les journaux.
Elle va faire imprimer (print) *des invitations.*

1. Les Moreau ont pris leur retraite *(retirement),* Ils ont acheté une vieille ferme qui avait besoin de réparations.
2. Mademoiselle Monteux est une jeune avocate qui réussit très bien dans sa profession. Elle vient d'acheter un appartement dans un quartier très chic de Paris. Malheureusement, l'appartement est assez ancien.
3. Caroline vient de finir ses études de commerce. Elle cherche du travail dans les relations publiques. Jeudi prochain elle a rendez-vous avec la directrice d'une agence de publicité très prestigieuse.
4. Monsieur Aron vient d'être promu *(promoted)* vice-président d'une banque. On lui donne le bureau d'un autre vice-président qui vient de partir. Monsieur Aron a l'intention de transformer ce bureau.
5. Dans une semaine, Jacques va partir en vacances. Il a l'intention d'aller à Athènes en voiture. Il apporte sa vieille Peugeot chez le mécanicien.
6. Josette est une grande brune aux cheveux longs. Elle a été choisie pour le rôle principal de Jeanne d'Arc dans une pièce donnée par son école.

À votre tour

Indiquez cinq choses que vous faites vous-mêmes (et que vous ne faites pas faire à d'autres personnes) et cinq choses que vous ne faites pas vous-mêmes (et que vous faites faire à d'autres personnes).

MODÈLE: Je lave mes chemises. Je ne les fais pas laver.
Je ne répare pas ma chaîne-stéréo. Je la fais réparer.

Constructions, expressions et locutions

1. La construction: **être à** + infinitif
2. Les expressions idiomatiques avec **faire** + infinitif
3. **Entendre dire que** et **entendre parler de**

1. La construction: **être à** + infinitif

The construction être à + *infinitive* often corresponds to the English construction *should* + *passive verb*.

Cette exposition **est à voir.**	*This exhibit* ***should be seen!***
Ce film **est à ne pas manquer.**	*This movie* ***should not be missed.***
Ces papiers **sont à jeter.**	*Those papers* ***should be thrown out.***
Ces documents **sont à brûler.**	*Those documents* ***should be burned.***

2. Les expressions idiomatiques avec **faire** + *infinitif*

The construction **faire** + *infinitive* is used in many idiomatic expressions. Compare the use of the verbs in the following sentences.

cuire / faire cuire *(to bake, cook)*

Le pain **cuit.** Le boulanger **fait cuire** le pain.	*The bread* ***is being baked.*** *The baker* ***bakes*** *the bread.*
Le poulet **cuit.** Nous **faisons cuire** un poulet.	*The chicken* ***is cooking.*** *We* ***are cooking*** *a chicken.*

bouillir / faire bouillir *(to boil)*

L'eau **bout.** Je **fais bouillir** l'eau pour le café.	*The water* ***is boiling.*** *I* ***am boiling*** *water for the coffee.*

fondre / faire fondre *(to melt)*

La neige **fond.** La chaleur **fait fondre** la neige.	*The snow* ***is melting.*** *Heat* ***melts*** *the snow.*

pousser / faire pousser *(to grow)*

Les fleurs **poussent.** Le jardinier **fait pousser** des fleurs.	*The flowers* ***are growing.*** *The gardener* ***is growing*** *flowers.*

♦ In the preceding expressions, the French distinguish between the action (such as **cuire**) and the agent that causes the action to happen (**faire cuire**). Note the following similar expressions.

faire frire	*to fry*	On **fait frire** des œufs, du jambon.
faire rôtir	*to roast*	On **fait rôtir** un poulet.
faire griller	*to broil*	On **fait griller** un bifteck.

- Note also the use of the construction **faire** + *infinitive* in the following expressions.

faire entrer	*to show in*	**Faites entrer** les candidats.
faire venir	*to call in*	Je vous **ai fait venir** pour vous annoncer une bonne nouvelle.
faire voir	*to show*	**Faites**-moi **voir** ces photos.
faire tomber	*to drop*	Attention! Ne **faites** pas **tomber** ce vase!
faire chanter	*to blackmail*	Le criminel **fait chanter** ses victimes.
faire suivre	*to forward*	**Faites suivre** mon courrier *(mail)* à ma nouvelle adresse.

3. **Entendre dire que** et **entendre parler de**

Note the uses of **entendre dire que** and **entendre parler de.**

entendre dire que

to hear (information)	J'ai **entendu dire** que tu avais acheté une moto.

entendre parler de

to hear (from or of someone)	Avez-vous **entendu parler de** votre oncle?
	Avez-vous **entendu parler du** peintre français Delacroix?
to hear (about something)	Je n'ai pas **entendu parler de** ce film.

Unité 6

Les autres pronoms

Young Woman with Bouquet of Flowers, lithograph by Henri Matisse, 1923. The Museum of Modern Art, New York, Gift of Abby Aldrich Rockefeller.

Leçon 26 Les pronoms relatifs

A. Introduction: les propositions relatives

B. Les pronoms relatifs **qui** et **que**

C. Les pronoms relatifs compléments d'une préposition

D. Le pronom relatif **dont**

A. Introduction: les propositions relatives

A noun or pronoun can be modified by a descriptive adjective or by an entire clause. Such descriptive clauses are called relative clauses.

In the sentences below the clauses in heavy print are relative clauses.

Voici une étudiante française.

Voici une étudiante **qui parle français.**	*Here is a student **who speaks French.***
Voici une étudiante **que nous avons rencontrée à Paris.**	*Here is a student **(whom) we met in Paris.***

Voici une bonne montre.

Voici une montre **qui marche bien.**	*Here is a watch **that works well.***
Voici une montre **que j'ai achetée en Suisse.**	*Here is a watch **(that) I bought in Switzerland.***

- A relative clause is introduced by a *relative pronoun.* In the sentences above, the relative pronouns are **qui** and **que.**
- The form of the relative pronoun depends on the function that the pronoun performs in the relative clause. A relative pronoun can act as a subject, a direct object, or an object of a preposition.
- The *antecedent* of a relative pronoun is the noun or pronoun to which it refers. In the above sentences, **une étudiante** and **une montre** are the antecedents.
- In French, a relative pronoun usually comes immediately after its antecedent according to this pattern.

...antecedent +	preposition (if any)	+	relative pronoun	+ rest of sentence

Connais-tu **les gens à qui** j'ai parlé?

À remarquer

1. In general, normal word order (subject + verb) is used in relative clauses. However, when the subject is a noun, this noun may come immediately after the verb, especially if it is the last element in the clause.

   J'ai lu le livre que **le professeur** m'a prêté.
   or: J'ai lu le livre que m'a prêté **le professeur.**
   but: J'ai lu le livre que **le professeur** m'a prêté hier soir.

2. Relative clauses are often inserted (or embedded) in main clauses

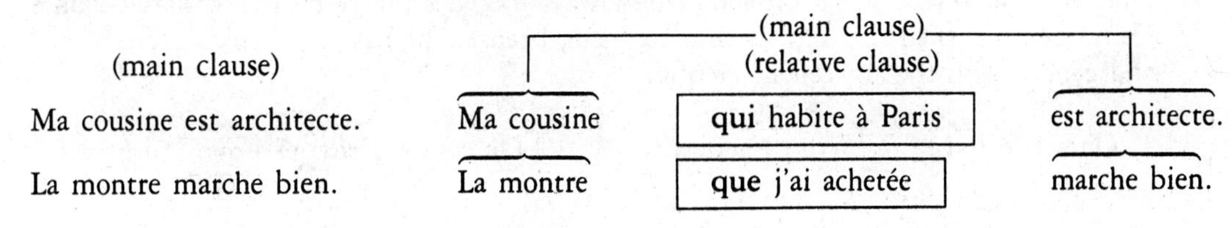

B. Les pronoms relatifs **qui** et **que**

Relative pronouns have the same function as the nouns they replace. In the examples below, each pair of sentences on the left has been combined into a single sentence on the right that contains a relative clause. Note that in the first two examples, the relative pronouns replace a subject. They are the subjects of the relative clause. In the last two examples, the relative pronouns replace direct objects. They are the direct objects of the relative clause.

SUBJECT

J'ai une amie.	J'ai une amie **qui** habite à Paris.
Cette amie habite à Paris.	*I have a friend **who** lives in Paris.*
Donne-moi les livres.	Donne-moi les livres **qui** sont sur la table.
Ces livres sont sur la table.	*Give me the books **that (which)** are on the table.*

DIRECT OBJECT

Je ne connais pas l'amie.	Je ne connais pas l'amie **que** tu vas inviter.
Tu vas inviter **cette amie**.	*I don't know the friend **(whom)** you are going to invite.*
Rends-moi le livre.	Rends-moi le livre **que** je t'ai prêté.
Je t'ai prêté **ce livre**.	*Give me back the book **(that)** I lent you.*

The relative pronoun **qui** is a subject pronoun. It may refer to people or things, and corresponds to the English pronouns *who, that, which.*

- The verb of the relative clause agrees with the antecedent of **qui.** Note how this works when the antecedent is a pronoun.

  C'est **toi** qui as téléphoné? — *Is it **you who** phoned?*

  Ce sont **tes amis** qui ont téléphoné? — *Is it **your friends who** called?*

The relative pronoun **que** is a direct object pronoun. It refers to people or things, and corresponds to the English *whom (who), that, which.* While these pronouns are often omitted in English, **que** must be expressed in French.

- **Que** becomes **qu'** before a vowel sound.

  Hélène lit le livre **qu'**elle vient d'acheter.

- Note that the direct object pronoun **que** always precedes the verb of the relative clause. Consequently, when this verb is in a compound tense, the past participle agrees in number and gender with the antecedent of **que.**

  Où est **le livre** que tu as **acheté**? — Où sont **les revues** que tu as **achetées**?

À remarquer

The subjunctive can be used after relative pronouns when the existence of the antecedent is uncertain.[1]

Je cherche la personne qui **sait** parler japonais.	(This person exists.)
Je cherche une personne qui **sache** parler japonais.	(This person may or may not exist.)

Activité 1 Conversation

Demandez à vos comarades s'ils font les choses suivantes. Dans leurs réponses ils vont utiliser le nom entre parenthèses et le pronom **que.**

MODÈLE: lire *Time Magazine?* (un magazine)
—*Tu lis* Time Magazine?
—*Oui, c'est un magazine que je lis. (Non, c'est un magazine que je ne lis pas.)*

1. acheter *Sports Illustrated?* (une revue)
2. étudier la chimie? (un sujet)
3. connaître Paris? (une ville)
4. connaître bien tes voisins? (des personnes)
5. tolérer les snobs? (des gens)
6. comprendre la peinture abstraite? (une forme d'expression)
7. pratiquer le yoga? (une forme d'activité)
8. admirer Jane Fonda? (une femme)

Activité 2 Oui ou non?

Exprimez votre opinion sur les personnes et les choses suivantes. Pour cela, répondez aux questions entre parenthèses en utilisant les pronoms **qui** et **que.**

MODÈLE: Le français est une langue. (Elle est utile? Vous la trouvez difficile?)
Le français est une langue qui (n')est (pas) utile.
C'est une langue que je (ne) trouve (pas) difficile.

1. Woody Allen est un acteur. (Il a du talent? Vous le trouvez très drôle?)
2. Meryl Streep est une actrice. (Vous la trouvez intelligente? Elle joue très bien?)
3. La photo est un passe-temps. (Il coûte cher? Vous le pratiquez?)
4. Le football et la boxe sont des sports. (Vous les regardez à la télé? Ils sont dangereux?)
5. La Grèce est un pays. (Il est pittoresque? Vous aimeriez le visiter?)
6. Dracula est un individu. (Vous aimeriez le rencontrer? Il est gentil?)
7. Le président est un homme. (Il est sincère? Vous l'admirez?)
8. L'injustice est un problème. (Il est excusable? Vous le tolérez?)
9. Nos traditions sont des choses. (Elles sont importantes? Nous devons toujours les respecter?)
10. Les journalistes sont des gens. (Ils disent toujours la vérité? On doit toujours les croire?)

[1] See **leçon** 15.

Activité 3 Qu'est-ce qu'ils font?

Expliquez ce que font les personnes suivantes. Mettez le premier verbe au présent et le second verbe au passé composé. Faites attention à l'accord du participe passé.

MODÈLE: moi / développer les photos / prendre en France
Je développe les photos que j'ai prises en France.

1. les étudiants / réciter la poésie / apprendre
2. tu / corriger les erreurs / faire dans la dictée
3. François / lire la lettre / ouvrir
4. Madame Renaud / acheter la lampe / découvrir chez un marchand d'antiquités
5. Suzanne / chercher les clés / mettre sur la table
6. André / regarder la bague / offrir à sa fiancée
7. je / rendre les revues / prendre hier
8. vous / parler de la promenade / faire la semaine dernière
9. tu / envoyer la carte / écrire à tes parents

Activité 4 Opinions personnelles

Complétez les phrases suivantes avec une expression de votre choix.

MODÈLE: Le bouddhisme est une religion qui/que...
Le bouddhisme est une religion qui vient d'Asie.
C'est une religion que je voudrais connaître.

1. Le socialisme est une doctrine qui/que...
2. L'or est un métal qui/que...
3. Les épinards *(spinach)* sont un légume qui/que...
4. Les serpents sont des amimaux qui/que...
5. Superman est un homme qui/que...
6. Le monstre du Loch Ness est un être *(being)* qui/que...
7. La perception extra-sensorielle est un phénomène qui/que...
8. Les Rolling Stones sont des musiciens qui/que...
9. Barbra Streisand est une actrice qui/que...

C. Les pronoms relatifs compléments d'une préposition

In the sentences on the right, the relative clause is introduced by a preposition. Note the forms of the relative pronouns as they refer to people or things.

Qui est la personne? Tu es sorti **avec** [cette personne].	Qui est la personne **avec** [qui] tu es sorti?
Voici les gens. Je travaille **pour** [ces gens].	Voici les gens **pour** [qui] je travaille.
Où est l'instrument? J'ai réparé ma voiture **avec** [cet instrument].	Où est l'instrument **avec** [lequel] j'ai réparé ma voiture?
Je t'expliquerai les raisons. Je ne suis pas venu **pour** [ces raisons].	Je t'expliquerai les raisons **pour** [lesquelles] je ne suis pas venu.

When relative pronouns are used as the object of a preposition, the pattern is:

preposition + **qui**	to refer to people
preposition + **lequel**	to refer to things

⇨ Although **qui** is preferred, **lequel** may also be used to refer to people.

Pauline est l'amie {chez **qui** / chez **laquelle**} j'ai passé mes vacances.

The relative pronoun **lequel** consists of two parts (**le + quel**), both of which agree with the antecedent.

	SINGULAR	PLURAL
MASCULINE	lequel	lesquels
FEMININE	laquelle	lesquelles

⇨ After **à** and **de**, **lequel** contracts to give the following forms:

à	de
à + lequel → auquel	de + lequel → duquel
à + lesquels → auxquels	de + lesquels → desquels
à + lesquelles → auxquelles	de + lesquelles → desquelles

C'est un problème. Je n'ai pas pensé **à** ce problème	C'est un problème **auquel** je n'ai pas pensé.
Voici le parc. J'habite **près de** ce parc.	Voici le parc **près duquel** j'habite.

When a relative pronoun is the object of a preposition, the word order is:

...antecedent + preposition + {**lequel** / **qui**} + subject + verb + (rest of clause)...

➪ In French the preposition *never* comes at the end of the sentence.

La justice est une cause **pour laquelle** on doit lutter. — *Justice is a cause **for which** we must fight.* / *Justice is a cause **that** we have to fight **for.***

J'ai un ami **avec qui** j'étudie. — *I have a friend **with whom** I study.* / *I have a friend **that** I study **with.***

The relative pronoun **où** is often used to replace a preposition of place **(à, dans, sur) + lequel.** It corresponds to the English *where.*

Voici le village.
Je suis né dans ce village. } Voici le village **où (dans lequel)** je suis né.
*(Here is the village **where** I was born.)*

➪ **Où** is also used after an antecedent of time, such as **année, journée, période.** In this usage, it is the equivalent of *when* or *during which.*

Je me souviens du jour.
Je vous ai rencontré ce jour-là. } Je me souviens du jour **où** je vous ai rencontré.
*(I remember the day **when** I met you.)*

Activité 5 D'accord?

Lisez les phrases suivantes. Dites si les personnes entre parenthèses sont d'accord ou non avec ces choses ou ces personnes. Utilisez le pronom relatif **(lequel, qui)** qui convient.

MODÈLE: le communisme est une doctrine (la majorité des Américains)
Le communisme est une doctrine avec laquelle la majorité des Américains ne sont pas d'accord.

1. la violence est une méthode (les pacifistes)
2. la protection des ressources naturelles est un objectif (les écologistes)
3. la construction de centrales nucléaires est un projet (beaucoup d'Américains)
4. le capitalisme et le libéralisme sont des systèmes (les Russes)
5. le machisme est une attitude (les femmes)
6. l'honnêteté et la discipline sont des principes (je)
7. mes parents sont des gens (je)
8. mes parents ont des idées (je)

Vocabulaire: Quelques prépositions

avant	*before*	**devant**	*in front of*	**parmi**	*among*
après	*after*	**derrière**	*behind*	**entre**	*between*
pendant	*during*	**contre**	*against*	**vers**	*toward (things)*
dans	*in*	**avec**	*with*	**envers**	*toward (people)*
sur	*on, about*	**par**	*by, through*	**selon**	*according to*
sous	*under*	**pour**	*for*	**d'après**	*according to*

Note de vocabulaire

Lequel is always used after the prepositions **entre** and **parmi**, even when referring to people.

Voici un groupe d'étudiants **parmi lesquels** il y a plusieurs étudiants canadiens.

Activité 6 La conférence de Madame Martin

Madame Martin est la présidente de la compagnie *Martin et associés.* Elle réunit ses collaborateurs pour leur expliquer sa politique commerciale. Jouez le rôle de Madame Martin. Commencez vos phrases par **voici** et le nom en italique.

MODÈLE: Nous allons travailler avec *ces distributeurs.*
Voici les distributeurs avec lesquels (avec qui) nous allons travailler.

1. Nous allons investir un million de francs dans *ces nouveaux produits.*
2. Nous pouvons compter sur *cette banque.*
3. Nous allons lancer ces produits pendant *cette période.*
4. Nous allons signer un contrat avec *cette agence de publicité.*
5. Nous allons travailler d'après *ces méthodes.*
6. Nous devons nous protéger contre *ces concurrents (competitors).*
7. Nous nous trouvons devant *ces problèmes.*
8. Nous allons réussir pour *cette raison.*
9. Nous allons travailler vers *cet objectif.*

Activité 7 Expression personnelle

Faites un commentaire personnel sur les choses suivantes en complétant les phrases avec la construction **à + lequel** et le verbe entre parenthèses. Utilisez aussi une expression comme **souvent, quelquefois, de temps en temps, rarement, ne...jamais.**

MODÈLE: Pacman est un jeu électronique. (jouer à?)
Pacman est un jeu électronique auquel je joue de temps en temps.

1. les échecs *(chess)* sont un jeu (jouer à?)
2. la musique est une chose (s'intéresser à?)
3. les concerts sont des spectacles (aller à?)
4. les matchs de football sont des événements sportifs (assister à?)
5. la politique est un sujet (s'intéresser à?)
6. ma santé est une chose (faire attention à?)
7. mon avenir est un sujet (penser à?)
8. la paix et la justice sont des questions (réfléchir à?)

Vocabulaire: Quelques locutions prépositives avec *de*

PRÉPOSITIONS GÉNÉRALES

à cause de	*because of*
au sujet de	*about, concerning*
à propos de	*about, concerning*

PRÉPOSITIONS DE LIEU

loin de	*far from*	à droite de	*to the right of*
près de	*near, next to*	à gauche de	*to the left of*
à côté de	*beside, next to*	en face de	*in front of*
auprès de	*near, next to*	au-dessus de	*above, on top of*
au milieu de	*in the middle of*	au-dessous de	*below, beneath*
autour de	*around*	à l'extérieur de	*outside (of)*
		à l'intérieur de	*inside (of)*

Activité 8 Promenade en ville

Un ami français vous rend visite. Montrez-lui votre ville. Pour cela, faites des phrases selon le modèle en utilisant la forme appropriée de **lequel**.

MODÈLE: le restaurant / à côté de / mon meilleur ami habite
Voici le restaurant à côté duquel mon meilleur ami habite.

1. l'église / en face de / j'ai pris une photo hier
2. les magasins / près de / nous sommes passés ce matin
3. le musée / à l'intérieur de / il y a des peintures d'artistes régionaux

4. la place / au milieu de / il y a une statue du fondateur de la ville
5. le lac / autour de / je fais du jogging tous les week-ends
6. le parc / au-dessous de / on a construit un parking souterrain
7. le restaurant / au-dessus de / il y a un club où vont mes amis
8. les maisons anciennes / au sujet de / la société historique a publié un livre intéressant
9. le centre culturel / à propos de / le journal a écrit un article
10. les usines / à cause de / il y a un peu de pollution dans notre ville

Activité 9 Souvenirs

Monsieur Bertrand est un Français de 80 ans qui raconte ses souvenirs. Jouez le rôle de Monsieur Bertrand dans les phrases où vous utiliserez les expressions comme **un jour, un mois, une année, une époque.** Utilisez l'imparfait dans les phrases 1 à 3, et le passé composé dans les phrases 4 à 6.

MODÈLE: l'année 1930 (moi / me marier)
L'année 1930 est l'année où je me suis marié.

1. l'époque d'avant-guerre (tout le monde / être heureux)
2. le mois de septembre (on / faire les vendanges [*to pick grapes*])
3. le jour de la Saint-Jean (les gens du village / danser dans les rues)
4. l'année 1947 (nous / faire un vin extraordinaire)
5. le 20 août 1944 (les Américains / libérer notre village)
6. le mois de février 1960 (nous / avoir une tempête de neige mémorable)

D. Le pronom relatif **dont**

In the sentences on the right, the relative pronoun replaces a noun introduced by **de.** Note the form of these pronouns.

Où est la fille? Tu m'as parlé **de cette fille.**	Où est la fille **dont** tu m'as parlé? *Where is the girl* ***whom*** *you talked to me about?*
Ils ont des traditions. Ils sont fiers **de ces traditions.**	Ils ont des traditions **dont** ils sont fiers. *They have traditions* ***of which*** *they are proud.*

Uses

Dont is used with verbs, verbal expressions, and adjectives that are normally followed by **de** + *noun.*

- **Dont** is never used after prepositional phrases ending in **de,** such as **à cause de, à côté de,** and so on. With these prepositions, **de qui** or **duquel** must be used.

Comment s'appelle la fille **à côté de qui** Paul et assis?	*What is the name of the girl* ***(that)*** *Paul is sitting* ***next to?***
Voici le musée **à côté duquel** nous sommes passés ce matin.	*This is the museum* ***that*** *we passed* ***by*** *this morning.*

Dont is also used to replace **de** + *noun* in sentences where **de** indicates possession or relationship.

Voici l'ami. La sœur [de cet ami] est médecin.	Voici l'ami [dont] la sœur est médecin. *This is the friend* ***whose*** *sister is a doctor.*
Voici l'étudiant. Tu connais la sœur [de cet étudiant].	Voici l'étudiant [dont] tu connais la sœur. *Here is the student* ***whose*** *sister you know.*
Voici une auto. Le prix [de cette auto] est élevé.	Voici une auto [dont] le prix est élevé. *Here is a car* ***whose*** *price (the price* ***of which****) is high.*
Voici une auto. J'apprécie le confort [de cette auto].	Voici une auto [dont] j'apprécie le confort. *Here is a car* ***whose*** *comfort (the comfort* ***of which****) I appreciate.*

The word order with **dont** is the same as with other relative clauses.

... antecedent + **dont** + subject + verb + rest of clause...

Voici **l'ami dont** je vous ai parlé.

Voici **l'ami dont** tu connais le père.

Voici **l'ami dont** les cousins habitent à Paris.

Vocabulaire: Quelques verbes et expressions suivis de *de*

parler de	*to speak/talk about*
discuter de	*to talk about, discuss*
rêver de	*to dream of/about*
entendre parler de	*to hear of/about*
se servir de	*to use*
se souvenir de	*to remember*
se passer de	*to do without*
s'occuper de	*to take care of*
se préoccuper de	*to worry about*
avoir envie de	*to want, desire*
avoir besoin de	*to need*
avoir peur de	*to be afraid of*
avoir honte de	*to be ashamed of*
être satisfait de	*to be happy about*
être fier de	*to be proud of*
être amoureux de	*to be in love with*
faire la connaissance de	*to meet*

Activité 10 Oui ou non?

Lisez les phrases suivantes. Exprimez l'attitude des personnes entre parenthèses envers les personnes ou les choses indiquées. Utilisez le passé composé dans les phrases 9 et 10.

MODÈLE: l'avenir est une chose (je / se préoccuper?)
L'avenir est une chose dont je (ne) me préoccupe (pas).

1. la politique est un sujet (le professeur, mes parents, je / discuter souvent?)
2. le vendredi 13 est un jour (je, les gens superstitieux / avoir peur?)
3. l'amitié est un sentiment (tout le monde, les jeunes / avoir besoin?)
4. l'argent est une chose (on, les gens intelligents, les personnes avares [*miserly*], la majorité des gens / pouvoir se passer?)
5. un micro-ordinateur est une machine (les ingénieurs, mon père, nous / se servir tous les jours?)
6. le chômage est un problème (le président, les «démocrates», les jeunes, nous / se préoccuper?)
7. Juliette est une jeune fille (Roméo / être amoureux?)
8. les rêves sont des choses (je, la majorité des gens / se souvenir clairement?)
9. La Fayette est un Français (je, tout le monde, les jeunes Américains / entendre parler?)
10. le maire (*mayor*) de ma ville est une personne (je, ma mère, mes amis / faire la connaissance?)

Activité 11 Questions

Imaginez que vous voulez obtenir des renseignements sur les personnes et les choses suivantes. Posez des questions à leur sujet.

MODÈLE: Qui est la fille? Tu connais les parents de cette fille.
Qui est la fille dont tu connais les parents?

1. Comment s'appelle l'étudiant? La mère de cet étudiant est avocate.
2. Qui est le garçon? Tu as rencontré la cousine de ce garçon.
3. Où sont les personnes? Nous connaissons bien les amis de ces personnes.
4. Qui est le chef d'entreprise? La compagnie de ce chef d'entreprise importe des produits français.
5. Quelle est la région de France? Les vins de cette région sont fameux.
6. Comment s'appelle le pays? La capitale de ce pays est Berne.
7. Où se trouve la ferme? Tu as acheté les produits de cette ferme.
8. Quelle est l'adresse de ce restaurant? La cuisine de ce restaurant est extraordinaire.

Activité 12 Opinions personnelles

Exprimez votre opinion sur les sujets suivants en utilisant les expressions entre parenthèses.

MODÈLE: Picasso est un artiste. (admirer le talent?)
Picasso est un artiste dont j'admire (je n'admire pas) le talent.

1. Les Beatles sont des musiciens. (aimer le style?)
2. Johnny Carson est un comédien. (apprécier l'humour?)
3. Gandhi est un philosophe. (admirer les principes?)
4. Le président est une personne. (approuver la politique?)
5. Mes parents sont des personnes. (respecter toujours les idées?)
6. Camus et Sartre sont des écrivains français. (connaître les livres?)
7. Pierre Cardin est un couturier *(fashion designer).* (acheter les vêtements?)
8. Les navets *(turnips)* sont des légumes (aimer le goût [*taste*]?)

Entre nous

Situations

Souvent il est important de bien décrire les choses ou les personnes dont on parle. Lisez les situations suivantes et décrivez les choses ou les personnes dont il est question. Pour cela, utilisez la construction relative dans au moins trois phrases différentes.

MODÈLE: Monsieur Delange ne peut pas retrouver une lettre importante. Il décrit cette lettre à sa secrétaire.
«C'est la lettre qui était sur mon bureau. C'est la lettre que vous avez tapée ce matin. Vous savez bien, c'est la lettre dans laquelle je faisais référence à notre contrat avec la compagnie SERVOMATIC. Ah, c'est une lettre dont j'ai absolument besoin!»

1. Raymond a perdu son cahier d'exercices. Il décrit ce cahier à son camarade de chambre.
2. Josette vient de faire la connaissance d'un garçon très sympathique et très riche. Elle décrit ce garçon à sa cousine.
3. Marc propose à ses amis de dîner dans un petit restaurant que son cousin a recommandé. Il décrit ce restaurant à ses amis.
4. Gérard a passé un an aux États-Unis. Quand il rentre en France, il annonce à ses parents qu'il a l'intention de se marier avec une étudiante de l'université où il était. Il décrit cette jeune fille.
5. Les Rémi cherchent un appartement à acheter. Madame Rémi a récemment visité un appartement ancien mais relativement bon marché. Elle décrit cet appartement à son mari.

À votre tour

Choisissez une personne, un endroit ou un objet. Décrivez ceux-ci *(these)* dans des phrases où vous utiliserez des pronoms relatifs, mais ne mentionnez pas leur identité. Faites deviner *(guess)* à vos amis l'identité de ce que vous avez choisi.

MODÈLE: la Normandie
C'est une région qui est située à l'ouest de la France.
C'est une région dont les plages sont célèbres.
C'est une région à laquelle on pense quand on évoque le débarquement (landing) *de juin 1944.*

Leçon 27 Les pronoms interrogatifs, démonstratifs et possessifs

A. Le pronom interrogatif **lequel**
B. Le pronom démonstratif **celui**
C. La construction **celui** + pronom relatif
D. Les pronoms possessifs

A. Le pronom interrogatif **lequel**

Compare the forms and uses of the interrogative adjectives and pronouns in the following sentences:

ADJECTIVES	PRONOUNS
Quel film as-tu vu?	**Lequel** as-tu vu?
Avec quels amis es-tu sorti?	**Avec lesquels** es-tu sorti?
À quel cinéma es-tu allé?	**Auquel** es-tu allé?
De quelles étudiantes parles-tu?	**Desquelles** parles-tu?

Forms

The interrogative pronoun **lequel** agrees in gender and number with the noun it replaces. It has the same forms as the relative pronoun **lequel** and the same contracted forms after **à** and **de.**

Uses

The interrogative pronoun **lequel** is used to replace the construction **quel** + *noun.* It corresponds to the English *which one(s).* **Lequel** refers to a specific antecedent and may represent people or things.

- **Lequel** may also be followed by **de** + *noun.*

  Lesquelles de ces photos préfères-tu? — ***Which of these pictures*** *do you prefer?*

  Auquel de ces problèmes t'intéresses-tu? — ***Which of these problems*** *are you interested* ***in?***

- When **lequel** is introduced by a preposition, this preposition always comes at the beginning of the sentence, and never at the end.

  À laquelle de tes amies as-tu parlé? — ***To*** *which of your friends did you speak?* / *Which of your friends did you speak* ***to?***

- When **lequel** is the direct object of a verb in a compound tense, the past participle agrees with it.

  Nous avons invité **des amies.** — **Lesquelles** avez-vous invitées?

Activité 1 Un week-end bien rempli *(very busy)*

Un ami vous dit qu'il a fait les choses suivantes pendant le week-end. Demandez-lui des précisions.

MODÈLE: J'ai vu une pièce de théâtre.
Ah, tiens? Laquelle as-tu vue?

1. J'ai visité une exposition.
2. J'ai acheté des disques.
3. J'ai lu plusieurs revues.
4. J'ai rencontré plusieurs amis.
5. J'ai écouté un opéra.
6. J'ai invité une amie.

Activité 2 Une personne active

Janine a beaucoup d'activités. Elle vous décrit ce qu'elle fait. Demandez-lui des précisions. Pour cela, utilisez la forme appropriée de **à/de + lequel.**

MODÈLE: J'appartiens à un club dramatique.
Ah bon! Auquel?

1. Je m'intéresse aux sports.
2. Je fais partie d'une chorale.
3. Je vais participer à un championnat de tennis.
4. Je vais assister à une réunion politique.
5. Je suis membre d'un groupe musical.
6. Je joue de plusieurs instruments.
7. Je suis présidente d'un club de loisirs.
8. Je vais aller à un concert.

B. Le pronom démonstratif **celui**

Compare the forms and uses of the demonstrative adjectives and pronouns in the following sentences.

ADJECTIVES	PRONOUNS
Regarde **ce livre-ci!**	Regarde **celui-ci!**
Achetons **ces cassettes-là!**	Achetons **celles-là!**

Forms

The demonstrative pronoun **celui** *(this one, that one, the one)* agrees in gender and number with the noun it replaces. It has the following forms.

	SINGULAR	PLURAL
MASCULINE	celui	ceux
FEMININE	celle	celles

Uses

Celui is never used alone. It often occurs in the following combinations.

1. **celui-ci, celui-là**

   Celui can be followed by *-ci* or *-là*. **Celui-ci** is used to designate people or things nearby, whereas **celui-là** is used to designate people or things farther away.

   Quelle cassette veux-tu écouter?
   Celle-ci ou **celle-là**? — ***This one*** *(over here) or* ***that one*** *(over there)?*

   Quels disques préférez-vous?
   Ceux-ci ou **ceux-là**? — ***These*** *or* ***those?***

2. **celui de** + *noun*

Celui can be followed by **de** + *noun or noun phrase.* In such a construction, the preposition **de** *(of, from, by)* may express possession, relationship, or origin.

—Ce sont tes livres?
—Non, ce sont **ceux de Paul.** — *No, they are **Paul's** (those of Paul).*

—Tu aimes les opéras de Wagner?
—Je préfère **ceux de Verdi.** — *I prefer **Verdi's** (those by Verdi).*

—C'est la clé de ton appartement?
—Mais non, c'est **celle de ma voiture.** — *No, it's **my car key** (the one of my car).*

—Zut, j'ai raté le train de 10 heures.
—Tu peux prendre **celui de 11 heures.** — *You can take **the 11 o'clock (one)** (that of 11 o'clock).*

➪ **Celui de** can also be followed by an adverb or adverbial phrase, or by a verb.

La vie d'aujourd'hui est plus trépidante que **celle d'autrefois.** — *Life today is busier than **life in the past.***

J'ai l'obligation de vous écouter et vous, **celle de répondre.** — *I have the obligation of listening to you, and you, **(that) of answering.***

À remarquer

1. In referring to two antecedents, **celui-là** indicates *the former* and **celui-ci,** *the latter.*

   Le Centre Pompidou et le Louvre sont deux musées parisiens.
   Celui-ci est une ancienne résidence royale. ***(the latter)***
   Celui-là est un édifice moderne. ***(the former)***

2. In formal style, **celui-ci** is often used to replace a personal pronoun.

   Je suis passé chez Christine, mais **celle-ci** n'était pas chez elle. — *I went to Christine's, but **she** was not home.*

   J'ai bien connu vos cousins quand **ceux-ci** habitaient à Cannes. — *I knew your cousins very well when **they** were living in Cannes.*

Activité 3 Décisions, décisions!

Jean-Pierre et Louise viennent de se marier. Ils contemplent certaines acquisitions et comparent les mérites respectifs des choses qu'ils voient. Jouez le rôle de Jean-Pierre et de Louise.

MODÈLE: Ils cherchent un appartement (confortable / mieux situé)
Jean-Pierre: *Celui-ci est confortable.*
Louise: *D'accord! Mais celui-là est mieux situé!*

1. Ils cherchent une machine à laver. (bon marché / garantie pour cinq ans)
2. Ils cherchent un four *(oven)* à micro-ondes. (portatif / plus fonctionnel)
3. Ils cherchent des meubles. (solides / simples et élégants)
4. Ils cherchent des assiettes. (jolies / en solde [*on sale*])
5. Ils cherchent un sofa. (confortable / plus solide)
6. Ils cherchent des chaises. (de bonne qualité / meilleur marché)
7. Ils cherchent une voiture. (pratique / plus économique)

Activité 4 Comparaisons

Lisez les descriptions suivantes et comparez ces choses à celles qui sont indiquées entre parenthèses.

> **MODÈLE:** L'air de la campagne est pollué. (la ville?)
> *L'air de la campagne est moins (aussi, plus) pollué que celui de la ville.*

1. Le climat de la Nouvelle-Angleterre est agréable. (la Floride?)
2. Les monuments de Paris sont anciens. (New York?)
3. La musique de Simon et Garfunkel est bonne. (Stevie Wonder?)
4. Les films de Dustin Hoffman sont drôles. (Woody Allen?)
5. Les vins de Bordeaux sont réputés *(famous)*. (Californie?)
6. La peinture d'Andy Warhol est réaliste. (Léonard de Vinci?)
7. La société d'aujourd'hui est tolérante. (le siècle dernier?)
8. La mode d'aujourd'hui est élégante. (les années 30?)
9. Les voitures d'aujourd'hui sont économiques. (il y a dix ans?)

C. La construction **celui** + pronom relatif

Celui can also be followed by a relative clause. Note this construction in the following examples.

—Tu as pris les livres qui sont sur la table?
—Non, mais j'ai pris **ceux qui** sont sur le bureau.
*(...**the ones that** are on the desk)*

—Tu aimes la veste que je porte?
—Je préfère **celle que** tu portais hier.
*(...**the one that** you wore yesterday)*

—Qui est le garçon avec qui tu sors ce soir?
—C'est **celui avec qui** je suis sorti hier.
*(...**the one (whom)** I went out with yesterday)*

—Tu as acheté les vêtements dont tu avais envie?
—Non! Seulement **ceux dont** j'avais besoin.
*(...**those that (which)** I needed)*

—C'est la maison où tu habites?
—Non, c'est **celle où** j'habitais avant.
*(...**the one where** I used to live)*

In the construction **celui** + *relative pronoun:*

- the form of **celui** reflects the gender and number of its antecedent;
- the form of the relative pronoun reflects the function this pronoun performs in the relative clause.

- Relative pronouns that function as objects must be expressed in French, although the corresponding pronouns are often omitted in English.

—Allons voir un film!

—Lequel? **Celui dont** je t'ai parlé ou **celui que** mon frère a vu hier? — ***The one (that)*** *I talked to you about or* ***the one (that)*** *my brother saw yesterday?*

- When the relative pronoun is the object of a preposition, the word order is:

...**celui** + preposition + **qui** / **lequel** + rest of sentence

—Tu connais cette fille?

—Bien sûr! C'est **celle avec qui** je suis sorti hier. — *She is* ***the one*** *I went out* ***with*** *yesterday.*

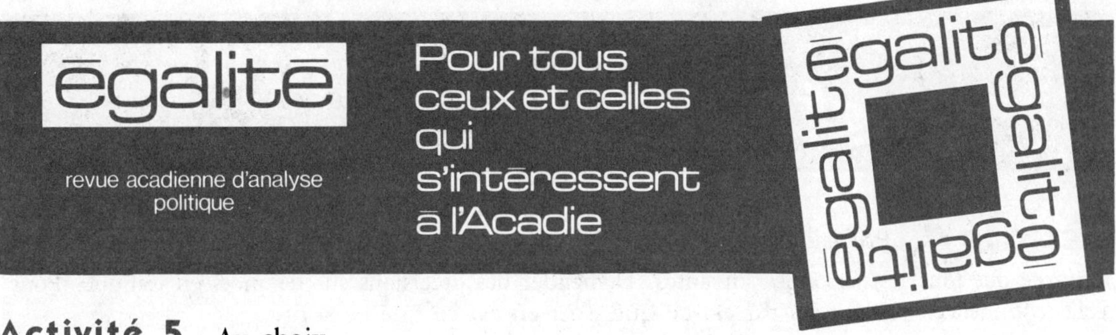

Activité 5 Au choix

Imaginez que vous avez le choix entre les choses ou les personnes entre parenthèses. Exprimez votre choix en utilisant la forme appropriée de **celui qui**.

MODÈLE: Dans quel restaurant dîneriez-vous?
(servir des spécialités... chinoises / françaises / italiennes)
Je dînerais dans celui qui sert des spécialités italiennes.

1. Quelle voiture achèteriez-vous?
(être... la plus économique / la plus rapide / la moins chère)
2. Quels professeurs choisiriez-vous?
(donner... des bonnes notes / des bons conseils / peu de travail)
3. Quel livre liriez-vous?
(décrire... un voyage exotique / un grand amour / une histoire policière)
4. Dans quelle maison habiteriez-vous?
(avoir... une belle vue / tout le confort / un passé historique)
5. Avec quelles personnes préféreriez-vous être sur une île déserte?
(avoir... le plus d'esprit d'initiative / la personnalité la plus équilibrée [*stable*] / le plus de résistance physique)
6. Avec quel guide préféreriez-vous visiter Paris?
(connaître... les meilleurs restaurants / les anecdotes les plus amusantes / les musées les plus intéressants)

Activité 6 Deux week-ends différents

Jeannette et Suzanne décrivent leur week-end. Jeannette a passé un week-end agréable et Suzanne a passé un week-end désagréable. Jouez le rôle de Suzanne.

MODÈLE: Le film que j'ai vu était excellent. (sans intérêt)
Celui que j'ai vu était sans intérêt.

1. La pièce de théâtre à laquelle j'ai assisté était remarquable. (terrible)
2. Le garçon avec qui je suis sorti était très sympathique. (très snob)
3. La discothèque où nous sommes allés avait beaucoup d'atmosphère. (une mauvaise sonorisation)
4. Les disques que nous avons écoutés étaient très bons. (médiocres)
5. Les boissons que nous avons bues étaient excellentes. (détestables)
6. Les amis chez qui je suis allée dimanche étaient de bonne humeur. (de mauvaise humeur)
7. Les sujets dont nous avons discuté étaient intéressants. (stupides)

c'est celle qui chante

Activité 7 Précisions

Lisez ce que font les personnes suivantes. Demandez des précisions sur les mots en italique. Pour cela, commencez vos phrases par **est-ce que c'est** ou **est-ce que ce sont.**

MODÈLE: Robert lit *un journal.* (Il a acheté ce journal ce matin.)
Est-ce que c'est celui qu'il a acheté ce matin?

1. Étienne cherche *des outils (tools).*
   (Ces outils étaient sur la table. / Il a réparé sa voiture avec ces outils. / Il s'est servi de ces outils hier.)
2. Thérèse a téléphoné à *un ami.*
   (Elle est sortie avec cet ami le week-end dernier. / Elle nous a parlé de cet ami. / La sœur de cet ami est journaliste à la télévision.)
3. Mes cousins sont sortis avec *des filles.*
   (Ils ont fait la connaissance de ces filles en Normandie. / Ils ont donné rendez-vous à ces filles. / Ces filles travaillent dans une agence de publicité.)
4. Nathalie a acheté *une robe.*
   (Cette robe était en solde. / Elle avait essayé cette robe. / Elle avait envie de cette robe.)
5. André a invité Alice dans *un restaurant.*
   (Ce restaurant a une étoile dans le Guide Michelin. / Le propriétaire [*owner*] de ce restaurant est un ami d'André. / Il y a une discothèque en face de ce restaurant.)
6. Juliette a visité *un château.*
   (François Ier a vécu dans ce château. / Nous avons visité ce château l'année dernière. / L'histoire de ce château est décrite dans ce livre.)

D. Les pronoms possessifs

Possessive pronouns replace nouns introduced by a possessive adjective. Compare the forms and uses of the possessive adjectives and pronouns below.

ADJECTIVES	PRONOUNS
Voici **mon** appartement.	Voici **le mien**.
Ma sœur habite à Paris.	**La mienne** habite à Nice.
Nous avons **nos** livres.	Nous avons **les nôtres** aussi.
Invitez **vos** amies.	Invitez **les vôtres**.

Forms

Possessive pronouns consist of two parts: the definite article + a possessive word. Both parts of the possessive pronoun agree with the noun it replaces.

	SINGULAR		PLURAL	
	MASCULINE	FEMININE	MASCULINE	FEMININE
(mine)	le mien	la mienne	les miens	les miennes
(yours)	le tien	la tienne	les tiens	les tiennes
(his, hers, its)	le sien	la sienne	les siens	les siennes
(ours)	le nôtre	la nôtre	les nôtres	
(yours)	le vôtre	la vôtre	les vôtres	
(theirs)	le leur	la leur	les leurs	

➪ The articles **le** and **les** of the possessive pronouns contract with **à** and **de**.

à + le → **au**	**au mien, au tien,...**
à + les → **aux**	**aux miens, aux tiens,...**
	aux miennes, aux tiennes,...
de + le → **du**	**du mien, du tien,...**
de + les → **des**	**des miens, des tiens,...**
	des miennes, des tiennes,...
Jean pense à ses amis.	Claire pense **aux siens**.
Philippe parle de son frère.	Émilie parle **du sien**.

Uses

Possessive pronouns refer to nouns previously mentioned. They may function as subjects, direct objects, or objects of a preposition.

Ma voiture marche bien.	**La mienne** ne marche pas bien.
Charles prend ses livres.	Richard prend **les siens.**
Nous voyageons avec nos parents.	Vous ne voyagez jamais avec **les vôtres.**

➪ Possessive pronouns are often used in comparisons.

Mes notes sont meilleures **que les tiennes.**	*My grades are better **than yours.***
Votre voiture marche mieux **que la nôtre.**	*Your car works better **than ours.***

À remarquer

Possessive pronouns are used less frequently in French than in English.

1. The possessive pronoun is not used after **être** when the subject is a noun or a personal pronoun. Instead, the construction **être à** + *stress pronoun* is required. Compare:

Ce livre **est à moi.**	*This book **is mine (belongs to me).***
Cette voiture **doit être à eux.**	*That car **must be theirs.***
À qui est ce vélo? **Il n'est pas à moi.**	*Whose bicycle is that? **It's not mine.***

However, possessive pronouns are used after **c'est (ce sont).**

—Est-ce que c'est ta machine à écrire?
—Oui, c'est **la mienne.** *Yes, it's **mine.***

—Est-ce que ce sont vos cassettes?
—Non, ce ne sont pas **les nôtres.** *No, they are not **ours.***

2. Note the following constructions:

un de mes amis	*a friend of mine*	des amis à nous	*friends of ours*
une de ses cousines	*a cousin of his/hers*	des cousins à lui	*cousins of his*

Activité 8 Et vous?

Un ami français décrit certaines personnes et certaines choses. Décrivez les mêmes personnes et les mêmes choses en utilisant un pronom possessif dans des phrases affirmatives ou négatives.

MODÈLE: Mes professeurs sont sévères.
Les miens sont sévères aussi. (Les miens ne sont pas sévères.)

MODÈLE: J'invite souvent mes amis.
J'invite souvent les miens aussi. (Je n'invite pas les miens.)

1. Mon père est mécanicien.
2. Ma mère travaille dans une banque.
3. Mes cousins habitent à Nice.
4. Ma chambre est peinte en bleu.
5. J'économise mon argent.

6. J'écris mes impressions dans un journal.
7. J'écris à mes amis pendant les vacances.
8. Je pense souvent à mon avenir.
9. Je fais attention à ma santé.
10. Je discute souvent de mes projets.
11. Je suis généralement satisfait de mes notes de français.
12. Je suis fier de mon pays.

Activité 9 À l'aéroport

Les personnes suivantes sont à l'aéroport de Roissy et vont prendre l'avion de Montréal. Lisez ce qu'elles font et dites que leurs amis entre parenthèses font la même chose. Utilisez le pronom possessif qui convient.

MODÈLE: Jean présente son visa. (tu)
Tu présentes le tien aussi.

1. André présente son passeport. (Alice / Denise et Claudine / vous)
2. Sylvie va chercher sa carte d'embarquement *(boarding pass).* (Robert / Christine / nous / je / vous)
3. Antoine compte ses chèques de voyage. (sa cousine / tu / Isabelle et Marie / nous)
4. Nathalie enregistre *(checks)* ses bagages. (Pierre / ces deux étudiants / ces filles / vous / nous)
5. Jean embrasse ses parents. (vous / tu / Sophie et Martine / mes amis)
6. Éric dit au revoir à sa cousine. (Alice / je / vous / nous / Henri et Paul)
7. Hélène promet d'écrire à ses amis. (Thomas / ces filles / nous / vous)
8. Alain prend une photo de sa sœur. (Caroline / moi / nous / vous)
9. Luc prend l'adresse de ses amies. (Inès / Yves et Guy / je / vous)

Activité 10 Une question de personnalité

Lisez ce que font les personnes suivantes et dites si, suivant leur personnalité ou leurs actions, les personnes entre parenthèses font les mêmes choses.

MODÈLE: Jacques parle de ses amis. (Nous sommes discrets.)
Nous ne parlons pas des nôtres.

1. Marthe s'inquiète de son avenir. (Je suis optimiste. / Tu es pessimiste.)
2. Guy pense à ses amis. (Nous sommes généreux. / Vous êtes égoïstes.)
3. Sylvie s'intéresse à ses études. (Henri est consciencieux. / Ces garçons n'étudient pas.)
4. Thérèse fait attention à sa santé. (Monsieur Renaud fume trop. / Nous faisons du sport. / Vous suivez un régime.)
5. René croit à son horoscope. (Tu es superstitieux. / Vous êtes rationnel.)
6. Jacqueline est contente de sa vie. (Paul est malheureux. / Mes cousins critiquent tout. / Nous sommes en paix avec nous-mêmes.)
7. Philippe parle de ses projets. (Vous êtes réservés. / Nous avons beaucoup d'ambition.)

Entre nous

Situations

Imaginez que vous faites des projets avec vos amis. Décrivez votre choix personnel en complétant les phrases par la construction **celui** + *proposition relative.*

MODÈLE: Il y a plusieurs films intéressants ce week-end. Allons voir...
Allons voir celui qui a reçu trois Oscars (celui dans lequel Paul Newman joue le rôle principal; celui dont l'action se passe à Paris...).

1. Il y a plusieurs restaurants où nous pourrons dîner samedi prochain. Allons dîner dans...
2. Il y a plusieurs programmes de télévision ce soir. Regardons...
3. Nous ne pouvons pas inviter tous nos amis au pique-nique. Invitons seulement...
4. Nous sommes à Paris. Nous pouvons visiter plusieurs musées. Visitons...
5. Nous pouvons continuer nos études dans plusieurs universités. Choisissons...
6. Il y a plusieurs offres d'emploi pour étudiants dans le journal. Répondons à...
7. Dans ce petit village pittoresque il y a plusieurs hôtels. Allons à...

À votre tour

Demandez à vos camarades d'identifier le propriétaire (*owner*) de certains objets. Ils vont vous répondre en utilisant des pronoms possessifs et démonstratifs. Si vous voulez, vous pouvez utiliser les noms ci-dessous.

un crayon / un stylo / des clés / un portefeuille (*wallet*) / des livres / des photos / une montre / une bague

MODÈLE: À qui est ce crayon?
Ce n'est pas le mien. Le mien est rouge. C'est peut-être celui de Suzanne. Le sien est jaune comme celui que tu me montres.

Leçon 28 Les pronoms démonstratifs indéfinis

A. Les pronoms démonstratifs **cela** et **ceci**

B. Le pronom démonstratif **ce**

C. La construction **ce** + pronom relatif

A. Les pronoms démonstratifs **cela** et **ceci**

Note the uses of the demonstrative pronouns **cela** and **ceci** in the following sentences.

Regardez **cela**!	*Look at **that (this)**!*
Ne parlez pas de **cela**!	*Don't talk about **that (this)**!*
Est-ce que **cela** t'intéresse?	*Does **this (that)** interest you?*
Écoutez bien **ceci**!	*Listen carefully to **this (that)**!*
Préférez-vous **ceci**?	*Do you like **that (this)** better?*

The indefinite demonstrative pronouns **cela** and **ceci** both mean *this* or *that.* They refer to an idea, a fact, a statement, or a thing that has not been specifically named.

- **Cela** is used more frequently than **ceci.** In conversational French, **cela** is shortened to **ça.**

Ne fais pas **ça**!	*Don't do **that**!*
Est-ce que **ça** vous dérange?	*Does **that** bother you?*

- When two things are contrasted, **ceci** refers to what is closer to the speaker and corresponds to *this,* whereas **cela** refers to what is farther away from the speaker and corresponds to *that.*

Achetez **ceci**. N'achetez pas **cela**.	*Buy **this**. Don't buy **that**.*

À remarquer

Cela refers to what has been expressed by the speaker, whereas **ceci** announces what will be expressed.

Nous sommes tous égaux. N'oubliez pas cela!

N'oubliez pas ceci: nous sommes tous égaux!

When used as a subject, **cela** may correspond to *it.*

Faites du sport. **Cela** vous fera du bien.	*Practice a sport. **It** will do you good.*

Vocabulaire: Sentiments et réactions

amuser	*to amuse*	**inquiéter**	*to worry*
attirer	*to attract*	**intéresser**	*to interest*
choquer	*to shock*	**occuper**	*to keep busy*
déranger	*to inconvenience*	**plaire (à)**	*to please*
embarrasser	*to embarrass*	**préoccuper**	*to worry*
ennuyer	*to bore, bother*	**regarder**	*to concern*
étonner	*to surprise*	**troubler**	*to disturb*
gêner	*to bother*		

faire peur (à quelqu'un)	*to scare, frighten*
faire plaisir (à quelqu'un)	*to please, make happy*
laisser (quelqu'un) **indifférent**	*not to interest, not to matter to*
rendre (quelqu'un) **heureux (triste...)**	*to make happy (sad...)*

Note de vocabulaire

In the expressions with **laisser** and **rendre,** the adjective agrees with the noun or pronoun to which it refers.

Nathalie aime écouter de la musique. Cela **la** rend **heureuse.**

Activité 1 Réactions

Lisez ce que font les personnes suivantes et expliquez les réactions que cela provoque ou ne provoque pas chez elles *(for them).*

MODÈLE: Cette étudiante aime parler en public. (gêner?)
Cela ne la gêne pas.

1. Annie parle souvent de politique. (intéresser?)
2. Mes cousins ne lisent jamais les bandes dessinées. (amuser?)
3. Isabelle relit les lettres de son fiancé. (rendre heureuse?)
4. Vous n'aimez pas penser à l'avenir. (inquiéter?)
5. J'aime faire les mots-croisés. (occuper?)
6. Ce millionnaire n'aime pas parler de son passé. (embarrasser?)
7. Bien sûr, nous allons vous aider ce week-end. (déranger?)
8. Tu es contre le développement de l'énergie nucléaire. (faire peur?)
9. Vous pensez aux problèmes des pays pauvres. (laisser indifférents?)
10. Catherine attendait une lettre mais elle n'a rien reçu. (étonner?)
11. Je veux bien vous dire la vérité. (gêner?)
12. Mais oui, visiterons cette maison hantée *(haunted).* (faire peur?)
13. Tu espères avoir une carrière politique. (attirer?)
14. J'aime bien sortir avec toi. (faire plaisir?)
15. Nous ne voulons pas connaître ta vie sentimentale. (regarder?)
16. Jean-Charles aime taquiner *(to tease)* ses amis. (plaire?)

B. Le pronom démonstratif ce

Note the use of the demonstrative pronoun **ce**.

C'est vrai!	***That's** right!*
Ce n'était pas mon problème!	***That (It)** wasn't my problem!*

The indefinite demonstrative pronoun **ce** *(that)* functions as the subject of **être**.

- **Cela** or **ça** replace **ce** when the subject of **être** is stressed or when it is followed by a pronoun.

Écoutez-moi! **Cela** est important!	*Listen to me! **That's** important!*
Ça y est!	***That's** it!*
Cela nous est indifférent.	***That** doesn't matter to us.*

- **Ça** may be used either at the beginning or end of the sentence to reinforce **c'est**.

Ça, ce sera amusant! Ce sera amusant, ça!	***That** will be fun!*
C'est ça!	***That's** it! (**That's** right!)*

Uses

1. **C'est** vs. impersonal **il est**
   In the following sentences, **ce** and **il** do not refer to a specific noun. Compare the use of these two pronouns.

J'aime voyager. C'est amusant.	*I like to travel. **It's** amusing.*
Il est amusant **de** voyager.	***It's** amusing to travel.*

ce + être + *adjective* refers to what *has been* expressed.
il + être + *adjective* + de introduces what *will be* expressed.

- **C'est** is always used to introduce a noun phrase.

  Voyager pendant les vacances, **c'est** une bonne idée!

  C'est une bonne idée de voyager pendant les vacances.

- Note the use of **c'est** and **il est** in expressions of time.

  date: **C'est** dimanche.

  time: Quelle heure **est-il**? **Il est** deux heures.

2. **C'est** vs. personal **il/elle est**
   In the following sentences, **ce** and **il/elle/ils/elles** refer to specific nouns or pronouns designating people or things.

c'est (ce sont) IS USED BEFORE...	**il/elle est (ils/elles sont)** IS USED BEFORE:
♦ a proper noun **C'est** Jacques.	♦ an adjective **Il est** français. **Elle est** bleue.
♦ a noun introduced by a determiner **C'est** ma voiture. **C'est** une artiste.	♦ a noun of profession not introduced by a determiner **Elle est** sculpteur.
♦ a pronoun **C'est** lui. **Ce sont** ceux-là. **C'est** la mienne.	♦ an adverb or a preposition **Il est** ici. **Ils sont** là-bas. **Elle est** à moi.
♦ a superlative **C'est** la plus courageuse.	♦ a comparative **Elle est** plus courageuse que nous.

Activité 2 Oui ou non?

Que pensez-vous des sujets ci-dessous? Exprimez votre opinion en choisissant l'une des deux manières suivantes, d'après le modèle.

MODÈLE: parler français (difficile?)
Parler français, c'est (ce n'est pas) difficile!
Il est (Il n'est pas) difficile de parler français.

1. avoir de l'ambition (nécessaire?)
2. conduire à 100 milles à l'heure (dangereux?)
3. parler la bouche pleine (poli?)
4. marcher sur les mains (difficile?)
5. faire le tour du monde en ballon (impossible?)
6. militer dan un mouvement écologiste (important?)
7. toujours dire la vérité (facile?)
8. aller au cinéma sans payer (malhonnête?)

Activité 3 Descriptions

Complétez les descriptions suivantes avec **c'est** ou **il/elle est.**

1. Regarde cette fille. ___ Marie Duval. ___ la sœur de mon ami Charles.
2. Voici ma voiture. ___ une Renault. ___ une voiture française.
3. Connaissez-vous Monsieur Thibault? ___ notre professeur d'histoire. ___ professeur depuis dix ans.
4. Tiens, voici Madame Lemaire. ___ architecte. ___ la meilleure architecte de la ville.
5. Est-ce que c'est Thérèse là-bas? Bien sûr, ___ elle! ___ avec son fiancé.
6. Goûte *(Taste)* le fromage que j'ai acheté. ___ un fromage français. ___ fameux *(great),* hein!
7. Tu vois ce restaurant là-bas! ___ très réputé! Malheureusement, ___ le plus cher restaurant de la région.
8. Voici mon ami Jean-Pierre. ___ plus jeune que moi. ___ le plus jeune étudiant de la classe.

Activité 4 Pourquoi?

Lisez les conseils suivants et expliquez-les. Pour cela, faites une phrase avec l'adjectif entre parenthèses et le pronom impersonnel **ce** ou un pronom personnel **il, elle, ils,** ou **elles.**

MODÈLE: Parlez français! (facile)
C'est facile.

MODÈLE: Faites cet exercice! (facile)
Il est facile.

1. Jouez aux échecs! (amusant)
2. Lisez ces bandes dessinées! (amusant)
3. Faites attention au chien des voisins! (dangereux)

4. Ne jouez pas avec les allumettes! (dangereux)
5. N'allez pas voir le dernier film de science-fiction! (horrible)
6. Ne soyez pas injuste! (horrible)
7. Ne voyagez pas en première classe! (trop cher)
8. N'achetez pas cette voiture de sport! (trop cher)

C. La construction: ce + pronom relatif

Note the construction **ce** + *relative pronoun* in the sentences below.

J'aime **ce qui** est simple.	*I like **what** is simple.*
Ce qui est cher n'est pas nécessairement beau.	***What** is expensive is not necessarily beautiful.*
Ne répète pas **ce que** je t'ai dit.	*Don't repeat **what** I told you.*
Ce que vous faites est intéressant.	***What** you are doing is interesting.*
Comprends-tu **ce dont** je parle?	*Do you understand **what** I am talking **about?***
Ce dont j'ai envie est trop cher.	***What** I want is too expensive.*

Ce qui, ce que, and **ce dont** correspond to *what.*

- **Ce qui** is equivalent to **les choses qui.** It functions as the subject. **Ce qui** is followed by the **il** form of the verb and is modified by masculine singular adjectives.
- **Ce que** is equivalent to **les choses que.** It functions as the object.
- **Ce dont** is equivalent to **les choses dont.** It replaces a phrase with **de.**

À remarquer

1. After a preposition, the relative pronoun **quoi** is used. In that case, **ce** is usually omitted.

Je ne sais pas (ce) **à quoi** vous faites allusion.	*I don't know **what** you are alluding **to.***
Dis-moi (ce) **en quoi** je peux t'aider.	*Tell me **in what (way)** I can help you.*

2. The construction **tout ce qui (que, dont, à quoi)** is the equivalent of *all that, everything that.*

Tout ce qui brille n'est pas or.	***All that** glitters is not gold.*
Nous ne faisons pas **tout ce que** nous voulons.	*We do not do **everything that** we want to.*

3. **Ce qui, ce que,** and **ce dont** may correspond to *which,* and refer to what has been previously expressed. In this case, **ce** is the equivalent of **une chose (qui, que, dont, à quoi).**

Vous croyez être très intelligent, **ce qui** n'est pas prouvé.	*You think you are very smart, **something which** has not been proved.*
J'ai oublié de t'écrire, **ce que** je regrette.	*I forgot to write you, (and **that is**) **something** I regret.*

Activité 5 Conseils

Demandez à vos amis comment ils réagissent envers les choses suivantes. Utilisez la construction **ce qui est** + *masculine adjective.*

> MODÈLE: aimer les choses simples?
> —*Aimes-tu ce qui est simple?*
> —*Oui, j'aime ce qui est simple. (Non, je n'aime pas ce qui est simple.)*

1. aimer les choses artificielles?
2. entreprendre *(to undertake)* les choses difficiles?
3. comprendre les choses logiques?
4. avoir de la patience pour les choses compliquées?
5. être attiré(e) *(attracted)* par les choses dangereuses?
6. s'intéresser aux choses intellectuelles?
7. avoir peur des choses irrationnelles?
8. se souvenir des choses désagréables?

Activité 6 Une question de personnalité

Informez-vous sur la personnalité des personnes suivantes. D'après cela, dites ce qu'elles font ou ne font pas en utilisant les verbes entre parenthèses et **ce que.** Attention! Le premier verbe peut être affirmatif ou négatif.

> MODÈLE: Vous êtes discrets. (répéter / entendre)
> *Vous ne répétez pas ce que vous entendez.*

1. Thomas est très incrédule *(skeptical).* (croire / entendre)
2. Anne et Madeleine sont très indépendantes. (faire / vouloir)
3. Nous sommes sincères. (dire / penser)
4. Tu es égoïste. (prêter / avoir)
5. Ce garçon n'est pas très original. (imiter / voir)
6. Ces étudiants sont consciencieux. (oublier / devoir faire)

7. Oh là là! Vous êtes difficiles! (critiquer / voir)
8. Nos clients sont toujours satisfaits. (aimer / acheter)
9. Ce commerçant est honnête. (garantir / vendre)
10. Nous sommes persévérants. (faire / vouloir faire)
11. Dis! Tu es très négligent! (rendre / emprunter)

Activité 7 Logique

Établissez certaines relations entre les personnes de la colonne A et de la colonne C. Pour cela, faites des phrases logiques en utilisant **ce que.**

A	B	C	D
je	aimer	je	dire
nous	acheter	tu	montrer
vous	écouter	vous	expliquer
Paul	être d'accord avec	le patron	faire
les étudiants	faire	le guide	vouloir
les employés	comprendre	le professeur	recommander
les touristes	faire attention à	la vendeuse	
le client			

MODÈLE: *J'aime ce que je fais. (Je n'aime pas ce que je fais.)*
Les touristes écoutent ce que le guide explique.

Activité 8 Qu'est-ce qu'ils font?

Expliquez ce que font les personnes suivantes en complétant les phrases avec les renseignements entre parenthèses.

MODÈLE: Hélène a besoin d'argent. Elle va vendre... (les choses dont elle ne se sert pas)
Elle va vendre ce dont elle ne se sert pas.

1. Charles veut faire un cadeau à sa fiancée. Il lui demande... (les choses qui lui font plaisir / les choses dont elle a envie / les choses qu'elle désire)
2. Marc et Denis vont nettoyer leur appartement. Ils vont ranger... (les choses qui sont dans le garage / les choses dont ils n'ont plus besoin / les choses qu'ils ont décidé de vendre)
3. Nous devons être réalistes. Nous ne faisons pas toujours... (les choses que nous voulons faire / les choses qui nous amusent / les choses dont nous avons envie)
4. Je vais aller au supermarché. Je vais acheter... (les choses dont j'ai besoin pour le pique-nique / les choses qui sont en réclame [*on special*] / les choses que ma mère m'a demandées)
5. Ah, vraiment vous êtes bien curieux! Vous voulez toujours savoir... (les choses que nous avons fait / les choses dont nous avons parlé / les choses qui ne vous regardent pas)
6. Vous semblez très inquiets aujourd'hui. Vous devez nous dire... (les choses dont vous avez peur / les choses qui vous gênent / les choses que vous ne comprenez pas)
7. Madame Leclerc a été témoin *(witness)* d'un accident. Elle explique à la police... (les choses qui sont arrivées / les choses dont elle se souvient)
8. Le professeur nous parle toujours franchement. Il nous dit... (les choses dont il n'est pas satisfait / les choses que nous devons faire / les choses qui vont bien)

Activité 9 Explications

Complétez les phrases suivantes avec **ce qui, ce que, ce dont.**

1. Le professeur explique aux élèves...
   ___ ils ne comprennent pas.
   ___ ils doivent préparer pour demain.
   ___ ils doivent se souvenir.
   ___ est difficile.
2. Le patron explique aux employés...
   ___ il veut.
   ___ ils doivent faire.
   ___ il n'est pas satisfait.
   ___ doit être modifié.
3. Le patient explique au psychiatre...
   ___ il pense.
   ___ il a peur.
   ___ le trouble.
   ___ il rêve.
4. La cliente explique à la vendeuse...
   ___ elle veut acheter.
   ___ elle cherche.
   ___ elle a besoin.
   ___ est en solde *(on sale)* dans un autre magasin.

Entre nous

À votre tour

Complétez les phrases par la construction **ce** + *pronom relatif* et une expression de votre choix.

MODÈLE: J'achète...
J'achète ce dont j'ai besoin (ce qui me plaît, ce qui est en solde...).

1. J'aime faire...
2. Je n'aime pas faire...
3. Je suis généralement d'accord avec...
4. J'aimerais savoir...
5. Je ne comprends pas..
6. Je ne me souviens pas toujours de...

Situations

Un but de la communication est d'obtenir certains renseignements sur ce que d'autres personnes désirent. Jouez le rôle des personnnes suivantes en posant des questions aux personnes entre parenthèses. Pour cela, faites des phrases commençant par **Dites-moi** et utilisant les expressions **ce qui, ce que, ce dont.**

MODÈLE: une vendeuse (à une dame qui cherche une robe pour sa fille)
Dites-moi ce dont vous avez besoin.
Dites-moi ce qui plaît à votre fille.
Dites-moi ce qu'elle préfère comme style.

1. une secrétaire (à son patron qui semble avoir perdu quelque chose)
2. un médecin (à un patient qui semble très nerveux)
3. une conseillère d'éducation *(guidance counselor)* (à un étudiant qui veut laisser tomber [*to drop*] son cours de français)
4. un mécanicien (à une dame qui semble avoir un problème avec sa voiture)
5. une mère (à ses enfants quelques semaines avant Noël)

Leçon 29 Les pronoms interrogatifs invariables

A. Révision: les questions
B. Les pronoms interrogatifs sujets
C. Les pronoms interrogatifs compléments d'objet direct
D. Les pronoms interrogatifs compléments d'une préposition
E. Résumé: Les pronoms interrogatifs invariables

The interrogative pronoun **lequel** refers to a specified noun or pronoun with which it agrees in gender and number. It is a *variable* interrogative pronoun.

The interrogative pronouns presented in this lesson do not refer to specified nouns. They are *invariable* interrogative pronouns because they have only one form.

A. Révision: les questions

Questions may be formed in two basic ways: with **est-ce que** or with *inversion*.

	WITH **est-ce que**	WITH INVERSION
YES/NO QUESTIONS with pronoun subject simple tense compound tense	 **Est-ce que** vous sortez? **Est-ce que** vous êtes sorti?	 **Sortez-vous?** **Êtes-vous sorti?**
with noun subject simple tense compound tense	 **Est-ce que** Paul vient? **Est-ce que** Paul est venu?	 Paul **vient-il?** Paul **est-il venu?**
INFORMATION QUESTIONS with pronoun subject simple tense compound tense	 Où **est-ce qu'**elle habitera? Quand **est-ce qu'**elle aura fini?	 Où **habitera-t-elle?** Quand **aura-t-elle fini?**
with noun subject simple tense compound tense	 Où **est-ce que** le train s'arrête? Où **est-ce que** Marie est allée?	 Où le train **s'arrête-t-il?** (Où **s'arrête** le train?) Où Marie **est-elle allée?** (Où **est allée** Marie?)

- The short inverted form (in parentheses) is often used with information questions where the subject is the last element in the sentence. It is not possible to use the short form with **pourquoi** and **qui (whom).**

  Pourquoi ton frère est-il parti?

- When the interrogative expression is the subject of the question, regular word order is used.

  Qui est venu? — ***Who*** *came?*

  Lesquels vont rester? — ***Which ones*** *are going to stay?*

Activité 1 Pendant les vacances

Lisez ce que les personnes suivantes ont fait pendant les vacances et posez des questions à ce sujet en utilisant l'inversion. Utilisez le nom de ces personnes dans vos questions.

MODÈLE: Henri a voyagé. (avec qui?)
Avec qui Henri a-t-il voyagé?

1. Sylvie et Annie ont travaillé. (dans quelle entreprise?)
2. Hélène a gagné beaucoup d'argent. (de quelle façon?)
3. Robert a gagné un championnat de tennis. (contre qui?)
4. Jean-Jacques et René sont allés en Egypte. (comment?)
5. Stéphanie a rencontré un acteur de cinéma. (à quelle occasion?)
6. Guy et Paul ont eu un accident. (dans quelles circonstances?)
7. Le frère de Thomas a vendu sa voiture de sport. (à qui?)
8. La cousine de Julien s'est mariée. (avec qui?)

B. Les pronoms interrogatifs sujets

In the questions below, the interrogative pronouns are the subject of the sentence. Note the forms of these pronouns as they refer to people or things.

Quelqu'un a téléphoné.	**Qui** a téléphoné? **Qui est-ce qui** a téléphoné?
Quelque chose vous intéresse.	**Qu'est-ce qui** vous intéresse?

The interrogative subject pronouns are:

(who)	**qui** **qui est-ce qui**	to refer to people
(what)	**qu'est-ce qui**	to refer to things or events

⇨ The pronouns above are always followed by the **il** form of the verb, even when the answer has a plural subject.

Qui **est parti?** — André et Daniel **sont partis.**

The subject pronoun **qui,** however, may be followed by the various forms of **être.**

Qui **êtes**-vous? — *Who* ***are*** *you?*

Qui **sont** ces gens? — *Who* ***are*** *these people?*

Activité 2 Tout va mal!

Monsieur Verne est président d'une compagnie et quand il s'absente tout va mal. Après un voyage, sa secrétaire lui raconte ce qui s'est passé. Monsieur Verne veut obtenir des précisions. Jouez le rôle de la secrétaire et de Monsieur Verne.

MODÈLE: quelqu'un / casser notre nouvel ordinateur
La secrétaire: *Quelqu'un a cassé notre nouvel ordinateur.*
M. Verne: *Qui (Qui est-ce qui) a cassé notre nouvel ordinateur?*

1. quelqu'un / voler *(to steal)* votre voiture
2. quelqu'un / annuler *(to cancel)* un contrat important
3. quelque chose / être publié contre nous dans un article de presse
4. quelque chose / arriver au vice-président
5. quelqu'un / partir avec la caisse *(petty cash)*
6. quelque chose / causer un incendie *(fire)* dans notre agence de Lyon
7. quelque chose / provoquer une explosion dans notre magasin de Lille
8. quelqu'un / faire un procès *(law suit)* à la compagnie

C. Les pronoms interrogatifs compléments d'objet direct

In the questions below, the interrogative pronouns are the direct object of the sentence. Note the forms of these pronouns as they refer to people or things.

Je cherche **quelqu'un.**	**Qui** cherches-tu?
Je cherche **quelque chose.**	**Que** cherches-tu?
Paul a vu **quelqu'un** au café.	**Qui est-ce que** Paul a vu?
Marie a vu **quelque chose.**	**Qu'est-ce que** Marie a vu?

The interrogative direct object pronouns are:

(whom)	**qui**	+ inverted word order	*to refer to people*
	qui est-ce que	+ normal word order	
(what)	**que (qu')**	+ inverted word order	to refer to things
	qu'est-ce que	+ normal word order	

➪ The stress form **quoi** is used instead of **que** in questions without a verb.
—J'ai vu quelque chose d'intéressant ce matin.
—**Quoi?**

À remarquer

When the subject of a question beginning with **que** is a noun, this noun is usually directly inverted with the verb, according to the following pattern.

que + verb + noun subject + (rest of sentence if any)

Que font **vos amis?**

Qu'ont pensé **tes parents** de ta décision?

Que raconte **le journal** à propos de l'accident?

Qu'a fait **Hélène** ce week-end?

Note that this pattern is never used with **qui.**

Activité 3 Entre amis

Robert raconte à Thérèse ce qu'il a fait. Thérèse lui pose certaines questions auxquelles il répond. Jouez le rôle de Robert et de Thérèse.

MODÈLE: Je suis passé au supermarché. (acheter? de la glace)
Robert: *Je suis passé au supermarché.*
Thérése: *Qu'est-ce que tu as acheté? (Qu'as-tu acheté?)*
Robert: *J'ai acheté de la glace.*

1. Je suis allé au cinéma. (voir? un film policier)
2. Après, je suis allé au café. (voir là-bas? mes camarades d'université)

3. Je suis allé à l'aéroport. (aller chercher? ma cousine Françoise)
4. Je suis rentré à la maison. (faire? mes devoirs)
5. Je suis allé à une surprise-partie. (rencontrer? quelques amis)
6. Je suis allé au restaurant. (prendre? les spécialités)

Activité 4 Une visite

Un ami français vous rend visite. Demandez-lui ce qui l'intéresse et ce qu'il veut faire pendant qu'il est chez vous. Utilisez le pronom interrogatif qui convient.

MODÈLE: les choses que tu veux faire
Qu'est-ce que tu veux faire?

1. les choses que tu veux voir
2. les choses que tu voudrais acheter
3. les choses qui t'intéressent
4. les choses qui t'amusent
5. les choses que tu ne veux pas faire
6. les choses qui t'ennuient
7. les choses qui te font plaisir
8. les choses que tu aimerais visiter

D. Les pronoms interrogatifs compléments d'une préposition

In the following sentences, the interrogative pronouns are introduced by a preposition. Note the forms of these pronouns as they refer to people or things.

Je pense **à quelqu'un.**	**À qui** pensez-vous?
Je pense **à quelque chose.**	**À quoi** pensez-vous?
Le professeur a parlé **de Victor Hugo.**	**De qui** le professeur a-t-il parlé?
Il a parlé **de la poésie française.**	**De quoi** a-t-il parlé?

After a preposition, the interrogative pronouns are:

(to, of, with...whom)	à, de, avec...**qui**	to refer to people
(to, of, with...what)	à, de, avec...**quoi**	to refer to things

- In the above constructions, either **est-ce que** + normal word order, or inversion may be used.

  Avec qui **vas-tu** en France?

  Aven qui **est-ce que tu vas** en France?

- In French the proposition always comes before the interrogative pronoun that it introduces. It never comes at the end of the sentence.

  Avec qui travailles-tu? { ***With whom*** *are you working?* / ***Whom*** *are you working* ***with?*** }

À remarquer

When the subject of a short question is a noun, it often comes immediately after the verb. This construction is not possible, however, when the verb is followed by a direct or indirect object.

À qui écrit **Paul?**
but: À qui **Paul** écrit-il cette lettre?
De quoi a parlé **le professeur?**
but: De quoi **le professeur** a-t-il parlé aux étudiants?

Activité 5 Un test de personnalité

Voici les réponses à un test de personnalité. Formulez les questions. Commencez ces questions par l'expression interrogative qui convient.

MODÈLE: Je m'intéresse à la musique.
À quoi est-ce que vous vous intéressez?

1. Je ressemble à ma mère.
2. Je me passionne pour l'archéologie.
3. J'ai de l'admiration pour les gens qui agissent par idéalisme.
4. Je compte sur mon esprit d'entreprise et sur ma chance.
5. Je ne compte sur personne en particulier.
6. Je rêve de jouer un rôle social important.
7. Je me sens à l'aise *(at ease)* avec mes amis.
8. J'ai besoin d'affection et d'amitié.
9. J'ai peur de ne pas réussir.
10. J'ai peur des gens irrationnels et des gens violents.

Activité 6 Au téléphone

François téléphone à sa cousine Sylvie et lui demande ce qu'elle a fait. Jouez les deux rôles. Pour savoir comment François commence ses questions, étudiez bien les réponses de Sylvie.

MODÈLE: sortir hier soir? / avec Bernard
François: *Avec qui es-tu sortie hier soir?*
Sylvie: *Je suis sortie avec Bernard.*

1. aller le week-end dernier? / chez mon amie Suzanne
2. parler avec elle? / de mon voyage au Canada
3. voyager l'été dernier? / avec ma camarade de chambre
4. payer ton voyage? / avec l'argent que j'ai économisé pendant l'année
5. faire la connaissance pendant ce voyage? / d'un étudiant américain très sympathique
6. rentrer plus tôt que prévu *(expected)?* / à cause de l'accident qui est arrivé à mon père

E. Résumé: Les pronoms interrogatifs invariables

Review the forms and uses of the invariable interrogative pronouns in the chart below.

	PEOPLE	THINGS
SUBJECT	**qui** **Qui** fait ce bruit? **qui est-ce qui** **Qui est-ce qui** fait ce bruit?	**qu'est-ce qui** **Qu'est-ce qui** fait ce bruit?
DIRECT OBJECT	**qui** + *inversion* **Qui** regardes-tu? **qui est-ce que** **Qui est-ce que** tu regardes?	**que** + *inversion* **Que** regardes-tu? **qu'est-ce que** **Qu'est-ce que** tu regardes?
OBJECT OF A PREPOSITION	**(à) qui** + *inversion* **À qui** penses-tu? **(à) qui est-ce que** **À qui est-ce que** tu penses?	**(à) quoi** + *inversion* **À quoi** penses-tu? **(à) quoi est-ce que** **À quoi est-ce que** tu penses?

Activité 7 La bonne expression

Complétez les questions suivantes avec l'expression interrogative qui convient.

MODÈLE: *Avec qui* allez-vous sortir? Avec Yvette ou avec sa sœur?

1. ____ allez-vous jouer? Au tennis ou au volley?
2. ____ discutes-tu avec tes amis? De politique ou de philosophie?
3. ____ t'intéresse le plus? Le jazz ou la musique classique?
4. ____ t'a invité au restaurant? Paul ou Alain?
5. ____ vous allez servir à boire à vos amis? Du café ou du thé?
6. ____ tu admires le plus chez cette fille? Sa beauté ou son intelligence?
7. ____ penses-tu? À ta fiancée ou à tes parents?
8. ____ pensez-vous? Aux vacances ou à vos études?
9. ____ vas-tu écrire cette lettre? Avec un stylo ou avec un crayon?
10. ____ as-tu écrit? À ton cousin ou à ta cousine?
11. ____ tu vas offrir à ta mère? Des fleurs ou du chocolat?
12. ____ vas-tu mettre ces fleurs? Dans ce vase-ci ou dans ce vase-là?

Activité 8 Un génie scientifique

Les paragraphes suivants décrivent les contributions d'un grand savant français. Lisez attentivement le texte et formulez plusieurs questions pour chaque paragraphe.

Qu'est-ce que le nom de Pascal évoque pour vous? Pour beaucoup d'Américains, PASCAL est le nom qu'on a donné à une langue utilisée dans la programmation d'ordinateurs. Ce n'est pas par hasard qu'on a choisi ce nom. Pascal est en effet l'un des plus grands savants dans l'histoire de l'humanité.

Pascal est né à Clermont-Ferrand en 1623. Ce fut un génie précoce. À l'âge de 11 ans, il compose un traité scientifique sur les sons. À 12 ans, il s'initie à la géométrie et redécouvre les grands principes de la géométrie euclidienne. À 16 ans, il écrit un traité *(treatise)* sur les coniques pour lequel il reçoit les compliments de Descartes, le plus grand mathématicien de l'époque. Peu après, pour aider son père que l'administration royale avait chargé de réformer le système fiscal, Pascal invente une «machine arithmétique». Cette fameuse machine à calculer est considérée par beaucoup comme l'ancêtre des ordinateurs modernes.

Vers l'âge de 20 ans, Pascal commence à souffrir de terribles migraines. Malgré ces migraines, Pascal continue ses travaux scientifiques. Il s'intéresse aux mathématiques, à la physique. Il effectue *(peforms)* de nombreuses expériences sur la pression atmosphérique, sur l'équilibre des fluides, sur la pression des gaz. Il écrit plusieurs traités dans lesquels il expose *(puts forward)* ses découvertes, en particulier les fameuses «lois de Pascal» pour lesquelles il reste célèbre aujourd'hui.

Sous l'influence de sa sœur, Pascal s'intéresse aussi à la philosophie et à la religion. Il prend la défense d'idées nouvelles qu'il expose dans plusieurs pamphlets. Mathématicien, physicien, philosophe, écrivain, Pascal est vraiment un génie universel!

Entre nous

Situations

Lisez les situations suivantes et imaginez un bref dialogue entre les personnes en question. Si vous le voulez, vous pouvez utiliser les verbes entre parenthèses.

1. Madame Mercier désire offrir un cadeau à son petit-fils pour son quinzième anniversaire.
   (vouloir / plaire / s'intéresser / avoir envie / jouer)
2. Jean-Claude téléphone à Monique qui prépare un pique-nique pour samedi prochain.
   (inviter / acheter / préparer / faire / servir / avoir besoin)
3. Denise veut savoir comment son frère André a passé son week-end.
   (faire / rencontrer / voir / sortir)
4. Marc parle à Gérard, son camarade de chambre, qui a l'air très préoccupé.
   (penser / inquiéter / avoir peur / avoir besoin)
5. Anne-Marie cherche du travail. Elle demande conseil à Madame Rambert qui est chargée de l'orientation professionnelle *(career counseling).*
   (pouvoir faire / devoir préparer / pouvoir écrire / devoir parler)

À votre tour

Vous travaillez comme journaliste pour un magazine d'information. Vous êtes chargé(e) d'interviewer les personnes suivantes. Posez trois questions à chaque personne.

MODÈLE: un chimiste français qui vient d'obtenir le prix Nobel
Avec qui avez-vous travaillé sur vos projets?
En quoi vos travaux sont-ils importants?
Qu'est-ce que vous comptez faire avec l'argent du prix Nobel?

1. une actrice française qui vient tourner *(to do)* un film aux États-Unis
2. un grand couturier *(fashion designer)* qui vient à New York pour lancer ses dernières créations
3. un jeune homme qui prétend *(claims)* être entré en contact avec des extra-terrestres
4. une jeune fille qui tente *(is attempting)* de faire le tour du monde en ballon
5. un ethnologue qui a passé cinq ans dans la jungle d'Amazonie
6. le Ministre français de l'Éducation qui vient observer le système universitaire américain

Leçon 30 Le discours indirect

A. Les expressions interrogatives dans le discours indirect

B. La concordance des temps dans le discours indirect

In direct speech, statements and questions are made directly. In indirect speech, they are preceded by an introductory verb or expression.

	DIRECT SPEECH	INDIRECT SPEECH
STATEMENTS	Je parle français.	Je dis que je parle français.
QUESTIONS	Qu'est-ce que tu fais?	Je veux savoir ce que tu fais.

A. Les expressions interrogatives dans le discours indirect

In indirect speech, certain interrogative expressions change. Others remain the same. Compare the following direct and indirect questions:

DIRECT QUESTIONS	INDIRECT QUESTIONS
Est-ce que tu parles français?	Je voudrais savoir **si** tu parles français.
Es-tu allé à Nice?	Dis-moi **si** tu es allé à Nice.
Quand / **Où** / **Pourquoi** / **Avec qui** / **À quelle heure** } est-ce que tu es parti?	Dis-nous { **quand** / **où** / **pourquoi** / **avec qui** / **à quelle heure** } tu es parti.
Qui est-ce qui a téléphoné?	Je veux savoir **qui** a téléphoné.
Qu'est-ce qui se passe?	Dites-nous **ce qui** se passe.
Qu'est-ce que tu ne comprends pas?	Explique **ce que** tu ne comprends pas.
De quoi Jean a-t-il parlé?	Dites-nous { **de quoi** / **ce dont** } Jean a parlé.

Indirect yes/no questions are introduced by **si**.

Indirect information questions are introduced by the same interrogative expressions as direct questions, except in the following cases:

DIRECT	INDIRECT
qui est-ce qui	qui
qu'est-ce qui	ce qui
qu'est-ce que que + inversion	ce que
de quoi	de quoi or ce dont

Normal word order is generally used in indirect questions.

➪ In short indirect questions where the subject is a noun, this noun subject often comes immediately after the verb. This pattern is not possible after **si, qui** *(whom),* and **pourquoi.**

Où sont vos amis?	Dites-moi où sont **vos amis.**
À quelle heure part le train?	Je veux savoir à quelle heure part **le train.**

Activité 1 Interviews professionnelles

Vous êtes le chef du personnel d'une entreprise française. Cette entreprise recrute du personnel pour plusieurs postes. Interviewez les candidats. Commencez vos questions par **Dites-moi.**

MODÈLE: Est-ce que vous parlez espagnol?
Dites-moi si vous parlez espagnol.

1. Est-ce que vous savez taper à la machine?
2. Est-ce que vous savez programmer?
3. Est-ce que vous vous êtes déjà servi d'un micro-ordinateur?
4. Est-ce que vous aimez les responsabilités?
5. Pourquoi est-ce que vous voulez changer de travail?
6. Qui est-ce qui vous a parlé de notre entreprise?
7. Quels diplômes est-ce que vous avez?
8. Qu'est-ce que vous avez fait avant?
9. Qu'est-ce qui vous intéresse?
10. Qu'est-ce que vous comptez gagner?
11. Qu'est-ce qui vous motive?
12. De quoi est-ce que vous vous êtes occupé dans votre travail précédent?
13. Pourquoi est-ce que vous avez quitté ce travail?

Activité 2 Journalisme

Imaginez que vous êtes reporter pour un magazine français. Ce journal vous a chargé d'interviewer Brigitte Marin, une jeune actrice. Vous avez préparé les questions entre parenthèses. Posez ces questions.

MODÈLE: Dites-moi... (Qu'est-ce que vous faites en ce moment?)
Dites-moi ce que vous faites en ce moment.

1. Savez-vous... (Qu'est-ce que vous allez faire après?)
2. Expliquez-moi... (Qu'est-ce qui est important dans votre métier?)
3. Dites-moi... (Qu'est-ce que votre métier représente pour vous?)
4. Voulez-vous me dire... (Qu'est-ce que vous pensez du cinéma américain?)
5. Nos lecteurs voudraient savoir... (Qu'est-ce qui vous intéresse?)
6. Dites-moi... (De quoi parlez-vous avec vos amis?)
7. Pouvez-vous décrire... (Qu'est-ce qui compte le plus pour vous?)
8. Expliquez à nos lecteurs... (De quoi êtes-vous spécialement fière?)
9. Savez-vous... (Avec qui allez-vous jouer dans votre prochain film?)
10. Pouvez-vous me dire... (Quel rôle allez-vous avoir?)
11. J'aimerais savoir... (Qu'est-ce qui vous plaît dans ce rôle?)

B. La concordance des temps dans le discours indirect

In indirect speech, the introductory verb can be in the present (or future) tense or in a past tense. In the chart below, compare the tenses used in the statements or questions when the introductory verb is in the present and in a past tense.

	VERB TENSE OF STATEMENT OR QUESTION IN INDIRECT SPEECH	
	introductory verb is in the present	*introductory verb is in a past tense*
VERB TENSE OF ORIGINAL STATEMENT (OR QUESTION) IN DIRECT SPEECH	Je pense...	Je pensais... J'ai pensé... J'avais pensé...
PRESENT Paul **joue** bien.	= PRESENT ...que Paul **joue** bien.	→ IMPARFAIT ...que Paul **jouait** bien.
FUTURE Il **fera** beau demain.	= FUTURE ...qu'il **fera** beau demain.	→ PRESENT CONDITIONAL ...qu'il **ferait** beau demain.
PASSÉ COMPOSÉ Tu t'**es trompé**.	= PASSÉ COMPOSÉ ...que tu t'**es trompé**.	→ PLUS-QUE-PARFAIT ...que tu t'**étais trompé**.
FUTURE PERFECT **Aurons**-nous **fini** à l'heure?	= FUTURE PERFECT ...que nous **aurons fini** à l'heure.	→ PAST CONDITIONAL ...que nous **aurions fini** à l'heure.

- When the verb of the original statement is in a tense not included on the chart (i.e., **imparfait, plus-que-parfait,** present or past conditional), there is no change of tenses in indirect speech.

  J'**avais** raison. — Je **dis** que j'**avais** raison.
  J'**ai dit** que j'**avais** raison.

- When the original statement contains several verbs, their tenses change according to patterns in the chart.

  Paul **téléphonera** quand il **sera arrivé** à Paris. — Paul **dit** qu'il **téléphonera** quand il **sera arrivé** à Paris.
  Paul **a dit** au'il **téléphonerait** quand il **serait arrivé** à Paris.

Vocabulaire: Quelques verbes utilisés dans le discours indirect

VERBES DÉCLARATIFS

admettre	*to admit*	ignorer	*not to know*
affirmer	*to assert, maintain*	noter	*to note, notice*
ajouter	*to add*	observer	*to notice, observe*
annoncer	*to announce*	promettre	*to promise*
avouer	*to admit, confess*	reconnaître	*to recognize, admit*
constater	*to note, observe*	remarquer	*to notice, remark*
déclarer	*to declare, state*	se rendre compte	*to realize*
dire	*to say, tell*	répliquer	*to reply*
décrire	*to describe*	savoir	*to know*
écrire	*to write*		
expliquer	*to explain*		

VERBES ET EXPRESSIONS D'INTERROGATION

demander	*to ask, inquire*
se demander	*to wonder*
vouloir savoir	*to want to know*
chercher à savoir	*to want to know, want to find out*

Note de vocabulaire

When used in the imperative, declarative verbs such as **dire** or **expliquer** may introduce indirect questions.

Dites-moi ce que vous faites!

Explique ce dont tu as besoin.

Activité 3 Confessions

Les personnes suivantes ont admis certaines erreurs. Décrivez leur confession d'après le modèle. Le second verbe peut être affirmatif ou négatif.

MODÈLE: les étudiants (admettre / étudier)
Les étudiants ont admis qu'ils n'avaient pas étudié.

1. le professeur (admettre / se tromper)
2. François (avouer / casser la machine à écrire de sa sœur)
3. nous (reconnaître / assez travailler)
4. tu (expliquer / suivre ton régime)
5. mon petit frère (reconnaître / finir la boîte de chocolats)
6. la secrétaire (avouer / se débarrasser d'un document important)
7. Marc (dire / lire le journal [*diary*] personnel de sa sœur)

Activité 4 Déclarations

Formulez les déclarations des personnes suivantes en utilisant le discours indirect.

MODÈLE: Roland a dit à sa fiancée (il téléphonera demain)
Roland a dit à sa fiancée qu'il téléphonerait demain.

1. Le professeur a dit aux étudiants (ils ne travaillent pas assez / ils n'ont pas préparé l'examen / il donnera un autre examen la semaine prochaine)
2. La météo *(weather report)* a annoncé (il a neigé sur les Alpes / le temps va s'améliorer / il fera beau demain)
3. Anne a écrit à Jean-Pierre (elle a rencontré un autre garçon / elle va se marier avec lui / elle espère qu'il comprendra)
4. Monsieur Ladoux a annoncé à sa femme (il a gagné à la loterie / ils sont riches / ils achèteront une villa sur la Côte d'Azur)
5. Le suspect a déclaré à la police (il n'a pas attaqué la Banque Métropolitaine / il est innocent / il prouvera ce qu'il dit)
6. Dans son discours, le candidat a affirmé (c'est lui le mieux qualifié / il a beaucoup travaillé pour le public / s'il est élu, il fera des réformes)
7. Dans sa conférence de presse, le président a observé (la situation économique ne s'est pas améliorée / le chômage reste à un niveau élevé / l'inflation continuera encore quelque mois)
8. Le directeur de l'entreprise a admis aux employés (la compagnie a fait des bénéfices importants / la situation financière est excellente / si cette situation continue, les salaires seront augmentés)
9. Mon cousin a promis à sa jeune femme (il fera des économies / quand il aura fait assez d'économies il achètera une voiture / ils voyageront quand ils auront une voiture)
10. Alain a dit à ses parents (il aura son diplôme en juin / il cherchera du travail dès qu'il aura obtenu son diplôme / quand il aura trouvé du travail, il cherchera un appartement)

Activité 5 Questions, questions, questions...

Formulez les questions suivantes au style indirect.

MODÈLE: Le professeur a demandé aux élèves (est-ce qu'ils ont compris?)
Le professeur a demandé aux élèves s'ils avaient compris.

1. J'ai demandé à ma mère (quand est-ce que nous déjeunerons? qu'est-ce qu'il y a comme dessert? est-ce que je peux inviter un ami?)
2. Le médecin a demandé au malade (où est-ce qu'il a mal? est-ce qu'il prend régulièrement ses vitamines? qu'est-ce qui l'inquiète?)
3. Madame Lavoie a demandé à sa secrétaire (qui est-ce qui a téléphoné? est-ce qu'elle a envoyé le télégramme? quand est-ce que les contrats seront prêts?)
4. Mes parents m'ont demandé (qu'est-ce que je compte faire pendant les vacances? où est-ce que j'irai? avec qui est-ce que je voyagerai?)
5. La police a demandé aux témoins *(witnesses)* (qu'est-ce qu'ils ont vu? est-ce qu'ils sont sûrs de ce qu'ils disent? est-ce qu'ils pourront reconnaître le suspect?)
6. Mathilde a demandé à son frère (pourquoi est-ce qu'il a pris sa voiture? comment est-ce qu'il a eu un accident? est-ce qu'il paiera les réparations?)

Entre nous

Situations

Imaginez les sujets de conversation entre les personnes suivantes et les personnes entre parenthèses. Pour cela, utilisez les verbes du *Vocabulaire* au passé et le discours indirect.

MODÈLE: le docteur Leroux (à son patient)
Le docteur Leroux a demandé à son patient s'il se sentait bien. Il lui a dit qu'il maigrirait s'il suivait un régime. Il lui a demandé pourquoi il n'avait pas encore payé sa note (bill).

1. la police (aux témoins [*witnesses*] de l'accident)
2. le juge (au suspect)
3. le chef du personnel (à la candidate ambitieuse)
4. la jeune fille (au jeune homme timide)
5. le chef des services secrets (à son meilleur agent)
6. la voyante *(fortune teller)* (au jeune homme amoureux)
7. le marchand malhonnête (aux clients crédules [*gullible*])
8. le dentiste (au patient nerveux)
9. la jeune guide (aux touristes)

À votre tour

Imaginez que vous assistez à une conférence de presse. Plusieurs personnes parlent de leurs projets ou de leurs expériences. Les journalistes présents à la conférence de presse font leur rapport sur ce qu'ils viennent d'entendre. Jouez le rôle des personnes qui donnent la conférence de presse et des journalistes. Dans le rôle des journalistes, utilisez le discours indirect.

MODÈLE: Le président de la République est en visite officielle aux États-Unis.
le président: *Je suis ici pour une semaine.*
Je suis venu pour réaffirmer les liens (ties) *d'amitié entre la France et les États-Unis.*
Demain, je rencontrerai votre président...
le journaliste: *Le président a déclaré qu'il était ici pour une semaine. Il a ajouté qu'il était venu...*

1. Une femme déclare sa candidature à la présidence des États-Unis.
2. Un écrivain vient d'obtenir le prix Nobel de littérature.
3. Un savant vient de découvrir un vaccin contre le cancer.
4. Un(e) jeune cinéaste *(film maker)* parle de son dernier film et de ses projets.

Constructions, expressions et locutions

1. Quelques expressions avec **cela (ça)**
2. Quelques questions
3. Les phrases exclamatives
4. La construction: **n'importe** + expression interrogative

1. Quelques expressions avec **cela (ça)**

Note the following expressions with ça.

C'est ça.	*That's it.*
C'est comme ça.	*It's like that. That's how it is.*
Comme ci, comme ça.	*So-so. More or less (well).*
Comme ça...	*In that way...*
Ça va?	*How's it going?*
Ça marche?	*How's it going?*
Ça y est!	*That's it! You've got it!*
Ça dépend.	*It (all) depends.*
Ça m'est égal.	*It's all the same to me.*
Ça ne fait rien.	*It doesn't matter.*
Ça ne me regarde pas.	*It's none of my business.*

♦ In conversational style, ça can be used to reinforce short interrogative expressions.

Qui ça? *Who?*
Où ça? *Where?*
Comment ça? *How?*
Quand ça? *When?*

2. Quelques questions

Note the following questions:

to identify people

Qui est-ce?	*Who is that?*

to identify things

Qu'est-ce que c'est?	*What is it?*
Qu'est-ce que c'est que ça?	*What's that?*
Qu'est-ce que c'est que (ce livre)?	*What is (that book)?*

to talk about events or circumstances

Qu'est-ce qu'il y a?	*What's the matter?* / *What's happening?*
Qu'est-ce qui se passe?	*What's happening?*
Qu'est-ce qui s'est passé? / Qu'est-ce qui est arrivé?	*What happened?*

3. Les phrases exclamatives

Exclamations are often introduced by **comme** or **que**. Note that in French the normal word order is used.

Comme c'est beau! **Que** c'est beau!	***How*** *beautiful it is!*
Comme vous avez raison!	***How*** *right you are!*
Comme tu as maigri! **Que** tu as maigri!	***How*** *thin you have become!*
Comme Julie ressemble a sa mère!	***How*** *much Julie looks like her mother!*

4. La construction: **n'importe** + expression interrogative

The expression **n'importe** *(no matter, any)* is used with interrogative words to form an indefinite expression. Note the following expressions:

n'importe où	*anywhere, anyplace*	On peut faire du jogging presque **n'importe où.**
n'importe quand	*(at) any time*	Je t'attends. Tu peux venir **n'importe quand.**
n'importe comment	*in any which way, anyhow*	Soyez consciencieux! Ne faites pas vos devoirs **n'importe comment.**
n'importe qui	*anyone, anybody*	Soyez discrets. Ne parlez pas de vos problèmes à **n'importe qui.**
n'importe quoi	*anything*	Vous ne réfléchissez pas. Vous dites **n'importe quoi.**
n'importe quel (+ *noun*)	*any* (+ *noun*)	Ferais-tu **n'importe quel travail** si tu avais besoin d'argent?
n'importe lequel	*any one*	Passe-moi un journal. **N'importe lequel.** C'est pour allumer le feu!

Appendices

Appendix A Regular verbs

INFINITIF	parler *(to talk, speak)*	finir *(to finish)*	vendre *(to sell)*	se laver *(to wash oneself)*
PRÉSENT	je parle tu parles il parle nous parlons vous parlez ils parlent	je finis tu finis il finit nous finissons vous finissez ils finissent	je vends tu vends il vend nous vendons vous vendez ils vendent	je me lave tu te laves il se lave nous nous lavons vous vous lavez ils se lavent
IMPÉRATIF	parle! parlons! parlez!	finis! finissons! finissez!	vends! vendons! vendez!	lave-toi! lavons-nous! lavez-vous!
PASSÉ COMPOSÉ	j'ai parlé tu as parlé il a parlé nous avons parlé vous avez parlé ils ont parlé	j'ai fini tu as fini il a fini nous avons fini vous avez fini ils ont fini	j'ai vendu tu as vendu il a vendu nous avons vendu vous avez vendu ils ont vendu	je me suis lavé(e) tu t'es lavé(e) il/elle s'est lavé(e) nous nous sommes lavé(e)s vous vous êtes lavé(e)(s) ils/elles se sont lavé(e)s
IMPARFAIT	je parlais tu parlais il parlait nous parlions vous parliez ils parlaient	je finissais tu finissais il finissait nous finissions vous finissiez ils finissaient	je vendais tu vendais il vendait nous vendions vous vendiez ils vendaient	je me lavais tu te lavais il se lavait nous nous lavions vous vous laviez ils se lavaient
PLUS-QUE-PARFAIT	j'avais parlé tu avais parlé il avait parlé nous avions parlé vous aviez parlé ils avaient parlé	j'avais fini tu avais fini il avait fini nous avions fini vous aviez fini ils avaient fini	j'avais vendu tu avais vendu il avait vendu nous avions vendu vous aviez vendu ils avaient vendu	je m'étais lavé(e) tu t'étais lavé(e) il/elle s'était lavé(e) nous nous étions lavé(e)s vous vous étiez lavé(e)(s) ils/elles s'étaient lavé(e)s
PASSÉ SIMPLE	je parlai tu parlas il parla nous parlâmes vous parlâtes ils parlèrent	je finis tu finis il finit nous finîmes vous finîtes ils finirent	je vendis tu vendis il vendit nous vendîmes vous vendîtes ils vendirent	je me lavai tu te lavas il se lava nous nous lavâmes vous vous lavâtes ils se lavèrent

INFINITIF	parler *(to talk, speak)*	finir *(to finish)*	vendre *(to sell)*	se laver *(to wash oneself)*
FUTUR	je parlerai tu parleras il parlera nous parlerons vous parlerez ils parleront	je finirai tu finiras il finira nous finirons vous finirez ils finiront	je vendrai tu vendras il vendra nous vendrons vous vendrez ils vendront	je me laverai tu te laveras il se lavera nous nous laverons vous vous laverez ils se laveront
FUTUR ANTÉRIEUR	j'aurai parlé tu auras parlé il aura parlé nous aurons parlé vous aurez parlé ils auront parlé	j'aurai fini tu auras fini il aura fini nous aurons fini vous aurez fini ils auront fini	j'aurai vendu tu auras vendu il aura vendu nous aurons vendu vous aurez vendu ils auront vendu	je me serai lavé(e) tu te seras lavé(e) il/elle se sera lavé(e) nous nous serons lavé(e)s vous vous serez lavé(e)(s) ils/elles se seront lavé(e)s
CONDITIONNEL	je parlerais tu parlerais il parlerait nous parlerions vous parleriez ils parleraient	je finirais tu finirais il finirait nous finirions vous finiriez ils finiraient	je vendrais tu vendrais il vendrait nous vendrions vous vendriez ils vendraient	je me laverais tu te laverais il se laverait nous nous laverions vous vous laveriez ils se laveraient
CONDITIONNEL PASSÉ	j'aurais parlé tu aurais parlé il aurait parlé nous aurions parlé vous auriez parlé ils auraient parlé	j'aurais fini tu aurais fini il aurait fini nous aurions fini vous auriez fini ils auraient fini	j'aurais vendu tu aurais vendu il aurait vendu nous aurions vendu vous auriez vendu ils auraient vendu	je me serais lavé(e) tu te serais lavé(e) il/elle se serait lavé(e) nous nous serions lavé(e)s vous vous seriez lavé(e)(s) ils/elles se seraient lavé(e)s
SUBJONCTIF	que je parle que tu parles qu'il parle que nous parlions que vous parliez qu'ils parlent	que je finisse que tu finisses qu'il finisse que nous finissions que vous finissiez qu'ils finissent	que je vende que tu vendes qu'il vende que nous vendions que vous vendiez qu'ils vendent	que je me lave que tu te laves qu'il se lave que nous nous lavions que vous vous laviez qu'ils se lavent
PASSÉ DU SUBJONCTIF	que j'aie parlé que tu aies parlé qu'il ait parlé que nous ayons parlé que vous ayez parlé qu'ils aient parlé	que j'aie fini que tu aies fini qu'il ait fini que nous ayons fini que vous ayez fini qu'ils aient fini	que j'aie vendu que tu aies vendu qu'il ait vendu que nous ayons vendu que vous ayez vendu qu'ils aient vendu	que je me sois lavé(e) que tu te sois lavé(e) qu'il/elle se soit lavé(e) que nous nous soyons lavé(e)s que vous vous soyez lavé(e)(s) qu'ils/elles se soient lavé(e)s
PARTICIPE PRÉSENT	parlant	finissant	vendant	se lavant

Appendix B *-er* verbs with spelling changes

INFINITIF	PRÉSENT		IMPÉRATIF	PASSÉ COMPOSÉ	IMPARFAIT
acheter (*to buy*)	j'**achète** tu **achètes** il **achète**	nous **achetons** vous **achetez** ils **achètent**	**achète** **achetons** **achetez**	j'ai **acheté**	j'**achetais**

Verbs like **acheter**: **amener** (*to bring [someone]*), **élever** (*to raise*), **emmener** (*to take away [someone]*), **enlever** (*to take off, remove*), **peser** (*to weigh*)

INFINITIF	PRÉSENT		IMPÉRATIF	PASSÉ COMPOSÉ	IMPARFAIT
appeler (*to call*)	j'**appelle** tu **appelles** il **appelle**	nous **appelons** vous **appelez** ils **appellent**	**appelle** **appelons** **appelez**	j'ai **appelé**	j'**appelais**

Verbs like **appeler**: **épeler** (*to spell*), **jeter** (*to throw*), **rappeler** (*to recall, call back*), **rejeter** (*to reject*)

INFINITIF	PRÉSENT		IMPÉRATIF	PASSÉ COMPOSÉ	IMPARFAIT
préférer (*to prefer*)	je **préfère** tu **préfères** il **préfère**	nous **préférons** vous **préférez** ils **préfèrent**	**préfère** **préférons** **préférez**	j'ai **préféré**	je **préférais**

Verbs like **préférer**: **célébrer** (*to celebrate*), **espérer** (*to hope*), **inquiéter** (*to worry*), **posséder** (*to own*), **protéger** (*to protect*), **répéter** (*to repeat*), **sécher** (*to dry*), **suggérer** (*to suggest*)

INFINITIF	PRÉSENT		IMPÉRATIF	PASSÉ COMPOSÉ	IMPARFAIT
nager (*to swim*)	je **nage** tu **nages** il **nage**	nous **nageons** vous **nagez** ils **nagent**	**nage** **nageons** **nagez**	j'ai **nagé**	je **nageais**

Verbs like **nager**: **arranger** (*to fix, arrange*), **changer** (*to change*), **corriger** (*to correct*), **déménager** (*to move one's residence*), **déranger** (*to disturb*), **diriger** (*to manage, run*), **manger** (*to eat*), **négliger** (*to neglect*), **obliger** (*to oblige*), **partager** (*to share*), **protéger** (*to protect*), **plonger** (*to dive*), **ranger** (*to put in order, put away*), **songer à** (*to think of*), **voyager** (*to travel*)

INFINITIF	PRÉSENT		IMPÉRATIF	PASSÉ COMPOSÉ	IMPARFAIT
annoncer (*to announce*)	j'**annonce** tu **annonces** il **annonce**	nous **annonçons** vous **annoncez** ils **annoncent**	**annonce** **annonçons** **annoncez**	j'ai **annoncé**	j'**annonçais** nous **annoncions**

Verbs like **annoncer**: **avancer** (*to move forward*), **commencer** (*to start, begin*), **effacer** (*to erase*), **lancer** (*to throw, launch*), **menacer** (*to threaten*), **placer** (*to put, set, place*), **remplacer** (*to replace*), **renoncer** (*to give up, renounce*)

INFINITIF	PRÉSENT		IMPÉRATIF	PASSÉ COMPOSÉ	IMPARFAIT
payer (*to pay, pay for*)	je **paie** tu **paies** il **paie**	nous **payons** vous **payez** ils **paient**	**paie** **payons** **payez**	j'ai **payé**	je **payais** nous **payions**

Verbs like **payer**: **employer** (*to use, employ*), **ennuyer** (*to bore, annoy*), **envoyer** (*to send*) (except in future and conditonal: see Appendix D), **essayer** (*to try*), **essuyer** (*to wipe*), **nettoyer** (*to clean*)

PASSÉ SIMPLE	FUTUR	CONDITIONNEL	SUBJONCTIF	PARTICIPE PRÉSENT
j'achetai	j'achèterai	j'achèterais	que j'achète que nous achetions	achetant
j'appelai	j'appellerai	j'appellerais	que j'appelle que nous appelions	appelant
je préférai	je préférerai	je préférerais	que je préfère que nous préférions	préférant
je nageai	je nagerai	je nagerais	que je nage que nous nagions	nageant
j'annonçai	j'annoncerai	j'annoncerais	que j'annonce que nous annoncions	annonçant
je payai	je paierai	je paierais	que je paie que nous payions	payant

Appendix C Auxiliary forms

INFINITIF	PRÉSENT		IMPARFAIT		FUTUR	
avoir *(to have)*	j'ai tu as il a	nous avons vous avez ils ont	j'avais tu avais il avait	nous avions vous aviez ils avaient	j'aurai tu auras il aura	nous aurons vous aurez ils auront
être *(to be)*	je suis tu es il est	nous sommes vous êtes ils sont	j'étais tu étais ils était	nous étions vous étiez ils étaient	je serai tu seras il sera	nous serons vous serez ils seront

Appendix D Irregular verbs

For the conjugation of the irregular verbs listed below, follow the pattern of the indicated verbs. Verbs conjugated with **être** as an auxiliary verb in the compound tenses are noted with an asterisk (*). All others are conjugated with **avoir**.

admettre	(*see* mettre)	craindre	(*see* peindre)
apercevoir	(*see* recevoir)	décevoir	(*see* recevoir)
apparaître	(*see* connaître)	découvrir	(*see* ouvrir)
appartenir	(*see* venir)	décrire	(*see* écrire)
apprendre	(*see* prendre)	déplaire	(*see* plaire)
atteindre	(*see* peindre)	détruire	(*see* conduire)
combattre	(*see* battre)	*devenir	(*see* venir)
comprendre	(*see* prendre)	disparaître	(*see* connaître)
conquérir	(*see* acquérir)	élire	(*see* lire)
construire	(*see* conduire)	éteindre	(*see* peindre)
contenir	(*see* venir)	interdire	(*see* dire)
convaincre	(*see* vaincre)	joindre	(*see* peindre)
couvrir	(*see* ouvrir)	maintenir	(*see* venir)

INFINITIF	PRÉSENT		IMPÉRATIF	PASSÉ COMPOSÉ	IMPARFAIT
acquérir *(to acquire, get)*	j'acquiers tu acquiers il acquiert	nous acquérons vous acquérez ils acquièrent	acquiers acquérons acquérez	j'ai acquis	j'acquérais
aller *(to go)*	je vais tu vas il va	nous allons vous allez ils vont	va allons allez	je suis allé(e)	j'allais

CONDITIONNEL		SUBJONCTIF	
j'**aurais**	nous **aurions**	que j'**aie**	que nous **ayons**
tu **aurais**	vous **auriez**	que tu **aies**	que vous **ayez**
il **aurait**	ils **auraient**	qu'il **ait**	qu'ils **aient**
je **serais**	nous **serions**	que je **sois**	que nous **soyons**
tu **serais**	vous **seriez**	que tu **sois**	que vous **soyez**
il **serait**	ils **seraient**	qu'il **soit**	qu'il **soient**

mentir	(*see* sortir)	réduire	(*see* conduire)
obtenir	(*see* venir)	remettre	(*see* mettre)
offrir	(*see* ouvrir)	ressentir	(*see* sortir)
paraître	(*see* connaître)	retenir	(*see* venir)
parcourir	(*see* courir)	*revenir	(*see* venir)
*partir	(*see* sortir)	sentir	(*see* sortir)
permettre	(*see* mettre)	servir	(*see* sortir)
poursuivre	(*see* suivre)	souffrir	(*see* ouvrir)
prédire	(*see* dire)	sourire	(*see* rire)
prévoir	(*see* voir)	surprendre	(*see* prendre)
produire	(*see* conduire)	survivre	(*see* vivre)
promettre	(*see* mettre)	tenir	(*see* venir)
reconnaître	(*see* connaître)	traduire	(*see* conduire)

PASSÉ SIMPLE	FUTUR	CONDITIONNEL	SUBJONCTIF	PARTICIPE PRÉSENT
j'acquis	j'acquerrai	j'acquerrais	que j'acquière que nous acquérions	acquérant
j'allai	j'irai	j'irais	que j'aille que nous allions	allant

INFINITIF	PRÉSENT		IMPÉRATIF	PASSÉ COMPOSÉ	IMPARFAIT
s'asseoir *(to sit down)*	je m'assieds tu t'assieds il s'assied	nous nous asseyons vous vous asseyez ils s'asseyent	assieds-toi asseyons-nous asseyez-vous	je me suis assis(e)	je m'asseyais
avoir *(to have)*	j'ai tu as il a	nous avons vous avez ils ont	aie ayons ayez	j'ai eu	j'avais
battre *(to beat)*	je bats tu bats il bat	nous battons vous battez ils battent	bats battons battez	j'ai battu	je battais
boire *(to drink)*	je bois tu bois il boit	nous buvons vous buvez ils boivent	bois buvons buvez	j'ai bu	je buvais
conduire *(to drive)*	je conduis tu conduis il conduit	nous conduisons vous conduisez ils conduisent	conduis conduisons conduisez	j'ai conduit	je conduisais
connaître *(to know)*	je connais tu connais il connaît	nous connaissons vous connaissez ils connaissent	connais connaissons connaissez	j'ai connu	je connaissais
courir *(to run)*	je cours tu cours il court	nous courons vous courez ils courent	cours courons courez	j'ai couru	je courais
croire *(to believe, think)*	je crois tu crois il croit	nous croyons vous croyez ils croient	crois croyons croyez	j'ai cru	je croyais
cueillir *(to gather, pick)*	je cueille tu cueilles il cueille	nous cueillons vous cueillez ils cueillent	cueille cueillons cueillez	j'ai cueilli	je cueillerais
devoir *(must, to have to, owe)*	je dois tu dois il doit	nous devons vous devez ils doivent	dois devons devez	j'ai dû	je devais

PASSÉ SIMPLE	FUTUR	CONDITIONNEL	SUBJONCTIF	PARTICIPE PRÉSENT
je m'assis	je m'assiérai	je m'assiérais	que je m'asseye que nous nous asseyions	s'asseyant
j'eus	j'aurai	j'aurais	que j'aie que nous ayons que tu aies que vous ayez qu'il ait qu'ils aient	ayant
je battis	je battrai	je battrais	que je batte que nous battions	battant
je bus	je boirai	je boirais	que je boive que nous buvions	buvant
je conduisis	je conduirai	je conduirais	que je conduise que nous conduisions	conduisant
je connus	je connaîtrai	je connaîtrais	que je connaisse que nous connaissions	connaissant
je courus	je courrai	je courrais	que je coure que nous courions	courant
je crus	je croirai	je croirais	que je croie que nous croyions	croyant
je cueillis	je cueillerai	je cueillerais	que je cueille que nous cueillions	cueillant
je dus	je devrai	je devrais	que je doive que nous devions	devant

INFINITIF	PRÉSENT		IMPÉRATIF	PASSÉ COMPOSÉ	IMPARFAIT
dire *(to say, tell)*	je dis tu dis il dit	nous disons vous dites ils disent	dis disons dites	j'ai dit	je disais
dormir *(to sleep)*	je dors tu dors il dort	nous dormons vous dormez ils dorment	dors dormons dormez	j'ai dormi	je dormais
écrire *(to write)*	j'écris tu écris il écrit	nous écrivons vous écrivez ils écrivent	écris écrivons écrivez	j'ai écrit	j'écrivais
envoyer *(to send)*	j'envoie tu envoies il envoie	nous envoyons vous envoyez ils envoient	envoie envoyons envoyez	j'ai envoyé	j'envoyais
être *(to be)*	je suis tu es il est	nous sommes vous êtes ils sont	sois soyons soyez	j'ai été	j'étais
faire *(to make, do)*	je fais tu fais il fait	nous faisons vous faites ils font	fais faisons faites	j'ai fait	je faisais
falloir *(to be necessary)*	il faut			il a fallu	il fallait
fuir *(to flee)*	je fuis tu fuis il fuit	nous fuyons vous fuyez ils fuient	fuis fuyons fuyez	j'ai fui	je fuyais
lire *(to read)*	je lis tu lis il lit	nous lisons vous lisez ils lisent	lis lisons lisez	j'ai lu	je lisais
mettre *(to put, place)*	je mets tu mets il met	nous mettons vous mettez ils mettent	mets mettons mettez	j'ai mis	je mettais
mourir *(to die)*	je meurs tu meurs il meurt	nous mourons vous mourez ils meurent	meurs mourons mourez	je suis mort(e)	je mourais

PASSÉ SIMPLE	FUTUR	CONDITIONNEL	SUBJONCTIF	PARTICIPE PRÉSENT
je dis	je dirai	je dirais	que je dise que nous disions	disant
je dormis	je dormirai	je dormirais	que je dorme que nous dormions	dormant
j'écrivis	j'écrirai	j'écrirais	que j'écrive que nous écrivions	écrivant
j'envoyai	j'enverrai	j'enverrais	que j'envoie que nous envoyions	envoyant
je fus	je serai	je serais	que je sois que nous soyons que tu sois que vous soyez qu'il soit qu'ils soient	étant
je fis	je ferai	je ferais	que je fasse que nous fassions	faisant
il fallut	il faudra	il faudrait	qu'il faille	
je fuis	je fuirai	je fuirais	que je fuie que nous fuyions	fuyant
je lus	je lirai	je lirais	que je lise que nous lisions	lisant
je mis	je mettrai	je mettrais	que je mette que nous mettions	mettant
je mourus	je mourrai	je mourrais	que je meure que nous mourions	mourant

INFINITIF	PRÉSENT		IMPÉRATIF	PASSÉ COMPOSÉ	IMPARFAIT
naître *(to be born)*	je nais tu nais il naît	nous naissons vous naissez ils naissent	nais naissons naissez	je suis né(e)	je naissais
ouvrir *(to open)*	j'ouvre tu ouvres il ouvre	nous ouvrons vous ouvrez ils ouvrent	ouvre ouvrons ouvrez	j'ai ouvert	j'ouvrais
peindre *(to paint)*	je peins tu peins il peint	nous peignons vous peignez ils peignent	peins peignons peignez	j'ai peint	je peignais
plaire *(to please)*	je plais tu plais il plaît	nous plaisons vous plaisez ils plaisent	plais plaisons plaisez	j'ai plu	je plaisais
pleuvoir *(to rain)*	il pleut			il a plu	il pleuvait
pouvoir *(to be able, can)*	je peux tu peux il peut	nous pouvons vous pouvez ils peuvent		j'ai pu	je pouvais
prendre *(to take, have)*	je prends tu prends il prend	nous prenons vous prenez ils prennent	prends prenons prenez	j'ai pris	je prenais
recevoir *(to receive, get, obtain)*	je reçois tu reçois il reçoit	nous recevons vous recevez ils reçoivent	reçois recevons recevez	j'ai reçu	je recevais
résoudre *(to resolve)*	je résous tu résous il résout	nous résolvons vous résolvez ils résolvent	résous résolvons résolvez	j'ai résolu	je résolvais
rire *(to laugh)*	je ris tu ris il rit	nous rions vous riez ils rient	ris rions riez	j'ai ri	je riais
savoir *(to know)*	je sais tu sais il sait	nous savons vous savez ils savent	sache sachons sachez	j'ai su	je savais

PASSÉ SIMPLE	FUTUR	CONDITIONNEL	SUBJONCTIF	PARTICIPE PRÉSENT
je naquis	je naîtrai	je naîtrais	que je naisse que nous naissions	naissant
j'ouvris	j'ouvrirai	j'ouvrirais	que j'ouvre que nous ouvrions	ouvrant
je peignis	je peindrai	je peindrais	que je peigne que nous peignions	peignant
je plus	je plairai	je plairais	que je plaise que nous plaisions	plaisant
il plut	il pleuvra	il pleuvrait	qu'il pleuve	pleuvant
je pus	je pourrai	je pourrais	que je puisse que nous puissions	pouvant
je pris	je prendrai	je prendrais	que je prenne que nous prenions	prenant
je reçus	je recevrai	je recevrais	que je reçoive que nous recevions	recevant
je résolus	je résoudrai	je résoudrais	que je résolve que nous résolvions	résolvant
je ris	je rirai	je rirais	que je rie que nous riions	riant
je sus	je saurai	je saurais	que je sache que nous sachions	sachant

INFINITIF	PRÉSENT		IMPÉRATIF	PASSÉ COMPOSÉ	IMPARFAIT
sortir *(to go out)*	je sors tu sors il sort	nous sortons vous sortez ils sortent	sors sortons sortez	je suis sorti(e)	je sortais
suivre *(to follow)*	je suis tu suis il suit	nous suivons vous suivez ils suivent	suis suivons suivez	j'ai suivi	je suivais
se taire *(to be quiet)*	je me tais tu te tais il se tait	nous nous taisons vous vous taisez ils se taisent	tais-toi taisons-nous taisez-vous	je me suis tu(e)	je me taisais
vaincre *(to win, conquer)*	je vaincs tu vaincs il vainc	nous vainquons vous vainquez ils vainquent	vaincs vainquons vainquez	j'ai vaincu	je vainquais
valoir *(to be worth, deserve, merit)*	je vaux tu vaux il vaut	nous valons vous valez ils valent	vaux valons valez	j'ai valu	je valais
venir *(to come)*	je viens tu viens il vient	nous venons vous venez ils viennent	viens venons venez	je suis venu(e)	je venais
vivre *(to live)*	je vis tu vis il vit	nous vivons vous vivez ils vivent	vis vivons vivez	j'ai vécu	je vivais
voir *(to see)*	je vois tu vois il voit	nous voyons vous voyez ils voient	vois voyons voyez	j'ai vu	je voyais
vouloir *(to want, wish)*	je veux tu veux il veut	nous voulons vous voulez ils veulent	veuille veuillons veuillez	j'ai voulu	je voulais

PASSÉ SIMPLE	FUTUR	CONDITIONNEL	SUBJONCTIF	PARTICIPE PRÉSENT
je sortis	je sortirai	je sortirais	que je sorte que nous sortions	sortant
je suivis	je suivrai	je suivrais	que je suive que nous suivions	suivant
je me tus	je me tairai	je me tairais	que je me taise que nous nous taisions	se taisant
je vainquis	je vaincrai	je vaincrais	que je vainque que nous vainquions	vainquant
je valus	je vaudrai	je vaudrais	que je vaille que nous valions	valant
je vins	je viendrai	je viendrais	que je vienne que nous venions	venant
je vécus	je vivrai	je vivrais	que je vive que nous vivions	vivant
je vis	je verrai	je verrais	que je voie que nous voyions	voyant
je voulus	je voudrai	je voudrais	que je veuille que nous voulions	voulant

French-English Vocabulary

The French-English Vocabulary lists the words and expressions from the text, as well as the important words of the illustrations. Obvious passive cognates have not been listed.

Nouns: If the article of a noun does not indicate gender, the noun is followed by *m. (masculine)* or *f. (feminine).* If the plural is irregular, it is given in parentheses.

Adjectives: Adjectives are listed in the masculine form. If the feminine form is irregular, it is given in parentheses. Irregular plural forms are also given in parentheses.

Verbs: Verbs are listed in the infinitive form. An asterisk (*) in front of a verb means that it is irregular. (For forms, see the verb charts in Appendix D.)

Words beginning with an *h* are preceded by a bullet (•) if the *h* is aspirate; that is, if the word is treated as if it begins with a consonant sound.

The following abbreviations are used:

adj.	adjective	*inf.*	infinitive	*pres. part.*	present participle
f.	feminine	*m.*	masculine	*subj.*	subjunctive
indic.	indicative	*pl.*	plural		

a

à at, to, in
abandonner to abandon
une **abeille** bee
abolir to abolish
abord: d'abord first, at first
s' **absenter** to go away, be absent *(from a place)*
absolument absolutely
absurde: il est absurde it is absurd
accéder to access, get
accentué stressed
accepter de to accept, agree
un **accident** accident
accompagner to accompany
accomplir to accomplish
accord: d'accord okay, all right
un **accusé,** une **accusée** accused (one)
accuser...de to accuse
achats: faire des achats to go shopping *(for items other than food)*
acheter...à... to buy (for, from)
un **acheteur,** une **acheteuse** buyer
l' **acier** *m.* steel
* **acquérir** to get, acquire
un **acteur,** une **actrice** actor (actress)
actif (active) active
une **action** action, act
un **actionnaire,** une **actionnaire** stockholder
activement actively
une **activité** activity
une **actrice** actress
l' **actualité** *f.* current events
actuellement at present
l' **addition** *f.* bill, check
un **adepte,** une **adepte** follower
un **adjectif** adjective
* **admettre** to admit, accept
une **administration** administration, management **le conseil d'administration** board of directors
admirer to admire
s' **adonner à** to devote oneself to
adorer to like very much
une **adresse** address
s' **adresser** to speak to, address
un **adverbe** adverb
aéré with fresh air
aérodynamique aerodynamic
un **aéroport** airport
les **affaires** *f.* business **des affaires** things, belongings **un homme (une femme) d'affaires** businessman (businesswoman)
une **affiche** sign, poster
affirmativement affirmatively
affirmer to assert, maintain
affreux (affreuse) dreadful, awful
afin de (in order) to, for the purpose of **afin que** so that, in order that

l' **Afrique** *f.* **du Sud** South Africa
l' **âge** *m.* age
âgé old
une **agence** agency **une agence d'emploi** employment agency **une agence de tourisme** travel agency **une agence de voyages** travel agency **une agence immobilière** real estate office
un **agent,** une **agent** agent **un agent de police** police officer
s' **aggraver** to get worse
agir to act
agit: il s'agit de... it is about...
agité restless, excited, agitated
agréable pleasant, nice
agressif (agressive) aggressive
agricole agricultural
aider...à to help
ailleurs elsewhere **d'ailleurs** besides, moreover **par ailleurs** on the other hand
aimable kind
aimer to like, enjoy, love **aimer mieux** to prefer
l' **air** *m.* air, atmosphere **avoir l'air (de)** to look, seem
aisé comfortable
ajouter to add
alcoolique alcoholic
alerter to alert
un **aliment** food
allemand German
l' **allemand** *m.* German *(language)*
* **aller** to go **aller +** *inf.* to be going to + *inf.* **aller chercher** to get, pick up **allez-vous-en (va-t-en)** go away **s'en aller** to leave, go away
l' **Alliance Française** *an organization dedicated to the teaching of French in the world*
allô hello *(on the telephone)*
allumé lit
une **allumette** match
alors then
l' **alpinisme** *m.* mountain climbing
l' **aluminium** *m.* aluminum
une **ambiance** atmosphere
ambitieux (ambitieuse) ambitious
l' **ambition** *f.* ambition
s' **améliorer** to get better
amener to bring *(someone)*
américain American
l' **Amérique** *f.* **du Sud** South America
un **ami,** une **amie** friend **un petit ami** boyfriend **une petite amie** girlfriend
l' **amitié** *f.* friendship
l' **amour** *m.* love
amoureux (amoureuse) in love **être amoureux (de)** to be in love (with)
amusant funny, amusing
amuser to amuse **s'amuser (à)** to have fun
un **an** year
une **analyse** analysis
analyser to analyze
ancien (ancienne) old, former
anglais English
l' **anglais** *m.* English *(language)*
l' **Angleterre** *f.* England
une **angoisse** fear
un **animal** (*pl.* **animaux)** animal
animé lively, busy
une **année** year
un **anniversaire** birthday
annonce: une petite annonce classified ad
annoncer to announce
annuaire directory
anormal abnormal
ans: avoir...ans to be...(years old)
août August
* **apercevoir** to see, catch a glimpse of **s'apercevoir de** to notice; to realize
* **apparaître** to appear
un **appareil** machine, piece of equipment, appliance **un appareil ménager** appliance **un appareil-photo** camera
l' **apparence** *f.* appearance
un **appartement** apartment
* **appartenir à** to belong to
appeler to call **s'appeler** to be named
l' **appendicite** *f.* appendicitis
applaudir to applaud
apporter to bring *(something)* **apporter...à...** to bring
apprécier to appreciate
* **apprendre** to learn **apprendre à +** *inf.* to learn how to **apprendre à...à** to teach
s' **approcher (de)** to get close to
approprié appropriate
après after, afterward **après que** after **d'après** according to **d'aprés vous** in your opinion
un **aprés-midi** afternoon
l' **Arabie** *f.* **Saoudite** Saudi Arabia
l' **argent** *m.* silver; money
une **armée** army
arranger to fix, arrange **s'arranger** to manage
arrêter to arrest, stop **s'arrêter (de)** to stop

arrivé: qu'est-ce qui est arrivé? what happened? il est arrivé...à... happened to
une arrivée arrival
arriver to arrive, come, happen, occur arriver à to manage to
un article article, item
artificiel (artificielle) artificial
un artiste, une artiste artist
un aspect aspect, appearance
l' aspirine *f.* aspirin
*s' asseoir to sit down
assez enough assez de enough (of)
une assiette plate
assis: être assis to be seated
assister à to attend, be present at
un associé, une associée associate
assurances: une compagnie d'assurances insurance company
assurer to assure, permit
un astronome astronomer
l' atmosphère *f.* atmosphere
attacher to attach
attaquer to attack
* atteindre to reach, attain
attendant: en attendant que while waiting for
attendre to wait, wait for s'attendre à to expect
attentif (attentive) attentive
attention: faire attention to be careful, watch out faire attention à (+ *noun*) to pay attention (to), be careful (about) faire attention à ce que to pay attention to what...
attentivement carefully
attirer to attract
attraper to catch
attraper froid to catch cold
au (à + le) at (the), to (the) au cas où in case
au-dessous de below, beneath
au-dessus de above, on top of
une auberge inn
aucun(e) any
ne...aucun(e) not any, no, not a single
une augmentation raise, increase
augmenter to increase
aujourd'hui today
auprès de near, next to
aussi also, as
aussi...que as...as
aussitôt right away
aussitôt que as soon as
autant as much autant de...que as much...as
un auteur author
une auto car en auto by car
un autobus bus
l' automne *m.* fall, autumn en automne in the autumn
une automobile car, automobile
l' autonomie *f.* autonomy
autoriser...à to authorize
l' auto-stop *m.* hitchhiking
autour de around
autre other autre chose something else
l' autre the other (one) les autres (the) others, the other ones un autre, une autre another (one) d'autres other(s), some other(s), other ones personne d'autre nobody else quelque chose d'autre something else quelqu'un d'autre someone else rien d'autre nothing else
autrefois in the past, formerly
autrement otherwise
aux (à + les) at (the), to (the)
avaler to swallow
avance: en avance in advance
avancer to move forward
avant before avant de before avant que before d'avant previous
un avantage advantage
avant-guerre pre-war
avant-hier the day before yesterday avant-hier soir the night before last
avare greedy, stingy
avec with avec qui? with whom?
l' avenir *m.* future
une aventure adventure
avertir to warn
un avion airplane en avion by plane un billet d'avion airplane ticket
avis: à mon avis in my opinion
un avocat, une avocate lawyer
* avoir to have
avouer to admit, confess
avril April

b

une bagagerie luggage shop
une bague ring
se baigner to go for a swim
un bain bath
bains: une salle de bains bathroom
un balcon balcony
un ballon de football soccer ball

bancaire pertaining to banking
une **bande dessinée** comic strip
la **banlieue** suburbs
une **banque** bank
un **banquier** banker
bas (basse) low **parler bas** to speak in a low voice
une **base** basis
une **bataille** battle
un **bateau** (*pl.* **bateaux**) boat **un bateau à vapeur** steamboat
bâtir to build
* **battre** to beat **se battre** to have a fight
bavard talkative
beau (bel, belle; beaux, belles) beautiful, handsome **il fait beau** it's nice (weather)
beaucoup a lot, very much **beaucoup de** much, very much, many, very many, a lot of **beaucoup trop de** much too much, many too many
le **beau-frère** brother-in-law
la **beauté** beauty
un **bébé** baby
la **belle-sœur** sister-in-law
besoin: avoir besoin (de) to need (to)
bête dumb
le **béton** concrete
le **beurre** butter
une **bibliothèque** library
une **bicyclette** bicycle
bien well quite, really, indeed **bien élevé** well-mannered **bien que** although **vouloir bien** (+ *inf.*) to be willing, accept
bientôt soon
une **bière** beer
un **bifteck** steak
un **bijou** (*pl.* **bijoux**) jewel
un **billet** banknote, ticket **un billet d'avion** airplane ticket
une **biographie** biography
la **biologie** biology
bizarre odd; strange, peculiar **il est bizarre** it is odd
un **blanc** blank
blanc (blanche) white
blanchir to turn white, to whiten, to bleach
le **blé** wheat
blesser to hurt, wound, injure **se blesser** to get hurt
bleu blue
blond blond
un **blue-jeans** jeans
* **boire** to drink
le **bois** wood
une **boisson** beverage, drink
une **boîte** box, can
bon (bonne) good **bon marché** cheap, inexpensive **il est bon** it is good **sentir bon** to smell good
le **bonheur** happiness
bonjour hello
bord: à bord on board
la **bouche** mouth
bouillir to boil **faire bouillir** to boil
un **boulanger,** une **boulangère** baker
une **boulangerie** bakery
une **bouteille** bottle
une **boutique** shop
un **bracelet en argent/d'argent** silver bracelet
brave brave, courageous, decent, worthy
bref (brève) brief, short
le **Brésil** Brazil
brésilien (brésilienne) Brazilian
la **Bretagne** Brittany
un **brevet de pilote** pilot's license
le **brie** brie *(cheese)*
brillamment brilliantly
brillant very smart, brilliant
briller to shine
la **brique** brick
bronzer to get a tan
une **brosse à dents** toothbrush
se **brosser (les dents)** to brush (one's teeth)
un **bruit** noise
brun dark-haired; brown **brunir** to turn brown, to get a tan
brusque brusque, abrupt
brusquement all of a sudden
un **bureau** office **un bureau de poste** post office **un bureau de tabac** tobacco shop
un **but** goal, objective

C

ça this, that **ça dépend** it all depends **ça m'est égal** it's all the same to me **ça marche?** how's it going? **ça ne fait rien** it doesn't matter **ça ne me regarde pas** it's none of my business **ça va?** how's it going? **ça y est!** that's it!, you've got it! **c'est ça** that's it **c'est comme ça** it's like that, that's how it is **comme ça...** in that way **comme ci, comme ça** so-so, more or less (well) **qu'est-ce que c'est que ça?** what's that?
se **cacher** to hide (oneself)
un **cachet** tablet

un **cadeau** (*pl.* **cadeaux**) present
cadre: un jeune cadre young executive
le **café** coffee, café
une **cafétéria** cafeteria
un **cahier** notebook
le **Caire** Cairo
une **calculatrice** calculator
calculer: une machine à calculer adding machine
la **Californie** California
calmant calming, soothing
calme calm
calmement calmly
un **camarade,** une **camarade** classmate, friend
cambrioler to burglarize
un **cambrioleur** burglar
une **caméra** movie camera
la **campagne** country
camper to camp
le **camping** camping **faire du camping** to go camping
le **Canada** Canada
canadien (canadienne) Canadian
un **canard** duck
un **candidat,** une **candidate** candidate, applicant
le **caoutchouc** rubber
car because
un **caractère** character, type
une **caractéristique** characteristic
un **carnet** small notebook **un carnet d'adresses** address book **un carnet de chèques** check book
une **carotte** carrot
carré square
une **carrière** career
une **carte** card, map **une carte postale** postcard
un **cas** case **en tout cas** in any case, at any rate
un **casse-cou** daredevil
un **casse-tête** puzzle, puzzling problem
casser to break **se casser (la jambe)** to break (one's leg)
une **cassette** cassette
une **catégorie** category
catégoriquement categorically
cause: à cause de because of
ce it, that **ce qui/que/dont** what **c'est** that's, it's, he's, she's
ce (cet, cette; ces) this, that, these, those
ceci this, that
une **ceinture de sécurité** seat belt
cela (ça) this, that
célèbre famous
célébrer to celebrate
le **céleri** celery
célibataire single, unmarried
celle-ci this one (over here), the latter **celle-là** that one (over there), the former
celui (celle), ceux, celles the one(s)
celui-ci this one (over here), the latter **celui-là** that one (over there), the former
cent (one) hundred
une **centaine** approximately a hundred
un **centième** one hundredth
centième hundredth
un **centre** center **un centre commercial** shopping center
cents: deux cents two hundred
cependant nevertheless, still, however
les **céréales** *f.* cereal grains, cereal
certain certain, sure, some **certain(e)s** some, certain (ones) **il est certain que...** it is certain that...
certainement certainly
ces these, those
cesser (de) to cease, stop
cet this, that
cette this, that
ceux-ci these
ceux-là those
chacun (chacune) each (one)
une **chaîne** channel
une **chaîne-stéréo** stereo set
une **chambre** room
un **chameau** camel
un **champ** field
le **champagne** champagne
un **champignon** mushroom
un **champion,** une **championne** champion
un **championnat** championship
une **chance** chance
la **chance** luck **avoir de la chance** to be lucky
un **changement** change
changer to change; exchange
chanter to sing **chanter faux** to sing off key **chanter juste** to sing on key **faire chanter** to blackmail
un **chanteur,** une **chanteuse** singer
un **chapeau** (*pl.* **chapeaux**) hat
un **chapitre** chapter
chaque each
le **charbon** coal
un **chasse-neige** snowplow
chasser to chase
un **chat** cat
un **château** (*pl.* **châteaux**) castle
chaud hot, warm **avoir chaud** to be warm, hot
un **chauffeur** driver

une **chaussure** shoe
un **chef** cook, chef, head, chief **un chef d'orchestre** conductor
un **chemin** way, path
une **chemise** shirt **une chemise en/de nylon** nylon shirt
un **chemisier** blouse
un **chèque de voyage** traveler's check
cher (chère) expensive, dear **coûter cher** to be expensive
chercher to look for, get **chercher à** to seek to, try **chercher à savoir** to want to know, want to find out **aller chercher** to get, pick up
les **cheveux** *m.* hair
chez at home, at the house (office, shop, etc.) of, to the house of **chez moi (toi, lui...)** (at) home
un **chien** dog
une **chiffre** figure, numeral
la **chimie** chemistry
chimique chemical
un **chimiste,** une **chimiste** chemist
la **Chine** China
chinois Chinese
le **chinois** Chinese *(language)*
choisir (de) to choose
un **choix** choice
le **chômage** unemployment
choquer to shock, disturb
une **chorale** choir
une **chose** thing **autre chose** something else **quelque chose** something **quelque chose d'autre** something else
un **chèque** check
ci: ce...-ci this...(over here) **comme ci, comme ça** so-so, more or less (well)
ci-dessous below
le **ciel** (*pl.* **cieux**) sky
une **cigarette** cigarette
le **ciment** cement
un **cinéaste,** une **cinéaste** filmmaker
un **cinéma** movie theater, movie, film
le **cinéma** the movies
cinq five
cinquante fifty
cinquième fifth
un **cinquième** one fifth
une **circonstance** circumstance
un **circuit** tour
circulaire circular
la **circulation** traffic
circuler to move
un **cirque** circus
les **ciseaux** *m.* scissors
une **cité** city
la **cité universitaire** student dorms
citer to quote, cite
un **citoyen,** une **citoyenne** citizen
une **Citroën** Citroën *(car)*
clair: il est clair que... it is clear that... **voir clair** to see clearly
clairement clearly
la **clairvoyance** second-sight, clairvoyance
une **classe** class
classique classical
une **clé** key **fermer à clé** to lock
un **client,** une **cliente** client, customer
la **climatisation** air conditioning
coeur: par coeur by heart
un **coiffeur,** une **coiffeuse** hairdresser
la **colère** anger **se mettre en colère** to get angry
un **collègue,** une **collègue** colleague
une **colonne** column
* **combattre** to fight
combien? how much?
combien de...? how much, how many?
commander à...de to order
comme as **comme...!** how...! **c'est comme ça** it's like that, that's how it is **comme ça...** in that way... **comme ci, comme ça** so-so, more or less (well)
commencer to start, begin **commencer à** to begin **commencer par** to begin/start by
comment? how?
un **commentaire** comment
un **commerçant,** une **commerçante** shopkeeper, merchant
un **commerce** business
commercial (*pl.* **commerciaux)** commercial
une **communauté** community
communiquer to communicate
une **compagnie** company
une **comparaison** comparison
le **comparatif** comparative
un **complément d'objet** object pronoun
complet (complète) complete
complètement completely
compléter to complete
compliqué complicated
composter to stamp, punch
* **comprendre** to understand; to consist of
compris: y compris including
un **compte** account
compter to expect, intend; to count (on)
un **concierge,** une

concierge building superintendent
un **concombre** cucumber
la **concordance** agreement
un **concours** contest
la **concurrence** competition
un **concurrent** competitor
condamner to condemn
condition: à condition de provided **à condition que** on the condition that, assuming that
des **condoléances** *f.* condolences
un **conducteur,** une **conductrice** driver
* **conduire** to drive
une **conférence** conference, discussion, lecture
la **confiance** confidence
le **confort** comfort
confortable comfortable
confus confused
confusément confusedly
conique conical
une **connaissance** acquaintance **faire la connaisance de** (+ *person*) to meet *(someone, for the first time)*
* **connaître** to know, be acquainted or familiar with
* **conquérir** to conquer
la **conquête** conquest
consacré devoted/given to
consciencieusement conscientiously
consciencieux (consciencieuse) conscientious
le **conseil** council **le conseil d'administration** board of directors
un **conseil** piece of advice
conseiller à...de to advise
conséquent: par conséquent therefore, consequently

conservateur (conservatrice) conservative
considérer to consider
la **consistance** consistency
la **consommation** consumption
consommer to consume
constamment constantly
constant constant
constater to note, observe
* **construire** to build, construct
contagieux (contagieuse) contagious
contempler to contemplate
* **contenir** to contain
content happy **être content de** to be pleased with/to **être content** to be happy
le **contenu** contents
continuellement continually
continuer á to continue
le **contraire** opposite
un **contrat** contract
contre for, against **par contre** on the other hand, however
* **contredire** to contradict
le **contre-espionnage** counter-espionage
le **contrôle** inspection, control
* **convaincre** to convince **convaincre...de** to convince
* **convenir** to suit, be appropriate
convoquer to call together
copier to copy
un **corps** body
correctement correctly
corriger to correct
la **Corse** Corsica *(French island off the Italian coast)*
un **costume** suit

la **côte** coast, shore **la Côte d'Azur** the Riviera
un **côté** side **à côté de** beside, next to **de l'autre côté** on the other hand **d'un côté** on the one hand
le **coton** cotton
se **coucher** to go to bed **être couché** to be in bed
une **couleur** color
un **couloir** hall
coup: tout à coup suddenly, all of a sudden
couper to cut **se couper (au doigt)** to cut (one's finger)
le **couple de retraités** retired couple
une **cour** court
le **courage** courage
courageusement courageously
courageux (courageuse) courageous
courant current
un **coureur,** une **coureuse** runner
* **courir** to run
couronner to crown
un **cours** course **au cours de** during **suivre un cours** to take a course
une **course** race **faire les courses** to go shopping *(for food)*
court short
un **cousin, une cousine** cousin
un **couteau** (*pl.* **couteaux**) knife
la **coutume** habit, custom
une **couturière** seamstress, dressmaker
couvert covered
* **couvrir** to cover **se couvrir** to become cloudy
coûter to cost **coûter cher** to be expensive

* **craindre** to fear
la **crainte** fear **de crainte que** for fear that
une **cravate** tie
créateur (créatrice) creative
créer to create
la **crème** cream
la **criminalité** criminal nature
une **crise** crisis
un **critique** critic
critiquer to criticize
* **croire** to believe, think **croire à** to believe in
un **croissant** crescent roll
cruel (cruelle) cruel
* **cueillir** to pick, gather
le **cuir** leather
cuire to cook, bake **faire cuire** to bake, cook
la **cuisine** cooking **faire la cuisine** to cook
une **cuisine** kitchen
un **cuisinier,** une **cuisinière** cook
une **cuisinière à gaz** gas stove or range
le **cuivre** copper
cultivé cultured, cultivated
curieusement curiously
curieux (curieuse) curious **il est curieux** it is curious
un **curriculum vitae** résumé

d

d'abord first, at first
d'accord okay, alright **être d'accord** to see no objection, be in favor, accept
d'ailleurs besides, moreover
une **dame** lady
le **danger** danger, peril
dangereux (dangereuse) dangerous
dans in; into **dans** (+ *time*) in... **dans** (+ *time*) **d'ici** in...from now
la **danse** dance
danser to dance
d'après according to **la semaine d'après** the next week
d'autres other(s), some other(s), other ones
d'avant before, previous
davantage more
de of, from, about, any **de la (de l')** of (the), from (the), some **de plus** besides, moreover
le **débarquement** landing
se **débarrasser de** to get rid of
un **débat** discussion
se **débrouiller** to manage, get by
le **début** beginning **au début de** at the beginning of
débutant beginner
décembre December
* **décevoir** to disappoint; to deceive
les **déchets** *m.* waste products
décider de to decide **décider...à** to convince **se décider à** to decide, make up one's mind
déclarer to declare, state
une **décoratrice** decorator
décorer to decorate
la **découverte** discovery
* **découvrir** to discover
* **décrire** to describe
la **défaite** defeat
défendre à...de to forbid
défini definite
dehors outside, out
déjà already, ever
déjeuner to have lunch
le **déjeuner** lunch **le petit déjeuner** breakfast
un **délégué,** une **déléguée** delegate
demain tomorrow
demander to ask, ask for, to inquire **demander...à...** to ask (of) **demander à...de** to ask **se demander** to wonder
déménager to move *(one's residence)*
demi half
un **demi-litre** half liter
dénoncer to betray
une **dent** tooth **un mal aux dents** toothache
le **dentifrice** toothpaste
un **dentiste,** une **dentiste** dentist
un **départ** departure
se **dépêcher (de)** to hurry
dépend: ça dépend it (all) depends
dépendre (de) to depend (on)
une **dépense** expense
dépenser to spend (money)
* **déplaire (à)** to displease
déplorer to deplore
déposer to deposit
depuis since **depuis combien de temps?** for how long? **depuis quand?** since when? **depuis que** since
déranger to disturb, trouble
dernier (dernière) last, latest
le **dernier,** la **dernière** the last one
derrière behind
des (de + les) of (the), from (the), some
dès as of **dès que** as soon as
désagréable unpleasant
désastreux (désastreuse)

disastrous
descendre to go down, take/bring down, get off, descend
se **déshabiller** to get undressed
désirer to wish, want
désobéir (à) to disobey
désobéissant disobedient
désolé sad, very sorry **être désolé** to be sorry
le **désordre** disorder
le **dessert** dessert
dessiner to draw; to sketch, design
le **destin** destiny
un **détail** (*pl.* **détails**) detail
déterminer to determine
détestable loathsome, odious
détester to dislike, hate
* **détruire** to destroy
une **dette** debt
deux two **tous les deux** both
deuxième second
deuxièmement secondly
devant in front of
développé developed
un **développement** development
développer to develop
* **devenir** to become
deviner to guess
un **devoir** duty
* **devoir** to owe, should, to have to, must; to be obliged to, ought
les **devoirs** *m.* homework
d'habitude usually
un **dialogue** dialog, conversation
un **diapo(sitive)** slide
la **diététique** dietetics
différemment differently
la **différence** difference
différent different
difficile hard, difficult
dimanche Sunday, on Sunday
une **dimension** dimension, size
diminuer to reduce
dîner to have dinner
le **dîner** dinner
un **diplôme** diploma
* **dire** to say, tell **dire…à…** to tell **dire à…de** to tell **vouloir dire** to mean
un **directeur,** une **directrice** director
diriger to manage, run; to direct
un **discours** speech
discret (discrète) discreet
discrètement discreetly
discuter de to talk about, discuss
* **disparaître** to disappear; to die
une **dispute** quarrel, dispute
se **disputer** to have an argument
un **disque** record
se **distinguer** to distinguish oneself
dix ten
dix-huit eighteen
un **dixième** one tenth
dix-neuf nineteen
dix-sept seventeen
d'occasion second-hand, used
un **docteur** doctor
un **documentaire** documentary
un **doigt** finger
domestique domestic
dommage: il est dommage it is a pity
donner…à… to give
dont who, whom **ce dont** what
* **dormir** to sleep
le **dos** back
un **doute** doubt
douter to doubt
douteux: il est douteux que it is doubtful that
doux (douce) soft, mild, gentle, sweet
une **douzaine** dozen
douze twelve
dramatique: l'art *m.* **dramatique** the drama
droit: tout droit straight ahead
le **droit** law
un **droit** right
la **droite** right **à droite de** to the right of
drôle funny *(comical)* **drôle de** (+ *noun*) funny *(strange)*
drôlement very
du (de l') of (the), from (the), some
dur: travailler dur to work hard
durer to last
dynamique dynamic

e

l' **eau** *f.* water **l'eau minérale** mineral water
un **échange** exchange
échanger to exchange
s' **échapper (de)** to escape (from)
les **échecs** *m.* chess
éclairant lighting up
une **école** school
écologique ecological
économe thrifty
l' **économie** *f.* economy
économies: faire des économies to save money
économique economical
économiser (de l'argent) to save (money)
écouter to listen to
* **écrire** to write **écrire…à…** to write **écrire à…de** to write
un **écrivain** writer
effacer to erase

effectuer to effect, carry out
effet: en effet as a matter of fact, indeed
un **effort** effort
une **église** church
égal (*pl.* **égaux**) equal **ça m'est égal** it's all the same to me
l' **égalité** *f.* equality
égoïste selfish
l' **Egypte** *f.* Egypt
un **Egyptien,** une **Egyptienne** Egyptian
un **électeur,** une **électrice** voter, elector
électrique electric
électronique electronic
l' **électronique** *f.* electronics
élégamment elegantly
un **élément** element **des éléments** material
un **élève,** une **élève** student
élevé high **bien élevé** well-mannered **mal élevé** ill-mannered
élever to raise
éliminer to eliminate
* **élire** to elect
elle she, her
elle-même herself
elles they **d'entre elles** of them
elles-mêmes themselves
l' **embarquement** *m.* boarding
embarrassé: être embarrassé to be embarrased
embarrasser to embarrass
s' **embrasser** to kiss one another
emmener to take away *(someone),* to take out *(a person)*
empêcher...de to prevent, stop
un **empereur** emperor
un **emploi** occupation, job, use, employment *(of something)* **une agence d'emploi** employment agency **un emploi du temps** time-table *(of work)*
un **employé,** une **employée** employee
employer to use, employ
empoisonner to poison
emporter to take away *(something)*
emprunter...à... to borrow (from)
ému: être ému to be moved
en in, some, any, from, there, by, on, of (about) it/them **en** (+ *time*) in...
enchanté: être enchanté to be very happy
encore once more, again, still, another time **ne...pas encore** not yet
encourager...à to encourage
endormi: être endormi to be asleep
*s' **endormir** to fall asleep
un **endroit** place
énergétique energizing
l' **énergie** *f.* energy
s' **énerver** to get upset
l' **enfance** *f.* childhood
un **enfant,** une **enfant** child
enfin at last, afterwards, finally
engagé committed
engager to hire
enlever to take off, remove
l' **ennemi** *m.* enemy
ennuyer to bore, bother **s'ennuyer** to get bored, be bored
ennuyeux (ennuyeuse) boring
énorme huge
énormément a lot
une **enquête** inquiry, survey
enrichir to enrich
l' **enseignement** *m.* teaching
enseigner à...à to teach
ensemble together
ensuite then, afterwards, after
entendre to hear **entendre dire** to hear *(information)* **entendre parler de** to hear (from or of someone), to hear (about something) **s'entendre avec** to get along with
entier (entière) whole
entouré de surrounded by
l' **entraîneur** *m.* coach
entre between; among **d'entre eux/elles** of them
une **entrée** admission, admittance
une **entreprise** business, undertaking, venture, company
entrer (dans) to enter, go in, come in **faire entrer** to show in
un **entretien** maintenance
une **entrevue** interview
une **enveloppe** envelope
envers toward *(people)*
l' **envie** *f.* envy **avoir envie (de)** to feel like, to want, desire
l' **environnement** *m.* environment
* **envoyer (à)** to send (to) **envoyer...à...** to send
épais (épaisse) thick
l' **épanouissement** *m.* growth
une **épaule** shoulder **hausser les épaules** to shrug one's shoulders
épeler to spell
une **époque** period, time
épouser to marry
une **épreuve** test
l' **équilibre** *m.* balance

équilibré stable
une **équipe** team
un **équivalent** equivalent
une **éraflure** dent
une **erreur** error, mistake **faire erreur** to make a mistake
les **escaliers** *m.* stairs, stairway
un **escargot** snail
l' **espace** *m.* space
l' **Espagne** *f.* Spain
espagnol Spanish
l' **espagnol** *m.* Spanish *(language)*
espérer to hope
un **espion,** une **espionne** spy
un **esprit** mind
essayer (de) to try
l' **essence** *f.* gas
essentiel: il est essentiel it is essential
un **essuie-glace** windshield wiper
essuyer to wipe
est-ce-que *phrase used to introduce a question*
l' **estomac** *m.* stomach
et and **et...et** both...and
établir to establish, draw up
un **étage** floor, story
un **état** state **les Etats-Unis** United States
l' **été** *m.* summer **en été** in the summer
* **éteindre** to extinguish, turn off
un **ethnologue,** une **ethnologue** ethnologist
l' **étoffe** *f.* material, stuff
une **étoile** star
étonnant: il est étonnant it is astonishing
étonné: être étonné to be astonished, amazed
l' **étonnement** *m.* amazement, astonishment
étonner to surprise
étrange strange **il est étrange** it is strange
étranger (étrangère) foreign
* **être** to be **être à** to belong to **être à** + *inf.* should + *passive verb* **être à** (+ *stress pronoun*) to belong to **être en train de** (+ *inf.*) to be busy/in the middle of doing something **être sur le point de** (+ *inf.*) to be close to/about to do something
étroit narrow
une **étude** study
un **étudiant,** une **étudiante** student
étudier to study
eux them **d'entre eux** of them
eux-mêmes themselves
évaluer to evaluate
un **événement** event
évidemment evidently
évident: il est évident que it is evident that
éviter de to avoid
évoquer to evoke, recall
un **examen** exam
s' **excuser (de)** to apologize (for)
des **excuses** *f.* apologies
un **exemple** example **par exemple** for instance
exercer to do, carry out, perform
un **exercice** exercise
exiger to insist, demand
une **existence** existence, life
une **explication** explanation
expliquer to explain
un **explorateur,** une **exploratrice** explorer
des **exportations** *f.* export trade, exports
exporter to export
une **exposition** exhibition, exhibit
exprimer to express **s'exprimer** to express oneself
extérieur: à l'extérieur (de) outside (of)
extra-lucide very perceptive
extraordinaire extraordinary
extra-sensoriel (extra-sensorielle) extra-sensory
un **extra-terrestre** being from outer space
extrêmement extremely

f

la **fabrication** manufacture
une **fabrique** factory
fabriquer to make *(something),* manufacture
face: en face de in front of; opposite
facile easy
faciliter to facilitate
une **façon** manner, way **d'une façon** in a way
façonner to shape, fashion
faible weak
faim: avoir faim to be hungry
* **faire** to do, make **faire** + *inf.* to make/have someone do something, have something done **faire de** + *activity* to play, participate in, study, learn to play, be active in **s'en faire** to worry
fait: en fait as a matter of fact, in fact **il fait beau (mauvais, chaud, froid)** it's nice (bad, hot, cold) (weather) **tout à fait** quite, entirely
* **falloir** to be necessary
familial (*pl.* **familiaux**) family

une **famille** family
un **fana,** une **fana** fan
fascinant fascinating
fatigué tired
faut: il faut (+ *inf.*) someone must, should, has to, needs to, it is necessary that **il faut** (+ *noun*) ...is/are necessary, one needs (to have)... **il faut que** it is necessary that
une **faute** fault
faux (fausse) false **chanter faux** to sing off key
favori (favorite) favorite
les **félicitations** *f.* congratulations
féliciter...de to congratulate
une **femme** woman, wife
une **fenêtre** window
le **fer** iron
une **ferme** farm
fermement firmly
fermer to close, shut **fermer à clé** to lock
un **fermier,** une **fermière** farmer
un **festival** (*pl.* **festivals**) music festival
une **fête** holiday, feast
un **feu** fire
une **feuille** sheet, leaf
février February
fiable reliable
un **fiancé,** une **fiancée** fiancé(e)
se **fiancer** to get engaged
une **fiche** form **une fiche d'hôtel** hotel registration card
fier (fière) proud **être fier (de)** to be proud (of/to)
une **fille** girl, daughter
un **film** movie
un **fils** son
la **fin** end **à la fin de** at the end of
final (*pl.* **finals**) final
finalement finally, at last
des **finances** *f.* finances, resources
financier (financière) financial
finir to finish **finir de** to stop, finish **finir par** to end up by, finally
une **firme** business firm
la **fièvre** fever
flatté: être flatté to be flattered
une **fleur** flower
la **fois** time **une fois** once, one time **deux fois** twice **il était une fois** once upon a time **plusieurs fois** several times **pour la première fois** for the first time
fonctionner to work
fondamentalement fundamentally, basically
le **fondateur** founder
fonder to found
fondre to melt **faire fondre** to melt
le **foot(ball)** soccer
une **forêt** forest
la **forme** shape **en forme** in great shape
formidable fantastic, great
formuler to formulate
fort quite, very
fort strong **parler fort** to speak in a loud voice
une **fortune** fortune
fou (folle) crazy
un **fou** (*pl.* **fous**) madman, fool
la **foule** crowd
un **four** oven **un four à micro-ondes** microwave oven
une **fourrure** fur coat
fragile fragile
frais (fraîche) fresh, cool
les **frais** *m.* expenses, cost
un **franc** franc *(monetary unit of France, Belgium, and Switzerland)*
franc (franche) frank
français French
le **français** French *(language)*
la **France** France
franchement frankly
francophone French-speaking
les **freins** *m.* brakes
fréquemment frequently
fréquent frequent
un **frère** brother
frire to fry **faire frire** to fry
les **frites** *f.* french fries
froid cold **attraper froid** to catch cold **avoir froid** to be cold **il fait froid** it is cold
le **fromage** cheese
un **fruit** fruit
* **fuir** to flee
fumer to smoke
un **fumeur,** une **fumeuse** smoker
furieux (furieuse) mad, furious **être furieux** to be mad
une **fusée** rocket
le **futur** future

g

gagner to earn, win
un **garage** garage
une **garantie** guarantee
garantir to guarantee
un **garçon** boy, waiter
garder to keep
une **gare** station
un **gâteau** (*pl.* **gâteaux**) cake
gauche left **à gauche de** to the left of
le **gaz naturel** natural gas
un **gendarme** policeman

la **gendarmerie** police force
gêné: être gêné to be bothered
gêner to bother, upset
général (*pl.* **généraux**) general **en général** generally; in general
un **général** general
généralement generally
généreux (généreuse) generous
la **générosité** generosity
génial (*pl.* **géniaux**) brilliant, bright
le **génie** genius
le **genre** gender
un **genre** kind, sort, type
les **gens** *m.* people
gentil (gentille) nice, kind
gentiment nicely
des **gentlemen** *m.* gentlemen
une **glace** ice cream, mirror
la **gloire** glory
une **goutte** drop
un **gouvernement** government
gouverner to govern
grâce à thanks to
la **grammaire** grammar
grand tall; big
une **grand-mère** grandmother
un **grand-parent,** des **grands-parents** grandparent(s)
un **grand-père** grandfather
grandir to grow (tall)
gras (grasse) fat, fatty
un **gratte-ciel** skyscraper
gratter to scrape
gratuit (gratuite) free
grave serious
grec (grecque) Greek
la **Grèce** Greece
un **grenier** attic
griller to broil **faire griller** to broil
la **grippe** flu
gros (grosse) big, fat
grossir to get fat, gain weight
un **groupe** group
une **guerre** war
une **guitare** guitar
un **gymnase** gymnasium
la **gymnastique** gymnastics

h

s' **habiller** to get dressed
un **habitant** inhabitant
habiter to live, live in, to live *(in a place)*
une **habitude** habit **avoir l'habitude de** to be accustomed/used to **d'habitude** usually
habituel (habituelle) habitual
habituellement usually habitually
s' **habituer à** to get used to
Haïti *f.* Haiti
•**hanté** haunted
une **harmonie** harmony
une•**harpe** harp
•**hausser les épaules** to shrug one's shoulders
•**haut** tall, high **parler haut** to speak in a high voice
la•**hauteur** height
un **hélicoptère** helicopter
l' **herbe** *f.* grass
hériter to inherit
un•**héros** hero
hésiter à to hesitate
une **heure** hour, time **à quelle heure?** at what time? **être à l'heure** to be on time **tout à l'heure** shortly; in a little while, a short while ago
heureusement fortunately
heureux (heureuse) happy **être heureux (de)** to be happy (to)
•**heurter** to run into
hier yesterday **hier après-midi** yesterday afternoon **hier soir** last night
l' **Himalaya** the Himalaya mountains
l' **histoire** *f.* history
une **histoire** story
l' **hiver** *m.* winter **en hiver** in the winter
•**hocher la tête** to nod one's head
le•**hockey** hockey
la•**Hollande** Holland
un **homme** man
honnête honest
l' **honnêteté** *f.* honesty
la•**honte** shame **avoir honte (de)** to be ashamed (of)
un **hôpital** hospital
l' **horaire** *m.* schedule, timetable
l' **horoscope** horoscope
horreur: avoir horreur (de) to dislike intensely
un **hôte,** une **hôtesse** host, hostess
un **hôtel** hotel
•**huit** eight
humain human
humeur: de bonne humeur in a good mood **de mauvaise humeur** in a bad mood
l' **humour** *m.* humor
hypocrite hypocritical

i

ici here **d'ici** (+ *time*) within..., between now and...
idéal (*pl.* **idéaux**) ideal
un **idéal** (*pl.* **idéaux**) ideal
idéaliste idealistic
une **idée** idea
identifier to identify
idiomatique idiomatic
ignorer not to know
il he, it
il y a there is/are, here

come(s); ago **qu'est-ce qu'il y a?** what's the matter?, what's happening?
une **île** island
ils they
une **image** image
imaginer to imagine
imiter to imitate
immense immense, vast, huge
un **immeuble** apartment building
immobilière: une agence immobilière real estate office
s' **impatienter** to become impatient
l' **impératif** *m.* imperative mood
un **imperméable** raincoat
impersonnel (impersonnelle) impersonal
impoli impolite
important: il est important it is important
importe: n'importe no matter, any **n'importe comment** in any which way, anyhow **n'importe lequel** any one **n'importe où** anywhere, anyplace **n'importe quand** (at) any time **n'importe quel** no matter what **n'importe quel** + *noun* any + *noun* **n'importe qui** anyone, anybody **n'importe quoi** anything
importer to import
impossible: il est impossible it is impossible **il est impossible que** it is impossible that
un **impôt** tax
imprudent careless
impulsif (impulsive) impulsive
l' **impulsion** *f.* impulse, impetus
impulsivement impulsively
inactif (inactive) inactive
un **incendie** fire
inconfortable uncomfortable
inconnu unknown
un **inconnu,** une **inconnue** unknown person
indécis undecided
indéfini indefinite
l' **indépendance** *f.* independence
les **Indes** *f.* the (West) Indies
indien (indienne) Indian
indiscret (indiscrète) indiscreet
indispensable: il est indispensable it is indispensable, absolutely necessary
un **individu** individual
individualiste individualistic
une **industrie** industry
industriel (industrielle) industrial
inefficace ineffective
une **inégalité** inequality
inférieur inferior
l' **infinitif** *m.* infinitive
un **infirmier,** une **infirmière** nurse
l' **inflation** *f.* inflation
un **informaticien,** une **informaticienne** computer scientist
l' **informatique** *f.* data processing
informé: bien informé well informed
s' **informer** to inform oneself, inquire
un **ingénieur** engineer
l' **initiative** *f.* initiative
s' **initier** to be introduced
injuste: il est injuste it is unfair
une **injustice** injustice
innombrable innumerable, countless
inquiet (inquiète) worried; concerned
inquiéter to worry
s'inquiéter to worry, get worried
s' **inscrire** to register
insister to insist
s' **installer** to settle (down)
instinctif (instinctive) instinctive
un **institut** institute, institution
intellectuel (intellectuelle) intellectual
intelligemment intelligently
intelligent intelligent, smart
intensément intensely
intention: avoir l'intention de to intend to
l' **interdiction** *f.* ban **une interdiction de stationner** "no parking" sign
* **interdire** to forbid **interdire à...de** to forbid
intéressant interesting
intéresser to interest **s'intéresser à** to be interested in
un **intérêt** interest
intérieur: à l'intérieur (de) inside
un **interprète,** une **interprète** interpreter
intuitif (intuitive) intuitive
inutile useless **il est inutile** it is useless
inverser to reverse
l' **inversion** *f.* inversion
investir to invest
un **invité,** une **invitée** guest

inviter...à to invite
l' **Iran** *m.* Iran
irrégulier (irrégulière) irregular
isolé isolated
Israël *m.* Israel
l' **Italie** *f.* Italy
italien (italienne) Italian
l' **italien** *m.* Italian *(language)*
italique: en italique in italics

j

une **Jaguar** Jaguar *(car)*
jaloux (jalouse) jealous
jamais never **ne...jamais** never
une **jambe** leg
le **jambon** ham
janvier January
le **Japon** Japan
japonais Japanese
le **japonais** Japanese *(language)*
jaune yellow
je (j') I
jeter to throw (away)
un **jeu** game
jeune young
les **jeunes** *m.* young people
la **jeunesse** youth
le **jogging** jogging
la **joie** happiness
* **joindre** to join
joli pretty
jouer to play **jouer à** to play *(a sport)* **jouer de** to play *(a musical instrument)*
un **joueur,** une **joueuse** player **être mauvais joueur** to be a poor loser
un **jour** on day **ce jour-là** on that day **l'autre jour** the other day **tous les jours** every day
un **journal** (*pl.* **journaux**) newspaper
le **journalisme** journalism
un **journaliste,** une **journaliste** reporter
une **journée** day
joyeux (joyeuse) cheerful
un **juge** judge
juillet July
juin June
une **jupe** skirt
le **jus** juice **du jus d'orange** orange juice
jusqu'à until; up to, as far as **jusqu'à ce que** until
juste fair **chanter juste** to sing on key **il est juste** it is fair
justement precisely, as a matter of fact
la **justice** matters of law, justice **le palais de justice** court house

k

le **karaté** karate
un **kilo** kilo(gram)
un **kilomètre** kilometer
le **Koweït** Kuwait

l

l' (*see* **le, la**)
la (l') the, her, it
là there **là-bas** over there **ce...-là** that... (over there)
un **laboratoire** laboratory
un **lac** lake
laid ugly
la **laine** wool
une **laisse** leash
laisser to let, leave **laisser...à...** to leave **laisser (quelqu'un) indifférent** not to interest, not to matter to **laisser (une personne ou un objet)** to leave (something or someone) someplace
le **lait** milk
laiters: les produits laitiers dairy products
le **lancement** launching
lancer to throw, launch
une **langue** language **une langue de programmation** computer language
laquelle which one
large wide, broad
le **latin** Latin *(language)*
un **lave-vaisselle** dishwasher
laver to wash **se laver** to wash oneself
le (l') the, him, it
une **leçon** lesson
légal (*pl.* **légaux**) legal
une **légende** legend, fable
léger (légère) light
un **légume** vegetable
le **lendemain** the day after
lent show
lentement slowly
une **lentille** lentil
lequel (laquelle; lesquels, lesquelles) which one(s)
les the, them
une **lettre** letter
leur (to) them
leur(s) their
le **leur,** la **leur,** les **leurs** theirs
lever to raise, lift (up) **se lever** to get up **être levé** to be up
libéral (*pl.* **libéraux**) liberal
le **libéralisme** liberalism
libérer to liberate
la **liberté** liberty, freedom
une **librairie** bookstore
libre free
un **lien** bond
lieu: au lieu de instead

of **avoir lieu** to take place

une **ligne** line

la **limonade** lemon soda

* **lire** to read

une **liste** list

un **lit** bed

un **litre** liter **un demi-litre** half liter

un **livre** book

une **livre** (metric) pound (= ½ kilo)

une **locution** phrase, locution

logement lodging

logique logical

la **logique** logic

la **loi** law

loin far **loin de** far from

le **loisir** leisure, free time

long (longue) long **le long de** along

longtemps (for) a long time **il y a longtemps** a long time ago

lorsque when

une **loterie** lottery

louer to rent, hire

lourd heavy

loyal (*pl.* **loyaux**) loyal

loyalement loyally

la **loyauté** loyalty

lui him, (to) him, (to) her

lui-même himself

lumineux (lumineuse) luminous

une **lumière** light

lundi Monday

la **lune** moon

des **lunettes** *f.* glasses

lutter to fight

un **lycée** high school

un **lycéen,** une **lycéenne** high school student

m

m' (*see* **me**)

ma my

un **machin** thing

une **machine** machine **une machine à écrire** typewriter **une machine à laver** washing machine **une machine de traitement de texte** word processor

madame (*pl.* **mesdames**) lady

Madame (Mme) Mrs., ma'am

mademoiselle (*pl.* **mesdemoiselles**) lady

un **magasin** store

un **magazine** magazine

la **magie** magic

mai May

maigre skinny

maigrir to become thin, to lose weight

une **main** hand

maintenant now

* **maintenir** to maintain

un **maire** mayor

mais but

le **maïs** corn

la **maison** house, home **à la maison** at home **une maison en/de brique** brick house

mal badly, poorly **mal élevé** ill-mannered **avoir mal à la tête** to have a headache **se faire mal (à la main)** to hurt (one's hand)

un **malade,** une **malade** sick person

une **maladie** illness

malgré despite **malgré cela** in spite of that, nevertheless **malgré tout** in spite of everything, after all

un **malheur** misfortune

malheureusement unfortunately

malheureux (malheureuse) unhappy **être malheureux** to be unhappy

malhonnête dishonest

manger to eat

manipuler to manipulate

une **manière** manner, way **de la même manière** in the same way, likewise **d'une manière** in a way

un **mannequin** (fashion) model

manque: il manque there is/are...missing **il manque** (+ *noun*) ...is/are missing

manquer (de) to miss, lack, be lacking **manquer à** to be missed by

un **manteau** (*pl.* **manteaux**) coat

manuel (manuelle) manual *(labor)*

manufacturé manufactured

se **maquiller** to put on make-up

un **marchand,** une **marchande** merchant

une **marchandise** merchandise

marche: ça marche? how's it going?

marché: bon marché cheap, inexpensive

un **marché** market **le Marché Commun** Common Market

marcher to walk, work, function

mardi Tuesday

un **mari** husband

marié married **les jeunes mariés** newlyweds **une robe de mariée** bridal gown

se **marier** to get married **se marier avec** to marry someone

marine: bleu marine navy blue

la **marine** navy
une **marque** make, brand
marquer to mark
une **marraine** godmother
marron brown
un **marron** chestnut
mars March
un **match** game, match **faire un match de** (+ *sport*) to play a game of...
matérialiste materialistic
des **matériaux** *m.* **de construction** construction materials
le **matériel** equipment
les **mathématiques** *f.* mathematics
les **maths** *f.* math
un **matin** morning **ce matin** this morning
une **matière** material **des matières** *f.* **premières** raw materials **la matière plastique** plastic
mauvais bad **sentir mauvais** to smell bad
me (m') me, to me, myself
un **mécanicien,** une **mécanicienne** mechanic
la **mécanique ondulatoire** wave mechanics
un **mécanisme** mechanism, machinery
méchant bad, nasty
un **médecin** doctor
la **médecine** (art of) medicine
les **média** *m.* media
médical (*pl.* **médicaux**) medical
un **médicament** medicine
mégarde: par mégarde accidentally
meilleur better
le **meilleur,** la **meilleure** the best
même even **même si** even if **quand même** nevertheless, however
même very, exact, itself, same, identical
le **même (la même)** the same (one) **les mêmes** the same (ones)
une **mémoire** memory
menacer (de) to threaten
ménager (ménagère) domestic
menteur (menteuse) lying
la **menthe** mint
* **mentir** to lie, tell lies
la **mer** sea, ocean
une **Mercédès** Mercedes *(car)*
merci thanks, thank you
une **mère** mother
mériter to deserve
merveilleux (merveilleuse) marvelous
mes my
un **métal** (*pl.* **métaux**) metal
une **méthode** method, system
un **métier** trade, profession, business
un **mètre** meter
le **métro** subway
* **mettre** to put, place, put on, turn on *(the TV),* to take *(time);* to set *(the table)* **mettre en pratique** to put into practice **se mettre à** to start, begin **se mettre en colère** to get angry
des **meubles** *m.* furniture
mexicain Mexican
le **Mexique** Mexico
un **micro-ordinateur** microcomputer
midi noon
le **mien,** la **mienne,** les **miens,** les **miennes** mine
mieux better **aimer mieux** to prefer **de mieux en mieux** better and better **faire de son mieux** to do one's best **il vaut mieux que** it is better that **tant mieux** so much the better
mignon (mignonne) cute
milieu: au milieu de in the middle of
militer to militate
mille (one) thousand
un **mille** mile
un **milliard** billion
un **million** million
un **millionnaire** millionaire
mince thin
une **mine** mine
minuscule tiny, minute
minuit midnight
une **minute** minute
mise en pratique put into practice
moche plain, unattractive
un **mode** way, means
un **modèle** model
moderne modern
moderniser to modernize
moi me **moi aussi!** me too!, so am I! **moi non plus!** neither am I!
moi-même myself
moins less **à moins que** unless **au moins** at least **de moins en moins** less and less **le/la/les moins...de** the least...in/of **moins bon** worse **moins de...que** less...than **moins...moins** the less...the less **moins...plus** the less...the more **moins...que** less...than
un **mois** month **au mois de** in the month of
une **moitié** a half
un **moment** moment **au moment où** just as
mon (ma; mes) my
monde: le monde des affaires the business

world **tout le monde** everyone, everybody
mondial (*pl.* **mondiaux**) worldwide
la **mononucléose** mononucleosis
monotone monotonous
Monsieur (M.) Mr., sir
un **monsieur** (*pl.* **messieurs**) gentleman
une **montagne** mountain
monter to go up, climb, to bring/take/carry up
une **montre** watch
montrer...à... to show
un **monument** monument
se **moquer de** to make fun of, laugh at
un **morceau** (*pl.* **morceaux**) piece
mordre to bite
la **mort** death
un **mort** dead person
un **mot** word
un **moteur** motor, engine **un moteur à essence** gas engine
un **motif** motive
une **motivation** motivation
une **moto** motorcycle
un **motocycliste** motorcyclist
les **mots** *m.* **croisés** crossword
mou (molle) soft, slack, flabby
* **mourir** to die
la **moutarde** mustard
le **mouvement** movement
moyen (moyenne) average; middle
muet (muette) silent
un **mur** wall
un **musée** museum
musical (*pl.* **musicaux**) musical
un **musicien,** une **musicienne** musician
la **musique** music
mutuellement mutually
mystérieux (mystérieuse) mysterious
un **mystère** mystery

n

nager to swim
un **nageur,** une **nageuse** swimmer
naïf (naïve) naïve
* **naître** to be born
naïvement naïvely
la **natation** swimming
les **Nations** *f.* **Unies** United Nations
naturel (naturelle) natural **il est naturel** it is natural
naturellement naturally
nautique: le ski nautique water-skiing
navré: être navré to be very sorry
ne: ne...aucun not any, no, not a single **ne...jamais** never **ne...ni...ni** neither...nor **ne...nulle part** nowhere, not anywhere **ne...pas** not **ne...pas encore** not yet **ne...personne** nobody, no one, not anybody, not anyone **ne...plus** no longer, not any longer, no more, not anymore **ne...que** only **ne...rien** nothing, not anything
néanmoins nevertheless, nonetheless
nécessaire: il est nécessaire it is necessary **il n'est pas nécessaire de...** it is not necessary, one does not have to
nécessairement necessarily **il ne faut pas nécessairement...** it is not necessary, one does not have to
négatif (négative) negative
négativement negatively
négliger de to neglect, forget
négocier to negotiate
la **neige** snow
neiger to snow
nerveux (nerveuse) nervous
n'est-ce pas? no? isn't it so? right?
nettoyer to clean
neuf (neuve) new, brand-new
neuf nine
neuvième ninth
un **neveu** (*pl.* **neveux**) nephew
un **nez** nose
ni: ne...ni...ni neither...nor
le **nickel** nickel
une **nièce** niece
n'importe (*see* **importe**)
le **Noël** *m.* Christmas **la veille de Noël** Christmas eve
noir black
un **nom** name, noun
nominal (*pl.* **nominaux**) noun
nommé: être nommé to be appointed
non no
le **nord** north
normal (*pl.* **normaux**) normal **il est normal** it is to be expected
nos our
une **note** grade, note
noter to note, notice
notre (*pl.* **nos**) our
le **nôtre,** la **nôtre,** les **nôtres** ours
nourrir to feed
la **nourriture** food
nous we, us, to us; ourselves, each other, one another
nous-mêmes ourselves
nouveau (nouvel, nouvelle; nouveaux,

nouvelles) new, newly acquired **à nouveau** again **de nouveau** again
une **nouvelle** news item **les nouvelles** *f.* the news
la **Nouvelle-Orléans** New Orleans
nucléaire nuclear
une **nuit** night **faire nuit** to be dark
nulle: ne...nulle part nowhere, not anywhere
numérique numerical
un **numéro** number
nutritive: valeur *f.* **nutritive** food-value
le **nylon** nylon

o

obéir à to obey
un **objectif** aim, objective
un **objet** object, thing
obliger to oblige
obliger...à to oblige, require
observer to notice, observe
* **obtenir** to get, obtain
occasion: d'occasion second-hand, used
une **occasion** occasion, opportunity
occidental (*pl.* **occidentaux**) western
les **occupations** *f.* **de la journée** daily activities
occupé busy
occuper to keep busy **s'occuper de** to take care of
octobre October
un **oeil** (*pl.* **yeux**) eye
un **officier** officer
une **offre** offer **une offre d'emploi** job offer
* **offrir** to offer, give **offrir...à...** to give, offer **offrir à...de** to offer
un **oiseau** (*pl.* **oiseaux**) bird
oisif (oisive) idle
une **omelette** omelet
on they, people, one, you *(in a general sense),* we, someone, anyone
une **once** ounce
un **oncle** uncle
ondulatoire wave
onze eleven
une **opinion** opinion
opportun opportune, timely
optimiste optimistic
l' **or** *m.* gold
une **orange** orange **le jus d'orange** orange juice
un **orateur,** une **oratrice** orator, speaker
un **ordinateur** computer
ordonné orderly
ordonner á...de to order
organiser to organize
l' **orgueil** *m.* pride
original (*pl.* **originaux)** original
l' **orthographe** *f.* spelling
orthographique spelling
oser to dare
ou or **ou...ou** either...or
où? where?
oublier (de) to forget
l' **ouest** *m.* west
oui yes
un **outil** tool
outre: en outre besides, moreover
ouvert open
un **ouvre-boîtes** can opener
un **ouvrier,** une **ouvrière** worker
* **ouvrir** to open
ovale oval

p

une **page** page
le **pain** bread
une **paire** pair
la **paix** peace
un **palais** palace **le palais de justice** court house
pâle pale
pâlir to grow pale
un **pantalon** pair of pants
un **pape** pope
une **papeterie** stationer's shop
le **papier** paper **le papier à lettres** writing paper
un **paquet** package, pack
par by, through **par conséquent** therefore, consequently **par contre** on the other hand, however
* **paraître** to seem, look, appear
un **parc** park
parce que because
* **parcourir** to go over, travel through
pardonner à to forgive
pareil (pareille) similar; the same
un **parent** parent
une **parenthèse** parenthesis
paresseux (paresseuse) lazy
parfait perfect
parfaitement perfectly
parfois sometimes
un **parfum** perfume
parisien (parisienne) Parisian
parler (à) to speak, talk (to) **parler de** to speak/talk about **parler fort (haut, bas)** to speak in a loud (high, low) voice
parmi among
un **parrain** godfather
part: ne...nulle part nowhere, not anywhere **quelque part** somewhere
partager to share
un **partenaire** partner
participer (à) to participate in, take part in
particulier (particulière) particular, special

particulièrement especially
une **partie** part, portion **faire partie de** to be part of **faire une partie de** (+ *game*) to play a game of...
* **partir** to leave, to depart, go away **à partir de** beginning **partir en vacances** to go on vacation
partitif (partitive) partitive
partout everywhere
pas not **ne pas** not **ne...pas encore** not yet **pas du tout** not at all
un **passager,** une **passagère** passenger
passe: il se passe... ...are happening **qu'est-ce qui se passe?** what's happening?
le **passé** past **le passé composé** compound past tense
passé: qu'est-ce qui s'est passé? what happened?
un **passeport** passport
passer to go (by/through), to spend *(time),* to take *(an exam),* to pass (along) **se passer** to happen, take place, occur **se passer de** to do without
passionnant thrilling
se **passionner** to have a passion for
la **patience** patience
patient patient
un **patient,** une **patiente** patient
des **patins** *m.* **à glace** ice skates
un **patron,** une **patronne** boss
pauvre poor
un **pauvre,** une **pauvre** poor person

payer to pay, pay for
un **pays** country
un **paysage** landscape
un **paysan,** une **paysanne** peasant
la **peau** skin
pédestre on foot
un **peigne** comb
se **peigner** to comb one's hair
* **peindre** to paint
peine: à peine hardly, scarcely
un **peintre,** une **peintre** painter
pendant during **pendant que** while
pénible boring; painful, unpleasant
la **pensée** thought, thinking
penser to think, expect, plan **penser (à)** to think of/about **penser de** to think, have an opinion about
perdre to lose, waste *(time)* **se perdre** to get lost
un **père** father
la **performance** performance
périr to perish
* **permettre (à)** to permit, allow **permettre à...de** to allow, let, give permission
un **permis** permit
un **personnage** character
la **personnalité** personality
personne no one **ne...personne** nobody, no one, not anybody, not anyone **personne d'autre** nobody else
une **personne** person
personnel (personnelle) personal
le **personnel** personnel, staff
persuader...de to persuade
peser to weigh
pessimiste pessimistic

petit short; small **un petit ami** boyfriend **une petite amie** girlfriend **les petites annonces** *f.* want ads **un petit déjeuner** breakfast **un petit-enfant** (*pl.* **petits-enfants)** grandchild
le **pétrole** oil, petroleum
peu little, not much **peu de** not much (of), not many **un peu de** a little (of), a little bit (of)
le **peuple** people
peuplé populated
peur: avoir peur (de) to be afraid (of) **de peur que** for fear that **faire peur (à quelqu'un)** to scare, frighten *(someone)*
peut: il se peut que... it is possible that...
peut-être maybe, perhaps
un **pharmacien,** une **pharmacienne** pharmacist
un **phénomène** phenomenon
philatélique stamp-collecting
une **photo** photograph
la **photo(graphie)** photography
un **photographe,** une **photographe** photographer
une **phrase** sentence
physique physical
la **physique** physics
piano: faire du piano to play the piano
une **pièce** coin; play, piece **une pièce de théâtre** play
un **pied** foot
la **pierre** stone
piloter to fly *(an airplane)*
un **pin** pine(tree)
un **pique-nique** picnic
piquer to sting
pis: tant pis! too bad!

une **piscine** pool
la **pitié** pity
pittoresque picturesque
le **placard** closet
placer to put, set, place
une **plage** beach
*se **plaindre** to complain
* **plaire (à quelqu'un)** to please
un **plaisir** pleasure **faire plaisir (à quelqu'un)** to please, make happy
plaît: s'il te (vous) plaît please
un **plan** map
une **planche** board **faire de la planche à voile** to go windsurfing
le **plastique** plastic
un **plat** dish, course *(of a meal)*
le **platine** platinum
plein full **faire le plein** to fill the tank
pleut: il pleut it is raining
* **pleuvoir** to rain
le **plomb** lead
la **plongée sous-marine** scuba diving
plonger to dive
la **pluie** rain
la **plupart** most (of them) **la plupart de** most of
le **pluriel** plural
plus more **de plus** besides, moreover **de plus en plus** more and more **le/la/les plus...de** the most...in/of **ne...plus** no longer, not any longer, no more, not anymore **plus de...que** more...than **plus...moins** the more..the less **plus...plus** the more...the more **plus...que** more...than **plus tard** later
plusieurs several **plusieurs fois** several times
le **plus-que-parfait** pluperfect
plutôt rather
un **pneu** (*pl.* **pneus**) tire
une **poche** pocket
un **poêle** stove
une **poêle** frying pan
le **poids** weight
point: être sur le point de (+ *inf.*) to be close to/about to do something
un **poisson** fish
le **poivre** pepper
poli polite
policier (policière) detective
poliment politely
la **politesse** politeness
politique political **un homme politique** politician
la **politique** politics, policy
pollué polluted
la **pollution** pollution
polonais Polish
une **pomme** apple **une pomme de terre** potato
ponctuel (ponctuelle) punctual
un **pont** bridge
populaire popular
le **porc** pork
portatif (portative) portable
un **porte-avions** aircraft carrier
un **porte-bagages** luggage rack
un **porte-clés** key holder
un **porte-documents** attaché case
un **porte-monnaie** wallet
porter to carry, wear **se porter bien (mal)** to be in good (bad) health
une **portion** portion, helping
un **portrait** portrait
poser to pose, ask *(a question)*
posséder to own
une **possibilité** possibility
possible possible **faire tout son possible** to do all that is possible **il est possible que...** it is possible that...
un **poste** post, station, job
une **poste** post office **mettre à la poste** to mail **un bureau de poste** post office
un **pot** jar
le **poulet** chicken
un **poème** poem
pour (in order) to, for **pour cent** percent **pour que** so that
le **pourcentage** percentage
pourquoi? why?
* **poursuivre** to pursue, chase
pourtant nevertheless, however
pourvu que provided that, let's hope that
pousser to grow **faire pousser** to grow
la **poussière** dust
* **pouvoir** to be able, can
un **pouvoir** power
pratique practical
une **pratique** practice **mettre en pratique** to put into practice
pratiquer to practice
préalable preliminary
précédent before
précieux (précieuse) precious
précis precise
précisément precisely
des **précisions** *f.* more information
précoce precocious
* **prédire** to predict
préférer to prefer, like better
un **préjugé** prejudice
préliminaire preliminary
premier (première) first

le **premier,** la **première** the first
premièrement first
* **prendre** to take *(in general),* to have *(a meal, something to eat or drink)* **s'y prendre** to handle a situation, go about something
préoccupé preoccupied
préoccuper to preoccupy, worry **se préoccuper de** to worry about
préparer to prepare **préparer un examen** to prepare for an exam **se préparer (à)** to get ready (to)
près (de) near, next to
le **présent** present
présenter to introduce **se présenter** to present oneself
un **président,** une **présidente** president
présidentiel (présidentielle) presidential
presque almost **ne...presque jamais** hardly ever **ne...presque pas** hardly
prêt (prête) ready
prétendre to claim
prétentieux (prétentieuse) pretentious
prêter...à... to lend, loan
* **prévenir** to warn
* **prévoir** to foresee
prévu planned
prier...de to ask, beg
un **prince** prince
une **princesse** princess
principal (*pl.* **principaux**) principal, main
un **principe** principle
le **printemps** spring **au printemps** in the spring
la **prise** capture
un **prisonnier,** une **prisonnière** prisoner
privé private
un **prix** prize, price
probable: il est probable que it is probable that
probablement probably
un **problème** problem
prochain next
la **production** production
* **produire** to produce
un **produit** product **les produits laitiers** dairy products
un **professeur** teacher, professor
une **profession** profession
professionnel (professionnelle) vocational *(training, etc.),* professional
profond deep
la **programmation** programming **une langue de programmation** computer language
un **programme** program
programmer to program *(computers)*
un **programmeur,** une **programmeuse** *(computer)* programmer
progresser to progress, advance, improve
le **progrès** progress **faire des progrès** to make progress
un **projet** plan; project
promenade: faire une promenade (à cheval) to go for a ride on horseback **faire une promenade (à pied)** to go for a walk **faire une promenade (en auto/à vélo)** to go for a ride (by car/by bicycle)
promener to walk **se promener** to go for a walk/ride
une **promesse** promise
* **promettre (à)** to promise **promettre à...de** to promise
un **pronom** pronoun
pronominal (*pl.* **pronominaux)** pronominal, reflexive
une **proportion** proportion, ratio, percentage
propos: à propos de about, concerning
un **propos** resolution
proposer á...de to suggest
une **proposition** suggestion, offer
propre clean, own
un **prospecteur** prospector
prospère prosperous
protéger to protect
prouver to prove
province: de province small townish, country, provincial
les **provisions** *f.* food
provoquer to provoke
prudent cautious, careful; wise
un **psychiatre,** une **psychiatre** psychiatrist
public (publique) public
le **public** the public, the people
la **publicité** advertising, publicity
publier to publish
puis then
puisque since
une **puissance** power
puissant powerful
un **pull** sweater, pullover

q

une **qualité** quality
quand when **depuis quand?** since when? **jusqu'à quand?** until when? **quand?** when?

quand même nevertheless, however
une quantité quantity
quarante forty
un quart one quarter
un quartier district, neighborhood
quatorze fourteen
quatre four
quatre-vingt-dix ninety
quatre-vingts eighty
que who, whom, that, which que than *(in comparisons)* que? what? que...! how...! à moins que unless ce que what ne...que only
Québec *m.* Quebec
quel (quelle) which, what à quelle heure? at what time?
quelque chose something quelque chose d'autre something else
quelquefois sometimes, at times
quelque part somewhere
quelques some, a few
quelques-uns (quelques-unes) some, a few
quelqu'un someone, somebody quelqu'un d'autre someone else
qu'est-ce que? what? qu'est-ce que c'est? what is it? qu'est-ce que c'est que ça? what's that? qu'est-ce qui? what?
une question question il est question de... it is about... pas question out of the question
qui who(m), that, which à qui? to whom? avec qui? with whom? ce qui what qui? who, whom? qui est-ce que? whom? qui est-ce-qui? who?
quinze fifteen
quinzième fifteenth
quitter to leave quitter (un endroit ou une personne) to leave a place or take leave of a person se quitter to leave one another
quoi what quoi? what?
quoique although

r

raconter to tell
un radical (*pl.* radicaux) radical
une radio radio
raffiné refined
du raisin grapes
une raison reason à raison rightly à tort ou à raison rightly or wrongly avoir raison to be right
raisonnable rational, wise
ranger to put in order, put away
rapide fast
rappeler to recall, call back se rappeler to remember
un rapport report
une raquette racket une raquette de tennis tennis racket
rarement seldom
se raser to shave
un rasoir razor
rater to miss, fail
rationnel (rationnelle) rational
ravi: être ravi to be very happy
un ravin gully, ravine
réagir to react
un réalisateur, une réalisatrice director, filmmaker
réaliser to carry out réaliser (un rêve) to see (a dream) come true, to achieve
réaliste realistic
réalité: en réalité actually
récemment recently
récent recent
* recevoir to receive, get, obtain, entertain (guests) at home
une recherche search, research
un récipient container
une réciprocité reciprocity
réciproque reciprocal
un récital (*pl.* récitals) (musical) recital
une recommandation recommendation
recommander á...de to recommend
recommencer to start again
récompenser to reward
la reconnaissance recognition
* reconnaître to recognize, identify, to admit
recréer to recreate
recruter to recruit
rectangulaire rectangular
rectifier to correct
le recyclage recycling
* réduire to reduce
réel (réelle) real
réellement really, actually
* refaire to do again
réfléchir (à) to think (about)
refléter reflect
une réforme reform
réformer to reform
un réfrigérateur refrigerator
refuser de to refuse
regarde: ça ne me regarde pas it's none of my business
regarder to look at, watch

(on TV); to concern, be of interest to
régime: suivre un régime to be on a diet
une **région** region, area
régner to rule
le **regret** regret
regrettable: il est regrettable it is regrettable, too bad
regretter de to regret, be sorry about
régulier (régulière) regular
régulièrement regularly
une **reine** queen
rejeter to reject
se **réjouir** to be happy, delighted
relatif (relative) relative
une **relation** connection, relationship
relativement relatively
relier to join, link up
* **relire** to reread
remarquable remarkable
une **remarque** remark
remarquer to notice, remark
un **remède** remedy
remercier...de to thank
* **remettre** to hand in, put back
remplacer to replace
remplir to fill, fill out
remporter to win
une **Renault** Renault *(car)*
rencontrer to meet
se rencontrer to meet
un **rendez-vous** date, appointment
rendre to give back, return **rendre...à...** to give back **rendre (quelqu'un) heureux/triste** to make happy/sad **rendre service (à)** to help **rendre visite (à)** to visit *(a person)* **se rendre à** to go to **se rendre compte (de)** to realize
renoncer (à) to give up, decide against, renounce
un **renouveau** renewal
renouveler to renew
rénover to renovate
un **renseignement** information
rentrer to return, go home, to come/go back home, to go back, come back, return, to bring/take in
renverser to knock down, spill, run over
renvoyer to send back
réorganiser to reorganize, organize again
réparer to fix
un **repas** meal
* **repeindre** to repaint
répéter to repeat
répliquer to reply
répondre (à) to answer
une **réponse** answer
se **reposer** to rest
un **représentant,** une **représentante** representative
représenter to represent
un **reproche** reproach
reprocher à...de to reproach **se reprocher** to reproach oneself
une **requête** request, appeal
réserver to reserve
* **résoudre** to resolve
respecter to respect
la **responsabilité** responsibility
responsable responsible
ressembler à to look like
* **ressentir** to feel *(emotion, pain)*
une **ressource** resource
un **restaurant** restaurant
restaurer to restore
reste: du reste besides, moreover
rester to stay; to remain **il reste** there is/are...left **il reste** (+ *noun*) ...is/are left
un **résultat** result
retard: (être) en retard (to be) late
* **retenir** to retain, reserve
se **retirer** to retire
le **retour** return
retourner to go back, return
un **retraité,** une **retraitée** retired person **le couple de retraités** retired couple
retrouver to find (again), meet
une **réunion** meeting, gathering
réunir to bring together
réussir (à) to succeed (in), be successful in, to pass *(a test)*
la **réussite** success
un **rêve** dream
un **réveil** wakening
se **réveiller** to wake up
* **revenir** to come back, return
les **revenus** *m.* income
rêver de to dream of/about
une **révision** revision
* **revoir** to see again
se **révolter** to revolt, rebel
une **revue** magazine, review
riche rich
un **rideau** (*pl.* **rideaux**) curtain
ridicule ridiculous **il est ridicule** it is ridiculous
rien nothing **ça ne fait rien** it doesn't matter **ne...rien** nothing, not anything **rien d'autre** nothing else
* **rire** to laugh
un **risque** risk
une **rivière** stream
le **riz** rice

une **robe** dress **une robe de mariée** bridal gown
robuste robust, sturdy
un **roi** king
un **rôle** role, part
romain Roman
un **roman** novel
rond round
le **roquefort** roquefort *(cheese)*
le **rosbif** roast beef
rôtir to roast **faire rôtir** to roast
rouge red
rougir to turn red, blush
une **route** highway, road
roux (rousse) redheaded
une **rue** street
une **rumeur** rumor
russe Russian
le **russe** Russian *(language)*
rustique rustic

S

sa his, her, its, one's
un **sac** bag, handbag, sack
sage rational, wise
sain healthy
saisir to seize, grab
une **saison** season
la **salade** salad
un **salaire** salary, pay
sale dirty, not clean, nasty, unpleasant
une **salle de bains** bathroom **une salle de classe** classroom
saluer to greet
samedi Saturday, on Saturday
un **sandwich** sandwich
sans without **sans que** without
la **santé** health **être en bonne santé** to be in good health
satisfaire to satisfy
satisfait satisfied **être satisfait de** to be happy about
le **saumon** salmon
sauter to jump
sauver to save a person or thing from destruction
un **savant,** une **savante** scientist
* **savoir** to know, know how (to); to learn, find out
le **savon** soap
scolaire school
se himself, herself, oneself, themselves, each other, one another
sec (sèche) dry
un **sèche-cheveux** hair dryer
sécher to dry
second second *(of two)*
secret (secrète) secret
un **secrétaire,** une **secrétaire** secretary
un **secteur** sector **un secteur électronique** local supply circuit
seize sixteen
un **séjour** stay, sojourn, visit
le **sel** salt
selon according to
une **semaine** week
semblable similar
semblant: faire semblant de (+ *inf.*) to pretend (to)
sembler to seem, appear
le **sénateur** senator
le **sens** meaning **en sens inverse** in the opposite direction
un **sentiment** feeling, sentiment
* **sentir** to feel, smell **sentir bon (mauvais)** to smell good (bad) **se sentir (en forme)** to feel (in great shape) **se sentir (fatigué)** to feel (tired) **se sentir (malade)** to feel (sick)
sept seven
septembre September
sérieusement seriously
sérieux (sérieuse) serious
une **serveuse** waitress
* **servir** to serve **se servir de** to use
ses his, her, its, one's
seul lonely, alone, by oneself, only **tout seul** all by oneself, all alone
le **seul,** la **seule** the only one
seulement only, however
si so, if **même si** even if
si yes *(to a negative question)*
un **siècle** century
un **siège** seat
le **sien,** la **sienne,** les **siens,** les **siennes** his, hers, its
une **sieste** nap
signer to sign
silencieux (silencieuse) silent, quiet
sinon if not
sixième sixth
un **sixième** one sixth
le **ski** skiing **faire du ski** to ski **faire du ski nautique** to go water skiing **le ski nautique** water skiing
skier to ski
snob snobbish, stuck-up
sociable sociable
social (*pl.* **sociaux**) social
le **socialisme** socialism
une **société** society
une **sœur** sister
soi himself, herself, oneself
la **soie** silk
soif: avoir soif to be thirsty
un **soir** evening **avant-hier soir** the night before last
une **soirée** evening
soixante sixty
soixante-dix seventy
un **soldat** soldier
solde: en solde on sale

la **sole** sole *(fish)*
le **soleil** sun
solide solid
la **solitude** solitude, loneliness
une **somme** sum
sommeil: avoir sommeil to be sleepy
un **sommet** top, summit, peak
son (sa; ses) his, her, its, one's
une **sonate** sonata
songer á to think about
sonner to ring
la **sonnette** bell
la **sonorisation** sound system
une **sorte** sort, type, kind
* **sortir** to go out, to take out *(a thing),* to get out, take out **sortir de** to get out (of, from)
soudain suddenly
* **souffrir** to suffer
souhaitable: il est souhaitable it is desirable
souhaiter to wish
souligné underlined
une **source** source
* **sourire** to smile
sous under
sous-développé underdeveloped
sous-marin underwater **la plongée sous-marine** scuba diving
souscrire to sign, subscribe
un **sous-préfecture** office of the assistant prefect
souterrain underground
un **souvenir** memory
se souvenir de to remember
souvent often
soviétique Soviet
des **spaghetti** *m.* spaghetti
spécial (*pl.* **spéciaux**) special
spécialement especially
spécialisé specialized
une **spécialité** specialty
un **spectacle** play, show, sight, scene
spectaculaire spectacular
un **spectateur,** une **spectatrice** spectator
spontané spontaneous
le **sport** sport, sports
sportif (sportive) athletic, one who likes sports
un **stade** stadium
une **star** movie star
stationner to park
une **station-service** gas station
statistique statistical
la **sténo** shorthand
strictement strictly
un **studio** studio apartment
un **stylo** pen **un stylo à bille** ball-point pen
le **subjonctif** subjunctive
une **substance** substance
une **substitution** substitution
le **succès** success
le **sucre** sugar
sucré sweet
le **sud** south
suffisamment enough
suffisant adequate
suffit: il suffit it's enough
suggérer à...de to suggest
une **suggestion** suggestion
suisse Swiss
suite: tout de suite right away, immediately
suivant following
* **suivre** to follow **faire suivre** to forward **suivre un cours** to take a course **suivre un régime** to be on a diet
un **sujet** subject **au sujet de** about, concerning
superficiel (superficielle) superficial
superficiellement superficially
superflu superfluous
supérieur superior
un **supermarché** supermarket
supersonique supersonic
superstitieux (superstitieuse) superstitious
supplier...de to beg
supposer to assume
une **supposition** assumption
supprimer to suppress, remove
sur on, about; out of
sûr: bien sûr of course **il est sûr** it is certain **il est sûr que** it is sure that
surnaturel (surnaturelle) supernatural
suprenant: il est surprenant it is surprising
* **surprendre** to surprise
surpris: être surpris to be surprised
une **surprise** surprise
une **surprise-partie** (informal) party
surréaliste surrealist
* **survivre** to survive
sympathique pleasant, nice; congenial
un **système** system

t

t' (*see* **te**)
ta your
le **tabac** tobacco
une **table** table
un **tableau** (*pl.* **tableaux**) painting, picture
Tahiti *f.* Tahiti
une **taille** size
un **tailleur** suit
*se **taire** to be quiet
un **talent** talent
tant so much, that much **tant de** so much,

so many, that much, that many **tant mieux** so much the better **tant que** as long as
une **tante** aunt
taper (à la machine) to type
un **tapis** rug
tard late **plus tard** later
une **tasse** cup
un **taureau** (*pl.* **taureaux**) bull
un **taux** rate
te (t') you, to you, yourself
technique technical
la **technologie** technology
une **télé** television
un **télégramme** telegram
un **téléphone** telephone
téléphoner (à) to call, phone
télévisé televised
un **téléviseur** TV set
la **télévision** television
tellement so much, that much **tellement de** so much, so many, that much, that many
la **température** temperature
une **tempête** storm
temporaire temporary
le **temps** time; weather, tense **à mi-temps** half-time **à plein temps** full time **à temps partiel** part-time **de temps en temps** from time to time **en ce temps-là** in those times **en même temps** at the same time **tout le temps** all the time
tendre to tend
* **tenir** to hold; keep **tenir à** to value highly, to insist upon **tenir à** (+ *inf.*) to insist upon **tenir à** (+ *noun*) to care about
la **tension artérielle** blood pressure
une **tentation** temptation
une **tente** tent
tenter to try
une **terminaison** termination, ending
terminer to end, finish
une **terrasse** terrace
la **terre** ground, earth, land
terriblement extremely
tes your
la **tête** head **avoir mal à la tête** to have a headache
un **texte** text
le **thé** tea
un **thème** theme, topic, subject
le **thon** tuna
le **tien,** la **tienne,** les **tiens,** les **tiennes** yours
un **tiers** one third
un **timbre** stamp
timide shy, timid
un **tirage** drawing
un **tire-bouchon** corkscrew
tirer to pull
un **tiroir** drawer *(of table, etc.)*
toi you
toi-même yourself
tolérant tolerant
tolérer to tolerate
tomber to fall **faire tomber** to drop
ton (ta; tes) your
une **tonne** ton
tort: à tort wrongly **avoir tort** to be wrong
une **tortue** turtle
tôt early
totalement totally
toujours always, still
un **tour** tour, trip around, trick **à votre tour** your turn **un tour du monde** trip around the world
une **tour** tower
le **tourisme** tourist trade **une agence de tourisme** travel agency
un **touriste,** une **touriste** tourist
touristique tourist
tous (toutes) all (all of them), everyone (every one of them), all (the), every
tout: tout (le), toute (la), tous/toutes (les) all (the), every, the whole, the entire, everything, all (of them), everyone (of them)
tout quite, all **en tout cas** in any case, at any rate **pas du tout** not at all **tout à coup** suddenly, all of a sudden **tout à fait** quite, entirely **tout à l'heure** in a little while, a short while ago **tout de suite** right now, immediately **tout le monde** everyone, everybody **tout le temps** all the time **tous les deux** both **tous les jours** every day **tout seul** all by oneself, all alone
toutefois nevertheless
* **traduire** to translate
un **train** train
train: être en train de (+ *inf.*) to be busy/in the middle of doing something
traiter to treat
une **tranche** slice
tranquillement peacefully
transformer to change, transform
le **transport** transportation
transporter to carry, transport
un **travail** (*pl.* **travaux**) work
travailler to work **travailler dur** to work hard
travailleur (travailleuse) hard-working
un **travailleur,** une

travailleuse worker
travers: **à travers** across
traverser to go through; to cross
treize thirteen
un **tremblement de terre** earthquake
trente thirty
trentième thirtieth
très very
un **trésor** treasure
un **tribunal** court
triste sad **être triste (de)** to be sad (to)
la **tristesse** sadness
trois three **trois cents** three hundred
troisième third
troisièmement thirdly
se **tromper** to make a mistake
trop too much
beaucoup trop de much too much, many too many **trop de** too much, too many
un **trou** hole
troubler to disturb, trouble
les **troupes** *f.* troops, forces
trouver to find **se trouver** to be (located)
un **truc** thing
tu you
un **tube** tube
turc (turque) Turkish
la **Turquie** Turkey
un **tuyau** (*pl.* **tuyaux**) pipe
un **type** type, kind, sort

U

un, une a, an, one
l' **un, l'une** (the) one **les uns, les unes** (the) ones, some
l' **Union** *f.* **Soviétique** Soviet Union
universitaire university
une **université** university
l' **uranium** *m.* uranium
un **usager,** une **usagère** user
une **usine** factory
un **ustensile** utensil
utile useful **il est utile** it is useful
utiliser to use

V

les **vacances** *f.* vacation **en vacances** on vacation
un **vaccin** vaccine
* **vaincre** to win, conquer
vaisselle: faire la vaisselle to do the dishes
une **valeur** value
une **valise** suitcase **faire les valises** to pack *(one's suitcases)*
* **valoir** to be worth
une **valse** waltz
une **variété** variety
vaut: il vaut it is worth **il vaut mieux** it is better **il vaut mieux que** it is better that
une **vedette** (movie, TV) star
végétarien (végétarienne) vegetarian
la **veille** the day before **la veille de Noël** Christmas eve
un **vélo** bicycle **à vélo** by bicycle
un **vendeur,** une **vendeuse** salesperson
vendre to sell
vendre...à... to sell
vendredi Friday
* **venir** to come **venir de** (+ *inf.*) to have just **faire venir** to call in
une **vente** sale
le **ventre** stomach **avoir mal au ventre** to have a stomach-ache
un **verbe** verb
vérifier to check
la **vérité** truth
le **verre** glass
un **verre** glass
vers toward *(things)*
vert green
la **vertu** virtue
une **veste** jacket
des **vêtements** *m.* clothes
la **viande** meat
une **victime** victim, casualty
une **victoire** victory
victorieux (victorieuse) victorious
vide empty
la **vie** life
vieillir to grow old, age
viennois Viennese
vieux (vieil, vieille; vieux, vieilles) old
vif (vive) lively, alert
vigilant vigilant, watchful
une **vigne** vine, vineyard
un **vigneron** wine grower
une **villa** summer house, villa
un **village** town, village
une **ville** city **en ville** downtown
le **vin** wine
vingt twenty
vingtième twentieth
la **violence** violence
une **virgule** comma
un **visage** face
visiter to visit *(a place)*
un **visiteur,** une **visiteuse** visitor
une **vitamine** vitamin
vite fast, quickly
la **vitesse** speed
vive...! hurray for...!
* **vivre** to live
voici (+ *noun*) here is/are, here come(s)
voilà (+ *noun*) here is/are, here come(s)
un **voile** veil
une **voile** sail **la planche à voile** windsurfing
* **voir** to see **faire voir** to show **voir clair** to see clearly

un **voisin,** une **voisine** neighbor
une **voiture** car
une **voix** voice
voler to steal
un **volontaire,** une **volontaire** volunteer
volontairement voluntarily
la **volonté** will
vomir to vomit
vos your
votre (*pl.* **vos**) your
le **vôtre,** la **vôtre,** les **vôtres** yours
* **vouloir** to wish, want, to want to **en vouloir à** to bear a grudge against, to be upset with **vouloir bien** to agree, be willing, accept **vouloir dire** to mean **vouloir savoir** to want to know
vous you, to you, yourself, yourselves, each other, one another
vous-même yourself
vous-mêmes yourselves
un **voyage** trip **bon voyage!** have a nice trip! **faire un voyage** to go/be on a trip, take a trip **une agence de voyages** travel agency
voyager to travel
un **voyageur** traveler
vrai true, real **il est vrai** it is true **il est vrai que...** it is true that... that...
vraiment really

W

le **week-end** on (the) weekends
un **week-end** weekend

Y

y there, it **il y a** there is/are, here come(s) **il y a** + *time* *time* + ago
le **yaourt** yogurt

Z

zéro zero

English-French Vocabulary

The English-French Vocabulary contains only active vocabulary.

a

a, an un, une **a little (of), a little bit (of)** un peu de **a lot of** beaucoup de
able: to be able *pouvoir
about de, à propos de, au sujet de, sur **it is about...** il s'agit de..., il est question de... **to be about to do something** être sur le point de (+ *inf.*) **to be happy about** être satisfait de **to dream about** rêver de **to speak/talk about** parler de, discuter de **to worry about** se préoccuper de
above au-dessus de
absent: to be absent *(from a place)* s'absenter
absurd: it is absurd il est absurde
to **accept** *admettre, *vouloir bien (+ *inf.*), accepter de, *vouloir bien, être d'accord
according to d'après, selon
to **accuse** accuser...de
accustomed: to be accustomed to avoir l'habitude de
to **achieve** réaliser
acquaintance une connaissance
acquainted: to be acquainted with *connaître
to **acquire** *acquérir
acquired: newly acquired nouveau (nouvel, nouvelle; nouveaux, nouvelles)
to **act** agir
active actif (active)
actually en réalité, réellement
to **add** ajouter
address book un carnet d'adresses
to **admit** *admettre, avouer, *reconnaître
to **advise** conseiller à...de
to **affirm** affirmer
afraid: to be afraid (of) avoir peur (de)
after après, après que + *indic.*, ensuite **after all** malgré tout **the day after** le lendemain **(the week) after** (la semaine) suivant(e)
afternoon: yesterday afternoon hier après-midi
afterward(s) ensuite, après
again à nouveau, de nouveau, encore, à nouveau
against contre
to **age** vieillir
ago: *elapsed time* + **ago** il y a + *elapsed time* **a long time ago** il y a longtemps
to **agree** accepter (de), *vouloir bien
aircraft carrier un porte-avions
airplane ticket un billet d'avion
alert vif (vive)
all tout, tout (toute; tous, toutes) **all (day/morning/evening) long** toute la (journée/matinée/soirée) **all of a sudden** brusquement, tout à coup **all that** tout ce qui (que, dont, à quoi)
all the tout (le), toute (la), tous (toutes) les **all the time** tout le temps **after all** malgré tout **it's all the same to me** ça m'est égal **not at all** pas du tout **to do all that is possible** faire tout son possible
to **allow** *permettre (à), permettre à...de
allowed: to be allowed to *pouvoir
almost presque
alone seul (seule) **all alone** tout seul
along: to pass along passer
already déjà
also aussi
although bien que + *subj.*, quoique + *subj.*
aluminum l'aluminium *m.*
always toujours
amazed: to be amazed être étonné
ambitious ambitieux (ambitieuse)
among parmi
to **amuse** amuser
amusing amusant
ancient ancien (ancienne)
and: (both...) and (et...) et
angry: to get angry se mettre en colère
to **announce** annoncer
another (one) un(e) autre **another time** encore
to **answer** répondre à
any n'importe **any** + *noun* n'importe quel + *noun* **any one** n'importe lequel **at any rate/in any case** en

tout cas **(at) any time** n'importe quand **in any which way** n'importe comment **not any** ne...aucun(e)
anybody n'importe qui **not anybody** ne...personne
anyhow n'importe comment
anymore: not anymore ne...plus
anyone on, n'importe qui **not anyone** ne...personne
anyplace n'importe où
anything n'importe quoi **not anything** ne...rien
anywhere n'importe où **not anywhere** ne...nulle part
to **apologize** s'excuser **to apologize for** s'excuser de
to **appear** *apparaître, *paraître
appliance un appareil
are: here are voici/voilà **there are** il y a
argument: to have an argument se disputer
around autour de
to **arrange** arranger
to **arrive** arriver
article un article
as: as...as aussi...que **as...as possible** le plus (+ *adverb*) possible **as a matter of fact** en fait, en effet, justement **as long as** tant que **as much...as** autant de...que **as of** dès **as soon as** aussitôt que, dès que **just as** au moment où
ashamed: to be ashamed (of) avoir honte (de)
to **ask** demander à...de, prier...de, demander **to ask (for)** demander **to ask (of)** demander...à...
asleep: to fall asleep *s'endormir
to **assert** affirmer
assuming that à condition que + *subj.*
astonished: to be astonished être étonné
astonishing: it is astonishing il est étonnant
at à **at any rate** en tout cas **at first** d'abord **at last** enfin, finalement **at present** actuellement **at times** quelquefois **at what time?** à quelle heure?
athletic sportif (sportive)
attaché case un porte-documents
to **attack** attaquer
to **attain** *atteindre
to **attend** assister à
attention: to pay attention (to) faire attention à (+ *noun*)
attentive attentif (attentive)
to **attract** attirer
aunt une tante
to **authorize** autoriser...à
autumn: in the autumn en automne
average moyen (moyenne)
to **avoid** éviter de
away: right away tout de suite **to go away** *partir, *s'en aller, s'absenter **to put away** ranger

b

baby un bébé
back: to come back *revenir **to come/go back (home)** rentrer **to give back** rendre **to go back** retourner
bad méchant
badly mauvais, mal
bag un sac
to **bake** *cuire, *faire cuire
ballpoint pen un stylo à bille
banknote un billet
to **be** *être **to be (located)** se trouver **to be able** *pouvoir **to be about to do something** être sur le point de (+ *inf.*) **to be...(years old)** avoir...ans
to **bear a grudge against** en vouloir à
to **beat** *battre
beautiful beau (bel, belle; beaux, belles)
because parce que + *indic.* **because of** à cause de
to **become** *devenir
bed: to go to bed se coucher
before avant, avant de + *inf.*, avant que + *subj.* **(the week) before** (la semaine) précédent(e) **the day before yesterday** avant-hier **the day before** la veille **the night before last** avant-hier soir
to **beg** supplier...de
to **begin** commencer à, *se mettre à **to begin + *inf.*** commencer à + *inf.* **to begin by + *gerund*** commencer par + *inf.*
beginning: at the beginning of the year au début de l'année
behind derrière
to **believe** *croire **to believe in** *croire à
to **belong to** *appartenir à, *être à, *être à + *stress pronoun*
below au-dessous de
beneath au-dessous de
beside à côté de
besides d'ailleurs, de plus, du reste, en outre
best: the best *(adj.)* le

meilleur, la meilleure **the best** *(adverb)* le mieux **to do one's best** faire de son mieux
better meilleur, mieux **it is better (that)** il vaut mieux (que) **to like better** préférer
between entre **between now and...** d'ici (+ *time*)
big gros (grosse)
billion un milliard
bit: a little bit (of) un peu de
to **bite** mordre
to **blackmail** *faire chanter
to **bleach** blanchir
blond blond
to **blush** rougir
to **boil** bouillir, *faire bouillir
book un livre **address book** un carnet d'adresses **check book** un carnet de chèques
to **bore** ennuyer
bored: to get/be bored s'ennuyer
boring ennuyeux (ennuyeuse), pénible
born: to be born *naître
to **borrow (from)** emprunter...à...
both...and et...et
to **bother** ennuyer, gêner
bothered: to be bothered être gêné
bottle une bouteille
box une boîte
boy le garçon
brand une marque
brave brave
to **break** casser **to break** *(one's leg)* se casser (la jambe)
brick la brique
bright génial (*pl.* géniaux)
brilliant brillant, génial (*pl.* géniaux)
to **bring** apporter...à... **to bring** *(someone)* amener (une personne) *(something)* apporter (une chose) **to bring down** descendre **to bring in** rentrer **to bring up** monter
broad large
to **broil** *faire griller
brother un frère
brother-in-law un beau-frère
brown: to turn brown brunir
to **brush** *(one's teeth)* se brosser (les dents)
to **build** bâtir, *construire
to **burglarize** cambrioler
business: it's none of my business ça ne me regarde pas
busy: to be busy doing something être en train de (+ *inf.*) **to keep busy** occuper
to **buy** acheter **to buy (for, from)** acheter...à...
by par **by...ing** en + *pres. part.* **by oneself** seul (seule)

C

calculator une calculatrice
to **call** appeler, téléphoner (à) **to call back** rappeler **to call in** *faire venir
can une boîte **can opener** un ouvre-boîtes
can *pouvoir
Canadian canadien, (canadienne)
to **care about** *tenir à + *noun* **to take care of** s'occuper de
careful prudent **to be careful (about)** faire attention à (+ *noun*)
careless imprudent
carrier: aircraft carrier un porte-avions
to **carry** porter **to carry up** monter
case: attaché case un porte-documents
case: in any case en tout cas
casualty une victime
to **catch** attraper **to catch a glimpse of** *apercevoir
cautious prudent
to **cease** cesser de
to **celebrate** célébrer
certain certain (certaine) **certain (ones)** certain(e)s **it is certain that...** il est certain que...
to **change** changer
to **chase** chasser, *poursuivre
cheap bon marché
check book un carnet de chèques
cheerful joyeux (joyeuse)
chef un chef
chief un chef
to **choose** choisir (de)
Christmas eve la veille de Noël
to **claim** prétendre
clean propre **not clean** sale
to **clean** nettoyer
clear: it is clear that... il est clair que...
to **climb** monter
close: to be close to doing something être sur le point de (+ *inf.*) **to get close to** s'approcher (de)
to **close** fermer
coal le charbon
coin une pièce
cold froid **to be cold** avoir froid
to **comb one's hair** se peigner
to **come** *venir, arriver **to come back** *revenir, rentrer **to come back**

home rentrer **to come in** entrer **here come(s)** voici/voilà
comfortable confortable
comical drôle
complete complet (complète)
computer un ordinateur
to **concern** regarder
concerning à propos de, au sujet de
concrete le béton
condition: on condition that à condition de + *inf.*, à condition que + *subj.*
to **confess** avouer
to **congratulate** féliciter...de
to **conquer** *conquérir, *vaincre
conscientious consciencieux (consciencieuse)
consequently par conséquent
conservative conservateur (conservatrice)
to **construct** *construire
to **contain** *contenir
to **continue** continuer à
to **convince** *convaincre...de, décider...à
cook un chef
to **cook** faire la cuisine, *cuire, *faire cuire
cool frais (fraîche)
copper le cuivre
corkscrew un tire-bouchon
to **correct** corriger
to **cost** coûter
cotton le coton
courageous brave, courageux (courageuse)
course: to take a course suivre un cours
to **cover** *couvrir
crazy fou (folle)
reative créateur (créatrice)
cruel (cruelle)
rasse
ux (curieuse)
il est curieux

to **cut** couper **to cut** *(one's finger)* se couper (au doigt)
cute mignon (mignonne)

d

to **dance** danser
to **dare** oser
daredevil un casse-cou
dark-haired brun
daughter une fille
day un jour **(whole) day** une journée **every day** tous les jours **on that day** ce jour-là **one day** un jour **the day after** le lendemain **the day before** la veille **the day before yesterday** avant-hier **the other day** l'autre jour **...days ago** il y a... jours
dead person un mort
dear cher (chère)
death la mort
decent brave
to **decide** décider de, se décider à **to decide against** renoncer à
to **declare** déclarer
delighted: to be delighted se réjouir
to **demand** exiger
to **depart** *partir
depends: it (all) depends ça dépend
to **deplore** déplorer
to **descend** descendre
to **describe** *décrire
desirable: it is desirable il est souhaitable
to **desire** avoir envie de
to **destroy** *détruire
to **die** *mourir
diet: to be on a diet suivre un régime
difficult difficile
dinner: to have dinner dîner

dirty sale
to **disappear** *disparaître
to **disappoint** *décevoir
to **discover** *découvrir
discreet discret (discrète)
to **discuss** discuter de
dishes: to do the dishes faire la vaisselle
dishonest malhonnête
dishwasher un lave-vaisselle
to **dislike** détester **to dislike intensely** avoir horreur (de)
to **disobey** désobéir (à)
to **displease** *déplaire (à)
to **disturb** déranger, choquer, troubler
to **dive** plonger
to **do** *faire **to do** *(an activity)* faire de + *activity* **to do all that is possible** faire tout son possible **to do one's best** faire de son mieux **to do the dishes** faire la vaisselle **to do without** se passer de **to be about to do something** être sur le point de (+ *inf.*) **to make/have someone do something** faire + *inf.*
doctor un médecin
doing: to be busy (in the middle of) doing something être en train de (+ *inf.*) **to be close to doing something** être sur le point de (+ *inf.*)
done: to have something done *faire + *inf.* **to have something done for oneself** *se faire + *inf.*
to **doubt** douter
doubtful: it is doubtful that... il est douteux que...
down: to go down descendre **to take/bring/go down** descendre
dozen une douzaine
to **draw** dessiner
dream un rêve

to **dream of/about** rêver de
dressed: to get dressed s'habiller
to **drink** *boire
to **drive** *conduire
to **drop** *faire tomber
dry sec (sèche)
dryer: hair dryer un sèche-cheveux
dumb bête
during pendant **during a trip** au cours d'un voyage **during vacation** pendant les vacances **during which** où

e

each chaque **each one** chacun, chacune
early tôt
to **earn** gagner
easy facile
to **eat** manger
economical économique
eight •huit
eighteen dix-huit
eighty quatre-vingts
eighty-one quatre-vingt-un
either...or ou...ou
to **elect** *élire
eleven onze
else: nobody else personne d'autre **nothing else** rien d'autre **someone else** quelqu'un d'autre **something else** autre chose, quelque chose d'autre
elsewhere ailleurs
to **embarrass** embarrasser
embarrassed: to be embarrassed être embarrassé
to **employ** employer
empty vide
to **encourage** encourager...à
end: at the end of the month à la fin du mois
to **end** finir, terminer **to end up by** + *gerund* finir par + *inf.*
engaged: to get engaged se fiancer
engineer un ingénieur
to **enjoy** aimer
enough suffisamment **enough (of)** assez de
to **enter** entrer (dans)
to **entertain (guests) at home** *recevoir
entire: the entire tout le, toute la
entirely tout à fait
equal égal (*pl.* égaux)
equipment: piece of equipment un appareil
to **erase** effacer
to **escape** s'échapper
essential: it is essential il est essentiel
eve: Christmas eve la veille de Noël
even if même si
evening un soir **(whole) evening** une soirée
ever déjà **hardly ever** (ne...) presque jamais
every tout (toute; tous, toutes) les
everybody tout le monde
everyone tous, toutes, tout le monde
everything tout **everything that** tout ce qui (que, dont, à quoi)
everywhere partout
evident: it is evident that... il est évident que...
exact même
to **expect** compter, penser, s'attendre (à)
expected: it is to be expected il est normal
expensive cher (chère) **to be expensive** coûter cher
to **explain** expliquer
to **extinguish** *éteindre
extremely terriblement

f

fact: as a matter of fact en fait, en effet, justement **in fact** en fait
to **fail** rater
fair: it is fair il est juste
to **fall** tomber **to fall asleep** *s'endormir
false faux (fausse)
familiar: to be familiar with *connaître
famous célèbre
far loin **far from** loin de
fast rapide, vite
fat gros (grosse), gras (grasse) **to get fat** grossir
father un père
fatty gras (grasse)
favor: to be in favor être d'accord
favorite favori (favorite)
fear: for fear that de peur que + *subj.*, de peur de + *inf.*
to **fear** *craindre
to **feel** *sentir **to feel** *(emotion, pain)* *ressentir **to feel like** avoir envie de **to feel (sick)** se sentir (malade) **to feel (tired)** se sentir (fatigué)
few: a few quelques, quelques-uns (quelques-unes)
fifteen quinze
fifth: one fifth un cinquième
fifty cinquante
to **fight** *combattre **to have a fight** *se battre
to **fill (out)** remplir
finally enfin, finalement **finally** + *verb* finir par + *inf.*
to **find** trouver **to want to find out** chercher à savoir
to **finish** finir de, terminer **to finish** + *gerund* finir de + *inf.*

first d'abord, premier (première) **for the first time** pour la première fois
five cinq
to **fix** arranger, réparer
flabby mou (molle)
flattered: to be flattered être flatté
to **flee** *fuir
to **follow** *suivre
for depuis, pour **for a long time** longtemps **for fear that** de peur que + *subj.*, de peur de + *inf.* **for how long?** depuis combien de temps? **for the purpose of** afin de
to **forbid** *interdire à...de, défendre à...de
foreign étranger (étrangère)
to **foresee** *prévoir
to **forget** négliger de, oublier de
to **forgive** pardonner à
former ancien (ancienne)
former: the former celui-là, celle-là
formerly autrefois
fortunately heureusement
forty quarante
forward: to move forward avancer
to **forward** *faire suivre
four quatre
fourteen quatorze
fourth: one fourth un quart
fragile fragile
frank franc (franche)
fresh frais (fraîche)
to **frighten** faire peur (à quelqu'un)
from de **far from** loin de **from time to time** de temps en temps
front: in front of devant, en face de
to **fry** *faire frire
frying pan une poêle
full plein **full time** à plein temps
fun: to have fun s'amuser à **to make fun of** se moquer de
to **function** marcher
funny amusant, drôle, drôle de + *noun*
future l'avenir *m.*, le futur

g

to **gain weight** grossir
game: to play a game of... faire une partie de + *game*, faire un match de + *sport*
gas l'essence *f.*
generally en général, généralement
generous généreux (généreuse)
gentle doux (douce)
to **get** *acquérir, chercher, *obtenir, *recevoir, *aller chercher **to get along** s'entendre **to get angry** *se mettre en colère **to get a tan** brunir **to get by** se débrouiller **to get close to** s'approcher (de) **to get dressed** s'habiller **to get engaged** se fiancer **to get fat** grossir **to get married** se marier **to get off** descendre **to get out (of, from)** *sortir (de) **to get ready (to)** se préparer (à) **to get rid of** se débarrasser de **to get undressed** se déshabiller **to get up** se lever **to get upset** s'énerver **to get used to** s'habituer à **to get worried** s'inquiéter
girl une fille
to **give** *offrir, offrir... à... **to give back** rendre, rendre...à... **to give permission** *permettre à...de **to give up** renoncer à
glass un verre
glimpse: to catch a glimpse of *apercevoir
to **go** *aller **to go about something** *s'y prendre **to go away** *partir, s'absenter, *s'en aller **to go back** retourner, rentrer **to go back home** rentrer **to go (by/through)** passer **to go down** descendre **to go for a ride** *(by car, by bicycle)* faire une promenade (en auto, à vélo) **to go for a swim** se baigner **to go for a walk** faire une promenade (à pied) **to go for a walk/ride** se promener **to go home** rentrer **to go in** entrer (dans) **to go on a trip** faire un voyage **to go out** *sortir **to go over** *parcourir **to go shopping** *(for food)* faire les courses **to go shopping** *(for items other than food)* faire des achats **to go through** traverser **to go to** se rendre à **to go to bed** se coucher **to go up** monter
goal un but, un objectif
godfather un parrain
godmother une marraine
going: how's it going? ça marche?/ça va?
gold l'or *m.*
good: it is good il est bon
got: you've got it!/that's it! ça y est!
to **grab** saisir
grandfather un grand-père
grandmother une grand-mère
Greek grec (grecque)
to **grow** pousser, *faire

pousser **to grow old** vieillir **to grow pale** pâlir **to grow (tall)** grandir
grudge: to bear a grudge against *en vouloir à

h

hair dryer un sèche-cheveux
half demi (demie) **half time** à mi-temps **one half** une moitié
hand: on the one hand d'un côté **on the other hand** de l'autre côté, par ailleurs, par contre
handbag un sac
to **hand in** *remettre
to **handle a situation** *s'y prendre
handsome beau (bel, belle; beaux, belles)
to **happen** arriver, se passer
happened: what happened? qu'est-ce qui est arrivé/s'est passé?, qu'est-ce qu'il y a eu?
happening: what's happening? qu'est-ce qu'il y a?, qu'est-ce qui se passe?
happy content, heureux (heureuse) **to be happy** être heureux, être content, se réjouir **to be happy about** être satisfait de **to be happy to/with** être heureux de **to be very happy** être ravi, être enchanté **to make happy** faire plaisir (à quelqu'un)
hard difficile
hardly à peine, (ne...) presque pas **hardly ever** (ne...) presque jamais
hard-working travailleur (travailleuse)
to **hate** détester
to **have** *avoir **to have a fight** *se battre **to have** *(a meal, something to eat or drink)* *prendre **to have an argument** se disputer **to have dinner** dîner **to have fun** s'amuser à **to have just** *venir de + *inf.* **to have lunch** déjeuner **to have someone do something** *faire + *inf.* **to have something done** *faire + *inf.* **to have something done for oneself** *se faire + *inf.* **to have to** *devoir + *inf.* **one does not have to** il n'est pas nécessaire de, il ne faut pas nécessairement **you have to** il faut
he il, lui
head un chef
health: to be in good (bad) health se porter bien (mal)
to **hear** entendre *(about something)* entendre parler de *(from or of someone)* entendre parler de *(information)* entendre dire **to hear of** entendre parler de
heavy lourd
to **help** aider...à, rendre service (à)
helping une portion
her son, sa, ses, (...à elle), elle, la (l'), lui
here ici **here come(s)** voici/voilà **here is/are** voici/voilà
hers être à + elle; le sien, la sienne, les siens, les siennes
herself elle-même
to **hesitate** hésiter à
to **hide** se cacher
high •haut
him lui, le (l')
himself lui-même
to **hire** louer
his son, sa, ses, (...à lui), être à + lui; le sien, la sienne, les siens, les siennes
to **hold** *tenir
holder: key holder un porte-clés
home: to go home rentrer
honest honnête
to **hope** espérer **let's hope that** pourvu que
hot chaud **to be hot** avoir chaud
how? comment?, comment ça? **for how long?** depuis combien de temps? **how...!** comme/que...! **how many?** combien de? **how much?** combien?, combien de? **how's it going?** ça marche?/ça va? **that's how it is** c'est comme ça **to learn how to** apprendre à + *inf.*
however cependant, par contre, pourtant, quand même, seulement
huge énorme
hundred cent **(one) hundred and one** cent un **two hundred** deux cents **two hundred and two** deux cent deux
hundredth: one hundredth un centième
hungry: to be hungry avoir faim
to **hurry** se dépêcher de
to **hurt** blesser *(one's foot)* se blesser (au pied) *(one's hand)* se faire mal (à la main)
husband un mari

i

I je (j'), moi **neither am/do I** moi non plus
identical même

to **identify** identifier, *reconnaître
if si **even if** même si
ill-mannered mal élevé
immediately tout de suite
impatient: to become impatient s'impatienter
impolite impoli
important: it is important il est important
impossible: it is impossible that... il est impossible que...
impulsive impulsif (impulsive)
in à, dans **in...** dans (+ *time*) **in (1980)** en (1980) **in any case** en tout cas **in (August)** en (août) **in fact** en fait **in...from now** dans (+ *time*) d'ici **in front of** devant, en face de **in my opinion** à mon avis **in order that** afin que + *subj.*, pour que + *subj.* **in order to** pour, afin de + *inf.*, pour + *inf.* **in spite of everything** malgré tout **in spite of that** malgré cela **in that way...** comme ça... **in the autumn** en automne **in the middle of** au milieu de **in the month of (June)** au mois de (juin) **in the past** autrefois **in the spring** au printemps **in the summer** en été **in the winter** en hiver **to be in love with** être amoureux de **to bring/take in** rentrer
to **increase** augmenter
indeed en effet, bien
indiscreet indiscret (indiscrète)
indispensable: it is indispensable il est indispensable
inexpensive bon marché
to **injure** blesser
to **inquire** demander
inside (of) à l'intérieur (de)
to **insist** exiger, insister **to insist upon** *tenir à + *inf.*
instead of au lieu de
intellectual intellectuel (intellectuelle)
intelligent intelligent
to **intend** compter **to intend to** avoir l'intention de (+ *inf.*)
intensely: to dislike intensely avoir horreur (de)
to **interest** intéresser **not to interest** laisser (quelqu'un) indifférent **to be of interest to** regarder
interested: to be interested in s'intéresser à
interesting intéressant
to **introduce** présenter
intuitive intuitif (intuitive)
to **invite** inviter...à
iron le fer
is: ...is left il reste (+ *noun*) **...is missing** il manque (+ *noun*) **...is necessary** il faut (+ *noun*) **here is** voici/voilà **there is** il y a
it il/elle, le/la/l', ce, cela (ça) **it (all) depends** ça dépend **it doesn't matter** ça ne fait rien **it is better** il vaux mieux **it is better that** il vaut mieux que **it is good** il est bon **it is necessary that** il faut que **it's all the same to me** ça m'est égal **it's like that/that's how it is** c'est comme ça **it's none of my business** ça ne me regarde pas **how's it going?** ça marche?/ça va? **that's it** c'est ça **that's it!/you've got it!** ça y est!
Italian italien (italienne)
item un article
its son, sa, ses, le sien, la sienne, les siens, les siennes
itself même

j

jar un pot
job un poste
to **join** *joindre
just: to have just *venir de + *inf.* **just as** au moment où

k

to **keep** garder **to keep busy** occuper
key une clé **key holder** un porte-clés
kilogram un kilo
kind amiable, gentil (gentille) **what kind of...** quel genre de.../quelle sorte de.../quel type de...
king le roi
to **kiss** s'embrasser
to **knock down** renverser
to **know** *connaître, *savoir **to know how** *savoir **not to know** ignorer **to want to know** chercher à savoir, *vouloir savoir

l

to **lack** manquer de
lacking: to be lacking manquer de
last dernier (dernière) **at last** enfin, finalement **last (October 30th)** (le 30 octobre) dernier **last (September)** (en septembre) dernier **last week** la semaine dernière

the night before last avant-hier soir
late tard
latest dernier (dernière)
latter: the latter celui-ci, celle-ci
to **laugh** *rire **to laugh at** se moquer de
to **launch** lancer
lazy paresseux (paresseuse)
lead le plomb
leaf une feuille
to **learn** *apprendre **to learn how to** *apprendre à + *inf.*
least: the least... le/la/les moins + *adj.* **the least** + *noun* (+ **in**) le moins de + *noun* (+ de) **the least** (+ *adverb*) le moins (+ *adverb*) de
leather le cuir
to **leave** quitter, *partir, laisser...à..., *s'en aller **to leave** *(a place or person)* quitter **to leave** *(something or someone someplace)* laisser
left: ...is/are left il reste (+ *noun*) **there is/are...left** il reste...
left: to the left of à gauche de
to **lend** prêter...à...
less moins **less and less** de moins en moins **less...than** moins (de)...que **more or less (well)** comme ci, comme ça **the less...the less...** moins...moins
to **let** laisser, *permettre à...de
let's hope that pourvu que
liberal libéral (*pl.* libéraux)
to **lie (tell lies)** *mentir
light léger (légère)
like: it's like that c'est comme ça
to **like** aimer **to like better** préférer **to like very much** adorer
to **listen to** écouter
liter un litre **half liter** un demi-litre
little peu **a little (of), a little bit (of)** un peu de
to **live** *(in a place)* habiter **to live** *(in general)* *vivre
lively vif (vive)
to **loan** prêter...à...
located: to be located se trouver
lonely seul (seule)
long long (longue) **a long time ago** il y a longtemps **(for) a long time** longtemps **for how long?** depuis combien de temps?
longer: no (not any) longer ne...plus
to **look** *paraître, avoir l'air (de) **to look at** regarder **to look for** chercher **to look like** ressembler à
to **lose** perdre **to lose weight** maigrir
lot: a lot beaucoup, énormément **a lot of** beaucoup de
love: in love amoureux (amoureuse) **to be in love with** être amoureux de
low bas (basse)
loyal loyal (*pl.* loyaux)
lucky: to be lucky avoir de la chance
luggage rack un porte-bagages
lunch: to have lunch déjeuner

m

machine un appareil, une machine
mad: to be mad être furieux
to **maintain** *maintenir, affirmer
make une marque
to **make** *faire **to make** *(a decision)* *prendre **to make a mistake** se tromper **to make fun of** se moquer de **to make happy** faire plaisir (à quelqu'un) **to make happy (sad,...)** rendre (quelqu'un) heureux (triste,...) **to make someone do something** *faire + *inf.* **to make up one's mind** se décider à
make-up: to put on make-up se maquiller
man un homme
to **manage** diriger, s'arranger, se débrouiller **to manage to** arriver à
many beaucoup de **how many?** combien de? **many too many** beaucoup trop de **not many** peu de **so many, that many** tant de, tellement de **too many** trop de **very many** beaucoup de
married: to get married se marier
to **marry someone** épouser, se marier avec
matter: as a matter of fact en fait, en effet, justement **it doesn't matter** ça ne fait rien **no matter** n'importe **not to matter to** laisser (quelqu'un) indifférent **what's the matter?** qu'est-ce qu'il y a?
may *pouvoir
maybe peut-être
me moi, me (m') **"me neither"** moi non plus **"me too"** moi aussi
meal: to have a meal *prendre
to **mean** *vouloir dire
to **meet** rencontrer, se rencontrer, faire la connaissance de **to meet**

(someone, for the first time) faire la connaissance de (+ *person*)
to **melt** fondre, *faire fondre
merchandise une marchandise
microcomputer un micro-ordinateur
middle: in the middle of au milieu de **to be in the middle of doing something** être en train de (+ *inf.*)
mild doux (douce)
million un million **ten million** dix millions
mind: to make up one's mind se décider à
mine être à + moi; le mien, la mienne, les miens, les miennes
minute minuscule
to **miss** rater, manquer
missed: to be missed by manquer à
missing: ...is/are missing il manque (+ *noun*) **there is/are missing** il manque
mistake: to make a mistake se tromper
model: (fashion) model un mannequin
modern moderne
money: to save (money) économiser (de l'argent), faire des économies **to spend money** dépenser
month: at the end of the month à la fin du mois **in the month of (June)** au mois de (juin)
more davantage, plus **more and more** de plus en plus **more or less (well)** comme ci, comme ça **more...than** plus de...que **more...than** plus...que **once more** encore **the more...the more** plus...plus
moreover d'ailleurs, de plus, du reste, en outre
morning un matin **(whole) morning** une matinée **this morning** ce matin
most (of them) la plupart **most of** la plupart de **the most** (+ *adverb*) le plus (+ *adverb*) de **the most** + *noun* (+ **in**) le plus de + *noun* (+ de) **the most...** le/la/les plus + *adj.*
mother une mère
to **move** *(one's residence)* déménager **to move forward** avancer
moved: to be moved être ému
much beaucoup de **as much...as** autant de...que **how much?** combien (de)? **much too much** beaucoup trop de **not much (of)** peu (de) **so much, that much** tant (de), tellement (de) **too much** trop (de) **very much** beaucoup (de)
must *devoir + *inf.*, *devoir **one must not** il ne faut pas **one/you must** il faut
my mon, ma, mes
myself moi-même
mysterious mystérieux (mystérieuse)

n

naïve naïf (naïve)
named: to be named s'appeler
narrow étroit
nasty méchant, sale
natural naturel (naturelle) **it is natural** il est naturel
near près, près de, auprès de
necessary: ...is/are necessary il faut (+ *noun*) **it is absolutely necessary** il est indispensable **it is necessary** il est nécessaire **it is necessary that** il faut que **it is not necessary** il n'est pas nécessaire de, il ne faut pas nécessairement
to **need (to)** avoir besoin de
needs: one needs (to have)... il faut (+ *noun*)
to **neglect** négliger de
neither non plus **neither am/do I ("me neither")** moi non plus **neither... nor** ne...ni...ni
nephew un neveu
never ne...jamais, (ne...) jamais
nevertheless cependant, malgré cela, néanmoins, pourtant, quand même, toutefois
new nouveau (nouvel, nouvelle; nouveaux, nouvelles) **(brand) new** neuf (neuve)
newly acquired nouveau (nouvel, nouvelle; nouveaux, nouvelles)
next prochain **next (week)** (la semaine) prochain(e) **next to** à côté de, près de, auprès de **(the) next (week)** (la semaine) d'après
nice agréable, sympathique, gentil (gentille)
nickel le nickel
niece une nièce
night: the night before last avant-hier soir
nine neuf
nineteen dix-neuf

ninety quatre-vingt-dix
ninety-one quatre-vingt-onze
ninth neuvième
nobody ne...personne
nobody else personne d'autre
no longer (more) ne...plus
no matter n'importe
none: it's none of my business ça ne me regarde pas
nonetheless néanmoins
no one ne...personne
nor: neither...nor ne...ni...ni
normal normal (*pl.* normaux)
not ne...pas, (ne...) pas
not a single ne...aucun(e)
not any ne...aucun(e) **not anymore (any longer)** ne...plus **not anyone (anybody)** ne...personne
not anything ne...rien
not anywhere ne...nulle part **not at all** pas du tout **not many** peu de
not much (of) peu (de)
not to interest laisser (quelqu'un) indifférent **not to know** ignorer **not to matter to** laisser (quelqu'un) indifférent **not yet** ne...pas encore
to **note** constater, noter
notebook: small notebook un carnet
nothing ne...rien **nothing else** rien d'autre
to **notice** *s'apercevoir de, noter, observer, remarquer
now maintenant **between now and...** d'ici (+ *time*) **in...from now** dans (+ *time*) d'ici **right now** tout de suite
nowhere ne...nulle part
nylon le nylon

O

to **obey** obéir (à)
object un objet
objection: to see no objection être d'accord
objective un but, un objectif
to **oblige** obliger, obliger...à
to **observe** constater, observer
to **obtain** *obtenir, *recevoir
to **occur** arriver, se passer
odd bizarre **it is odd** il est bizarre
of de **of the** du, de la, de l', des **of them** d'entre eux/elles **of which, of whom** dont
off: to get off descendre
to turn off *éteindre
to **offer** *offrir, offrir...à..., offrir à...de
often souvent
oil le pétrole
old âgé, ancien (ancienne), vieux (vieil, vieille; vieux, vieilles) **to be...years old** avoir...ans **to grow old** vieillir
on sur **on...ing** en + *pres. part.* **on condition that** à condition de + *inf.*, à condition que + *subj.* **on the one hand** d'un côté **on the other hand** de l'autre côté, par ailleurs, par contre **on top of** au-dessus de
once une fois **once more** encore **once upon a time** il était une fois
one on, un **one (you, they, people) should (must)** il faut **one needs (to have)...** il faut + *noun*
one's son, sa, ses **(the) one** l'un, l'une **(the) ones** les uns, les unes **the other one** l'autre **the other ones** les autres **the same one** le/la même **the same ones** les mêmes
each one chacun, chacune
on the one hand d'un côté
oneself: all by oneself tout seul **by oneself** seul (seule)
only seul (seule), seulement, ne...que
to **open** *ouvrir
opener: can opener un ouvre-boîtes
opinion: in my opinion à mon avis
or: (either...) or (ou...) ou
order: in order to afin de, pour, afin que + *subj.*, pour + *inf.* **to put in order** ranger
to **order** commander à...de, ordonner à...de
original original (*pl.* originaux)
other: the other l'autre..., les autres... **the other (one)** l'autre **(the) others, the other ones** les autres **other(s), other ones, some others** d'autres **on the other hand** de l'autre côté, d'un côté, par ailleurs
otherwise autrement
ounce une once
our notre, nos
ours être à + nous; le nôtre, la nôtre, les nôtres
ourselves nous-mêmes
out dehors **to go/get/take out (of, from)** *sortir (de) **to take out** *sortir + *object*
outside dehors **outside (of)** à l'extérieur de
oval ovale
over: to go over *parcourir **over there** là-bas

to **owe** *devoir + *noun*
own propre
to **own** posséder

p

pack un paquet
to **pack** *(one's suitcases)* faire les valises
package un paquet
to **paint** *peindre
painter un peintre
pale: to grow pale pâlir
pan: frying pan une poêle
paper le papier
part: to take part in participer à
to **participate in** participer à
part-time à temps partiel
to **pass** *(a test)* réussir à **to pass (along)** passer
past: in the past autrefois
to **pay (for)** payer **to pay attention to** faire attention à (+ *noun*)
pen: ball-point pen un stylo à bille
people les gens, on
percent pour cent
perhaps peut-être
permission: to give permission *permettre à...de
to **permit** *permettre (à)
person une personne **dead person** un mort
to **persuade** persuader...de
petroleum le pétrole
to **phone** téléphoner (à)
to **pick up** *aller chercher
piece un morceau **piece of equipment** un appareil
pity: it is a pity il est dommage
to **place** *mettre, placer **to take place** avoir lieu
plain ordinaire, moche
plan un projet
to **plan** penser
plastic la matière plastique, le plastique
to **play** jouer (à) **to play** *(a musical instrument)* jouer de **to play** *(a sport or game)* jouer à **to play** *(a sport)* *faire de + *sport* **to play** *(an instrument)* *faire de + *instrument* **to play a game of...** faire un match de + *sport* **to play a game of...** faire une partie de + *game*
pleasant agréable, sympathique
please *(in formal speech)* veuillez
to **please** *plaire (à), plaire (à quelqu'un) **to please** *(someone)* faire plaisir à (+ *person*)
pleased: to be pleased to/with être content de
to **poison** empoisonner
polite poli
poor pauvre
poorly mal
portion une portion
possible: as...as possible le plus (+ *adverb*) possible **it is possible that...** il est possible que..., il se peut que... **to do all that is possible** faire tout son possible
post un poste
post office une poste
pound une livre
practical pratique
to **practice** *(an activity)* faire de + *activity*
precisely justement
to **predict** *prédire
to **prefer** préférer, aimer mieux
to **preoccupy** préoccuper
present: at present actuellement **to be present at** assister à
to **pretend (to)** faire semblant de (+ *inf.*)
pretentious prétentieux (prétentieuse)
pretty joli
to **prevent** empêcher...de
previous: (the) previous (week) (la semaine) d'avant
probable: it is probable that... il est probable que...
problem: puzzling problem un casse-tête
to **produce** *produire
product un produit
professor un professeur
to **promise** *promettre (à), *promettre à...de
to **protect** protéger
proud fier (fière) **to be proud (to/of)** être fier (de)
provided à condition de **provided that** pourvu que + *subj.*
public public (publique)
punctual ponctuel (ponctuelle)
purpose: for the purpose of afin de
to **pursue** *poursuivre
to **put** placer **to put away** ranger **to put back** *remettre **to put in order** ranger **to put (on)** *mettre **to put on make-up** se maquiller
puzzle un casse-tête
puzzling problem un casse-tête

q

queen la reine
questionable: it is questionable that... il est douteux que...
quickly vite
quiet silencieux (silencieuse) **to be quiet** *se taire
quite bien, fort, tout, tout à fait

r

rack: luggage rack un porte-bagages
to **raise** élever
rate: at any rate en tout cas
rational raisonnable, sage
to **reach** *atteindre **to reach (a goal)** atteindre (un but)
to **react** réagir
to **read** *lire
ready: to get ready (to) se préparer (à)
to **realize** se rendre compte de
really réellement, vraiment, bien
to **recall** rappeler
to **receive** *recevoir
to **recognize** *reconnaître
to **recommend** recommander à...de
rectangular rectangulaire
red: to turn red rougir
redheaded roux (rousse)
to **reduce** *réduire
to **refuse** refuser de
to **regret** regretter (de)
regrettable: it is regrettable il est regrettable
to **reject** rejeter
to **remain** rester
to **remark** remarquer
to **remember** se rappeler, *se souvenir de
to **remove** enlever
to **renounce** renoncer (à)
to **rent** louer
to **repeat** répéter
to **replace** remplacer
to **reply** répliquer
to **reproach** reprocher à...de
to **require** obliger...à
to **reserve** *retenir, réserver
to **resolve** *resoudre
to **rest** se reposer
to **retain** *retenir
to **return** rentrer, *revenir, retourner **to return** *(something)* rendre
rich riche
rid: to get rid of se débarrasser de
ride: to go for a ride *(by car, by bicycle)* faire une promenade (en auto, à vélo), se promener
ridiculous: it is ridiculous il est ridicule
right: right away tout de suite **right now** tout de suite **to be right** avoir raison **to the right of** à droite de
to **ring** sonner
to **roast** *faire rôtir
round rond
rubber le caoutchouc
to **run** *courir, diriger **to run over** renverser

s

sack un sac
sad triste **to be sad (to)** être triste (de)
sail une voile
same même **at the same time** en même temps **it's all the same to me** ça m'est égal **the same (one)** le/la même **the same (ones)** les mêmes **the same** le/la même..., les mêmes...
to **save** *(keep)* garder **to save** *(money)* économiser (de l'argent), faire des économies **to save** *(a person or thing from destruction)* sauver
to **say** *dire
scarcely à peine
to **scare** faire peur (à quelqu'un)
second deuxième *(of two)* second
second-hand d'occasion
secretive secret (secrète)
to **see** *apercevoir, *voir, assister à **to see (a dream) come true/become reality** réaliser (un rêve) **to see clearly** *voir clair **to see no objection** être d'accord
to **seek to** chercher à
to **seem** *paraître, avoir l'air (de)
to **seize** saisir
seldom rarement
selfish égoïste
to **sell** vendre, vendre...à...
to **send** *envoyer, *envoyer...à...
serious sérieux (sérieuse)
to **serve** *servir
to **set** placer
to **settle (down)** s'installer
seven sept
seventeen dix-sept
seventy soixante-dix
seventy-one soixante et onze
several plusieurs **several times** plusieurs fois
to **share** partager
to **shave** se raser
she elle
sheet une feuille
to **shock** choquer
shopping: to go shopping *(for items other than food)* faire des achats *(for food)* faire les courses
short court, petit
shortly tout à l'heure
should *devoir **should +** *passive verb* *être à + *inf.* **one should not** il ne faut pas **one/you should** il faut
to **show** montrer...à..., *faire voir **to show in** *faire entrer
to **shut** fermer
sick: to feel sick *se sentir malade
silent silencieux (silencieuse)
silk la soie

silver l'argent *m.*
similar pareil (pareille)
since depuis, depuis que + *indic.*, puisque + *indic.* **since when?** depuis quand?
to **sing** chanter **to sing on key (off key)** chanter juste (faux)
single: not a single ne...aucun(e)
sister une sœur
sister-in-law une belle-sœur
to **sit down** *s'asseoir
situation: to handle a situation *s'y prendre
six six
sixteen seize
sixth: one sixth un sixième
sixty soixante
skinny maigre
skyscraper un gratte-ciel
slack mou (molle)
to **sleep** *dormir
sleepy: to be sleepy avoir sommeil
slice une tranche
slow lent
smart intelligent **very smart** brillant
to **smell** *sentir **to smell good (bad)** sentir bon (mauvais)
to **smile** *sourire
to **smoke** fumer
snowplow un chasse-neige
so si **so many** tant de, tellement de **so much** tant (de), tellement (de) **so that** afin que + *subj.*, pour que + *subj.* **so-so** comme ci, comme ça
soft doux (douce), mou (molle)
solid solide
some des, en, certain (certaine), certain(e)s, les uns, les unes, quelques, quelques-uns (quelques-unes) **some other(s)** d'autres
somebody quelqu'un
someone on, quelqu'un **someone else** quelqu'un d'autre
something quelque chose **something else** autre chose, quelque chose d'autre **to go about something** *s'y prendre
sometimes parfois, quelquefois
somewhere quelque part
son un fils
soon bientôt **as soon as** aussitôt que, dès que
sorry: to be sorry être désolé **to be sorry about** regretter de **to be very sorry** être navré
to **speak to** parler (à) **to speak about** parler de **to speak in a loud (high, low) voice** parler fort (haut, bas)
special spécial (*pl.* spéciaux)
to **spell** épeler
to **spend** *(money)* dépenser, *(time)* passer
to **spill** renverser
spite: in spite of everything malgré tout **in spite of that** malgré cela
sports: one who likes sports sportif (sportive)
spring: in the spring au printemps
square carré
stamp un timbre
star: (movie, TV) star une vedette **(movie) star** une star
to **start** commencer, *se mettre à **to start** + *gerund* commencer à + *inf.* **to start by** + *gerund* commencer par + *inf.*
to **state** déclarer
station un poste
to **stay** rester
to **steal** voler
steel l'acier *m.*
still cependant, encore, toujours
to **sting** piquer
stone la pierre
to **stop** s'arrêter, cesser (de), empêcher...de, finir de, s'arrêter de **to stop** + *gerund* finir de + *inf.*
stove un poêle
strange drôle de + *noun*, étrange **it is strange** il est étrange
strong fort
to **study** étudier **to study** *(a subject)* *faire de + *subject*
to **succeed (in)** réussir (à)
successful: to be successful in réussir à
sudden: all of a sudden brusquement, tout à coup
suddenly soudain, tout à coup
to **suffer** *souffrir
to **suggest** proposer à...de, suggérer à...de
suitcase une valise
summer: in the summer en été
superficial superficiel (superficielle)
superstitious superstitieux (superstitieuse)
supposed: to be supposed to *devoir + *inf.*
sure certain (certaine) **it is sure that...** il est sûr que... **to be sure** être sûr
to **surprise** *surprendre, étonner **surprised: to be surprised** être surpris
surprising: it is surprising il est surprenant
to **survive** *survivre
sweet doux (douce)
to **swim** nager **to go for a swim** se baigner

t

tablet un cachet
to **take** *(in general)* *prendre

to take *(an exam)* passer to take *(a test)* passer **to take a course** suivre un cours **to take a trip** faire un voyage **to take away** *(something)* emporter **to take care of** s'occuper de **to take down** descendre **to take in** rentrer **to take off** enlever **to take out** *(a person)* emmener **to take out** *(a thing)* *sortir **to take part in** participer à **to take place** avoir lieu, se passer **to take time** *mettre **to take up** monter

to **talk to** parler (à) **to talk about** discuter de, parler de

talkative bavard

tall grand, •haut **to grow tall** grandir

tan: to get a tan brunir

to **teach** *apprendre à...à, enseigner à...à

teacher un professeur

to **tell** *dire, raconter, *dire...à..., *dire à...de **to tell lies** *mentir

ten dix

tenth: one tenth un dixième

than *(in comparisons)* que

to **thank** remercier...de

that ce (cet), cette, que, qui, ce, ceci, cela (ça) **that much** tant (de), tellement (de) **that one (over there)** celui-là, celle-là **that's how it is/it's like that** c'est comme ça **that's it** c'est ça **that's it!/you've got it!** ça y est! **that...(over there)** ce...-là **in that way...** comme ça... **what's that?** qu'est-ce que c'est que ça? **who is that?** qui est-ce?

the le, la, l', les **the one** celui, celle **the ones** ceux, celles **of the** du, de la, de l', des

their leur, leurs (...à eux/elles), ses

theirs être à + eux/elles; le leur, la leur, les leurs

them eux, elles, les, leur **of them** d'entre eux/elles

themselves eux-mêmes, elles-mêmes

then ensuite, puis, alors, ensuite

there y, là **there is/are** il y a **over there** là-bas

therefore par conséquent

these ces **these (over here)** ceux-ci, celles-ci

they ils, elles, on, eux

thick épais (épaisse)

thin mince **to become thin** maigrir **how thin you have become!** comme/que tu as maigri!

thing une chose, un machin, un objet, un truc

to **think** *croire, penser (à) **to think (about)** réfléchir (à), penser à/de, songer à

third: one third un tiers

thirsty: to be thirsty avoir soif

thirteen treize

thirty trente

this ce (cet), cette, ceci, cela **this morning** ce matin **this one (over here)** celui-ci, celle-ci **this...(over here)** ce...-ci

those ces **those (over there)** ceux-là, celles-là

thousand mille **(one) thousand and one** mille un **two thousand** deux mille

to **threaten** menacer (de)

three trois

through par **to travel through** *parcourir **to go through** traverser

to **throw** jeter, lancer

ticket un billet **airplane ticket** un billet d'avion

time *(clock time)* l'heure *f.* *(duration)* le temps *(single or repeated occasions)* la fois **(for) a long time** longtemps **a long time ago** il y a longtemps **all the time** tout le temps **another time** encore **(at) any time** n'importe quand **at the same time** en même temps **at what time?** à quelle heure? **for a long time** longtemps **for the first time** pour la première fois **from time to time** de temps en temps **full time** à plein temps **half-time** à mi-temps **once upon a time** il était une fois **part-time** à temps partiel **several times** plusieurs fois

times: at times quelquefois

tiny minuscule

tired: to feel tired *se sentir fatigué

to à **(in order) to** afin de, pour, pour + *inf.* **to the left of** à gauche de **to the right of** à droite de

today aujourd'hui

together ensemble

tomorrow demain

ton une tonne

too aussi **it is too bad** il est regrettable **too many** trop de **too much** trop (de) **many too many** beaucoup trop de **much too much** beaucoup trop de

top: on top of au-dessus de

tour un tour

toward *(people)* envers *(things)* vers

tower une tour

to **translate** *traduire

to **travel** voyager **to travel through** *parcourir

trick un tour
trip: during a trip au cours d'un voyage **to go on/be on/take a trip** faire un voyage **trip around** un tour
to **trouble** déranger, troubler
true: it is true that... il est vrai que...
to **try** essayer, chercher à, essayer de
tube un tube
Turkish turc (turque)
to **turn brown** brunir **to turn off** *éteindre **to turn on** *(the TV)* *mettre **to turn red** rougir **to turn white** blanchir
twelve douze
twenty vingt
twenty-one vingt et un
twenty-two vingt-deux
twice deux fois
two deux
type: what type of... quel genre de.../quelle sorte de.../quel type de...
to **type** taper (à la machine)

U

ugly laid
unattractive moche
uncertain: it is uncertain that... il est douteux que...
uncle un oncle
uncomfortable inconfortable
under sous
to **understand** *comprendre
undressed: to get undressed se déshabiller
unfair: it is unfair il est injuste
unfortunately malheureusement
unhappy malheureux (malheureuse) **to be unhappy** être malheureux
unknown inconnu
unless à moins que + *subj.*, à moins de + *inf.*
unpleasant désagréable
until jusqu'à ce que + *subj.*, jusqu'à
up: to go (bring) up monter **to take/carry/go up** monter
upon: once upon a time il était une fois **upon...ing** en + *pres. part.*
to **upset** gêner **to be upset with** *en vouloir à **to get upset** s'énerver
uranium l'uranium *m.*
us nous
to **use** employer, utiliser, *se servir de
used d'occasion
used to: to be used to avoir l'habitude de **to get used to** s'habituer à
useful utile **it is useful** il est utile
useless inutile **it is useless** il est inutile
usually d'habitude, habituellement

V

vacation: during vacation pendant les vacances
to **value highly** *tenir à
veil un voile
very même, drôlement, fort, très **very much** beaucoup **very much/many** beaucoup de
victim une victime
to **visit** *(a person)* rendre visite (à) *(a place)* visiter
voice: to speak in a loud (high, low) voice parler fort (haut, bas)

W

to **wait (for)** attendre
waiter un garçon
waiting: while waiting for en attendant que + *subj.*, en attendant de + *inf.*
waitress une serveuse
to **wake up** se réveiller
to **walk** marcher **to go for a walk** faire une promenade (à pied), se promener
to **want** désirer, *vouloir, *avoir envie de **to want to find out** chercher à savoir **to want to know** *vouloir savoir, chercher à savoir
warm chaud **to be warm** avoir chaud
to **wash** laver **to wash (oneself)** se laver
to **waste** *(time)* perdre
to **watch** regarder **to watch** *(on TV)* regarder **to watch out** faire attention
way: in any which way n'importe comment
we nous, on
weak faible
to **wear** porter
week la semaine
to **weigh** peser
weight: to gain weight grossir **to lose weight** maigrir
well bien
well-mannered bien élevé
what quel (quelle), quels (quelles), (ce) à quoi, ce dont, ce que, ce qui, quoi **at what time?** à quelle heure? **in what way** (ce) en quoi **what?** que?, quoi?, qu'est-ce que? qu'est-ce qui? **what happened?** qu'est-ce qui est arrivé/s'est passé?, qu'est-ce qu'il y a eu? **what is it?** qu'est-ce que

c'est? **what is (that book)?** qu'est-ce que c'est que (ce livre)? **what kind/type of...** quel genre de.../quelle sorte de.../quel type de... **what's happening?** qu'est-ce qu'il y a?, qu'est-ce qui se passe? **what's that?** qu'est-ce que c'est que ça? **what's the matter?** qu'est-ce qu'il y a?
when lorsque, où, quand **since when?** depuis quand? **when?** quand?, quand ça?
where? où?, où ça?
which quel (quelle), quels (quelles), que, qui **during which** où **of which** dont **which one, which ones** lequel, laquelle, lesquels, lesquelles
while pendant que, pendant que + *indic.* **a short while ago** tout à l'heure **in a little while** tout à l'heure **while...ing** en + *pres. part.* **while waiting for** en attendant que + *subj.*, en attendant de + *inf.*
white blanc (blanche) **to turn white** blanchir
to **whiten** blanchir
who que, qui **who?** qui?, qui ça?, qui est-ce qui? **who is that?** qui est-ce?
whole: the whole tout le, toute la **the whole (day/morning/evening)** toute la (journée/matinée/soirée)
whom que **of whom** dont **to whom?** à qui? **whom?** qui?, qui est-ce que? **with whom?** avec qui?
whose dont
why? pourquoi?
wide large
wife une femme
willing: to be willing *vouloir bien (+ *inf.*)
to **win** gagner, *vaincre
windshield wiper un essuie-glace
winter: in the winter en hiver
to **wipe** essuyer
wiper: windshield wiper un essuie-glace
wise raisonnable, sage
to **wish** désirer, *vouloir, souhaiter
with avec **with whom?** avec qui?
within... d'ici (+ *time*)
without sans, sans + *inf.*, sans que + *subj.* **to do without** se passer de
woman une femme
to **wonder** se demander
wood le bois
wool la laine
word processor une machine de traitement de texte
to **work** marcher, travailler **to work hard** travailler dur
working: hard-working travailleur (travailleuse)
worried inquiet (inquiète) **to get worried** s'inquiéter
to **worry** s'inquiéter, *s'en faire, inquiéter, préoccuper **to worry about** se préoccuper de
worse moins bon
worth: to be worth *valoir
worthy brave
to **wound** blesser
to **write** *écrire, *écrire...à..., *écrire à...de
writer un écrivain
wrong: to be wrong avoir tort

Y

year un an **(whole) year** une année **at the beginning of the year** au début de l'année **(20) years ago** il y a (20) ans **to be...years old** avoir...ans
yes si *(when contradicting a negative question)*
yesterday hier **the day before yesterday** avant-hier **yesterday afternoon** hier après-midi
yet: not yet ne...pas encore
you tu, vous, toi, te (t'), on *(in a general sense)* **you've got it!/that's it!** ça y est!
young jeune
your ton, ta, tes, votre, vos
yours être à + toi/vous, le tien, la tienne, les tiens, les tiennes, le vôtre, la vôtre, les vôtres
yourself toi-même, vous-même
yourselves vous-mêmes

Z

zero zéro

Index

Credits

Illustrations

Cover: *La Brasserie Lorraine* by Cellia Saubry. Galerie Naïfs et Primitifs, Paris.
The Boston Public Library: 131
The Metropolitan Museum of Art: 79, 185
The Museum of Modern Art: 247, 361
The New York Public Library: 1
Yale University Art Gallery: 307

Photographs

Barbara Alper/Stock, Boston: 371
Mark Antman/The Image Works, Inc.: 127, 226, 257
Mark Antman/Stock, Boston: 291, 387
Francis Apesteguy/Jean-Claude Francolon/Gamma Liaison: 210
Pierre Berger/Photo Researchers, Inc.: 119
Stuart Cohen: 121, 132, 174, 186, 280, 303
Gabor Demjen/Stock, Boston: 222
Suzanne Fournier/Photo Researchers, Inc.: 205
Owen Franken/Stock, Boston: facing title page, 27, 111, 362, 376
Beryl Goldberg: 299
Monique Manceau/Photo Researchers, Inc.: 153, 255
Peter Menzel: 162, 248, 270, 329, 342, 352, 401, 408
Peter Menzel/Stock, Boston: 80, 142, 338
Janine Niépce/Photo Researchers, Inc.: 327
Omikron/Photo Researchers, Inc.: 391
Palmer/Brilliant: 83, 89, 92, 97, 105, 117, 168, 199, 235, 297, 313, 319, 344, 350, 394, 398
J. Pavlovsky/Rapho/Photo Researchers, Inc.: 59
Mario Rossi/Photo Researchers, Inc.: 191
Patrick Ward/Stock, Boston: 308

4 5 6 7 8 9 10